ESTELAS, LABERINTOS, NUEVAS SENDAS

AUTORES, TEXTOS Y TEMAS

LITERATURA

Dirigida por Laureano Bonet

1

Ángel G. Loureiro (Coord.)

ESTELAS, LABERINTOS, NUEVAS SENDAS

Unamuno. Valle-Inclán. García Lorca. La Guerra Civil

Iris M. Zavala
Antonio Carreño
Carlos Feal
Michael A. Weinstein
Walter Glannon
Gonzalo Sobejano
Virginia M. Garlitz
Carol Maier
Luis T. González del Valle
Leda Schiavo
Ángel G. Loureiro
Luis Fernández-Cifuentes
Linda Materna
John Walsh
Christopher Maurer
Félix Grande
Suzanne Byrd
Javier Tusell
Martha Ackelsberg
Myrna Breitbart
Douglas L. Wheeler
Cándido Pérez Gállego

Diseño gráfico: GRUPO A

Primera edición: febrero 1988

Edita: Editorial Anthropos. Promat, S. Coop. Ltda.
Vía Augusta, 64, 08006 Barcelona
ISBN: 84-7658-068-1
Depósito legal: B. 47.641-1987
Impresión: Gráficas Alpes, Hospitalet de Llobregat (Barcelona)

Impreso en España - *Printed in Spain*

Esta obra se publica gracias a la ayuda económica prestada por las siguientes personas e instituciones: Samuel Conti, Vice-Chancellor for Research Affairs, University of Massachusetts; Five College Inc.; Richard Fink, Dean of the Faculty, Amherst College.

El simposio «Spain'36», cuyas ponencias se recogen en este libro, se celebró con la ayuda económica de las siguientes instituciones e individuos: Richard Fink, Dean of the Faculty, Amherst College; Joseph Ellis, Dean of the Faculty, Mount Holyoke College; Frances Volkmann, Dean of the Faculty, Smith College; Murray Schwartz, Dean of Humanities and Fine Arts, University of Massachusetts; Comité Conjunto Hispano-Norteamericano para la Cooperación Cultural y Educativa; Programa de Estudios Hispánicos en Córdoba (PRESHCO).

INTRODUCCIÓN

Mil novecientos ochenta y seis fue un año pródigo en celebraciones y homenajes al cumplirse los cincuenta años del comienzo de la Guerra Civil española y de la muerte de Unamuno, Valle-Inclán y García Lorca. Congresos, mesas redondas y publicaciones abordaron, en numerosos países, variados aspectos de uno u otro de los autores citados. En un esfuerzo conjunto, Amherst College, Mount Holyoke College, Smith College y la Universidad de Massachusetts, llevaron a cabo un ambicioso proyecto por el que se invitó a destacados especialistas a reunirse durante una semana para discutir y replantear, cincuenta años más tarde, diversas cuestiones en torno a la Guerra Civil y a los tres autores mencionados: nació así el simposio «Spain'36», celebrado entre el 6 y el 10 de octubre de 1986 en Amherst y Northampton, ciudades vecinas en Massachusetts y sedes de las universidades patrocinadoras del congreso. La calidad y novedad de las ponencias estimuló al comité organizador a buscar la publicación de las actas de dicho congreso, ofrecidas en este libro, como una forma de continuar el diálogo crítico y de abrir nuevos cauces y plantear nuevas preguntas. No tendría mucho sentido el ofrecer aquí una introducción más a los autores estudiados —de sobras conocidos— por lo que se ha optado por hacer una presentación de los trabajos recogidos en este libro, destacando la variedad de temas y acercamientos, las cuestiones abordadas y las contribuciones más significantes de cada artículo.

Unamuno

Los trabajos sobre Unamuno cubren un amplio espectro: mientras Iris Zavala lee su obra en el contexto del posmodernismo y la crisis del sujeto, Antonio Carreño aborda los temas que configuran su poesía; y si Carlos Feal ofrece una visión reivindicadora de la tía Tula, Michael Weinstein elabora el importante concepto de la imaginación en Unamuno en el contexto de la filosofía moderna al tiempo que Walter Glannon parte de los textos unamunianos para, apoyado en una teoría filosófica que cuenta con una ilustre tradición —el realismo modal—, brindarnos una provocadora teoría del personaje literario.

En «Unamuno: *Niebla,* el sueño y la crisis del sujeto» Iris Zavala expone siete aspectos sobre la ficción, el lenguaje y el sujeto en Unamuno que lo acercan a la posmodernidad (aunque con fundamentales diferencias): el rechazo de los géneros literarios tradicionales por parte de Unamuno; la *nivola*, que anuncia la muerte del autor y presupone la colaboración del lector; esta colaboración va más allá del mero juego textual pues lectura y escritura son momentos básicos de la constitución del yo; el concepto de que toda la obra de Unamuno constituye un «texto único»; la teoría unamuniana del lenguaje como fenómeno social: el lenguaje es conversación, es decir, sociabilidad, y lo mismo sucede con el pensamiento, pues pensar es pensar para los demás; esta concepción social del lenguaje implica una idea del sujeto como multiplicidad: el sujeto no es unitario, monológico, ya que sólo a través de los demás se conoce a sí mismo, aclarando la autora con gran acierto que este sujeto múltiple difiere del sujeto post-modernista, ya que mientras éste se asienta en una estructura de la desarticulación, aquél se acerca más al sujeto de la dialogía bajtiniana; finalmente, propone Iris Zavala, en todos estos conceptos de ficción, escritura, lectura, lenguaje y sujeto subyace una visión de la cultura como constante renovación. *Niebla* constituye el momento decisivo en que se articulan estas ideas: en un universo en que se han borrado las fronteras entre ficción y realidad, se mueve una multiplicidad de sujetos discursivos que no constituyen singularidades fijas. Nos encontramos ante una concepción del yo como entidad inestable, como sujeto sociabilizado, pues el yo remite siempre a un otro en un movimiento dialógico infinito: imposible encontrar en este reenvío constante un punto estable, ni siquiera el consuelo de imaginar el yo como simulacro platónico, puesto que éste supone un original al que remeda. Ahora bien, advierte Zavala, no se da tampoco en Unamuno el simulacro post-modernista, una comunicación sin destino en que se han aflojado los lazos entre el sujeto y la historia: lo que Unamuno propone es que la autenticidad sólo se puede conseguir en el encuentro con el otro, en la sociabilidad; y el sueño, la niebla o la ficción son puntos críticos en que se muestra la necesidad de que el sujeto se articule en el juego de la totalidad. *Niebla* desborda así el mero dilema estético para proponer un sujeto que adquiere sentido en su relación con el otro y con la historia —Unamuno está postulando un nuevo sujeto de la historia y, como el postmodernismo, intenta localizar el sujeto del conocimiento—; al constituirse el sujeto socializado como necesaria comunicación con el otro, Unamuno se levanta contra el dogma y el autoritarismo de la voz «única» o, en otras palabras, contra la lógica del capitalismo de consumo.

En «Et verbum Unamuno facto est: la escritura como inscritura en la lírica de don Miguel», Antonio Carreño se hace eco de las quejas del mismo Unamuno acerca de la poca atención crítica que su poesía merecía, para atribuir ese desinterés a que su lírica sea una extensión de sus obras en otros géneros y a que la reiteración unamuniana linde con la obsesión. Poeta de sustancias, de reflexión obsesiva, su palabra poética remite a un sujeto como objeto de su escritura, a un yo que se constituye como ansia de trascendencia. El estudio de Carreño muestra cómo Unamuno confía al lector la función de su deseo de permanencia: Unamuno inscribe su disolución en escritura y se garantiza así su subsistencia en las lecturas repetidas del futuro. Si Dios es la palabra (el logos) y por el logos se revela a sí mismo, Unamuno confía también su eternidad a la palabra, aspira a ser en las palabras. A través del análisis de una variedad de poemas a los que relaciona con temas similares en la ficción unamuniana y en los Evangelios —lectura favorita de Unamuno—, Carreño destaca como característica básica de su poesía, la polarización por la que se refleja miméticamente la incertidumbre y las dualidades de la voz que enuncia esos poemas. Si la «Elegía a la muerte de un perro» constituye un paradigma del monólogo existencial de Unamuno —desdoblado en diálogo con el «otro» perro, que es al hombre lo que éste es a Dios— y nos ofrece la máxima expresión de la congoja por la conciencia de la caducidad, el poema «Monsieur Unamuno, homme des lettres» representa una de las más explícitas formulaciones del deseo de sobrevivir en la palabra, de consolarse en el ser como «inscritura» de la imposibilidad de ser como existencia.

Frente a la crítica que postula una Tula posesiva y autoritaria, Carlos Feal nos presenta en «Nada menos que toda una mujer: *La tía Tula* de Unamuno», una serie de rasgos textuales, que complementa con ideas expuestas por Unamuno en otras obras, que nos revelan a una Tula de un quijotismo de carácter trágico. Feal comienza por señalar la característica común —voluntad débil— de los personajes masculinos de *La tía Tula, Dos madres* y *El marqués de Umbría* —aduce estas dos últimas obras por presentar situaciones similares a la primera—, frente a los cuales Tula constituye un ejemplo de voluntad máxima, del «querer ser» unamuniano, que la lleva a una empresa ideal imposible: como Antígona, Tula desafía la autoridad de los hombres y acata sólo su propia ley —lo que la lleva a la soledad típica del héroe trágico—; se niega al matrimonio basado en la atracción sexual o como remedio a esa necesidad; rechaza la educación típica de las mujeres y se constituye en reformadora —y de ahí la necesidad de su dureza—. Aunque Tula siente una culpabilidad de tipo trágico por considerarse responsable del destino de Ramiro, Feal mantiene que la culpa es de un mundo frente a cuyas leyes se estrella el ideal quijotesco de Tula, su voluntad individual. Tula llega a ser madre, educadora del hijo mayor de Ramiro, a quien quiere preparar para que sea no sólo creador sino también criador —y así hombre total—, pero en sus empresas ideales Tula ha renunciado a su deseo, no ha alcanzado el ideal unamuniano del ser verdadero que consiste en ser tanto amante como padre o madre. De todas maneras, su tragedia va todavía más allá de su renuncia a la sexualidad, pues el más hondo fracaso de esta madre patriarcal radica en no haber encontrado su opuesto, el verdadero padre matriarcal con el que podría constituir una unión en la que se derriben las divisiones de los papeles de padre y madre y en la que se dé el ser humano completo, constituido por la pareja que participa en los dos roles.

Para comprender mejor el concepto de imaginación en Unamuno, Michael Weinstein, en «Unamuno y las normas de la imaginación», parte de las ideas al respecto de los románticos, quienes convirtieron la imaginación reproductiva y de valor epistemológico de Kant en una facultad productiva e integradora de la experiencia vital. Leopardi, en particular, opone la imaginación a la razón y al sentimiento, pero mientras que a través de la razón el poeta italiano descubre el carácter ilusorio de los productos de la imaginación —lo que le lleva al *ennui* como única solución posible— Unamuno, partiendo de la misma oposición entre razón e imaginación en *El sentimiento trágico de la vida,* considera que cada una de esas facultades ofrece una visión diferente e irreductible de la existencia: la razón ordena los datos de la percepción y la imaginación define el deseo, nos proyecta en el tiempo al imaginarnos que somos. Este primer momento de la imaginación consiste en un soñar activo, hace la vida sueño pero, al no tener límites, podría llevarnos al encierro en uno mismo; por esta razón, en «La imaginación en Cochabamba», Unamuno postula un segundo momento de la imaginación, en el que esta facultad no es sólo reproducción de imágenes, sino originalidad y viveza de las mismas y capacidad de ponerse en el lugar de los otros. De esta manera, Unamuno arranca a la imaginación del dominio de la estética, y la moraliza, pues en este segundo momento de esa facultad el yo se distancia de sí mismo y sale al encuentro de la otredad, se pone en el lugar del otro y trata de comprenderlo: la imaginación se objetiva —adquiriendo así los límites que le faltaban a su soñar en *El sentimiento trágico*—, crea un mundo común partiendo de la incompletitud de la vida de cada uno. Si en el primer momento el yo se apropia del mundo por el sueño, en el segundo el mundo se adueña del yo cuando éste se encuentra con la otredad, y la asimila.

Walter Glannon parte de textos unamunianos en «Unamuno y la metafísica de la ficción» para desarrollar una teoría filosófica del personaje literario basándose en el «realismo modal» de David Lewis —que entronca con Platón y el realismo medieval—, el cual postula la existencia de situaciones y objetos posibles inactualizados, independientes de nuestra conciencia. Al crear, un autor selecciona algunas de las cualidades del campo de la posibilidad —que cuentan con una existencia extra-lingüística—, es decir, no crea de la nada, sino que actualiza posibilidades ya existentes. Por esta razón, los personajes literarios deben concebirse como ejemplos de tipos universales independientes de la voluntad del autor quien, al crear, actualiza una serie finita de propiedades: en otras palabras, al personaje siempre se le podrían añadir características tomadas de ese infinito no actualizado mientras que, por otra parte, los personajes son conjuntos incompletos de propiedades pues no están situados en el tiempo y el espacio del mundo real. Al no ser completos —les falta localización en el mundo real— ni concretos —siempre pueden actualizarse para ellos nuevas posibilidades—, los personajes no están ligados a ningún mundo particular de ficción y por esta razón es por lo que un autor puede apropiarse personajes de otro: los personajes son seres flotantes siempre capaces de ser actualizados en cualquier mundo novelesco. Además, la independencia del personaje con respecto al autor queda reforzada si consideramos que aunque ya esté radicado en una obra, todavía no es concreto ni completo sino posible, pues depende de los futuros lectores el darle su última realidad. Glannon no elimina la importancia del autor —en su artículo hay una oposición de fondo contra los formalismos que reducen la ficción a propiedades lingüísticas y suprimen al autor— sino que su teoría reivindica su importancia al señalar que, al haber siempre propiedades irrealizadas —al no darse nunca un principio de plenitud— siempre obedecerá a una intencionalidad (aunque Glannon apunta a la dificultad de determinar la intencionalidad autorial a partir del realismo modal) la selección de las posibilidades que constituyen un relato: tanto la teoría de las posibilidades inactualizadas como el autor resultan así indispensables a la hora de explicar la ficción.

Valle-Inclán

En las ponencias sobre Valle-Inclán predominó la atención a su teatro y a *La lámpara maravillosa*, y es Luis González del Valle quien se ocupa de un análisis narratológico del cuento «Mi hermana Antonia». Gonzalo Sobejano recorre todo el teatro de Valle-Inclán para mostrarnos la evolución de las formas dialogales que culminan en el diálogo a gritos, mientras que Ángel G. Loureiro dialoga con las lecturas más aceptadas del esperpento para tratar de ofrecer una nueva alternativa. Por otra parte, Carol Maier y Virginia Garlitz examinan *La lámpara maravillosa* aceptando y cuestionando al mismo tiempo las propuestas estéticas de Valle-Inclán, la primera, y mostrando la segunda cómo en *Luces de bohemia* se articula una parodia de esas mismas propuestas. Por su parte, Leda Schiavo nos muestra la riqueza de connotaciones literarias que la palabra «bárbaro» tenía cuando Valle-Inclán escribe sus *Comedias bárbaras*.

En «Culminación dramática de Valle-Inclán: el diálogo a gritos», Sobejano comienza por señalar las tres formas posibles del diálogo dramático, exclamativa, coloquial y declamativa, para, a continuación, ver como se suceden y modulan en el teatro de Valle-Inclán. Este autor, en declaraciones efectuadas en 1929, manifiesta que frente al *esprit* del diálogo francés, el genio del idioma español impone el grito, el cual, junto con los escenarios, constituye el elemento básico de todo teatro que quiera tocar el alma del pueblo. Sobejano señala que ya mucho antes de 1929 Valle-Inclán había comprendido que, dada la tendencia al grito del castellano, una fórmula de renovación teatral podría venir del «diálogo a gritos», cuya peculiaridad no le viene de las abundantes exclamaciones sino del ritmo vivaz de la esticomitia. Aunque en el teatro de Valle-Inclán predomina el coloquio hasta 1910, el diálogo declamatorio hasta 1912 y el exclamativo a partir de 1920, no se da una trayectoria homogénea, pues el grito aparece ya en la voz del pueblo en las dos primeras *Comedias bárbaras*, adoptando la forma del lamento y el denuesto. Sobejano nos lleva a través de toda la producción teatral de Valle-Inclán mostrándonos las variaciones y combinaciones del diálogo coloquial y declamatorio predominantes en el primer Valle-Inclán, la reaparición (y dominio) de lo exclamatorio en *El embrujado* (1913), el diálogo a gritos —pero dentro de la fórmula de comicidad del teatro de marionetas— de *La reina castiza* y la riqueza de las formas del diálogo a gritos en *Divinas palabras*, donde nos encontramos con insultos, órdenes, ruegos, lamentos, plantos histriónicos y gritos exultantes. Llegamos así a los esperpentos, aunque no sea en ellos donde se ofrece la mejor expresión del diálogo a gritos, sino en obras muy cercanas a ellos —*Luces de bohemia*— o con ellos emparentadas —*Cara de plata*—. Si bien en *Luces* el coloquio (elegíaco) predomina sobre la exclamación, ésta aparece en el grito por el malestar político y social, culminando en la escena XI, la de la madre con el niño muerto. Dado que en *Los cuernos de don Friolera* no se da la tragedia al no ser íntimo el problema del personaje sino impuesto por las convenciones, no aparece el grito auténtico sino el grito en falsete, meramente externo, la riña increpatoria (con doña Tadea) y el monólogo enajenado, dominando en los dos últimos la exclamación esticomítica, sin que en los otros dos esperpentos de *Martes de carnaval* se alcancen tonos tan agudos. *Cara de plata* se destaca por una intensidad exclamativa casi total: sobre el fondo del griterío popular se alzan las peleas de los Montenegro y el Abad, y de entre las formas exclamativas predominan las de exultación. Con el análisis de los gritos en el amor y la muerte en los melodramas *La rosa de papel* y *La cabeza del Bautista*, concluye Sobejano su recorrido tras haber puesto de relieve un aspecto previamente no estudiado y que ahora se muestra esencial para comprender mejor la obra teatral de Valle-Inclán.

Virginia Garlitz nos muestra *Luces de bohemia* desde sus relaciones de oposición con la estética de *La lámpara maravillosa*. Ambas obras están vinculadas por las ideas teosóficas que relacionan a Valle-Inclán con Roso de Luna, traductor de la Blavatsky en España, contertulio de Valle-Inclán y colaborador con él en varios periódicos y revistas. En la obra de Roso, ocupa un lugar central la ley de retribución o karma según la cual el hombre determina sus futuras reencarnaciones a través de sus acciones en vidas anteriores. Esta idea de que el hombre se crea su propio destino es muy importante en *La lámpara maravillosa,* donde el poeta peregrino, encontrada la lámpara, puede iluminar el futuro; ahora bien, si uno se niega a centrar su vida en el amor lo pagará con un destino desafortunado. La visión de belleza y armonía que se refleja en el espejo mágico de *La lámpara* se convierte en *Luces* en los distorsionantes espejos cóncavos. El poeta peregrino se transforma ahora en un poeta fracasado y al mundo que le rodea no lo mueve el amor sino la corrupción. Así se explica la burla que de las ideas ocultistas de *La lámpara* se hace en la escena II de *Luces*, cuando don Latino, símbolo de la codicia que domina en ese mundo —idea central en dos obras de Roso—, propone la teosofía como instrumento de regeneración moral de España. Valle-Inclán juega con la circularidad típica del karma en la escena VII, en la que destaca el Redactor don Filiberto, personaje inspirado en Roso. La circularidad constituye también la estructura de la obra, pero ya no apunta a la armonía como en la simetría de *La lámpara* sino que muestra el desplazamiento del poeta del centro de gobierno de las cosas —aspecto claramente manifestado en el hecho de que la obra continúe después de su muerte—, si bien permanece constante la idea de que el hombre crea su propio destino, aunque ahora sea de corrupción o de sufrimiento.

Por otra parte, apoyándose en la actitud de desconfianza que se puede vislumbrar en trabajos recientes sobre la obra de Valle-Inclán por su exclusión de determinado tipo de lectores, Carol Maier en «¿Palabras de armonía?: reflexiones sobre la lectura, los límites y la estética de Valle-Inclán» desarrolla sus observaciones acerca de un doble movimiento perceptible en *La lámpara maravillosa* por el cual esa obra se caracteriza por un movimiento de abertura y ensimismamiento, pluralidad y limitación que Maier examina en el delicado equilibrio entre el yo y el otro y que resulta en una reacción lectorial en la que se da una combinación contradictoria de atracción y rechazo. Los «Ejercicios espirituales» de *La lámpara* están dirigidos a otro, al principiante a quien el poeta narrador hace participante de su viaje estético; pero aunque esta intención comunicativa queda reforzada por otros usos de la segunda persona en la obra, por reflexiones acerca de la cualidad a un tiempo amorosa y distanciadora de la gnosis, por usos de un «nosotros» local y universal y por el uso del «tú» para dirigirse al alma del poeta, éste manifiesta dudas en diversos momentos acerca de la perfección de su obra y no sólo por la naturaleza de las palabras sino por la dificultad de superar la percepción egotista, de salir realmente de sí mismo, movimiento necesario para alcanzar la universalidad. Esta dificultad de abrirse completamente al otro la pone de relieve Maier al analizar el modo de representación del peregrino, receptor pasivo más que verdadero interlocutor, imagen ligada al espejo que la contiene, que se limitará a duplicar la experiencia poética del poeta: el «gesto único» del poeta, la gnosis superadora de las limitaciones del lenguaje y abierta a una pluralidad de voces y miradas, se revela más bien como un autodiálogo, un movimiento, más de ensimismamiento que de entrega. Se produce así un alejamiento del peregrino/lector(a) que queda reforzado por la exclusión de las mujeres, que Maier siente como lectora, quien, por otra parte, no tiene dificultad en admitir un afecto y un respeto por la palabra del poeta: como solución a ese movimiento de acercamiento y distancia que el texto provoca, Carol Maier propone, no el rechazo —por elitista, sexista, etc.— sino una doble hermenéutica que, al tiempo que sigue el camino propuesto por Valle y goza de sus subversiones, se enfrenta con el texto y le da una respuesta, delinea sus logros y a la vez señala sus límites.

En «"Mi hermana Antonia" y la estética del enigma inenigmático», Luis González del Valle lleva a cabo un análisis narratológico de ese cuento de Valle-Inclán situándolo primero en la línea evolutiva de su narrativa corta, en la cual lo sobrenatural pasa de ser considerado como verídico a ser mostrado a través de una perspectiva individual de la que el lector puede dudar. La ambigüedad narrativa de «Mi hermana Antonia» descansa en la presentación de un doble punto de vista ofrecido por el mismo personaje —el hermano de Antonia— en dos etapas de su vida, como niño protagonista y como adulto narrador. Si ya no resulta fácil distinguir entre esas dos voces en el texto, las complicaciones —y la ambigüedad— crecen cuando las analizamos por separado: el cuento está estructurado de manera que lo sobrenatural se presenta como un enigma, aunque podemos desvelarlo si indagamos en la motivación del narrador para presentarnos la historia del modo en que lo hace. En el texto se da una contradicción entre las visiones del narrador como niño partícipe en la historia y como adulto narrador, lo que le convierte en narrador indigno de confianza; la razón de tal contradicción se puede encontrar si acertamos a explicarnos ciertas aparentes digresiones: por ellas vemos que lo que mueve al narrador es recuperar la creencia que de niño sentía acerca de las supersticiones populares gallegas que para él están representadas por Santiago de Compostela. Este anhelo hace que tampoco podamos confiar en la perspectiva con que el narrador como niño nos transmite sus experiencias, pues varios recursos narrativos (suposiciones dudosas, dilaciones en darnos información, selección de lo que se nos transmite, etc.) apuntan claramente al intento del narrador de seguir creyento en aquellas supersticiones que aceptaba en su infancia y de las que quiere hacer partícipe a un lector que, al descubrir los recursos narrativos y sus motivaciones, pone al descubierto el falso enigma que la narración plantea.

En «La "barbarie" de las *Comedias bárbaras*», Leda Schiavo ha recuperado para nosotros las múltiples resonancias que la palabra «bárbaro» tiene en la literatura, las artes y la crítica de finales del siglo XIX y comienzos del XX y que confluyen en el título de ese grupo de obras de Valle-Inclán. La relación de autores que usan esa palabra y los diferentes sentidos o matices que en cada uno presenta resultan impresionantes y aquí sólo se resaltarán los más significativos. La palabra comienza a usarse en un sentido negativo pero poco a poco puede observarse como se va valorizando: si en 1862, Leconte de Lisle la usa para significar medieval, oscuro, y la encuentra despreciable frente a lo que Grecia representa, Carducci la relativiza al llamar bárbaros a sus versos porque así le parece que les sonarían a griegos y romanos. Rubén Darío llama bárbaros a los yanquis en varios poemas pero también usa el término como sinónimo de lo medieval, lo no tocado por lo helénico; por su parte, para Jaimes Freyre es una fuente de leyenda y ensueño. Puede resultar sorprendente que también en Ortega encontremos un sentido totalmente positivo: llama crítica bárbara a la que salva del virtuosismo, la que da nuevas fuerzas, y emplea la palabra para denominar con ella a la generación del 98 por lo que supone de regeneración y limpieza de España. También para Cansinos Assens el concepto resulta afirmativo: bárbaro en literatura es para él lo que ensalza la fuerza, lo que se nutre de la energía no académica. Leda Schiavo considera además varias manifestaciones de la oposición conceptual entre civilización y barbarie y advierte que en el siglo XIX se empieza a exaltar la crueldad y el horror, lo bárbaro como revitalización: de esta manera se da una curiosa asociación entre bárbaros y obreros en los Goncourt, quienes ven a los segundos como nuevos bárbaros purificadores y vigorizadores; a estos autores sigue Azorín al escribir que el mundo se muere de civilización y que la revolución social hará en los tiempos modernos la función que en el pasado cumplieron los bárbaros. Termina Leda Schiavo diciendo que la exaltación del horror y la violencia que encontramos en las obras de Valle-Inclán hay que entroncarla con la tradición que pasa por Sade, Gautier, Swinburne, D'Annunzio y Nietzsche, concluyendo que si *Flor de santidad* es bárbara en el sentido de medieval, las *Comedias bárbaras* hay que verlas como celebración de la aristocracia bárbara que se da en Nietzsche y Wagner y que enlaza con la señalada tradición literaria de la palabra bárbaro.

Partiendo de un diálogo crítico con algunas de las más autorizadas teorías del esperpento, Ángel G. Loureiro propone en «A vueltas con el esperpento» una nueva manera de acercarse a esas obras que, al tiempo que concilia teorías hasta ahora consideradas incompatibles, va más allá de ellas. La disyuntiva entre un Valle-Inclán esteticista y un Valle-Inclán testimonial y comprometido se revela como falsa, debido a que ambas teorías enfocan el esperpento desde su relación o repudio de la realidad al tiempo que, por otra parte, ambas dejan sin explicar demasiadas cosas. La visión de un Valle-Inclán cuyo arte se elabora como condena de la realidad debe poner bajo control la dimensión universalista del esperpento y, en particular, su concepción del absurdo y lo grotesco, pues estas características apuntan mucho más allá del mero reflejo de la realidad española. Por otra parte, el esteticismo es un concepto cuya capacidad explicativa se limita en realidad a afirmar la aspiración a la belleza —que todo artista busca— y el rechazo de una realidad mediocre y corrompida. El esperpento puede entenderse mejor si lo enfocamos no desde sus relaciones con la realidad, sino desde su rechazo del realismo. Prácticamente todos los críticos que se han ocupado del esperpento aceptan sin cuestionamiento la teoría de los espejos cóncavos propuesta por Max Estrella, sin percibir su naturaleza contradictoria y sin intentar comprender que lo que Valle-Inclán está tratando realmente de proponer es una nueva metáfora para expresar el antirrealismo en el que se asienta todo su arte: ante la necesidad de explicar su estética, a Valle-Inclán no se le ocurre mejor imagen que distorsionar el espejo realista induciendo así a sus críticos a dar explicaciones miméticas de su arte, pues la metáfora del espejo —cóncavo o no— implica una concepción de la literatura como reflejo que no se da en ese autor. El antirrealismo total de Valle-Inclán se manifiesta de diversas maneras a lo largo de su obra y, en el caso de los esperpentos en particular, acerca su arte al expresionismo alemán, con quien comparte la mayor parte de los rasgos atribuidos por la crítica a este movimiento. Acercándonos al esperpento desde el subjetivismo, concepto central del expresionismo, podemos afirmar que Valle-Inclán no «refleja» la realidad sino que la crea, lo cual permite que su obra sea a la vez grito de denuncia de un momento histórico concreto y queja del absurdo universal, compromiso con una realidad que desprecia y expresión de ese desprecio en un arte de belleza total.

García Lorca

Los artículos sobre García Lorca reflejan las interminables controversias que su obra suscita, pues en ellos se da tanto la celebración como la mirada crítica. Luis Fernández Cifuentes nos ofrece precisamente la historia —hasta ahora no trazada— de la evaluación de Lorca desde 1936, y mientras John Walsh reconstruye el espléndido panorama de las actrices que estrenaron o representaron las obras de Lorca para preguntarse hasta qué punto esas actrices pudieron influir en el diseño de los personajes a los que dieron vida en el escenario, Linda Materna, al tiempo que valora la defensa de la mujer llevada a cabo por Lorca, muestra agudamente las limitaciones de esa liberación. Félix Grande y Susan Byrd se ocupan del flamenco, el primero para señalar las agudas intuiciones de García Lorca sobre ese arte, y la segunda para devolvernos la polémica que rodeó el homenaje al flamenco celebrado en Granada en 1922 y para señalar el importante papel de Lorca en tal efemérides. Por su parte, Christopher Maurer, al ofrecernos cartas inéditas de Pedro Salinas y García Lorca, arroja inusitada luz sobre las actitudes de ambos ante el advenimiento de la segunda República y los acontecimientos que llevaron a la Guerra Civil.

Luis Fernández Cifuentes comienza su artículo «García Lorca: Historia de una evaluación, evaluación de una historia», señalando la necesidad de reconstruir la historia de la valoración de Lorca por tres razones: 1) la fama de García Lorca es incuestionable pero se le valora de manera muy diferente en España y en el extranjero o entre los intelectuales y el público en general; 2) hay un gran contraste entre enorme popularidad y escasa influencia; 3) hay autores más valorados e influyentes que García Lorca pero son mucho menos populares o sus obras son representadas en condiciones mucho más limitadas. Fernández Cifuentes observa que entre 1936 y los primeros años cincuenta, si bien los libros de Lorca no eran tan accesibles al público como lo fueron en años posteriores, su obra era leída y releída con devoción, aunque ya hacia el final de los años cuarenta su influencia disminuye frente a la de Vallejo, Machado y Neruda; por otra parte, la autorización para publicar sus obras en 1954 ofrece una prueba de su inofensividad. En un segundo período, que comenzaría en 1960, Fernández Cifuentes señala los siguientes hitos: la representación, por primera vez tras su asesinato, de una de sus obras por actores profesionales —*Yerma* en 1960— revela una marcada ambivalencia e incertidumbre entre los intelectuales en cuanto a la validez del teatro de Lorca; más negativa resulta todavía la recepción del estreno, en 1964, de *La casa de Bernarda Alba*, pues se la juzga anticuada e inocua en una época dominada por el compromiso ideológico de la literatura, a la vez que se propone que la valoración de Lorca depende del director de sus obras. Al mismo tiempo, en antologías, encuestas y números especiales, entre 1966 y 1976, su poesía es apenas —y raramente— digna de mención entre la élite aunque sigue siendo de las más populares entre el gran público. El papel central dado a los directores del teatro de Lorca desemboca en polémica en 1964 con el estreno del montaje de *Yerma* de Víctor García en el que se dan tres características comunes a futuros estrenos de otras obras suyas: eliminación de todo naturalismo, potenciación de lo mágico y pluralismo interpretativo; pero también se plantea la pregunta de si esa *Yerma* sigue siendo una obra de Lorca, y ahora las respuestas ya no coinciden con bandos de derechas o de izquierdas. En todo caso, el teatro de Lorca queda abierto al experimento y a partir de este momento su valoración no va a basarse en su calidad intrínseca, sino en el modo más o menos enriquecedor de representarlo: las innovaciones en su puesta en escena traen también como consecuencia la desaparición de las diferencias de valoración entre los intelectuales y el gran público o el público extranjero. Al mismo tiempo que la obra de Lorca se abre a innovaciones y pierde su carácter sagrado, la vida del poeta se convierte en objeto de un culto extremado que se proyecta en un análisis biográfico de sus escritos. En 1986, termina Fernández Cifuentes, García Lorca es con mucho el autor español más representado —con todo tipo de puestas en escena—, lo que coincide con una nueva forma de rechazo, esta vez desde el esnobismo. Más importante todavía es que parece darse en estos momentos una sensación de clausura del pasado y una apertura a una nueva evaluación de García Lorca, cuya compleja historia Fernández Cifuentes expone y evalúa de manera muy reveladora.

El tema de las mujeres en Lorca podría parecer agotado pero Linda Materna y John Walsh nos muestran inequívocamente lo contrario. En «Los códigos genéricos sexuales y la presentación de la mujer en el teatro de García Lorca», Linda Materna nos ofrece un agudo y ponderado análisis feminista, manteniendo que, si bien Lorca denunció numerosos constreñimientos sociales de las mujeres, su visión está limitada a su vez por sus ideas biológicas y psicológicas y por la imaginería y otros rasgos textuales que revelan una concepción tradicional de la mujer. Mariana Pineda es una idealización de una mártir por amor, una representación de un ser que vive por otro y para otro (Pedro), aunque su desafío a la autoridad constituye una ruptura con la imagen tradicional de la pasividad femenina. Un desafío semejante —negándose a callarse, como Yerma y Adela— se observa en *La zapatera prodigiosa*, pero también ahí el personaje femenino se afirma a sí misma a través de la defensa del código del honor masculino; por otra parte, su asociación con símbolos masculinos implica una independencia y liberación que quedan contrarrestadas por imágenes tradicionalmente asociadas con la mujer (la fertilidad, lo ideal, lo efímero). La Novia en *Bodas de sangre* no se rebela por motivos sociales sino biológicos (su pasión que, por otra parte, implica la sumisión a Leonardo) y si ya al comienzo queda clara su aceptación de los códigos sociales (el matrimonio por conveniencia), al final reivindica su honor y su virginidad como argumentos para incorporarse a la sociedad familiar. Por su parte, Yerma es definida por la maternidad como imperativo biológico, por la aceptación del código del honor y por su histeria (irracionalidad típicamente femenina). Si Adela se rebela contra la casa, símbolo de la domesticidad, lo hace por deseo erótico (irracional) y sigue definiéndose a través de otro (Pepe), al tiempo que otras características textuales (colores, flores) muestran que *La casa de Bernarda Alba*, a pesar de su fuerte denuncia social no escapa tampoco a una visión tradicional; por su parte, Doña Rosita no rompe con el código de pasividad femenina y no obedece a imposiciones sociales sino a una idealización de la realidad. En conclusión, la encomiable comprensión y defensa de las mujeres que Lorca muestra se encuentra todavía limitada por los rasgos psicológicos y biológicos que el poeta les atribuye y por ciertos rasgos textuales con que las define: en general, si García Lorca reivindica la libertad de la mujer, es la libertad para ser tradicional y si le permite que se defina, se define desde el «otro» y para el otro masculino.

John Walsh también se ocupa de las mujeres en el teatro de García Lorca, pero las mujeres a las que él se refiere no son las heroínas de sus obras sino las actrices que las representaron. Walsh no niega la importancia del hecho de que el teatro de García Lorca esté centrado en las obsesiones de una mujer, ni el posible influjo de la realidad social en ese teatro, pero lo que él nos brinda, en una fascinante y novedosa perspectiva, es una consideración de hasta qué punto las actrices que estrenaron las obras de Lorca tuvieron una influencia cada vez mayor en la creación de los papeles que luego representaron. Tal indagación se justifica inicialmente si se considera que en aquellos años la mayoría de los dramaturgos —y con ellos Lorca— escriben sus mejores papeles para las mujeres, las cuales controlan la economía de un teatro que funciona por medio de un sistema de compañías que ellas dirigen. Además de aportar numerosos datos sobre obras y actrices en apoyo de su teoría, Walsh aduce y analiza la importancia de Margarita Xirgu en el diseño de *Doña Rosita la soltera*. En esta obra, Lorca mezcla detalles sociológicos con un experimento literario por el cual los personajes obran y se expresan de acuerdo con diversos períodos literarios que la obra imita o parodia en los dos primeros actos. La Xirgu se acercaba a los cincuenta cuando Lorca le ofreció el papel y eso puede explicar que la presencia de doña Rosita sea irrelevante hasta el tercer acto, en el que la heroína alcanza una edad similar a la de la actriz. Esta reducción del papel de la protagonista en los dos primeros actos parece indicar que se quiere reducir el ataque a la verosimilitud en los actos iniciales que la edad de la Xirgu suponía. Pero la influencia de la actriz tal vez no se detiene ahí —continúa Walsh— si consideramos su actuación en una obra en que se alude a tantos géneros y épocas como una autoparodia de su propia historia en los escenarios.

Las cartas inéditas que Christopher Maurer publica en «Sobre "Joven literatura" y política: Cartas de Pedro Salinas y Federico García Lorca (1930-1935)», arrojan nueva luz sobre las actividades y actitudes de los intelectuales ante el advenimiento de la primera República y ante las vicisitudes de los años posteriores. No puede dudarse de la total adhesión de Pedro Salinas a la República y a las transformaciones que propuso, pero las cartas a Jorge Guillén que aquí se ofrecen matizan su postura pues en ellas la ilusión —de extremada pureza— por el cambio queda contrapuesta al rechazo de la suciedad de la política y de las manipulaciones y protagonismos de otros intelectuales. Las cartas a Guillén perfilan una actitud de Salinas cada vez más exasperada: en 1930 muestra su deseo de una república pura a la vez que no oculta su desprecio por los republicanos españoles y por la indiferencia del pueblo; ante la bajeza de la política, Salinas se muestra alejado y crítico tanto de los republicanos como de los monárquicos y aspira a mantener distancias y a gozar de la independencia de su vida espiritual. A medida que se acerca la República, el poeta muestra con mayor fuerza su compromiso moral: a principios de 1931 declara su furor antimonárquico «por decencia» —por haber sido la monarquía dictatorial en el pasado y por ser antidemocrática— y declara su deseo de no hacer políticia aunque se manifiesta republicano si bien sin fe en la República. En febrero, Salinas se une a la Agrupación al Servicio de la República de Ortega, debido a la necesidad ineludible, le manifiesta a Guillén — a quien también apunta a ese grupo—, de tomar partido, al tiempo que expresa su tristeza de que los objetivos personales pierdan importancia frente a las necesidades de la «turbia, fea» política. En carta del 2 de abril revela su indignación contra Ortega por querer imponer como un dogma que el destino es política y se queja del desprecio del ejercicio literario y de la perturbación de la amistad —Salinas confiesa que poesía y amistad constituyen sus valores supremos— traídos por el «gas asfixiante» de la política, aunque se manifiesta «republicano sin fe, antimonárquico convencido». Su repugnancia continúa ya instaurada la República (carta del 2 de julio) y Maurer concluye que con su rechazo de la política como deber y de la literatura de temas sociales, Salinas defiende su libertad de escritor y la soledad del poeta frente al mundo político. Las cartas de Salinas a Guillén se ven complementadas por una carta inédita de García Lorca a su familia en octubre de 1935, en la que da cuenta de su recital a obreros en Barcelona y subraya la necesidad de aclarar posiciones políticas, de no ser neutral.

Félix Grande considera en «García Lorca y el flamenco» que ciertas confusiones de Lorca sobre el flamenco —provenientes de su poca experiencia directa dentro del mundo del flamenco y de cierta ingenuidad al recopilar datos— no impiden que sus instituciones del espíritu de ese arte haya que considerarlas no ya portentosas sino geniales, verdaderos atisbos que sólo un poeta profundo como él podría percibir y expresar del modo asombroso en que lo hace. Aunque sus raíces sean antiguas, el flamenco no es «inmemorial» —como afirma Lorca— ya que no surge como tal hasta el siglo XVIII; no es correcto tampoco que el flamenco sea una creación artística popular, pues aunque algunas de sus formas proceden de canciones populares, el flamenco es producto de unos guitarristas y cantaores concretos; a un leve contagio del antiflamenquismo de la época debemos atribuir la visión negativa que Lorca tiene del tablao, la juerga y la taberna, lugares y situaciones —señala Grande— donde se forjaron algunos de los más profundos cantes flamencos. Estos y otros pequeños errores quedan eclipsados por formidables penetraciones en el espíritu del flamenco que Lorca nos ofrece en su conferencia «El cante jondo (primitivo canto andaluz)» de 1922: el acierto de considerar la falseta como canto y comentario al cantaor, bello cuando es sincero y no aspira al protagonismo; la consideración de la guitarra como protagonista en la constitución de muchos cantes —teoría aún hoy discutida por muchos—; además, sus acertadas metáforas para caracterizar al cantaor, a las ocasiones del cante y al cante mismo, van más allá de la historiografía, le dan una profundidad que sólo la iluminación poética puede conseguir: soberbio paradigma lo constituye su definición del grito del siguiriyero —«su grito fue terrible. / Los viejos dicen que se erizaban / los cabellos, / y se abría el azogue de los espejos»—, la más diáfana —señala Grande— que nadie haya ofrecido jamás.

Las relaciones de García Lorca con el flamenco quedan complementadas con el artículo de Suzanne Byrd, «La *Fiesta del Cante Jondo* de Granada: ¿Una españolada?» en el que la autora expone la polémica que estalló en Granada a raíz del festival de homenaje al cante jondo organizado por Falla y García Lorca en esa ciudad y que ella ha reconstruido en todo su ardor a través de una minuciosa investigación en publicaciones granadinas de la época. Principal oponente al festival fue don Francisco P. Valladar, director de *La Alhambra* y portavoz de la opinión de que el flamenco era una «españolada». En este ambiente de polémica ofrece Lorca su conferencia sobre el flamenco, en 1922, y si Félix Grande la analiza en su estudio desde el punto de vista de las ideas de Lorca sobre el flamenco, Suzanne Byrd nos sitúa en el contexto histórico de los preparativos y el éxito tremendo del festival y de una polémica que se alarga en la prensa granadina desde febrero de 1922 hasta abril de 1923.

La Guerra Civil

Los estudios aquí reunidos abarcan una variedad de temas en relación con la Guerra Civil: Javier Tusell describe con viveza las condiciones y las maniobras que llevaron a Franco a hacerse con la jefatura de su bando, mientras que Martha Ackelsberg y Myrna Breitbart nos presentan un resumen de las discusiones mantenidas en una mesa redonda sobre la revolución social anarquista, la colectivización y el papel de las mujeres en esos acontecimientos históricos. Por su parte, Douglas Wheeler ha reconstruido las peripecias del exilio portugués de Gil Robles y Cándido Pérez Gállego analiza el papel que la Guerra Civil juega en la obra de Hemingway y, en particular, en la articulación de sus personajes.

Javier Tusell muestra en «La evolución política de la España de Franco» la importancia, para la victoria final de los sublevados en la Guerra Civil, de la existencia de un elemento de cohesión —papel desarrollado por los militares— a lo que ayudó el hecho de que sus propósitos eran básicamente negativos, orientados en un principio más a frenar el Frente Popular que a establecer un orden nuevo. El carácter negativo de la sublevación se ve en que, en su comienzo, sus propósitos no habían sido concretados. Por otra parte, frente a los diferentes bandos políticos de los sublevados y a su lucha por prevalecer, los militares formaron una Junta sólo una semana después de comenzada la sublevación. Aunque persistieron ciertos grupos de taifas (Queipo de Llano, por ejemplo), el ascenso al poder de Franco fue rápido y sin grandes obstáculos, nos dice Tusell, debido a varias razones: conciencia de los militares de la necesidad de un mando unificado; existencia de partidos que propiciaban una dictadura militar;

poca significación política previa de Franco; sus dotes castrenses y sus éxitos militares al comienzo de la guerra. A partir de las memorias del general Kindelán, de Serrano Suñer y de Ridruejo y de los diarios de Pemán y del general Gómez Jordana (inédito), Tusell detalla las vicisitudes de la unificación —primero del mando militar y luego del político— en la persona de Franco y la transformación del gobierno campamental del principio en una unificación política de los diversos grupos —especialmente carlistas y falangistas— en la cual fue instrumento importante Serrano Suñer y por la cual Franco tomó el control del poder político de los partidos. Tusell nos lleva luego a través de las peripecias de la creación del primer gobierno de Franco en 1938, explicando por qué se llevaron a cabo escasas disposiciones de rango constitucional pero se tomaron medidas de tipo social (Fuero del trabajo, subsidio familiar, comienzos del sindicalismo), completando el rico panorama del bando de Franco con diversas consideraciones acerca de la política educativa (depuración del profesorado, importancia de la Iglesia y la religión) y económica, estableciendose así numerosas medidas y tendencias que luego conformarían el régimen franquista de la posguerra.

«La revolución social y la colectivización» constituye un resumen, redactado por Martha Ackelsberg y Myrna Breitbart, de las consideraciones desarrolladas en una mesa redonda sobre «Anarquismo y revolución social», en la que esas autoras participaron junto con Pura Arcos y en la que actuó de moderador Daniel Czitrom. Tras una breve historia del desarrollo del anarcosindicalismo español, la discusión se centró en la relación entre colectivización y revolución social durante la Guerra Civil y en el papel de las mujeres en esa revolución. La descentralización (o colectivización) afectó al principio de la guerra a varias ciudades industriales y a más de la mitad de la tierra controlada por los republicanos y produjo cambios profundos en la sociedad, la industria y la agricultura: en el aspecto social produjo un aumento asombroso de escuelas y bibliotecas en las zonas rurales, coordinación sanitaria y mejoras en la distribución de productos; en lo agrícola trajo nuevos regadíos, cosechas más rentables, nuevas técnicas de cultivo, intercambios entre trabajadores agrícolas y obreros industriales, y organización de colectivos rurales coordinados por federaciones regionales que permitían acceso a equipo y asistencia técnica y facilitaban los intercambios de excedentes; en lo industrial, contribuyó a una mayor eficacia al agrupar pequeños talleres en otros más grandes y facilitó la mejora de las condiciones laborales. La idea central que subyace es que un movimiento cuyo objetivo inicial era cambiar a la gente acabó creando un medio ambiente totalmente nuevo. En cuanto al papel de la mujer en la lucha revolucionaria, se señaló su participación en la movilización al comienzo de la guerra, en las colectivizaciones, su incorporación en gran escala al trabajo industrial asalariado, etc. Aunque pocas veces se dio la igualdad salarial con los hombres, y las mujeres ocuparon muchos menos puestos de responsabilidad, las mejoras en su situación fueron considerables; finalizó la mesa redonda con unas consideraciones sobre «Mujeres Libres», un grupo anarquista femenino que preconizaba una organización de las mujeres independiente de los hombres, con el objetivo de liberar a la mujer de la esclavitud de la ignorancia, el capital y el hombre.

Las vicisitudes de Gil Robles en su exilio portugués —que comenzó en 1936 y se prolongó por 20 años— narradas por Douglas Wheeler en «La invasión española: los españoles en Portugal, 1931-1939, y el caso de Gil Robles, exiliado por años en Portugal», constituyen un fascinante —y a veces grotesco— capítulo de la historia, todavía oscura, de los 40.000 o 50.000 españoles que vivían en Portugal en los años de la Guerra Civil española, y entre cuyas filas se contaban desde miembros de la clase alta y media alta, los cuales buscaron refugio —junto con sus capitales— en el país vecino en los años treinta, hasta gente de clase obrera, a los que se añadió en 1941 don Juan de Borbón y su familia. Wheeler señala que la colonia española fue importante para Portugal en cuatro aspectos: apoyó a la dictadura portuguesa, estableció la industria turística en Estoril, aportó capital y conocimientos a la débil economía portuguesa y, por último, ayudó a profesionalizar la policía política portuguesa. El expediente de esta nefasta PIDE sobre Gil Robles, encontrado por Wheeler en Portugal, constituye la fuente primordial de su estudio. La PIDE no mostró un interés excepcional por Gil

Robles, pero la Embajada Española en Lisboa —comandada por Nicolás Franco— presionó en numerosas ocasiones, y especialmente en 1949, para que se controlaran sus movimientos, para que se le pusiera bajo vigilancia o incluso para que se le impusiera una residencia fija lejos de Estoril. A estas presiones obedeció el destierro de Gil Robles al balneario de Luso desde octubre de 1944 hasta diciembre de 1945 y a que fuera vetada su entrada en Portugal tras su viaje a la famosa reunión de Munich de 1962, acabándose así su exilio portugués.

Cándido Pérez Gállego nos advierte en «Hemingway y la guerra civil española» que no debemos ver en *From Whom the Bell Tolls* una visión religiosa de la guerra de España ni debemos contemplar a su personaje, Robert Jordan, como un héroe mesiánico. Si la Guerra Civil puede servir de paradigma de todas las tragedias del siglo XX, el héroe de Hemingway está tratando también de encontrarse a sí mismo, cumpliendo así con esa constante del novelista americano de la búsqueda del hogar en el exilio y el viaje. Buscando su verdad a través de sus actos, será la guerra el lugar donde Jordan intenta encontrarse a sí mismo, y sobre el telón de fondo de esa danza de la muerte, de esa lucha entre *eros* y *thanatos* y entre el bien y el mal, se dibuja la contradicción que constituye el corazón de la novela: una guerra que es prueba de fuego para el héroe resulta también expresión del absurdo, y si Jordan lucha por España parece también buscar la repetición del suicidio de su padre. Su muerte es así, a la vez, plenitud y caos, y que el personaje encuentre su autenticidad y su cima moral en los momentos que anteceden a su muerte, constituye quizás la mayor paradoja de *From Whom the Bell Tolls*.

El simposio se abrió con una charla de William Susman, antiguo combatiente de las Brigadas Rojas en la guerra española, en la que evocó su participación en el proceso de reclutamiento de brigadistas y su experiencia en la guerra. Como complemento se mostró la película *The Spanish Earth* de Joris Yvens y el documental sobre mujeres del movimiento anarquista *...All our lives/De toda la vida*, de Lisa Berger y Carol Mayer, se exhibieron grabados de Goya, fotografías sobre Castilla del salmantino Ernesto Marcos, la colección de documentos de la Barcelona revolucionaria de Federico Armas y la colección de fotografías y documentos del período 1936-1939 de doña Joaquina Navarro. Asimismo el grupo «Teatro Estable de Valladolid» presentó las obras *Sombras de sueño* de Unamuno, *Ligazón* y *La cabeza del Bautista* de Valle-Inclán y *La zapatera prodigiosa* de García Lorca.

La publicación de este libro no habría sido posible sin la valiosísima ayuda prestada por Harlan Sturm, Delsey Thomas y por los miembros del comité organizador del simposio Spain'36, Alice Clemente (extraordinaria coordinadora del comité), Antonio Benítez Rojo, James Maraniss y Alberto Castilla.

ÁNGEL G. LOUREIRO
University of Massachusetts

I

UNAMUNO

UNAMUNO: «NIEBLA», EL SUEÑO Y LA CRISIS DEL SUJETO

Iris M. Zavala
(Rijksuniversiteit Utrecht)

La lectura de Unamuno, en particular después de *Niebla* (1914), provoca preguntas en torno al sujeto, sus relaciones con la colectividad, la historia y el individuo en formas diversificadas y dispersión de centros, en explosiones del sujeto, en una relación del sujeto interno con su propio yo, que hoy por hoy es de extrema importancia. Unamuno describe el diálogo interno de la palabra, en sus contradicciones de sujetos discursivos en el auditorio interno. El texto (en cuanto «texto único»), en su dialogía, es la zona de encuentro entre la oralidad y la escritura; el *locutor*, voz hablada o activa o sujeto parlante que busca el *emisor* del círculo comunicativo escrito. El suyo es un universo desprovisto del contorno cortante que separa a unas cosas de las otras; éste se disuelve en un nimbo ondulante que las aúna (1932, *OC*, X, p. 961).

Los lectores familiarizados con Unamuno no ignoran la importancia de *Niebla*, donde entra en juego un nuevo sistema de relaciones, en la alteración radical de la persona en transposiciones nunca aclaradas: autor/personaje; realidad/ficción; yo/otro; yo amigo/yo enemigo. Inmerso en un universo circular, en movimiento constante, en grados y duplicaciones que refutan siempre a otro, sus textos semejan vastas espirales en rupturas vertiginosas de sujetos. En sus propias palabras: de Hegel, escribe, aprendió «que uno es otro, que el otro y el otro es otro que uno, y que uno y el otro son en el fondo uno y el mismo, pero siempre en movimiento» (1915, *OC*, IX, p. 67). Este sistema dialógico circular, de voces, de intercambios de sujetos, está estructurado sobre el lenguaje como fundamento de la sociabilidad; el pensamiento es social en un amplio horizonte de palabras ajenas y propias, en un riguroso examen: el discurso se revela en sus alteraciones del sujeto. Dialogar, para Unamuno, significa establecer el concepto del yo en la realidad: el emisor da vueltas autorrepresentándose como otro sujeto siempre, en diversos lenguajes internos.

Esta concepción del lenguaje, del sujeto y de la creación está asentada en un concepto muy específico de la civilización, la cultura y el *liberalismo:* «la consagración —escribe— de la eterna lucha, es decir, de la historia» (1922, *OC,* IX, p. 989). *Liberal* significa, pues, «abrir cauce a la historia, dejar correr las aguas» (*OC,* IX, p. 991). Comenzaré por trazar algunos puntos en los cuales se articula este descubrimiento y que acercan a Unamuno (en muy otro sentido) al post-estructuralismo y a eso que se viene llamando post-modernidad, con su particular concepción del sujeto, la escritura y la post-crítica.[1]

1) La noción —a partir de *Paz en la guerra* (1897)— de rechazar los géneros literarios históricos. Son fundamentales sus neologismos: novela vivípara, anti-realista. Es central, como culminación, el prólogo a la *Estética* de Benedetto Croce: [éste] «Destruye, por una parte, la superstición de los géneros y las reglas» (1912, *OC,* VII, p. 247).

2) La novela vivípara (*nivola*), a partir de *Amor y pedagogía* (1902), se proyecta como un juego de realidades, *metablemas*, posiciones del sujeto; una transformación de cánones, en nuevas formas y como nuevo género. Con *Niebla*, además, se anuncia la «muerte del autor» (concepto de Barthes) y la total colaboración del lector. El texto es una metáfora —por así decirlo— de la actividad que la constituye: la escritura y la lectura, en una red de envíos a textos ajenos y propios. En las citas —dice con frecuencia— «está él»; se «dice a sí mismo» (*OC,* V, p. 929).[2]

3) La ficción (teatro, novelas, ensayo, poesía) se dispone como una metáfora del efecto de la lectura en la escritura.

Es una invitación al lector a colaborar, a llenar los vacíos del texto. Unamuno desea evitar el malentendido, y explica a menudo este esfuerzo desinteresado con la verdad. Sirvan los siguientes ejemplos de guía: hacia 1904 estrecha los vínculos entre texto (escritura) y sujeto, y escribe: «Hay que dejar siempre suelto el cabo de la vida. Sólo en la ficción novelesca empiezan por completo y por completo acaban las cosas. ¡Que no acabe este ensayo, que no acabe ninguna de mis obras, que mi vida no acabe, Dios mío!» (*E*, I, p. 619). Palabras semejantes escribe en la «Conclusión» a *La agonía del cristianismo* (1924): «Llego a la conclusión de este escrito, porque todo tiene que concluir en este mundo y acaso en el otro. Pero ¿concluye esto? Según lo que por concluir se entiende. Si concluir en el sentido de acabar, esto empieza a la vez que concluye; si en el sentido lógico, no; no concluye» (*E*, I, p. 1.027). Sirva como tratamiento del problema, la siguiente afirmación sobre su poética: «El lector que busque novelas acabadas no merece ser mi lector» (*Cómo se hace una novela*, 1927, *OC*, X, 893).

Pero la doble semiosis de la lectura y la escritura es algo más que juego textual; semeja más bien el platónico *epimelai heautou* (concepto analizado por Foucault 1984), o «cuidado del yo». Es decir, la lectura y la escritura son actividades centrales para la constitución del yo. El objetivo de esta doble semiosis —su práctica textual— remite también a la *hypomnemata* griega: hacer de la memoria del logos fragmentado, transmitido por medio de la educación, la conversación y la lectura, un medio para establecer una relación lo más estrecha posible entre el *yo* y el *yo*. La escritura significa una práctica del yo, de la conciencia, especie de cuaderno de bitácora de los movimientos internos. De ahí la necesidad de receptores —internos y externos— hacia quien volcar el diálogo.

La comprensión de esta semiosis se explica a partir de un par de conceptos claves: el conocimiento al servicio de la vida, y la fe viva (pascaliana), que «es una voluntad de saber que cambia en querer amar, una voluntad de comprender que se hace comprensión de voluntad, y no unas ganas de creer que acaban por virilidad en la nada» (*La agonía, E,* I, p. 985). Esta voluntad de saber (el verdadero conocimiento) viene a través de estados de conciencia: «La memoria es la base de la personalidad individual, así como la tradición lo es de la personalidad colectiva de un pueblo. Se vive en el recuerdo y por el recuerdo, y nuestra vida espiritual no es, en el fondo, sino el esfuerzo de nuestro recuerdo por perseverar, por hacerse esperanza, el esfuerzo de nuestro pasado por hacerse porvenir» (*Del sentimiento, E,* II, p. 736).

4) Introduce la noción de «texto único»: decir de nuevo lo que ya se había dicho (en su léxico). La aparente variedad de géneros y temática es «Un solo y mismo pensamiento» (1907, *OC,* IV, p. 589). O, como escribe en comentario a Jean Cassou en 1927: «mi obra es la misma siempre (OC, X, p. 848). Podríamos multiplicar las citas, que se justifican y fundamentan, como pensamiento coherente central, en el marco de la filosofía paradójica de la repetición de Kierkegaard. Así, en 1920, escribe: «Este artículo, lector mío, es el mismo que ya conoces, el de antes, el de siempre, es mi artículo. Este artículo soy yo» (*OC*, X, p. 435). Y, para terminar, el siguiente extenso texto de 1907: «Sí, tus obras mismas, a pesar de su aparente variedad, y que unas sean novelas, otros comentarios, otros ensayos sueltos, otras poesías, no son, si bien te fijas, más que un solo y mismo pensamiento fundamental que va desarrollándose en múltiples formas. Y así, buscando el transmitir ese tu pensamiento central lo vas ciñendo cada vez más y encontrando nuevas formas de expresarlo, hasta que acaso des un día con la más adecuada, con la precisa» (*OC,* IV, p. 589).

5) Esta gama referencial, en grados de duplicaciones, está asentada en una teoría del lenguaje como doble actividad del sujeto y como fundamento de sociabilidad. Sociabilidad que necesita del *otro* —interno y externo— para la auténtica comunicación, aun en la contradicción de los distintos sujetos. Es conveniente recordar los supuestos sobre cuyo fundamento son posibles estas relaciones. Para comenzar, el lenguaje «es una cosa social —escribe en 1907—; el lenguaje es conversación. Y el pensamiento mismo es, pues, social. [...] Pensar es pensar para los demás; pensar es una función social» (*OC,* IV, pp. 590-1). La sociabilidad del lenguaje es marco de referencia y sustrato del *Del sentimiento*; la unidad más clara de la solidaridad entre conocimiento, memoria, in-

dividuo y lucha: «La razón, lo que llamamos tal, el conocimiento reflejo y reflexivo, el que distingue al hombre, es un producto social. [...]. Pensar es hablar consigo mismo, y hablamos cada uno consigo mismo gracias a haber tenido que hablar los unos con los otros [...]. El pensamiento es lenguaje interior, y el lenguaje interior brota del exterior. De donde resulta que la razón es social y común» (*E,* II, pp. 751-2). Esta comunicación, eminentemente social, puesto que se dirige a *otro*, es la parte dinámica de su pensamiento filosófico y de su poética. «Nuestra conversación interior —aclara— es un diálogo y no ya sólo entre dos, sino entre muchos» (*E*, II, p. 545). Lo que no es diálogo o contradicción es muerte; si hay contradicciones externas es porque las hay internas (*OC*, IX, p. 983). Pero también el lenguaje media entre los hablantes: «Entre dos que hablan, media el lenguaje, media el mundo, media lo que no es ni uno ni otro de los interlocutores, y ese intruso, los envuelve, y a la vez que los comunica los separa» (1904, *E*, I, p. 524).

El proceso comunicativo, compleja red de diálogos y réplicas, se desenvuelve en una gama de emisores y receptores textuales (yo/otro; autor/personaje; realidad/ficción), en el auditorio interior, la conciencia, la historia, que pasan a denominarse hacia 1919-1920 «caleidoscopio cinematográfico» (*OC,* IX, p. 300; p. 940), «pantalla del alma propia» (1918, *OC,* IX, p. 83), donde dialogan sin fin las ficciones. La realidad es contradictoria, tejido de antinomias que «no se resuelven en una ley superior», porque no hay problemas, «hay posiciones y basta» (1920, *OC,* IX, pp. 947-8). En este escenario, o pantalla o caleidoscopio, pugnan yo/él, nuestros yos ex-futuros que «son los demás» (1923, *OC,* X, p. 531), los distintos sujetos que en su espíritu viven y se pelean. O dicho de otra forma: el yo empírico o fisiológico, el yo trascendente (inmanente), el yo histórico o la personalidad histórica, de ficción (1923, *OC,* X, p. 546).

6) Esta teoría del lenguaje como «sociabilidad», que necesita al *otro*, se proyecta en la recóndita cámara de la conciencia, en una teoría del sujeto no unitario, que estalla en refutaciones al otro yo suyo. «Nadie se conoce a sí mismo —afirma en 1932— si no conoce al otro. Sólo a través de los otros se conoce uno a sí» (*OC,* IX, p. 1.017). El diálogo y la

contradicción lo llevan a dar vueltas (1920, *OC,* X, p. 444), porque cada uno «se sostiene de su contrario» (*OC,* X, p. 848). Este pensamiento circular dialógico, se refracta en el yo amigo y el yo enemigo (léanse a esta luz *Abel Sánchez* y *El Otro*), o el yo impuro, «el que es todos los demás a la vez que él mismo» (1915, *OC,* X, p. 333). En definitiva: la contradicción de sujetos, de esos «dos o tres sujetos que llevo dentro de mí y que rara vez están conformes» (*OC,* VII, p. 563; cf. también Zavala 1986*a*, 1986*b*, 1986*c*).

El lenguaje es social, dinámico, movimiento, posiciones discursivas de sujetos hablantes, ajenos al universo monológico y dogmático, opuesto a la subordinación del pensamiento. Es un impulso hacia el conocimiento independiente: los suyos —dice— son «monodiálogos, diálogos que sostiene uno con los otros que son, por dentro, él, con los otros que componen esa sociedad de individuos que es la conciencia de cada individuo» (1932, *OC*, XVI, p. 568). Niega así lo subordinado, el pensamiento por el pensamiento mismo, y se ejercita en la discusión, contra la supremacía ideológica.

Esta pluralidad del sujeto en crisis (ruptura), impide el simulacro del sujeto unitario, monológico, dogmático, único. La conciencia social se hace hablando; la ramplonería es lo transparente y lo claro. Pocas citas más reveladoras del drama interno que supone este extenso diálogo plural que la conversación entre Unamuno y Augusto Pérez en torno a la «realidad» de los mundos. A la pregunta insustancial de Unamuno de cómo le va al personaje en el otro mundo, responde Augusto: «¿En el otro? [...] ¿Y cuál es el otro? ¿Cuál no es el otro? ¿Cuál es éste?» (*OC,* X, p. 336). Unamuno busca el movimiento, la antinomia; en definitiva, la verdad de cada extremo, sin eludir al *otro* (*OC*, X, p. 247).

Un punto de aclaración: la teoría del sujeto plural unamuniana, en nada se asemeja al camino que ha tomado esta noción en la segunda década del siglo XX, en particular el psicoanálisis francés o los filósofos de la llamada post-modernidad: Georges Bataille, Jean Baudrillard, Lacan, Derrida, entre otros. En éstos, la disolución del concepto de sujeto está ligada a una subjetividad desarticulada y se estructura en la desarticulación misma (véase la estimulante crítica de C. Dean, 1986, pp. 42-43). En cambio, la concepción unamuniana está más cerca de aquella teoría del sujeto discursivo y de la sociabilidad del lenguaje de la escuela bajtiniana (Bajtin, Voloshinov, Medvedev), para quienes el sujeto unitario significa la «voz» monológica y de autoridad. En contraste, la dialogía (pluralidad de sujetos discursivos y de lenguajes internos), representa el grado más elevado de la socialización, dentro de un amplio sistema de la materialidad del lenguaje. En definitiva, la orientación de la palabra hacia un horizonte social definido (Zavala, 1986*b*).

7) Lenguaje, sujeto, discurso, escritura, lectura remiten a una teoría implícita de la cultura como movimiento, no estática; una cultura en curvatura, eternamente renovada, infinita de ayer y de mañanas (1908, *OC,* IV, p. 501). El tiempo rueda, se desteje y se teje, en generaciones, donde siempre se vuelve a empezar. La historia es «un caleidoscopio cinematográfico movido por la correa sin fin del Acaso» (1919, *OC*, VIII, p. 589).

Este andamiaje filosófico está cimentado en un inmenso diálogo, poblado de interlocutores internos y externos: el yo, el otro, Dios, el pueblo, el hombre, en ondulaciones circulares. Se redobla el desdoblamiento; el tiempo y el espacio se bifurcan en inalcanzables yos, que resisten la univocidad y el monologismo. La suya es una apropiación crítica del sujeto; Unamuno redobla las representaciones, las problematiza, todo objeto se convierte en espejo del sujeto en escenas privadas y públicas. Su proyecto es a manera de una contrapráctica de las representaciones oficiales y de las ficciones de un yo, supremo y jerárquico. Su proyecto de modernidad reintroduce la escritura (el discurso literario) como un intersticio subversivo y crítico desde *En torno al casticismo.*

Niebla es el paso definitivo (implícito desde al menos 1904), y revela los universos internos como variantes de una misma historia, retomada desde múltiples ángulos y diversos nexos intertextuales (Kierkegaard, Schopenhauer, G. Papini, Descartes, Unamuno mismo, entre otros). Con *Niebla* no nos encontramos ante un mundo individualizado construido por singularidades fijas, ni leyes fijas que expliquen el mundo ni el discurso. Las figuras son móviles y se mueven con holgura entre las fronteras de la realidad y la ficción, liberadas —por así decirlo— de un ser supremo o un yo superior. No hay autoridad posible en este continuum de intercambios. De tal manera que, original y copia, modelo y simulacro, realidad e imagen se desdoblan, y resulta difícil —cuando no imposible— distinguir lo verdadero de lo falso. Para llevar a cabo este proyecto, Unamuno *con-funde* las dos caras de una división —ficción/realidad— dentro de la lógica nebulosa de la representación, en convergencia (Zavala 1986*a*). En la superficie textual aparecen historias diferentes y convergentes: las de Goti, Augusto Pérez, Unamuno, Eugenia, Mauricio, Orfeo. Una verdad (ficción) absolutamente distinta corresponde a cada uno de los actuantes, a cada punto de vista. Pero en un momento preciso, se produce una resonancia interna que desborda el texto y envuelve también a los lectores.

Esta explosión dialógica de sujetos discursivos se revela en un mecanismo análogo (pero no idéntico) a la causalidad circular hegeliana *Omnis negatio est determinatio* (cf. Althusser, 1965, pp. 101-2; Rockmore, 1986). Se trata, parecería, de una lectura del ser en el cual las diferencias (yo/otro; el *I/Thou the Buber*, 1937) se interiorizan; sirva a modo de ejemplo el famoso capítulo en que Augusto Pérez juega a las alternancias: «Soy otro, soy el otro [...] pero, ¿es que no hay otras? ¡Sí, hay otras para el otro!» (Cap. X, *OC,* II. p. 858). A partir de esta concepción del mundo, el *otro* (lo otro) nos invita a pensar en las semejanzas y diferencias simultáneas como producto de una explosión de sujetos discursivos en la conciencia. Lo dispar, los contrarios, son la unidad de la comunicación interior. Resulta imposible invocar a otro —autor, Dios— que resuelva el conflicto, que aclare cuál la realidad, cuál la ficción: el «otro» siempre refutará al yo/otro. Su dialogía es siempre antagónica y agónica.

El *contra-mismo* (1918, *OC,* X, pp. 76-80) está presente siempre, como la *contra-historia:* esa es la eternidad, el tiempo. Augusto lo aclara de manera rotunda: «Por debajo de esta corriente de nuestra existencia, por dentro de ella, hay otra corriente en sentido contrario; aquí vamos del ayer al mañana, allí se va del mañana al ayer. Se teje y se desteje a un tiempo. Y de vez en cuando nos llegan hálitos, vahos y hasta rumores misteriosos de ese otro mundo, de ese interior de nuestro mundo. Las entrañas de la historia son una contrahistoria, es un proceso inverso al que ella sigue. El río subterráneo va del mar a la fuente» (*OC*, II, p. 837). Si anteriormente (*En torno, Paz en la guerra*), el concepto de intra-historia le ha parecido exacto, con el tiempo también la *historia* tiene su opuesto, su otro lado, su contra-mismo en movimientos en espiral, en ondulaciones concéntricas, como el mar: ayer/mañana, interior/exterior.

Si mi propuesta es aceptable, lo que se pone en juego a partir de *Niebla* es una redefinición del yo en cuanto sujeto sociabilizado: el *otro*. Este proyecto de representaciones está presente desde *Amor y pedagogía*; en repeticiones y emplazamientos este mundo dialógico concéntrico, circular, hace que uno pase al otro indefinidamente, en repeticiones renovadas. A medida que se desarrolla, lo complementa con búsquedas alternativas, desde ángulos diferentes, comentando, incitando al lector. Se transforma y transforma el «texto único» en su proceso; demuestra según métodos diferentes, en procesos de selección de *géneros internos*, desarrollando siempre el mismo *metablema*, en demostraciones de *metahistoria, metapolítica, metaerótica*. Nunca el puro contemplador y siempre contra el «mero lector» absurdo e inhumano. Tal es la lógica del sueño. La lección definitiva es que no existe comunicación sin el *otro*; que es imposible concluir el diálogo infinito, o concluir los relatos; abandona, por así decirlo, el libro convencional «redondo», en favor de lo incompleto, digresivo, sin prueba ni conclusión, que se interrumpe, recoge y reproduce las contradicciones. (Walter Benjamin, desde otros ángulos, define este «arte de interrupción» como la modernidad [*apud* Ulmer, 1985, p. 146].) No se le escapa a Unamuno en 1935 este principio, y en su re-lectura de *Niebla*, propone como procedimiento ofrecer dos conclusiones diferentes para que el lector decida; esta doble estructura se vincula estrechamente al problema del sujeto. Unamuno deja hablar; el final del texto no es el fin del lenguaje, sino que éste continúa. Las versiones del metablema se van haciendo más elaboradas; la fascinación del diálogo interior como riesgo, en una red de comunicaciones entre emisores y destinatarios, que ocupan, alternativamente, el otro papel. Toda esta teoría del sujeto está asentada en la conciencia individual y la conciencia histórica nacional en cuanto productos sociales: «El pensamiento y la razón son de origen social: la conciencia es un producto social» (1902, *OC,* X, p. 104). El uno y el otro siempre presentes; un sistema que valora al destinatario, y que toma forma en la relación de contrarios. El ensayo *Rebeca* (1914, *OC,* IX, p. 63) sugiere la posibilidad de este sistema, en una «alegoría» de su poética de contradicciones: como el alma materna, que concibe ideas gemelas y contradictorias «quiere que vivan sus hijas todas, las quiere vivas, y no muertas las unas y fratricidas las otras. ¡Que luchen, que luchen como antes de nacer luchaban en su seno; pero que no se maten! ¡Que vivan todas!». El yo, como la creación, está orientado hacia un auditorio social.

Este riguroso examen de la conciencia y del sujeto reside precisamente en su movimiento de expansión —uno y otro— en pluralidad de lenguajes en conflicto, nunca el lenguaje estacionario, nunca la conciencia única monoestilística. Tampoco el *simulacro*: es decir, una copia de copia, un icono degradado, una semejanza infinitamente *relachée* (véase la definición de Deleuze, 1969, p. 297), porque el simulacro platónico supone un original auténtico y único; una idea superior y su imagen. En este mundo poblado de sujetos no existe la alternativa del simulacro, o el *remedo,* en léxico unamuniano. Recuérdese el consolador diálogo interior cuando Augusto se descubre como otro, «el otro», y se pregunta si no hay «otras» Eugenias. Categóricamente afirma que las *otras* son del «otro» (Mauricio), todas «remedos de ella, de la una, de la única» (850). Bien pronto descubrirá Augusto la absoluta otredad, y la imposibilidad de un sujeto unitario y dogmático en el tiempo y el espacio. No hay verdad única, todo movimiento se combate a sí mismo de continuo: «Vivo para vivir —escribe— horrible círculo vicioso» (*OC*, IX, p. 353).

Quisiera reforzar esta discrepancia fundamental con teorías norteamericanas y francesas, de las llamadas post-modernas, del *simulacro* («copia idéntica de un original que nunca ha existido» [Jameson, 1986, p. 151]), parte sustancial de esa nueva cultura y poscrítica de la imagen que debilita la historicidad, tanto en la relación del sujeto con la historia pública, cuanto en las formas de temporalidad privada. Parte constitutiva es la estructura «esquizofrénica» de Lacan; la decentración y diseminación de Derrida; le *différend* de Lyotard; el hiperrealismo de simulación de Baudrillard; la conquista de las superficies de Deleuze; la *dépense* de Bataille, entre otros (cf. las críticas de Jameson, 1986; J. Habermas, 1981 y la síntesis de Fokkema y Bertens, 1986).

Lo que Unamuno propone de manera concreta es toda una ontología del interior y del exterior como comunicación; un modelo de la autenticidad y la falta de autenticidad, un repudio de la superficie (superficialidad), del engaño, del simulacro, de la comunicación sin «destino» o «destinatario» (imaginada por Derrida, 1980). Propone, en cambio, un proyecto de interiorización o introspección, de «combatirse a sí mismo de continuo» (1915, *OC,* IV, pp. 1.120-1.121), estrechamente vinculado con la oposición entre alienación y desalienación en los contenidos internos, en vueltas y revueltas que se inscriben en la superficie textual en grandes círculos concéntricos del yo y el otro, sin espejismo ideológico. El sujeto *individual* es, en Unamuno, *social*, histórico; el sueño, la niebla, la ficción son zonas o dimensiones de reorientación vital, no vastas colecciones de imágenes o conjunto de espectáculos, ni la *jouissance* de la novedad o la modernidad. En esas zonas sin fronteras se intensifica la *representación*; es decir, la propia posición discursiva del sujeto individual dentro de la totalidad o el conjunto en un momento de verdad: que todos somos representaciones del otro, y que no hay autoridad única ni lenguaje único, ni dogma posible. Semejante proyecto, tomado en su conjunto, supone una percepción excepcionalmente aguda del ser humano como otro. En *Niebla*, Unamuno establece de manera definitiva, en la comunicación discursiva, el papel activo del otro.

Y algo más: en cuanto comunicación, también el lector desempeña un papel activo en el acto de comprensión; la «muerte del autor» (en frase de Barthes, 1972), no consiste en otorgarle un espacio autónomo al lector, o lo que se llama «silencio»: el autor aparece como una «estrategia textual», y el lector reemplaza violentamente al sujeto creador por la libre organización de los materiales del texto. Tampoco el autor «mutilado» de Derrida (*La dissémination*, 1972, p. 334), ni el parasitismo de la palabra escrita sin significados (*La Carte Postale*, 1980). Tampoco la automutilación o *autopunition* de Georges Bataille, conceptos estos que redefinen la subjetividad como un simulacro sin original, sin contornos y sin historicidad (véase la brillante crítica de J. Habermas, 1981).

Si en *Niebla*, Unamuno da «muerte al autor», lo hace guiado por el propósito de abolir la distancia entre ficciones y realidades y representarse a su vez como un sujeto discursivo entre otros, poniendo así en tela de juicio el lenguaje autoritario normativo. De hecho, pues, son dos maneras muy diferentes de conceptualizar el fenómeno en su conjunto; el de Unamuno es un intento realmente dialógico (socializado) de reflexionar sobre nuestro presente temporal como inserto en la historia. En este texto narrativo, se nos urge a realizar el mismo movimiento, con la misma distancia crítica; es un llamado de atención a no reducir la multiplicidad de discursos (y sujetos discursivos) a uno solo, considerado el correcto, el idóneo, el «verdadero». Representa, en realidad, el cuestionamiento de toda autoridad que se erige en norma.

Unamuno parecería estar ficcionalizando las tesis de Marx contra Feuerbach (1848): si se elimina el «otro», y se elimina el enigma (o el azar o el misterio), se destruye la esencia del ser humano: el ser humano en su realidad social, no como individuo abstracto. Es decir, la humanidad socializada. Con *Niebla*, Unamuno presenta un nuevo modelo de producción textual que es, al mismo tiempo, un nuevo modelo cultural: la colaboración en todo lo que determina de una forma u otra la psique (conciencia, espíritu, alma) del individuo, y se exterioriza objetivamente por *otro*, con la ayuda de uno u otro código de signo exterior.

Unamuno es, claro está, como todo pensador, hijo de su tiempo; en estas especulaciones se enlaza naturalmente con sus precursores. Herencia, la suya, asimilada y, a menudo, puesta a prueba, re-elaborada de manera crítica. Está, sí, determinado —podríamos decir— por las tradiciones filosóficas de sus predecesores, que abarcan buena parte del pensamiento occidental, a partir de la Biblia. Pero también salta a la vista la diferencia cualitativa, por lo cual se acerca, de un modo original, en el más profundo de los sentidos, a los problemas de hoy. Comparte muchas de las suposiciones más básicas acerca del individuo, la sociedad, la historia; su lenguaje es, ciertamente, decimonónico. Lenguaje filosófico que lo costriñe, y lo obliga a crear neologismos para expresar con claridad su pensamiento formalizado. Dentro de ese circuito de anticipaciones, sus ensayos, comentarios, preceden la estrategia de la poscrítica, y esbozan, asimismo, el proyecto de la teoría post-estructuralista: localizar el «sujeto» del conocimiento (cf. Ulmer, 1985, p. 148).

Pero podemos argumentar de un modo más concreto retomando la relación entre la producción cultural unamuniana y la vida social en general. Sin duda, comparte con el modernismo (la modernidad, sería mejor) un desafío a los principios reinantes de la realidad y su representación. Sin embargo, su desafío constituye la señal de un nuevo sujeto en la historia; una ruptura radical con los sistemas de pensamiento anteriores (también Valle-Inclán, en muy otro sentido). La manera en que tal abertura (cesura) se manifiesta, va por pasos, hitos claves: 1898, los conflictos sociales en suelo español durante los diez primeros años del siglo XX, la primera guerra mundial imperialista, la Revolución rusa, la Dictadura de Primo de Rivera, sus exilios y, finalmente, la II República española y los acontecimientos de la Guerra Civil hasta su muerte en 1936. De entonces data un manuscrito inédito, *El resentimiento trágico de la vida* (que conozco gracias a una síntesis de Elías Díaz), donde se propone —escribe— «la experiencia de esta guerra me pone ante dos problemas, el de comprender, repensar mi propia obra empezando por *Paz en la guerra* y luego, comprender, repensar España» (*apud*, Díaz, 1986, p. 81).

Si mi propuesta es aceptable, cada uno de esos siete procesos interviene de manera directa y fundamental en la producción textual unamuniana y se originan en un concepto del sujeto, de la cultura y de la historia que penetra la vida ordinaria. Bajo los imperativos de un sistema político-social que perturba la infraestructura comunicativa de la vida individual cotidiana, Unamuno presenta formas de sociabilidad humana, de acción comunicativa. Levanta dudas sobre las visiones del mundo unificadas: verdad, norma, autenticidad, cultura, moralidad, historia. Su decisión a partir de *Niebla*, parecería ser la de poner en primer plano las dimensiones del sujeto, del sujeto socializado. Y no debemos retener de *Niebla* sólo un dilema estético; lo que parece claro es que pone en tela de juicio los sujetos individuales, con identidad personal única, la ideología del yo único.

Creo que en vez de abandonar a Unamuno y su proyecto como una causa perdida en este ocaso del siglo XX, deberíamos aprender de su programa, que al menos indica la dirección de una salida. A saber: que no existe comunicación posible sin el *otro* y que toda «voz» única es autoritaria. Esta «voz» se levanta, hoy día, contra la universalización, contra la sociedad post-industrial, el capitalismo multinacional, la sociedad de consumo, la sociedad de los medios de comunicación. En definitiva, contra la lógica del capitalismo de consumo (y consumación).

En *Niebla*, el lenguaje funciona como transformador, como extenso diálogo de argumentaciones y refutaciones. Los juegos de lenguaje son aquí juegos de informaciones, de saberes, de conocimientos, en una red de enunciados denotativos e interrogativos. El saber y la estructura tradicionales de la ficción se alteran; los papeles adjudicados al narratario y al narrador se rechazan. Todos son emisores y receptores, de modo que el derecho a ocupar una de las actividades se funda sobre el doble hecho de haberse ocupado el otro. Se quiebra toda autoridad; toda palabra se convierte en un acto de habla, acto de habla no únicamente del emisor, sino también del receptor, y además, el «otro», el tercero interno o externo. Todo se pone en juego en esta tupida red de diálogos, de discursos en discursos, de distribución de papeles, que pone en tela de juicio e interroga la legitimidad. El relato reintroduce como validez del saber, la duda; puede tomar así dos direcciones (o dos finales): el del conocimiento o el de la libertad. Introduce, por así decirlo, la dialogía de la filosofía moderna, frente a la manera aristotélico-católica de concebir la objetividad de la realidad.

El texto, extensión de la memoria y de la imaginación, es a manera de laberinto circular, para afirmar la libertad de seguir pensando el pensamiento inicial; de ahí los enlaces que se rozan entre *Niebla*, textos de Kierkegaard, pasajes de Papini, algún pensamiento de Schopenhauer, el motivo del paraguas de Nietzsche, alguna cita paródica de Descartes. Pero también roces indeterminados con su propio lenguaje y su propio universo creado: *Amor y pedagogía, Del sentimiento trágico* (1913), ensayos, soliloquios, arabescos, y el prólogo, tan memorable, del *Cancionero*, clave, si las haya, de esa voz que busca el diálogo entre el *yo* y el *tú*. En Unamuno se cumple aquella memorable definición que ofrece Borges sobre el proceso creador: «una mezcla de olvido y recuerdo de lo que hemos leído».[3]

Bibliografía

ALTHUSSER, Louis, 1965, *Pour Marx*, París, Maspero.

BUCHLOH, Benjamin H.D., y otros, 1983, *Modernism and Modernity,* Halifax, Canadá, Nova Scotia College.

BAUDRILLARD, Jean, 1975, *L'échange symbolique et la mort,* París, Gallimard.

BUBER, Martin, 1937, *I and Thou*, Nueva York, Charles Scribner's Sons.

DEAN, C., 1986, «Law and Sacrifice: Bataille, Lacan, and the Critique of the Subject», *Representations*, 13, pp. 42-62.

DELEUZE, Gilles, 1969, *La logique du sens,* París, Minuit.

DERRIDA, Jacques, 1972, *La dissémination*, París, Seuil.

—, 1980, *La Carte Postale*, París, Seuil.

—, y otros, 1985, *La faculté de juger,* París, Minuit.

DÍAZ, Elías, 1986, «Unamuno y el alzamiento militar de 1936», *Sistema,* 75, pp. 63-81.

FOKKEMA, Douwe y Hans BERTENS, eds., 1986, *Approaching Postmodernism,* Utrecht Publications 21, Amsterdam, John Benjamins.

FOUCAULT, Michel, 1984, *A Foucault Reader,* Ed. Paul Rabinow, Nueva York, Pantheon.

HABERMAS, Jürgen, 1981, «La modernité: un projet inachevé», *Critique,* XXXVII, 413, pp. 950-967. (También en Buchloh, ed.)

HASSAN, Ihab, 1982, *The Dismemberment of Orpheus: Toward a Postmodern Literature,* Nueva York, Oxford University Press (1971).

—, 1986, «Pluralism in Postmodern Perspective», *Critical Inquiry: Pluralism and Its Discontents,* 12, 3, pp. 503-520.

JAMESON, Fredric, 1986, «El posmodernismo o la lógica cultural del capitalismo tardío», *Casa de las Américas,* XXVI, pp. 141-172.

LEFÈBVRE, Henri, 1962, *Introduction a la modernité*, París, Minuit.

LYOTARD, Jean-F., 1979, *La condition postmoderne,* París, Minuit.

—, 1983, *Le différend*, París, Minuit.

ROCKMORE, Tom, 1986, *Hegel's Circular Epistemology,* Bloomington, Indiana, Indiana University Press.

ULMER, Gregory L., 1985, «El objeto de la poscrítica», *La posmo-*

dernidad. Edición y prólogo de Hal Foster, Barcelona, Kairós, pp. 125-164.
UNAMUNO, Miguel, 1958-1961, *Obras completas,* 16 vols., Madrid, A. Aguado.
—, 1951, *Ensayos,* 2 vols., Madrid, Aguilar.
WALLIS, Brian, ed., 1984, *Art After Modernism: Rethinking Representation,* Nueva York, The Museum of Contemporary Art.
ZAVALA, Iris M., 1986*a*. «*Niebla:* La lógica del sueño» (conferencia en la Universidad de Puerto Rico, octubre 1986), *La Torre,* 1, 1987, pp. 70-92.
—, 1986*b*, «Unamuno a dos voces» (conferencia en Hofstra University, noviembre 1986, en prensa).
—, 1986*c*, «La dialogía del teatro unamuniano: género interno», (conferencia en Universidad de Deusto, San Sebastián, diciembre 1986, en prensa).

NOTAS

1. El post-modernismo, concepto que proviene de la arquitectura, se considera una ruptura con la estética modernista. Entre sus características se enumeran las siguientes: la «muerte del autor», la recepción o colaboración del lector o espectador; la relación del sujeto y el poder; el pluralismo; la capacidad para cuestionar el conocimiento heredado; la convicción de que poder y conocimiento están ligados. Es además una cultura cibernética, asentada en el *simulacro* y la desconstrucción crítica. Existe una buena cantidad de estudios: remito a Henri Lefèbvre (1962); Lyotard (1979); las compilaciones de Buchloh y otros (1983); Wallis (1984) y el número de *Critical Inquiry, Pluralism and its Discontents* (1986); Fokkema y Bertens (1986); Derrida y otros (1985).

2. Ihab Hassan (1982; 1986) ha planteado una taxonomía del post-modernismo: *indeterminacy, fragmentation, de-canonization, self-less-ness, depth-less-ness, the unpresentable, unrepresentable, Irony, Hybridization, carnivalization, perfomance, participation, constructionism, immanence.* La post-crítica está bien vista por Ulmer (1985). Está claro que el proyecto unamuniano tiene muchos puntos en común con la post-modernidad en tanto en cuanto el «modernismo» (1860-1930) abre esos caminos. Queda claro asimismo la divergencia fundamental.

3. Borges se ha convertido en una suerte de campeón de la post-modernidad, y se le cita con frecuencia: Lyotard, Foucault, Barthes, Deleuze, entre otros. En particular, como ejemplificación de la «muerte del autor», por el cuento «Pierre Menard, autor del Quijote». Véase a esta luz la *Vida de don Quijote y Sancho* de Unamuno (entre otros textos), así como *Niebla,* y los *Seis personajes en busca de autor*, de Pirandello. Es importante señalar también que tanto Unamuno cuanto Borges se apoyan siempre en una *metanarración:* hipotextos, historia, mitos, filosofía.

ET VERBUM UNAMUNO FACTO EST: LA ESCRITURA COMO INSCRITURA EN LA LÍRICA DE DON MIGUEL

Antonio Carreño
(Brown University)

La lírica de Unamuno sigue siendo la oveja negra de toda su extensa producción literaria. Contamos apenas con breves prólogos introductorios; con un par de antologías (la de Austral, la más reciente de Alianza) y con un manojo de artículos sueltos, algunos de mínimo valor. Carecemos de esa monografía que detalle *in extenso* la trayectoria poética de don Miguel: desde sus primeros versos, que publica en 1907, a esa obra masiva que constituye el *Cancionero:* un «diario poético» que escribe entre 1928 y 1936. Si contrastamos el *corpus* crítico en torno a la lírica de Unamuno con el de sus coetáneos —Antonio Machado, por ejemplo; o incluso Juan Ramón Jiménez— las diferencias son sorprendentes. Más aún si lo vemos frente a la generación siguiente: Lorca, Guillén, Salinas, el mismo Alberti o Cernuda. Se ha postergado, pues, el estudio de la lírica de Unamuno por el resto de su obra. En el primer caso, el canon crítico se mueve alrededor de varios poemas ejes: «Oda a Salamanca»,[1] «Aldebarán»,[2] «En un cementerio de lugar castellano», «Vendrá la noche» y pocos más,[3] lo que contrasta con la propia estimación que Unamuno tenía de sí mismo como poeta, y de la que otros insignes lectores manifestaron a lo largo de su vida, o posteriormente. En carta que escribe a Zorrilla de San Martín, el 2 de noviembre de 1906, le indica Unamuno que sus poesías son de «otoño» (metáfora de madurez) y no de «primavera»; es decir, de juventud. Rubén Darío afirmó en un momento que don Miguel era «ante todo y quizá eso sólo»: poeta. Como gran lírico lo defiende Jorge Guillén en la revista *Los cuatro vientos*. Antonio Machado, refiriéndose a sus propias lecturas, le escribe «haber llorado con uno de sus poemas» y de perder varias copias de *El Cristo de Velázquez* «a fuerza de prestarlas». Para Luis Felipe Vivanco, la voz poética de Unamuno es «rezadora»; es «uno de los tres grandes poetas trágicos españoles de la primera mitad del siglo XX», afirma el mismo Vivanco en el prólogo a la *Antología poética* de don Miguel, que publica en 1942.[4] Del mismo modo, Luis Cernuda destaca tres círculos temáticos que funcionan a modo de constantes ejes: patria, familia, religión. La poesía de Unamuno es «vivencia» y no «circunstancia», indica Concha Zardoya; es básicamente religiosa, anota Gustavo Correa,[5] es la «formulación de todo un pensamiento poético», escribe José María Valverde.[6]

Y pese a la estimativa de estos insignes «archilectores», el mismo Unamuno desconfiaba de ellos al sentirse no reconocido abiertamente como poeta: lo único que un buen día quiso ser. Esta escasa atención crítica a su lírica tiene varias razones. Tal vez (primera) porque su obra poética viene a ser una extensa perífrasis —a modo de «prototexto»— de obras que simultáneamente escribe en prosa (teatro, novela, ensayo); o porque (segundo caso) la reiteración (*reduplicatio*) raya con la obsesión. Mueve la lírica de Unamuno más el «pensar» o el «intenso sentir» (semiosis) que el vuelo imaginativo del buen decir (mímesis). Y forja a contrapelo, y frente a sus coetáneos (Machado, por ejemplo; el mismo Juan Ramón Jiménez) una «ego-manía» que deriva con frecuencia en enfática y hasta reticente. La verdad es que Unamuno es un poeta de sustancias, usando el término aristotélico, más que de circunstancias; es más extenso que denso; y sobre todo, más lógico y filosófico que cósmico o social. Es reflexivo pero obsesivo en demasía; humano pero a la vez religiosamente trágico. La realidad en torno, tanto social (familia, pueblo, patria) como existencial (espacio físico, persona) se examina *sub specie aeternitatis*. Los espacios (ciudad, torre, catedral, plaza, cementerio, río, monte) funcionan a modo de emblemas que interiorizan repetidamente el sentir personal. Se asocia éste a un entorno común, bien de carácter religioso (muerte, piedad, fortaleza, ateísmo, esperanza, sueño, creencia, duda, ilusión de ser), bien filosófico y moral. Pensemos en poemas como «La vida es limosna» y «La elegía eterna» de 1907; «La vida de la muerte», «El fin de la vida», «Ni mártir ni verdugo», «La oración del ateo», «Incredulidad y fe», «Ir muriendo», «Ateísmo», «Razón y fe», de 1911. Y los más tardíos de 1923 como «Nubes de ocaso», «Aldebarán», etc.[7] Los significantes «vencejos», «campanario», «cementerio», «plaza», «calle», «campo» develan siempre un substrato existencial parejo siempre al bíblico.

Así, y al hilo de los títulos, podemos observar cómo la palabra poética en Unamuno viene a ser una extensa alegoría vivencial: un sistema de trabadas analogías que remiten a un «sujeto» (el «yo») como objeto de poetización. Tal doblamiento es múltiple, continuo. Viene dado con frecuencia a base de formas deícticas («yo», «tú», «él»); de antítesis («Razón-Fe», «cielo-tierra», «vivir-morir»); de enunciaciones paradójicas («La vida de la muerte»); de personificaciones («Ojos del anochecer», «Canta noche»), cuyo fin es con frecuencia oponer un «yo» frente a un «tú», que, ilativamente, se revierte en un magno Yo. Éste se configura como una entidad total en un ansia (que revierte en ausencia y duda) de transcenderse como historia. Tal es la función que Unamuno adscribe al «lector», y que se ejemplifica en la humillante petición que le dirige en el poema «Para después de mi muerte», que incluye en *Poesías* (1907): «Sí, lector solitario, que así atiendes / la voz de un muerto, / tuyas serán estas palabras mías / que sonarán acaso / desde otra boca, / sobre mi polvo / sin que las oiga yo que soy su fuente» (vv. 29-35). La enunciación oral («habla la voz de un muerto») se convierte en la mejor aliada contra la disolución de quien en un momento la fija como escritura, y es más tarde recitada «desde otra boca». La lectura múltiple garantiza la sucesión de la voz originaria. Unamuno cifra en el lector su más deseada permanencia al escribir: «tuyas serán estas palabras mías». Se confirma así en quien las lee, pasando a ser continuidad de quien en un momento las escribió. El «polvo serán, más siempre enamorado», del reconocido soneto de Quevedo

(«Cerrar podrá mis ojos la postrera / Sombra que me llevare el blanco día») revierte en Unamuno, quien usa la misma imagen, en un sucesivo subsistir que expresa el presente continuo: «yo que soy su fuente». El epigramático endecasílabo de Quevedo adquiere del mismo modo en Unamuno un doble sentido. Lo marcan los dos núcleos que comprende el oximoron: en Quevedo, «polvo enamorado»; en Unamuno «polvo» (seré) frente a «fuente» (soy). Destaquemos del breve fragmento varias metáforas recurrentes a lo largo de la lírica de don Miguel.

La palabra es fórmula de cambio, pero es sobre todo medio de traslación. Infiere en quien la recita un nuevo enunciado; una nueva recitación. Sabemos que Unamuno leía y releía los Evangelios en griego; eran su lectura preferida, comentan sus biógrafos.[8] De ellos surge el motivo de Lázaro, tan continuamente traído a colación por el profesor de Salamanca; las múltiples referencias bíblicas presentes en *El Cristo de Velázquez*, y en parte la concepción simbólica de *San Manuel Bueno, mártir*. Más de una vez habría leído Unamuno las palabras iniciales que abren, a modo de prólogo, el evangelio de Juan: Dios es la palabra (*logos*), y a través de ella el *Verbum* se hizo carne: («Et verbum caro factum est», 1, 14). La palabra fue el origen. Marca el continuo suceder histórico, bíblico y teológico. La teología de la palabra evangélica deviene en Unamuno en filosofía de la palabra encarnada: él siempre vivo en quienes lo leen. En este concepto logocéntrico funde Unamuno varias acepciones semánticas: una de orgien helénico; la otra bíblico. *Logos* (de λεγειυ: «recoger») significó originariamente «colección»; también «discurso» (lat. *sermo*), «palabra» (lat. *verbum*), y resultado de «cálculo o cuenta» (*ratio*). Incluso llegó a significar la razón del hombre y la inteligencia. En la tradición bíblica *logos* es la palabra pronunciada.[9] En la *Stoa, logos* es el principio divino que penetra, traba, dirige y mueve el mundo. Sabemos cómo Filón intentó conciliar el judaísmo con la filosofía griega, convirtiendo el *logos* en un ser intermedio (medianero). Por el *logos* se revela Dios a sí mismo, y por él tiene el hombre que subir a Dios. Pero los anhelos de Unamuno son más radicales; no menos absolutos. En el Nuevo Testamento, *logos* se usa para designar la naturaleza propia de Cristo recurriendo a la tradición bíblica del Viejo Testamento donde *logos* es, en el Deuteronomio (30, 11:14) y en los Salmos (147, 19), «piedra de Dios». Sin embargo, es en el cuarto evangelio donde repetidamente se habla de «permanecer en la palabra» (Jn 8, 31) o de ser la «palabra» («Deus erat Verbum», 1, 1). Del mismo modo, la obsesión de Unamuno se torna en ser siempre en la palabra; mejor aún, en Ser la Palabra.

En tal apropiación de la palabra destaca Unamuno la importancia que el lector desempeña en su lírica. Recordemos cómo en el apéndice que incluye en *Niebla*, y que subtitula «Una entrevista con Augusto Pérez», indica: «Porque yo pretendo, !oh, mis lectores!, ser yo y ser vosotros, y ser algo y en algún momento cada uno de vosotros». El lector de *San Manuel Bueno, mártir* se simula lector y transmisor de un documento o «memoria» en el cual Ángela Carballino, ya pasados cincuenta años, había anotado sus relaciones espirituales con don Manuel. Un día de mañana, narra Unamuno en el prólogo a su *Cancionero*, salta sorprendido ante su imagen reflejada en el espejo (símbolo recurrente en su obra)[10] y exclama: «pero, ¿eres tú?, ¿eres tú ese del que se dice?, "¿eres tú?". Y se siente uno —¡uno!— no ya yo, sino tú. Íntimos misteriosos momentos de sumersión en ti. Y ese yo, tú, es —no soy ni eres— el poeta. Lector, el poeta aquí eres tú. Y como poeta, como creador, te ruego que me crees. Que me crees, y que me creas. Aunque es lo mismo» (VI: 948). El lector pasa a ser el final ejecutor del texto, reviviendo en él la voz que le dio forma. Al acto estético aduce Unamuno el ético; a la creación la creencia. Se asegura así, y en partida doble, ya no sólo como enunciación lírica sino también como creencia en los principios que propone.

Diferentes son estos lectores de los críticos de sus obras. Éstos anulan con su racionalismo inquisitivo al verdadero «autor». Así, en «Soliloquio ante una crítica de mi obra» (*Cancionero,* núm. 738) alterna Unamuno la voz interior (quien escribe) con la del «otro»: el juzgado por el crítico. El poema es un breve diálogo entre el «yo» percibido por don Miguel y el que examina el crítico, quien anula el ajeno para imponer el suyo: «—¿Eres tú, éste, Miguel? dime. / —No, yo no soy, que es el otro». Tal protesta por la apropiación que el lector hace del texto (tan admirablemente propuesta por Borges) responde a una ciega ansiedad de permanecer en las bocas que lo lean. En otro poema escrito en redondillas, e incluido también en el *Cancionero* (núm. 828), indica: «Aquí os dejo mi alma-libro, / hombre-mundo verdadero. / Cuando vibres todo entero, / soy yo, lector, que en ti vibro» (vv. 13-16). En el poema que dio origen al presente comentario, «Para después de mi muerte», el lector será la voz que renazca, contra la muerte, al desaparecido «él»: ese que un día dijo «yo». La angustiada queja del primero, que se figura convertido en «polvo», le pertenece de este modo al lector quien, solitario, la hará suya. Tanto la palabra escrita como la voz que la repite al ser leída, se definen como metáfora de una presencia ya ausente; también como signo perverso de la propia finitud:

«¡Yo ya no soy, hermano!»
Vuelve otra vez, repite:
«¡Yo ya no soy, hermano!»
«¡Yo ya no soy; mi canto sobrevíveme
y lleva sobre el mundo
la sombra de mi sombra,
mi triste nada!»

(vv. 61-67)

Es en el *Cancionero* donde con más insistencia se establece esta relación directa con el «tú» como destinatario. Por ejemplo, en el poema núm. 8 (p. 951) se pide: «Mírame como a un espejo / que te mira...», deseando verse él mismo como espejo (sujeto) y como reflejo (objeto).[11] El reflejo del «yo» lírico en el lector, y ese continuo encarnarse como «persona» en la voz de quien lee sus versos,[12] asocia otro texto evangélico: las palabras medulares que Cristo dirige a sus apóstoles (oidores de la «Palabra») la noche de la cena: «Haced esto en memoria mía» (*hoc facite in meam commemorationem*, Lc 22, 19) que Unamuno transforma en «leed esto en memoria mía». La palabra evangélica es para Unamuno mandato, encarnación y memoria; pero es sobre todo presencia. Dios se encarna a través de la Palabra, máxima aspiración de Unamuno, delatando en tal ansia su obsesiva «teofogía», como él la denomina en el prólogo al *Cancionero*.

El morfema «fuente» se opone a «polvo» (recordemos, «sobre mi polvo» en el poema), metonimia de una totalidad amorfa en sus dos connotaciones básicas: una como «origen», la otra como «energía». La palabra (de nuevo *logos*) adquiere un continuo poder creativo —así en Plotino— que Unamuno asocia una vez más con su vivencia personal. El «ego» deviene en «logos», si bien humillado el primero ante la anulación física: «polvo». La frase «yo que soy su fuente» suena de nuevo a recitación bíblica. Establece en el suceder discursivo del verso la afirmación de lo que previamente se niega. La fuente (agua en continuo movimiento) es símbolo de la fuerza vital. En opinión de Jung, es origen de la vida interior y de la energía espiritual. En la mitología clásica se consideraban las fuentes hijas del Océano y de Tetis, y se identificaron cada una con reconocidas ninfas. Por ejemplo, Castalia era la fuente preferida de Apolo y de las musas. Su agua era tan límpida y tan fresca que, según los poetas clásicos, poseía la virtud de excitar el entusiasmo poético y la imaginación. Pero nos importa notar cómo Unamuno niega su reducción a «polvo» con la imagen vital «fuente» para fijar, a través de dos imágenes cósmicas, lo que Gaston Bachelard denomina con el término «prominencias» (lo que sobresale) del psique. Establecen ambas esa dialéctica agónica que se mueve del no «ser» al potencial ser («polvo/fuente») en los otros.[13] Una enunciación radical que el poeta francés Pierre-Jean Jouve expresó simplemente: *Car nous sommes où nous ne sommes pas*.

Tal polarización (este moverse en un sistema de continuos opuestos) caracteriza el discurso poético de Unamuno. Conjuga la oralidad con la frase perfilada; el verso corto se alterna con el largo de once, doce y hasta catorce sílabas. Series de alternancias estructuran a menudo su decir poético. Todo para reflejar miméticamente la apasionante incertidumbre que mueve su pluma lírica. De ahí también la estructura dramática de un buen número de poemas. Por ejemplo, en «Para después de la muerte» el poema se escinde en dos partes bien diferenciadas. Corresponde la primera a un narrador cuyo discurso se acota entre comillas (vv. 18-29; 62-68). Se figura hablando desde su muerte. La segunda parte pertenece a un escucha (el vivo) quien atiende «la voz de un muerto»

(vv. 30-31). Al mismo sentido de disyunción le corresponde su tono discursivo, y el continuo deslizamiento de significantes al indicar, por ejemplo, «¡Oye y medita! / Medita, es decir: ¡sueña!» (vv. 16-17). Se pasa del «oír» al «meditar»; y de éste al «soñar». Lo marca también el uso de la anáfora donde la repetición hila dos conjuntos correspondientes; también la combinación de fórmulas imprecativas («Oye tú que lees esto», v. 12) frente a las suasorias: «¡Oye y medita!» (v. 17), combinando actos perlocutivos con ilocutivos. El poema es de este modo mimesis de las complejas dualidades que embargan a la voz que le va dando forma. Se impone en todo momento la voluntad de quien escribe frente a quien ha de leer.

Se define el canto como «voz atada a tinta» (v. 39), como «aire encarnado en tierra» (v. 40) y como «portento sin igual de la palabra» (v. 42), destacándose otra radical diferencia: «el aire» frente a la «tierra», y lo perenne (lector) frente a lo caduco (autor). De las formas coloquiales («¿Me oyes tú, lector?, yo no me oigo», v. 69) pasamos a la evocación lírica («En el mar larga estela reluciente», v. 55); y de aquí a las frecuentes referencias personales: «¿Dónde irás a pudrirte, canto mío?» (v. 75), o «¿En qué rincón oculto / darás tu último aliento?» (vv. 76-77). Tales disyuntivas están hábilmente representadas incluso a nivel de la enunciación en esa voz que se asume como muerta. Tal dialéctica la delata el poema no sólo a nivel ontológico, temático, sino (y sobre todo) a nivel referencial. Lo muestra, por ejemplo, la confluencia de prosaísmo (se escribe como se habla) a la par con frases que asocian obvios préstamos románticos: «En el mar larga estela reluciente» (v. 56); o la tan obvia evocación becqueriana: «¡Acaso resonéis, dulces palabras, / en el aire en que floten / en polvo estos oídos, / que ahora está midiéndoos el paso!» (vv. 51-54). Lo denota también la interjección lexicalizada, «¡Oh, tremendo misterio!» (v. 55) frente a la dicción de nuevo cuño: «voz atada a tinta» (v. 39) o «aire encarnado en tierra» (v. 40). El lenguaje es, pues, para Unamuno heraldo de lo eterno como lo son las piedras que forman su amada Salamanca a quien le pide: «con tu lenguaje, de lo eterno heraldo, / di tú que he sido» (vv. 123-124) («Oda a Salamanca»). Es memoria de una presencia; huella indeleble que entre líneas testifica —sueña Unamuno— su permanencia. Dios se celebra, indica en el poema «Hermosura», en la belleza de la naturaleza. Las cosas son «palabras de Dios limpias de todo / querer humano» (vv. 61-62). La pregunta que cierra el final del poema es acongojante:

> *Y ahora, dime, Señor, dime al oído:*
> *tanta hermosura*
> *¿matará nuestra muerte?*
>
> (vv. 70-2)

Pero es probablemente la «Elegía a la muerte de un perro» el poema más representativo de Unamuno. Está en embrión la formulación novelística de *Niebla,* de *Abel Sánchez* y sobre todo, de *Cómo se hace una novela.* Aquí el discurrir morfológico se acopla al ontológico en un apasionante monólogo interior que a la vez se figura como diálogo al doblarse el perro en ese «otro» que contempla su destino moral. La congoja es acuciante, desgarradora. Ante el perro, el «otro» se contempla muerto. El verso libre, medido por una combinación de endecasílabos, eneasílabos y pentasílabos, con acentos marcados indiscriminadamente, se ajusta al ritmo acelerado de preguntas, respuestas y exclamaciones. Las mueven la duda, la ironía, el sarcasmo y hasta un dejo de simulada compasión. Se enfrentan de nuevo dos discursos líricos en tensión: la oralidad del nervioso inquisidor frente a la evocación lírica de quien ve reflejado en el perro su propio destino. El precipitado fluir de las preguntas se nivela en torno a tres claves: *a*) el mundo que desde la muerte ya habita el perro; *b*) la posible continuidad de relaciones entre amo (el vivo) y perro (el muerto), doblándose éstas en analogías entre creador, creado y creyente; y *c*) la relación teológica entre Dios y voz lírica que anuncia el poema. El silogismo se formula líricamente de la siguiente manera: el perro soñó en ser hombre viendo en su amo a su Dios; pero otro «Dios» sueña del mismo modo al hombre; pero éste, de manera distinta que el perro, duda en la escritura (el poema) que tal vez Dios no existe; ni el mismo hombre después de la muerte. La finitud es total:

¡Ser hombre, pobre perro!
Mira, tu hermano,
ese otro pobre perro,
junto a la tumba de su dios, tendido,
aullando a los cielos,
¡llama a la muerte!
(vv. 102-106)

La relación de dependencia es abismal: el uno (perro) muere con dulzura. Caracteriza a éste la «mansedumbre». Se entrega dulcemente en la «suprema sumisión de la vida». Pero el otro (el hablante), desesperado ante su destino, «aulla al cielo suplicando muerte». De este modo, la elegía por la muerte de un perro se torna elegía por la muerte de un Dios y por la muerte del hombre, configurándose así el poema en «elegía de una elegía». La ironía permea este poema: desde el proceso morfológico (aseveraciones, dudas, exclamaciones; preguntas sin respuestas, locuciones en suspenso, etc.) hasta el mismo simbolismo: el perro emblema universal de la fidelidad. La dicción es fragmentada y dispar; pero es, sobre todo, redundante. De nuevo nos encontramos con frases lexicalizadas («serenos ríos»), con formas iterativas, disyunciones, anáforas, paralelismo brusco. Un ritmo binario, alternante, demarca la estructura del poema que fluctúa entre la expresión oral y la evocación lírica. La aporía, que san Isidoro en sus *Etimologías* (II, 21, 27) define como la figura que expresa esa «vacilación de quien simula desconocer algo que conoce» o viceversa, conforma el largo argüir del poema («Sunt et aporiae dubitatio simulantis nescire se quae scit, aut quomodo dicatur»).[14]

La elegía, pues, a la muerte de un perro, es un inquisitivo monólogo existencial. Se contempla a través del animal la caducidad de la propia conciencia como percepción sensible y espiritual. Se reafirma la inexistencia del otro mundo hecho de «puro espíritu», de «inanidad» y de «vacío» (vv. 52-54). Muerto el perro tan sólo queda, en quien fue su dueño (o mejor, su dios), el recuerdo y la nostalgia por su ausencia. Pero obsesiona al amo la grávida pesadumbre de saber que su muerte es aún más dispar. La falta de un Dios que también a él lo sostenga es aceptada con airada furia. La elegía da en fábula —la enseñanza moral que causa la muerte del perro— revirtiendo en paradójica oposición. El fingido diálogo con el animal es un imprecatorio monólogo con el «otro» (Dios) y consigo mismo:

Tú has muerto en mansedumbre,
tú con dulzura,
entregándote a mí en la suprema
sumisión de la vida;
pero él, el que gime
junto a la tumba de su dios, de su amo,
ni morir sabe.

Tú al morir presentías vagamente
vivir en mi memoria,
no moriste del todo,
pero tu pobre hermano
se ve ya muerto en vida,
se ve perdido
y aúlla al cielo suplicando muerte.
(vv. 117-120)

En el poema «Monsieur Unamuno, homme des lettres» (VI, núm. 827) es donde el hablante se identifica plenamente como «hombre de habla»: «No escribo por pasar el rato —indica— sino la eternidad». Es consciente, sin embargo, que la escritura deviene en ficción al ser asociada por el nuevo lector, ya lejano en su origen, a contextos ajenos a la primera fuente que le dio voz. Así en un poema final, expresa:

Se quedan las que quedan, las ficciones,
las flores de la pluma,
las solas, las humanas creaciones,
el poso de la espuma.

Y concluye:

Leer, leer, leer; ¿seré lectura
mañana también yo?
¿Seré mi creador, mi criatura,
seré lo que pasó?

Presenciamos, de nuevo, la gran ansia de este «yo» de saltar al presente para instalarse perpetuamente en el futuro de su «otro», deseando encarnarse en él como presencia.

Si bien Unamuno, en palabras de Vivanco, nos da «el mundo entero hecho hombre», añadiríamos que más bien se nos da todo hecho «inscritura», viniendo a ser ésta el emblema más representativo de su conciencia escindida. La palabra escrita dramatiza la beligerancia del pensamiento sobre la palabra inventada. Recordemos, de nuevo, cómo se pasa de la interrogación a la aserción; de la evocación lírica a la contundencia estridente; y de la imagen musical becqueriana al áspero retruécano. La ontología de ser como existencia deriva en ontología de la palabra como presencia. En el ser en el texto o en el lector se ensoñó Unamuno como ser la Palabra. Una acción tan sólo reservada a los dioses pero que Unamuno obsesivamente figuró también pertenecerle.

NOTAS

1. Véase, Manuel Alvar, «Símbolo y mito en la oda Salamanca», *Cuadernos de la Cátedra Miguel de Unamuno,* XXIII, 1973, 49-70.

2. Diego Catalán, Menéndez Pidal, «"Aldebarán" de Unamuno», *Cuadernos de la Cátedra Miguel de Unamuno*, IV, 1953, 43-76.

3. Es también de notar sobre la poesía de Unamuno el trabajo de Eugenio de Bustos Tovar, «Miguel de Unamuno, poeta de dentro a fuera: Análisis sémico del poema "Castilla"», *Cuadernos de la Cátedra Miguel de Unamuno,* XXIII, 1973, 71-137: Luis Felipe Vivanco, «El mundo hecho por dentro en el *Cancionero* de Unamuno», artículo publicado en un principio en *La Torre*, 35-36 (julio-diciembre 1961), pp. 361-386, e incluido posteriormente en *Miguel de Unamuno,* ed. Antonio Sánchez-Barbudo (Madrid, Taurus, 1974), 349-374; Manuel Alvar, «Unidad y evolución en la lírica de Unamuno», *Estudios y ensayos de literatura contemporánea* (Madrid, Gredos, 1971), pp. 131-135; Ricardo Senabre Sempere, «En torno a un soneto de Unamuno», *Cuadernos de la Cátedra de Miguel de Unamuno* XIII. 1963, pp. 33-40.

4. Manuel García Blanco, «Introducción», en Miguel de Unamuno, *Obras completas, VI, Poesía* (Madrid, Escelicer, 1966), p. 9 ss. Los textos citados se toman de esta edición.

5. Véase *Antología de la poesía española (1900-1980),* I (Madrid, Gredos, 1980), pp. 9-37; 39-41.

6. Véase «Introducción» a Miguel de Unamuno, *Antología poética* (Madrid, Alianza, 1977), pp. 7-16.

7. *Obras completas,* VI, pp. 252, 262, 339 (núm. IV), 341 (núm. VIII), 351 (núm. XXVI), 359 (núm. XXXIX), 361 (núm. XLII), 362 (núm. LIII), 368 (núm. LV), 372 (núm. LXII); 544 (núm XVIII) y 545 (núm. XIX).

8. Una gran muestra de estos conocimientos bíblicos se revela, por ejemplo, en su *Diario íntimo,* publicado póstumamente (Madrid, 1970).

9. Véase, Pelayo H. Fernández, *Ideario Etimológico de Miguel de Unamuno* (Valencia, 1982), pp. 157-9; *Obras completas,* VII, pp. 1.501-2; IV, pp. 493-7.

10. Ángel Raimundo Fernández, *Unamuno en su espejo* (Valencia, Bello, 1976), pp. 83-213.

11. Véase nuestro estudio *La dialéctica de la identidad en la poesía contemporánea. La persona, la máscara* (Madrid, Gredos, 1981), p. 47-81.

12. Véase sobre el concepto de «persona» y sus varias acepciones, *Obras completas,* VII, p. 890; VII, p. 1.343; VIII, p. 298.

13. Gaston Bachelard, *The Poetics of Space* (Boston, Beacon Preess, 1972), p. XI-XXXV.

14. *Etimologías,* ed. bilingüe (Madrid, Biblioteca de Autores Cristianos, 1982), I, p. 391.

NADA MENOS QUE TODA UNA MUJER: «LA TÍA TULA» DE UNAMUNO

Carlos Feal
(State University of New York, Buffalo)

La tía Tula (1921) tiene un obvio precedente en otras dos novelas de Unamuno, *Dos madres* y *El marqués de Lumbría,* las cuales —como es sabido— forman parte, junto a *Nada menos que todo un hombre,* de sus *Tres novelas ejemplares y un prólogo* (1920). Pero, tanto como el parecido, nos interesa destacar la medida en que *La tía Tula* difiere de esas dos anteriores creaciones unamunianas. En *La tía Tula*, las dos hermanas, Gertrudis (o sea, Tula) y Rosa, se asemejan sin duda a la Carolina y Luisa, respectivamente, de *El marqués de Lumbría.* Ramiro se enamorará de Rosa, aunque después, al ver a Tula de cerca, se siente atraído por ésta; y, en *El marqués*, Tristán es primero cautivado por Luisa, para serlo luego por Carolina, a la que deja embarazada. Ello ocasiona la rivalidad entre Carolina y Luisa, rivalidad hermanal que no existe, sin embargo, en *La tía Tula*. Al contrario, Tula, enterada de la mutua atracción entre su hermana y Ramiro, presiona a éste, indeciso, para que se case con Rosa.

Posteriormente, Tula evita visitar a menudo a su hermana ya casada, si bien su conducta cambia al saber que Rosa va a tener un hijo. Tula, entonces, empieza a frecuentar más la casa de Rosa; asiste al parto y, desde el primer momento, dedicará constantes cuidados al nacido. Tras el cual viene otro: una niña. Rosa pide a Tula que se vaya a vivir con ella y Ramiro; Tula se niega, pero no deja de prodigar sus visitas: «Y allá seguía yendo, a las veces desde muy temprano, encontrándose con el niño ya levantado, pero no así sus padres. "Cuando digo que hago yo aquí falta", se decía» (p. 1.058).[1] La situación recuerda a la de *Dos madres,* pero la diferencia entre esta obra y *La tía Tula* es también sensible. Raquel, la viuda estéril de *Dos madres*, fuerza a su amante, Juan, a casarse con Berta, a fin de apropiarse al hijo (o hija) de ese matrimonio. Como en *El Marqués de Lumbría*, se da aquí la profunda rivalidad entre las dos mujeres (las dos madres), que —repito— no aparece en *La tía Tula*. Por eso no nos convence Ricardo Gullón cuando ve la maternidad de Tula como «disfraz de la voluntad posesiva» o afirma que «la familia será el círculo donde [Tula] ejercitará su instinto predatorio».[2] Sin duda, Tula representa un caso de voluntad máxima, de «querer ser», para utilizar la terminología de Unamuno en el prólogo a sus *Tres novelas ejemplares*.[3] Pero explicaciones como la de Gullón —que aplicadas a la Raquel de *Dos madres* resultarían válidas— niegan o pasan por alto el profundo, auténtico amor de Tula por sus hijos espirituales y el sentido eminentemente positivo de los cuidados maternos que les dispensa.

El lazo más íntimo entre *La tía Tula, Dos madres* y *El marqués de Lumbría* es, para mí, el que vincula a los protagonistas masculinos de todas estas novelas: Ramiro, Juan y Tristán respectivamente. Su débil voluntad (o, si se prefiere, su *noluntad,* para expresarse como Unamuno)[4] los sitúa en el extremo opuesto al de Tula, Raquel y Carolina. Obsérvese que Juan y Tristán son nombres significativos. A través de Juan se alude al donjuanismo, que se contrapone —para Unamuno— a la paternidad o, más aún, a la hombría: «Pues la paternidad es humanidad, es hombría, y es, por tanto, maternidad también».[5] En cuanto a Tristán, representante del amor cortés, su huida del matrimonio (y consiguientemente de la paternidad) permite a Unamuno asimilarlo a don Juan.

Podrá tal vez objetarse que el Juan, Tristán y Ramiro unamunianos son padres. Desde luego. Lo que importa, sin embargo, no es la paternidad carnal, pues como afirma Joaquín en *Abel Sánchez* (1917) «padre no es el que engendra; es el que cría...» (*O.C,* II, p. 733). Unamuno reitera esta idea en el citado prólogo a *El hermano Juan:* «¿O no es [Don Juan], más bien, como el zángano de la colmena, que sólo siente la comezón —y hasta escozor— de acudir a fecundar a la reina, a la paridora, aunque no por esto sólo madre? Pues no es ella la que cría —y criar es crear, bien lo dice la palabra misma— a las crías, a las abejas... Mientras la vida civil de la colmena, de la humanidad en nuestro caso, de la Ciudad del Hombre, depende del cuido de amor, de la santa costumbre, de las obreras, de las abejas madres y padres de verdad —madres paternales, padres maternales—, ...que crían la familia y conservan el enjambre» (*O.C*, V, 723-4).

Además, ser padre —para Unamuno— consistiría en apropiarse la fuerza paterna; esto es, en colocarse frente a la mujer en una situación que no sea espiritualmente la del hijo (o, al menos, no sólo o sobre todo ésta). Ramiro es incapaz de realizar profundamente ese tránsito de la filialidad a la paternidad. Tula, por ello, se dirige a él llamándolo hijo: «Ramiro se sobrecogía al oírse llamar hijo por su cuñada, que rehuía darle su nombre...» (p. 1.059). Y la misma Rosa reprocha a su marido: «¡No hables de eso [el matrimonio] , Ramiro! Vosotros los hombres apenas sabéis de esto. Somos nosotras las que nos casamos, no vosotros» (p. 1.059). Entendemos que son las mujeres, según Rosa, las que soportan las cargas del matrimonio. Luego dice Rosa a Ramiro: «Anda, ven, sostenme, que apenas puedo tenerme en pie» (p. 1.059). Tula, entonces, no puede impedir un sentimiento de compasión por su hermana, a quien ve desfallecer, colgarse del marido, en una escena que precede a la muerte (a la ruina total) de la mujer casada. Auténtica víctima, como la Luisa de *El marqués de Lumbría.*

Antes de morir, Rosa le habla a Tula: «Ahí te dejo a mis hijos, los pedazos de mi corazón, y ahí te dejo a Ramiro, que es como otro hijo» (p. 1.060). El esposo es, pues, un ser necesitado de ayuda, en vez de un ser de quien podría, y debería, esperarse ayuda. En el monólogo interior de Ramiro, que sigue a continuación, el recién viudo se extasía recordando a la esposa: «Tenía su pobre mujer algo de planta en la silenciosa mansedumbre, en la callada tarea de beber y atesorar luz con los ojos y derramarla luego convertida en paz...» (pp. 1.062-3). La idealización es evidente, pues esta imagen de Rosa contrasta con la presentada poco antes: la de una mujer que, según el propio Ramiro, «no hace nada por vivir; se le ha metido en la cabeza que tiene que morirse y, ¡es claro!, se morirá» (p. 1.060). No todo, por tanto, era en Rosa mansedumbre o aceptación resignada de la vida. Las ideas de Ramiro, en este monólogo, coinciden básicamente con las del propio Unamuno; esto es, con su exaltación del amor hecho costumbre, el amor matrimonial. Pero, en el contexto novelístico donde surgen, estas ideas poseen un sabor —y tal vez una intención— especial. El elevado tono poético del monólogo no consigue disimular la medida en que los pensamientos de Ramiro se ajustan a un ideario trillado.

Primero los hijos, antes de tenerlos, se le asocian a Ramiro con la hombría («acaso hubiese quien le creyera a él, por no haber podido hacer hijos, menos hombre que otros», p. 1.063), y luego con el amor intenso: «había fraguado su teoría, y era que hay un amor aparente y consciente, de cabeza, que puede mostrarse muy grande y ser, sin embargo, infecundo, y otro sustancial y oculto, recatado aun al propio conocimiento de los mismos que lo alimentan, un amor del cuerpo y el alma enteros y justos, amor fecundo siempre» (p. 1.063). Claramente los hijos, vistos de tal modo, constituyen una cobertura contra la posible falta de amor entre los esposos. No nos sorprende entonces que, tras el primer hijo, Ramiro insista en tener otro más, o mejor, dos mellizos. Es a Rosa a la que no parece agradarle la idea (p. 1.065). Teniendo en cuenta que luego nunca vemos a Ramiro actuar verdaderamente como un padre (como criador y no simple creador), habría que decir que su deseo de paternidad es, cuando menos, un tanto irresponsable. Rosa no experimenta la maternidad de un modo tan halagüeño. Al mismo Ramiro, aun propenso a idealizar su matrimonio, le asalta el recuerdo de la tristeza de su mujer, cuyos «domésticos ojos apacibles» (p. 1.065) se transforman, en una evocación posterior, en «ojos henchidos de cansancio de vida» (p. 1.065). Asimismo la «silenciosa mansedumbre» de Rosa resulta luego una «congoja reposada» o un «acongojado reposo» (p. 1.065). Rosa se aleja del estado natural o insconsciente: el ser de «planta» que Ramiro le atribuyó. Es más bien él, creemos, quien muestra un grado notable de inconsciencia.

Frente al idílico, libresco lenguaje amoroso —de un don Juan o un Tristán—, que Ramiro reprueba en su monólogo (p. 1.064), tal como Unamuno en múltiples ocasiones, el pobre viudo no acierta, pues, a erigir sino un lenguaje igualmente idílico, igualmente sospechoso, aunque de signo diferente. Un idilio ilusorio reemplaza a otro. Aunque no totalmente. Pues cuando se acuesta Ramiro y se halla a solas en la cama, la sensualidad hace presa de él, lo reprimido aflora irremediablemente: «Y era lo peor que cuando recogiéndose se ponía a meditar en ella [Rosa], no se le ocurrieran sino cosas de libro y no de cariño de vida... El dolor se le espiritualizaba, vale decir que se le intelectualizaba, y sólo cobraba carne, aunque fuera vaporosa, cuando entraba Gertrudis» (p. 1.066).

Mas Tula no se presta a reemplazar a su hermana en el cariño —o el amor— de Ramiro. Alega ella que no podría permitir que los hijos de su carne le disputaran el amor sentido hacia los otros (pp. 1.068-9). La situación temida por Tula es de hecho la que se produce en *El Marqués de Lumbría*, cuando, muerta Luisa, Carolina se casa con Tristán y los hijos de éste y de cada una de las dos hermanas rivalizan entre sí, tomando Carolina el partido de su propio hijo. La rivalidad hermanal es el prototipo de las guerras civiles, fondo histórico de la vida de Unamuno, desde su niñez hasta su muerte. En el prólogo a *La tía Tula,* afirma efectivamente: «Las guerras más que civiles son fraternales» (p. 1.042). Y, en ese mismo prólogo, el autor apunta a la similitud entre Tula y la Antígona sofocleana, que no establece diferencia —como el tirano Creonte— entre sus fratricidas hermanos y exige se le rindan a uno los mismos honores fúnebres que al otro. A la fraternidad, que con frecuencia degenera en guerra, Unamuno opone lo que él llama *sororidad* (del latín *soror*, hermana). Y, subrayando el vínculo entre la vida familiar (o sexual) y la social o histórica, escribe: «Y habrá barbarie de guerras devastadoras, y otros estragos mientras sean los zánganos, que revolotean en torno de la reina para fecundarla y devorar la miel que no hicieron, los que rijan las colmenas» (p. 1.042).

La comparación con Antígona permite, además, destacar otra característica esencial de Tula: su enfrentamiento a la autoridad de los hombres. Para Ramiro, Tula sólo podría llamarse madre de sus hijos si se casara con él. Ella rechaza este punto de vista jurídico, y afirma en cambio la existencia de una maternidad respecto a los hijos de un hombre que ni es su marido ni su amante.[6] A Tula no le preocupa tampoco guardar las apariencias, y por ello puede convivir con Ramiro sin estar casada con él, pero también sin entregarse a él. Su desafío es doble: a Ramiro y a la sociedad. Diríase que, como Antígona, Tula se rige por su propia ley.[7] Me pregunto incluso si en la pareja de hermanas Tula-Rosa no cabe notar un paralelismo con la pareja Antígona-Ismene; Rosa e Ismene acatarían las leyes (leyes masculinas) contra las que Tula y Antígona se rebelan. Vemos, por tanto, configurarse a Tula como un héroe trágico.[8] Abocado, tal éste, a una soledad que es consecuencia de su actitud obstinada e intransigente.[9] Así se dice de ella: «Gertrudis se sintió siempre sola. Es decir, sola para que la ayudaran, porque para ayudar ella a los otros, no, no estaba sola. Era como una huérfana cargada de hijos» (p. 1.077).

Bajo su fachada maternal —y, por tanto, aparentemente tradicional— la actitud de Tula constituye un formidable reto a la sociedad (masculima) en que vive, en cuyo seno se resiste profundamente a entrar. Tula protesta contra el destino adjudicado a la mujer: «No quiso que a la niña se le ocupase demasiado en aprender costura y cosas así. "¿Labores de su sexo? —decía— no, nada de labores de su sexo; el oficio de una mujer es hacer hombres y mujeres, y no vestirlos"» (p. 1.071). Se trata, pues, de algo más que procurar cuidados. En el sentido unamuniano, esos hombres y mujeres por hacer serían los verdaderos padres y madres, a diferencia de los zánganos y abejas reinas de que poco después se habla. «Los zánganos somos nosotros, los hombres», dice Ramiro ingenuamente. A lo que Tula replica: «¡Claro está!» (p. 1.072). Lo que Tula propone, entonces, es nada menos que una reforma social. Tula recuerda a san Manuel Bueno, auténtico padre (o mejor, «varón matriarcal», como Unamuno lo llama),[10] en su preocupación por la crianza de los niños. Pero en don Manuel no aparece, como en Tula, este proyecto reformista. Y no me refiero ya a que don Manuel —según se ha señalado abundantemente— no propugne reformas económicas, sino a que no aspira —o por lo menos no aspira con la misma intensidad que Tula— a modificar la relación entre los dos sexos. Tanto o más que madre, en el sentido convencional del término, Tula es una pedagoga. Y su rigidez o dureza tienen que ver con esto. El pedagogo, el reformista, no pueden permitirse excesivas blanduras. Sobre todo si tenemos en cuenta que lo que Tula propugna es la fortaleza moral de hombres y mujeres. Los halagos instintivos se rechazan en cuanto se oponen a esa idea de fortaleza. Aparentemente, la doctrina de Tula se asemeja a la cristiana; pero, en el fondo, se aparta de ella (o de su versión oficial) al no acatar la idea de la sumisión y mansedumbre femeninas. Más bien diríamos, entonces, que Tula se propone una tarea quijotesca. Y el autor, en el prólogo a su novela, habla efectivamente de las «raíces teresianas y quijotescas» de *La tía Tula* (p. 1.040). Tula aquí se asocia con santa Teresa, a la que Unamuno califica de «quijotesca a lo divino» (p. 1.040).

La actitud de Tula respecto al catolicismo imperante puede observarse bien en su confesión con el padre Álvarez. Tula le refiere la proposición matrimonial de Ramiro y los motivos de ella para no aceptarla. Significativamente, el sacerdote toma el partido de Ramiro, lo que lleva a Tula a pensar en una posible alianza entre los dos hombres.[11] El sacerdote, además, se preocupa de las habladurías de la gente, convirtiéndose en portavoz de la opinión social, esa opinión que ella desafía. Tula confiesa que quiere a Ramiro, pero no como esposo. Tal vez resienta que Ramiro no se hubiera dirigido a ella en primer lugar, en vez de a Rosa; tal vez alimente unos viejos celos, como indica el confesor. Pero lo cierto es que Ramiro no responde al modelo de hombre soñado por ella. Tula se niega a fundar un matrimonio sobre la simple base de la atracción sexual, aunque ella misma no deje de sentir esa atracción, como más tarde declarará. Cuando el sacerdote le pregunta si no tiene compasión de Ramiro, Tula responde: «Sí que la tengo. Y por eso le ayudo y le sostengo. Es como otro hijo mío» (p. 1.079). Y a continuación precisa el sentido de esa ayuda, encaminada a corregir una deficiencia: «Sí, le ayudo y le sostengo a ser padre...» (p. 1.079).

También, pues, con Ramiro intenta Tula su labor reformadora. El sacerdote no entiende: «A ser padre..., a ser padre... Pero él es un hombre...» (p. 1.079). Ser hombre, claro está, consiste para el confesor en experimentar deseos sexuales. No es así, sin embargo, como Tula (de acuerdo con el propio Unamuno) entiende la hombría. El lector adentrado en la mentalidad de Unamuno puede, pues, percibir la ironía de este diálogo, sabiendo de qué lado está el autor. Por último, el padre Álvarez esgrime la concepción cristiana del matrimonio como «remedio contra la sensualidad» (p. 1.079). Tula se escandaliza: «¡Yo no puedo ser remedio contra nada! ¿Qué es eso de considerarme remedio? ¡Y remedio... contra eso! No, me estimo en más...» (p. 1.080). Tula se niega a efectuar el tránsito que, de ser objeto del deseo sensual de Ramiro, la convertiría —ya casada— en remedio (objeto también o instrumento) contra esa misma indiscriminada sensualidad. De modo comprensible, Tula pone fin al diálogo con esta respuesta: «No hablemos ya más, padre, que no podemos entendernos, pues veo que hablamos lenguas diferentes. Ni yo sé la de usted, ni usted sabe la mía» (p. 1.081).

Posteriormente, Tula rechaza a otro pretendiente, el médico Juan. Al echarlo a la calle, la mujer da esta explicación: «¡Por puerco!» (p. 1.092). Nuevamente, pues, renuncia a servir de remedio contra la sensualidad del hombre. Y, en el monólogo apasionado que sigue, todavía se introduce otro motivo justificador del rechazo: «Pero cuando supo [Tula] que don Juan se remediaba, empezó a pensar si era, en efecto, calor de hogar lo que buscaba, aunque bien pronto dio en otra sospecha que le sublevó aún más el corazón. «¡Ah —se dijo—, lo que necesita es un ama de casa, una que le cuide, que haga que se le prepare el puchero..., peor, peor que el remedio, peor aún! ¡Cuando una no es remedio es animal doméstico, y la mayor parte de las veces ambas cosas a la vez! ¡Estos hombres!... ¡O porquería o poltronería! ¡Y aún dicen que el cristianismo redimió nuestra suerte, la de las mujeres!» (p. 1.092).

Pero a Ramiro Tula no lo rechaza totalmente. Le da un plazo de un año para meditar su decisión. Ese plazo de espera lo sería también de prueba para Ramiro. Desgraciadamente, éste confirmará las peores expectativas de Tula. Se enredará con la criada, Manuela, a la que deja embarazada. Tula, al saberlo, exige a su cuñado casarse con Manuela. La actitud de Tula, aparentemente dictada por una moral rígida, puede también verse como un ejemplo más de la defensa de la mujer frente al hombre llevada a cabo por ella. Tula, así vista, resulta una campeona de la causa femenina. Obliga a Ramiro a asumir la responsabilidad de sus actos. Y, a la vez que encara al hombre con sus obligaciones, proclama los derechos de la mujer (una mujer, significativamente, de ínfima condición social, una víctima): «Esa hospiciana», dice Tula, «tiene derecho a ser madre, tiene ya el deber de serlo, tiene derecho a su hijo y al padre de su hijo» (p. 1.082). Al obligar a Ramiro a ser padre, Tula —en el sentido unamuniano— lo encamina hacia su hombría. Por eso, repito, aunque la conducta de Tula coincida en parte con una moral rigurosa, de índole tradicional, se aleja también de ésta. No en vano Ramiro, defendiéndose, pide a Tula: «Consúltalo siquiera con el padre Álvarez» (p. 1.083). Ramiro, con razón, ve en el hombre, por más sacerdote que sea, un aliado. Tula responde: «No lo necesito. Lo he consultado con Rosa» (p. 1.083). A la alianza de los hombres se opone, pues, la de las dos mujeres (las dos hermanas) en defensa de otra mujer.[12]

Tula consuma su gesto ordenando a Ramiro que pida perdón a la criada; dirigiéndose a ésta, dice: «Aquí tienes a tu amo, a Ramiro, que te pide perdón por lo que de ti ha hecho» (p. 1.082). Y, casado ya Ramiro con Manucla, Tula le reprocha a él que trate a su mujer con despego y como si fuera una carga. Ramiro contesta: «Si es una esclava...». Y Tula: «Puede ser, pero debes libertarla...» (p. 1.085). Quienes estudien la dialéctica hegeliana del siervo y el señor en la obra de Unamuno, tal como Antonio Regalado ha hecho,[13] deberán, en mi opinión, tener muy presentes textos como estos, y no limitarse a señalar formas de explotación económica, sino también, junto a ellas, formas de dominación sexual.[14] Deberá asimismo advertirse la medida en que Unamuno, a través de sus personajes novelescos, toma el partido del siervo, o mejor, de la sierva.[15]

La muerte de Manuela, que sigue en breve tiempo a la de Ramiro, impresiona a Tula más que cualquiera de las otras muertes presenciadas por ella. El narrador escribe: «Y murió como había vivido, como una res sumisa y paciente, más bien como un enser» (p. 1.089). Y, en concordancia con el narrador, estas son las meditaciones de Tula: «Los otros se murieron; ¡a ésta la han matado...!, ¡la han matado...!, ¡la hemos matado!... ¿No la hemos echado en el torno de la eternidad para que entre al hospicio de la Gloria? ¿No será allí hospiciana también?» (p. 1.089). A través de Tula se plantea, claro está, la gran interrogante unamuniana sobre el más allá. Pero lo más interesante, en este contexto, es que la orfandad a que Tula se refiere no incluye solamente al padre (el padre terreno y quizás Dios, el padre celestial), sino también, y muy especialmente, a la madre: «"Huérfana también murió Eva...", pensaba Gertrudis. Y luego: "¡No; tuvo a Dios de padre! ¿Y madre? Eva no conoció madre... ¡Así se explica el pecado original!"» (p. 1.090). O sea, el Dios paternal no basta para sacarnos de nuestra condición de huérfanos.

Finalmente, al pensar en los niños de Ramiro y Manuela, huérfanos de padre y madre, Tula los ve como los «hijos de [su] pecado» (p. 1.090), y no ya —o no sólo— del pecado de Ramiro. La culpabilidad sentida por Tula es de tipo trágico. Su resistencia a desposarse con Ramiro conduce a éste, indirectamente, a pecar. La voluntad indomable de Gertrudis —como la de Alejandro Gómez en *Nada menos que todo un hombre*— ha de reconocer la existencia de fuerzas superiores, que desvirtúan las intenciones de ella. Es el mundo el que obliga a Tula a sentirse culpable, al querer ella reemplazas las leyes (o prácticas) universales por una voluntad individual. Desde otra perspectiva, sin embargo, Tula alía a su causa a las otras mujeres, las dos esposas sacrificadas (Rosa y Manuela), así como a los hijos de ambas. Esa alianza de madres e hijos deja, en cambio, solo a Ramiro, al hombre, lo mismo que a Juan (en *Dos madres*) o Tristán (en *El marqués de Lumbría*). Pero el dominio de Tula en el marco familiar no es más que la cara de una moneda cuya otra faz consiste en el desprestigio social de la mujer o la madre, aun de esta madre virginal, cuyo «pecado» consistiría en no haber aceptado la sujeción del matrimonio.

Además, el rechazo del hombre por Tula es tanto más doloroso para ella cuanto que pugna con sus instintos sexuales, los cuales no logra sublimar completamente mediante su maternidad virginal. Ya ante el lecho de muerte de Ramiro,

Tula junta su boca con la de su cuñado y le pide perdón (en una escena semejante a la del estallido pasional de Alejandro Gómez frente a la esposa muerta). Ahora Tula confiesa su temor de los hombres, y más tarde reconoce la «tentación de su pureza» (p. 1.095). Huyendo de la tentación de la carne, Tula pasa, por tanto, a la del espíritu, incapaz de encontrar un equilibrio entre las dos. El perfil trágico de esta heroína sigue, pues, dibujándose.[16] Su ideal, quijotescamente, se estrella contra resistencias sociales y corporales a la vez. La culpa no afloja ya su garra sobre la desvalida mujer. Ante el padre Álvarez se acusa de su actitud con Ramiro: «Yo le hice desgraciado, padre; yo le hice caer dos veces; una con mi hermana, otra vez con otra...» (p. 1.098). Entendemos que esas *caídas* de Ramiro proceden de que no supo alzarse al nivel de la verdadera paternidad, de la hombría. En él sólo resplandece lo que el narrador llama la «masculinidad de instintos» (p. 1.108). Pero ¿es Tula responsable de ese fracaso del hombre? ¿Habrían cambiado las cosas si se hubiera ella casado con Ramiro? En otra ocasión, Tula monologa: «Soñaba lo que habría sido si Ramiro hubiese dejado por ella a Rosa. Y acababa diciéndose que *no* habrían sido de otro modo las cosas» (p. 1.100, subrayado mío). La tarea reformadora de Tula se aplica, entonces, a corregir en el hijo mayor de Ramiro los «rasgos e inclinaciones» (p. 1.090) del padre, que observa en el pequeño: «Porque quería hacer de éste lo que de aquél habría hecho al haberle conocido y podido tomar bajo su amparo y crianza cuando fue un mozuelo a quien se le abrían los caminos de la vida» (p. 1.096). Añadamos aún que este ideal de Tula se manifiesta desde el mismo nacimiento del niño: «o poco he de poder o haré de él un hombre» (p. 1.055).

Nobles intenciones o bella utopía, y no, en mi opinión, una voluntad posesiva es lo que aquí observamos. Ya que se trata de hacer hombre al niño, en vez de mantenerlo en su condición de hijo. Pero Tula acaba reconociendo su propio fracaso. Viviendo para los demás, se ha olvidado de vivir para sí misma. En el momento de morir se produce su trágica *anagnórisis*. Así alecciona a sus hijos del espíritu: «no somos ángeles..., lo seremos en la otra vida... ¡donde no hay fango... ni sangre! Fango hay en el Purgatorio, fango ardiente, que quema y limpia..., fango que limpia, sí... En el Purgatorio les queman a los que no quisieron lavarse con fango..., sí, con fango...» (pp. 1.106-7). Tula, finalmente, depone su orgullo y su ideal inalcanzable de pureza. Aunque el autor no lo diga explícitamente, de las palabras de su personaje deduciríamos que los verdaderos hombres y mujeres son tanto amantes (lavándose en el fango de la vida) cuanto padres y madres. Tula fracasa —heroicamente— por ser nada más que madre.

Tras la muerte de Tula, su recuerdo persiste en la comunidad familiar de sus sobrinos. Para el narrador, se produce «como el canonizamiento doméstico de una santidad de hogar» (p. 1.107).[17] Al igual que don Manuel, Tula accede a una suerte de santidad en la imaginación de sus hijos espirituales. Las disensiones entre éstos, a la muerte de la tía, no anulan la devoción común por ella, auténtico factor de cohesión: «La tía Tula era el cimiento y la techura de aquel hogar» (p. 1.107). Esta valoración altamente positiva de Tula por quienes fueron objeto de sus cuidados no parece que la tengan en cuenta los críticos censores de la agonista unamuniana. Los dichos y hechos de Tula son recordados por sus «hijos», tal como los de don Manuel por Ángela Carballino, su hija espiritual. Así se constituye lo que podríamos llamar la hagiografía de Tula.[18] Santa Tula, buena y mártir.

Mas también como don Manuel, Tula oculta su tragedia interior. Esa tragedia que, finalmente, estalla en desgarrada confesión. Poco antes de morir Manuela, Tula le había dicho: «Por tus hijos no pases cuidado... Yo seré su madre y su padre» (p. 1.089). Y, más tarde, a sus sobrinos reunidos: «Aquí todos sois hermanos, todos sois hijos de un mismo padre y de una misma madre, que soy yo» (p. 1.093). En cierto modo, ¿no fue siempre Tula padre y madre conjuntamente? ¿Y no deriva su fracaso —el fracaso de esta madre patriarcal— de no haber hallado su justo correspondiente, el padre matriarcal, el verdadero hombre en el sentido unamuniano? Sería empequeñecer la tragedia de Tula limitarla a su renuncia a la sexualidad. La relación que no llega a fraguarse en el universo de *La tía Tula* (y, en general, en la novelística unamuniana) es la del padre y la madre, unidos a la vez sexualmente y en la crianza (no sólo creación) de los hijos, la cual para serlo auténticamente exige la transfusión mutua de los papeles paternal y maternal; esto es, el derribo de la división que asigna a hombres y mujeres roles opuestos y complementarios. En el prólogo a *El hermano Juan*, empalmando con ideas que cité al comienzo de este trabajo, Unamuno afirma: «Y aquí conviene que el lector recuerde que en latín *homo* (en acusativo *hominem*, nuestro "hombre") es el nombre de la especie, que incluye a los dos sexos: *vir*, varón, y *mulier*, mujer —por no decir "macho" y "hembra"—, y que podríamos traducir por persona. Tan "hombre", tan persona es la mujer como el varón cuando dejan de ser macho y hembra. Y en alemán *Mensch* abarca a los dos, al *Man,* o Varón, y a la *Weibe*, o Mujer. Es la categoría común de humanidad. Y cabe decir que el verdadero hombre, el hombre acabado, cabalmente humano, es la pareja, compuesta de padre y madre» (*OC*, V, 716-717).

Reconocemos aquí un acento que, enérgicamente, suena en textos feministas contemporáneos.[19] Y me complace señalarlo como prueba (una prueba que añadir a otras posibles) de la actualidad del gran hombre, cuya memoria, a los cincuenta años de su muerte, honramos en esta ocasión.

NOTAS

1. Miguel de Unamuno, *La tía Tula*, *Obras completas*, 9 vols., ed. Manuel García Blanco, Madrid, Escelicer, 1966-1971, vol II. Cito siempre por esta edición. Las indicaciones de página se incluyen en el texto.

2. Gullón, *Autobiografías de Unamuno*, Madrid, Gredos, 1964, pp. 206, 209.

Las interpretaciones negativas de Tula constituyen la norma entre los críticos de Unamuno. David G. Turner resume algunas de esas interpretaciones en su *Unamuno's Webs of Fatality*, Londres, Tamesis Books, 1974, p. 92. Dada la opinión admirativa de Unamuno sobre su personaje (al cual asocia, en el prologo a su novela, con santa Teresa, Don Quijote, Antígona y la Abisag bíblica), Turner está enteramente justificado cuando afirma: «Si Gertrudis no es similar a la mujer delineada en el prólogo o es un desarrollo diferente de la misma, la relación entre prólogo y ficción en *La tía Tula* sería distinta a cualquier otra de esas relaciones presentes en la obra de Unamuno» (p. 92).

3. *Tres novelas ejemplares y un prólogo*, *Obras completas*, II, 973.

4. «Hay héroes del querer no ser, de la *noluntad*» (*Tres novelas ejemplares*, p. 973).

5. Prólogo a *El hermano Juan* (1929), *Obras completas*, V, 723.

6. La «maternidad virginal» o «virginidad maternal» de Tula (p. 1095) constituiría otro punto de contacto con Antígona, de quien Kierkegaard escribe: «ella es una madre; ella es, en el puro sentido estético, *virgo mater*». *Either /Or*, Princeton, Princeton University Press, 1971, I, 155.

7. «El coro llama "autónoma" a Antígona (821), palabra aplicada generalmente a ciudades —con el sentido de "independiente, viviendo bajo sus propias leyes"—; pero aquí, en una atrevida figura de dicción que contiene la esencia del conflicto de la obra dramática, se aplica a un individuo —Antígona vive "bajo su propia ley"». Bernard M. W. Knox, *The Heroic Temper: Studies in Sophoclean Tragedy*, Berkeley, University of California Press, 1983, p. 66. Por su parte, escribe Charles Segal: «Antígona se defiende a sí misma contra la ética civil, de orientación masculina, de la polis». «*Antigone*: Death and Love, Hades and Dionysus», en *Greek Tragedy: Modern Essays in Criticism*, ed. Erich Segal, Nueva York, Harper and Row, 1983, p. 171.

8. Gullón, certeramente, equipara Tula a un «héroe trágico» (*Autobiografías de Unamuno*, p. 209). No obstante, niega su parecido con Antígona: «Según creo, en este prólogo [de *La tía Tula*] hallamos el esquema de un personaje opuesto al novelado en las páginas siguientes» (p. 207).

9. «La consecuencia de su intransigencia es ese aislamiento que a menudo ha sido descrito como la señal del héroe sofocliano» (Knox, *The Heroic Temper*, p. 32).

10. *San Manuel Bueno, mártir* (1931), *Obras completas*, II, 1.129.

11. Para situar este pasaje en su adecuado contexto histórico, interesa consignar la opinión respetable de Emilia Pardo Bazán: «Y, sin embargo, los maridos, o en general los que ejercen autoridad sobre la mujer, saben que el confesor no es para ellos un enemigo, sino más bien un aliado. No sucede casi nunca que el confesor aconseje a la mujer que proteste, luche y se emancipe, sino que se someta, doblegue y conforme». «La mujer española», en *La mujer española y otros artículos feministas*, ed. Leda Schiavo, Madrid, Editora Nacional, 1976, p. 37.

12. Afirma Juan Rof Carballo: «Frente a esta *mentalidad de harén* (que persiste en el caballero cristiano aun cuando en el harén no habite más que una sola mujer) se ha elevado esa protesta matriarcal cuyas últimas resonancias expone Unamuno en su *Tía Tula*», «El erotismo en Unamuno», *Revista de Occidente*, 19, oct. 1964, p. 94.

13. Regalado, *El siervo y el señor (La dialéctica agónica de Miguel de Unamuno)*, Madrid, Gredos, 1968.

14. «La actitud masculina, sea asumida por todo hombre o no, prepara para el papel de dominador... Por eso, parece razonable afirmar que se encuentran los mismos temas psicológicos tanto en las formas de dominación políticas como en las eróticas, ya que ambas suponen la negación del otro sujeto», Jessica Benjamin, «The Bonds of Love: Rational Violence and Erotic Domination», en *The Future of Difference*, ed. Hester Eisenstein y Alice Jardine, New Brunswick, Rutgers University Press, 1985, pp. 63, 66. Cf. Claude Lévi-Strauss: «Me atrevería a afirmar que incluso antes de la esclavi-

tud o la dominación de clase, los hombres establecieron un acercamiento a las mujeres que sirvió más tarde para introducir diferencias entre todos nosotros», *The Elementary Structures of Kinship*. Cit. por Adrienne Rich, *On Lies, Secrets, and Silence*, Nueva York, Norton, 1979, p. 84.

15. Mi interpretación difiere radicalmente de la de Donald Shaw, para quien Tula (y otros personajes de Unamuno, a los que la asimila) «se oponen no a la sociedad, sino a los otros seres humanos, patéticamente vulnerables». *La generación del 98*, trad. Carmen Hierro, 2.ª ed., Madrid, Cátedra, 1978, p. 91. Shaw no percibe que Tula se opone a la sociedad de hombres, de la que Ramiro es un representante, como lo son el médico Juan o el sacerdote; e igualmente se opone a una religión que, junto a esas fuerzas sociales, contribuye a la opresión de la mujer. Lo más lamentable es que la falta de entendimiento (para Shaw *La tía Tula* «carece de un auténtico conflicto de personajes», p. 91) lleva al crítico a emitir un juicio estético negativo sobre esta gran creación unamuniana.

16. Max Scheler: «Cuando observamos una acción que pone en práctica valores altos, y vemos luego que esa misma acción contribuye a socavar de la existencia misma del ser al que ayuda, recibimos la más clara y completa de las impresiones trágicas», «On the Tragic», en *Tragedy: Modern Essays in Criticism*, ed. Laurence Michel y Richard E. Sewall, Westport, Conn., Greenwood Press, 1978, p. 34. La maternidad virginal de Tula nos parece entrar de lleno en la categoría descrita por el filósofo alemán.

17. Julián Marías establece la correspondencia entre Tula y santa Teresa en estos términos: «Tula es fundadora de una comunidad doméstica, que se prolonga después de ella». *Miguel de Unamuno*, Buenos Aires, Emecé, 1953, p. 135. Análogamente se expresa Turner: «La maternidad de Tula, el instinto fundamental de todas las mujeres unamunianas, se utiliza en un experimento de domesticidad religiosa, unos posibles nuevos cimientos de la sociedad» (*Unamuno's Webs of Fatality,* pp. 105-6). Los términos «domesticidad religiosa» o «religión doméstica», referidos a Antígona, aparecen en el prólogo a *La tía Tula* (p. 1.042). Léase también esta descripción de Tula dando el biberón a su sobrina: «Fue un culto, un sacrificio, casi un sacramento. El biberón, ese artificio industrial, llegó a ser para Gertrudis el símbolo y el instrumento de un rito religioso» (p. 1.095). Turner ha destacado finamente la imaginería religiosa de la novela.

18. Escribe Unamuno en el prólogo a *La tía Tula*: «¿Es acaso éste un libro de caballerías? Como el lector quiera tomarlo... Tal vez a alguno pueda parecerle una novela hagiográfica, de vida de santos. Es, de todos modos, una novela, podemos asegurarlo» (p. 1.040).

19. A mi mente vienen, por ejemplo, algunas obras señeras, como Dorothy Dinnerstein, *The Mermaid and the Minotaur: Sexual Arrangements and Human Malaise*, Nueva York, Harper and Row, 1977 y Nancy Chodorow, *The Reproduction of Mothering: Psychoanalysis and the Sociology of Gender*, Berkeley, University of California Press, 1978.

UNAMUNO Y LAS NORMAS DE LA IMAGINACIÓN *

Michael A. Weinstein
(Purdue University)

Miguel de Unamuno es una de las figuras centrales de la civilización europea del siglo XX. En el campo de la literatura es, junto con Luigi Pirandello, Franz Kafka, Robert Musil, James Joyce y Virginia Woolf, un gran psicólogo experimental que cambió las fronteras de la ficción para permitir una penetración directa en los estados formativos de la existencia humana. Como filósofo se le puede agrupar con los principales existencialistas como Martin Heidegger, Jean-Paul Sartre, Karl Jaspers y Gabriel Marcel, quienes se enfrentaron con «el decreto de la muerte de Dios» nietzscheano e intentaron resolver, a través del análisis hiper-reflexivo y la expresión sincera, las exigencias de una frustrada voluntad religiosa. Pero, en gran parte, las contribuciones por las cuales Unamuno es más conocido pertenecen a nuestro legado histórico. Podemos volver a ellas como sustento y realmente lo ofrecen, quizás incluso más que nunca, pero han sido absorbidas en el rumbo general de la cultura modernista, en la medida en que lo permite nuestro evidente bajo nivel de tolerancia para las penetraciones inquietantes. Hay, sin embargo, otro aspecto de la obra de Unamuno al cual no se le ha dado mucha importancia y que hoy reclama nuestra atención de modo

* Traducido por Mark Aldrich.

persuasivo y obligado, y que habla de manera directa, convincente y profética a nuestra actual crisis cultural: se trata de su crítica, entendida en el sentido amplio de Matthew Arnold como una reflexión evaluativa de la vida. Los ensayos críticos de Unamuno se sitúan entre las sobrias y brillantes «nivolas» y las densas y profundas confesiones, combinando la metáfora poética, el análisis filosófico y el comentario político alrededor del núcleo de la crítica normativa. La esencia del proyecto crítico de Unamuno es defender la vida de sus propias tendencias autodestructivas y exculparnos ante nosotros mismos retirando las ruinas (la tarea del desescombro) para que podamos reconstruir sobre bases más sólidas.[1] Es un declarado reconstruccionista y no un deconstruccionista: el texto sirve a la vida, y no al revés. Y el alma de la reconstrucción es la imaginación, de la cual ofrece Unamuno una enérgica defensa.

La imaginación para sí misma

La defensa unamuniana de la imaginación aparece más sugestivamente en un breve ensayo de *Contra esto y aquello* titulado «La imaginación en Cochabamba», y este texto será el punto de referencia y el modelo de relevancia a lo largo de toda la discusión siguiente.[2] En este ensayo Unamuno se sitúa dentro de la tradición de la psicología clásica moderna, al definir la imaginación como «la facultad de crear imágenes, de crearlas, no de imitarlas o repetirlas, e imaginación es, en general, la facultad de representarse vivamente, y como si fuese real, lo que no lo es, y de ponerse en el caso de otro y ver las cosas como él las vería» (39). La psicología clásica o de las facultades se desarrolló en el período moderno al lado de la epistemología, ocupándose de la descripción, a través de la indagación introspectiva, de los procesos por los cuales se alcanza el saber. La primera consideración seria de la imaginación en el campo de esta psicología la ofreció Immanuel Kant en la *Crítica de la razón pura*. Para Kant, la imaginación cumplía una función reproductiva, es decir, nos permitía re-presentarnos a nosotros mismos los fenómenos percibidos y, así, crear una síntesis ordenada de representaciones: si nuestro pensamiento «dejara escapar siempre las representaciones precedentes (las primeras partes de la línea, las partes antecedentes del tiempo o las unidades representadas sucesivamente) y no las reprodujera al pasar a las siguientes jamás podría surgir una representación completa, ni ninguno de los pensamientos mencionados. Es más, ni siquiera podrían aparecer las representaciones básicas de espacio y tiempo, que son las primarias y más puras».[3] El paso de la imaginación reproductiva, aunque originalmente sintética, de Kant, a la imaginación plenamente productiva de Unamuno, la cual crea y no meramente imita o repite imágenes, fue mediado por el romanticismo del siglo XIX. Los primeros románticos liberaron a la imaginación, como «facultad trascendental», de su función puramente epistemológica y la expandieron convirtiéndola en la suprema facultad formativa de la experiencia. Este giro romántico, el cual es decisivo para la visión de Unamuno, puede ser comprendido recurriendo al pensamiento del poeta, ensayista y diarista italiano Giacomo Leopardi, quien fue uno de los antecesores reconocidos de Unamuno. De hecho, la agonía de la conciencia cristiana de Unamuno encuentra su contrapartida clásica en Leopardi.

En cuanto a la imaginación y su papel en la vida, Leopardi anticipa a Unamuno en muchos aspectos importantes. Para Leopardi, «existe en el hombre una facultad imaginativa, la cual puede concebir cosas que no son, y concebirlas de una manera en que las cosas reales no son».[4] Leopardi pudo aislar la imaginación como una facultad distintiva porque, cuando se vio dominado por el tedio (*noia*)* en 1819, su imaginación perdió la capacidad de integrar su vida. Manifiesta que «mi imaginación se debilitó sumamente, y aunque precisamente en ese momento la facultad de invención creciese en mí grandemente, o de hecho casi comenzase, se ocupaba de asuntos de prosa o de poemas sentimentales».[5] Los versos que escribió después del fracaso de su imaginación «rebosaban sentimiento» y él devino «insensible a la Naturaleza y enteramente dado a la razón y a la verdad, en

* Las palabras en cursiva en el texto aparecen en el original en castellano y subrayadas. *(N. del T.)*

una palabra, filósofo».[6] De este modo, Leopardi tematizó la imaginación a través de una reflexión sobre su ausencia, y pudo así tener acceso a su forma pura. Es muy importante aquí la oposición entre la imaginación y lo que apareció en su lugar, la invención. La primera es una facultad poéticamente creativa, señalada por la espontaneidad y el interés en la naturaleza (lo que es otro que el yo), mientras que la segunda es reproductiva (recordando la razón kantiana) y caracterizada por la ideación intencionada y el interés en la subjetividad (sentimentalidad). La oposición de Leopardi, retomada en la visión de Unamuno, va en contra de la confusión común, enraizada en el psicologismo de finales de siglo XIX, entre la imaginación y el sentimiento en la matriz de la subjetividad. Aunque la imaginación leopardiana «puede concebir cosas que no son, o ver cosas de una manera no real», es, sin embargo, objetiva, y va más allá de los límites del sujeto sintiente y voliente. No obstante, su objetividad no está en ofrecer una explicación de los fenómenos de la experiencia, sino en crear las «ilusiones» que proporcionan al «yo» su estímulo para vivir. Esta imaginación es el gran mediador, o puente, entre el sujeto y el objeto, entre el yo y el otro, ofreciendo la única relación deleitosa con el mundo abierta a los seres humanos.

En Leopardi, la imaginación cumple su función de puente al ser capturada por el deseo. Es una facultad aparte, independiente del deseo, pero consigue su dirección de éste. Y aquí Leopardi introduce una nota de crítica cultural que lleva directamente al «sentimiento trágico de la vida» de Unamuno. La contrapartida de Leopardi al «hambre de inmortalidad» es el «deseo de placer», por lo que «es natural que la imaginación convierta el imaginar placeres en una de sus ocupaciones principales». Sin embargo, la imaginación sólo puede producir felicidad cuando los seres humanos ignoran la naturaleza de aquélla: «Y adviértase también que la naturaleza no ha querido que el hombre considerase la imaginación como tal, es decir, no ha querido que el hombre la considerase como facultad engañadora, sino que la confundiese con la facultad cognoscitiva».[7] Una vez que se ha eliminado esa confusión, como en el caso de Leopardi, la vida se convierte en autovolitiva, es decir, se ve constituida por una voluntad de creer: «Pero hoy en día, las personas instruidas, incluso cuando están llenas de ilusiones, las consideran como tal, y las siguen más por voluntad que por convicción, al contrario de los antiguos, de los ignorantes, de los niños y del orden de la naturaleza».[8] Entonces, el «desencanto del mundo», como lo llamó Max Weber, puede ser descrito psicológicamente como la purificación y el autoentendimiento de la imaginación. Para Leopardi, esta reducción llevaba a un callejón sin salida. No existía ningún camino de retorno al mundo encantado, pero tampoco existían nuevos senderos que la imaginación pudiera seguir. En *Del sentimiento trágico de la vida* Unamuno recogió el problema leopardiano del cosmos despersonalizado e intentó, heroicamente, llegar a la ilusión por medio de la voluntad. Mientras que Leopardi cultivó el *ennui* como su modo de verdad, Unamuno persistió en la agonía de intentar transformar la voluntad en convicción al mismo tiempo que condenaba conscientemente su esfuerzo al fracaso, al insistir en la obligación de dejar que la razón minara cualquier sentimiento pasajero de seguridad en la inmortalidad. Sin embargo, Unamuno también dio un paso más allá de Leopardi, lo cual le llevó fuera del romanticismo decimonónico y a una concepción de las normas de una imaginación pública que se ocupa de la crisis de la cultura contemporánea. Más allá de su función de encantamiento, una imaginación disciplinada podría ser creadora de una vida pública.

En *Del sentimiento trágico de la vida* se dan las bases filosóficas de la concepción unamuniana de la imaginación. Aquí se encuentran las famosas oposiciones entre razón y vida y entre razón y fe; pero detrás de ellas está la dualidad de razón e imaginación, que da sentido preciso a las otras porque la imaginación expresa la esencia de la vida, el hambre de inmortalidad, al crear el objeto de la fe. Unamuno considera directamente la polaridad razón/imaginación hacia el final del capítulo VIII («De Dios a Dios») de *Del sentimiento trágico de la vida*. Situándose en un marco de referencia neokantiano, arguye que la razón es una «fuerza analítica» que opera sobre el material de las intuiciones, es decir, de nuestras «percepciones sensibles», ordenándolas en una idea del mundo material. El orden de la razón es abstracto porque prescinde de la forma de las intuiciones, la cual es dinámica y volitiva: o el instinto individual de conservación o el instinto social de perpetuación. De este modo, la razón no proporciona ningún acceso a la realidad de las percepciones, sino que sume sus datos, incluidos nosotros mismos, en un mundo de apariencias, «de sombras sin consistencia».[9] Es decir, la razón despoja de vida los contenidos de las percepciones y los coloca en un orden etéreamente mecánico de conceptos rígidos. No proporciona, como para Leopardi, una verdad que debilita a la imaginación, sino una descripción mutilada de la experiencia. La imaginación, por el contrario, «entera», integra o totaliza».[10] Es el todo frente a la nada de la razón, obrando sobre el instinto vital dividido para identificarlo con un cosmos personalizado. La imaginación por sí sola puede matarnos por exceso de vida al confundirnos con la totalidad del cosmos, mientras que la razón nos mata por defecto al eliminar la vida. En esta discusión, «el sentimiento trágico de la vida» consiste en existir polémicamente entre la plenitud de la imaginación y la vanidad de la razón: «Y así vivimos la vanidad de la plenitud, o la plenitud de la vanidad».[11]

El planteamiento unamuniano de la imaginación muestra con claridad sus continuidades y rupturas con la visión romántica temprana de Leopardi. Unamuno sigue a Leopardi cuando distingue la razón y la imaginación como dos facultades autónomas y opuestas. Sin embargo, mientras que para Leopardi la imaginación produce ilusiones que pueden ser medidas contra las verdades proporcionadas por la razón, para Unamuno cada facultad es una expresión de la vida que ofrece una visión especial e irreductible de la existencia. Así, Unamuno puede enfrentar la imaginación con la razón en una guerra continua que constituye, para él, el núcleo de la vida misma. Epistemológicamente, Unamuno es mucho más sofisticado que Leopardi, y aplica consistentemente, aunque quizás no conscientemente, una metodología kantiana. Interpreta el conocimiento científico fenomenalísticamente, haciendo de la razón un principio ordenador para los datos abstractos de la percepción, y así legisla los límites de su competencia. De modo parecido, interpreta la imaginación como un principio de deseo creativamente formativo, privándola de poder explicativo pero dándole plenos derechos para definir el objeto buscado por el deseo. La imaginación asume, por lo tanto, el papel de definir lo que la vida debería ser, de precisar el deseo. Leopardi no podía conceder a la imaginación semejante función porque su realismo le imponía que una vez que esta facultad se había desencantado ya no podía servir a la vida. Pero para Unamuno vivimos con la imaginación, guste o no guste: la imaginación da especificidad al deseo y se puede decir que si la calidad de una vida se mide por su deseo, la calidad de ese deseo se mide por la imaginación. La carencia o la insuficiencia de imaginación es una muerte viva, el ensimismamiento, el ciclo sin fin entre el deseo de desear y el deseo de no desear que Leopardi sufrió como su *noia*. Para Unamuno, aun más que para Leopardi, la imaginación es nuestro lazo con el mundo; no sólo un puente, sino la misma creación de un entorno común a partir de la incompletitud radical de la vida de cada uno: es decir, el lenguaje mismo es imaginativo. La imaginación es al deseo como la razón es al fenómeno, lo cual quiere decir que, en los términos de Unamuno, la «invención» leopardiana no es una facultad aparte, sino una forma particular de la imaginación, la forma que adopta cuando el hambre de vida cede al deseo de tener esa hambre.

Las normas de la imaginación

En su asentamiento filosófico de la imaginación en la vida del deseo y en el deseo de la vida en *Del sentimiento trágico de la vida*, Unamuno implica una definición más amplia de este concepto que la que articula explícitamente en «La imaginación en Cochabamba». Como partidario del «hombre de carne y hueso» y de su «hambre de inmortalidad» constitutiva, Unamuno hace a la imaginación coextensiva con la manera en que vivimos-en-el-mundo. Vivimos de y a través de nuestras esperanzas y cuando nuestro ardor de vivir es lo suficientemente fuerte las intensificamos por medio de nuestra confianza hasta convertirlas en fe; lo cual quiere decir que nuestra imaginación forma nuestra existencia a través del tiempo; es el vehículo de nuestra perpetuación de nosostros mismos como personas o portadores de significado. El deseo, sublimado en esperanza y realizado en la fe, no tiene, sin imaginación, existencia personal ni trascendencia dirigida más allá del presente. La imaginación es aquí radicalmente democrática porque Unamuno habla con compasión a cada espíritu encarnado o individuo personificado, el cual «nace, sufre y muere». Hace un llamamiento para que cada uno active su propia imaginación sin trabas, sueñe su propio paraíso, su propia salvación especial, que incluirá a todos los demás; y propone su propia metavisión de que los anhelos de cada uno se mezclarán con todos los de los demás para formar una gran sociedad solidaria, quizá lo suficientemente poderosa para salvar a Dios. Desde nuestro acto cotidiano más pequeño a nuestro más amplio y esencial anhelo de vivir más y para siempre, existimos en nuestra anticipación: nos imaginamos que somos. Esta democracia, o mejor, anarquía, de la visión es disciplinada por la contrapartida de la razón en *Del sentimiento trágico de la vida.* La imaginación no tiene norma propia alguna salvo su sinceridad y probablemente, si es sincera, puede imitar o repetir o puede incluso ser estrecha y sentimental. Esta generosa y liberadora visión de la imaginación, que está relacionada con la ansiosa congoja de la existencia de cada uno, no se contradice con la que guía la crítica de Unamuno. Ésta es meramente una especificación de aquélla, cuya esencia será proporcionar la norma interna para una imaginación pública que sea socialmente responsable.

«La imaginación en Cochabamba» es un ensayo crítico dirigido a aclarar la confusión de la imaginación «con la facundia, con la memoria o con la vivacidad de expresión» (38). Lo que está en cuestión aquí no es la incitación a usar la imaginación para describir una realización trascendental, sino la perfección de esa facultad, la cual no se agota en la creación de imágenes sino que supone virtudes específicas que pertenecen al proceso y al producto de esa creación. Unamuno define esas virtudes, generalmente, como originalidad de las representaciones imaginativas, viveza de esas imágenes y capacidad de ver lo que otros ven. Emplea esta definición como una norma crítica con la cual juzgar la descripción del pueblo boliviano de Cochabamba ofrecida por Alcides Arguedas, quien afirmó que sus habitantes se distinguían por «un desborde imaginativo amplio, fecundo en ilusiones, o mejor, en visiones de carácter sentimental» (38). Al igual que Leopardi, Unamuno hace una fuerte distinción entre imaginación y sentimentalismo, al indicar que el último se alimenta de la reproducción del pasado para conseguir un acceso fácil a la emoción familiar. Aquí Unamuno prefigura la filosofía de la civilización de José Ortega y Gasset, quien criticó la vida pública de su tiempo por su «arcaísmo» y por sustituir la aceptación de las exigencias de las normas por una fácil gratificación emocional.[12] Realmente, tanto Unamuno como Ortega proporcionan una interpretación de la constitución de la vida pública basada en la imaginación disciplinada, al extender al amplio campo de la crítica social y cultural una categoría tradicionalmente enraizada en la estética. El paso decisivo de Unamuno es moralizar la imaginación al denunciar que el sustituto sentimental y reproductivo que los cochabambinos toman por imaginación delata graves defectos en su carácter. La repetición e imitación de las imágenes, y la sustitución de la originalidad por la palabrería, de la observación por la memoria y de la meditación por la vivacidad expresiva indican una falta de interés por los demás que tiene su raíz en el miedo de ser tomado por ingenuo, y tiene su expresión en la malicia, la vanidad y la envidia. La imaginación perfeccionada es el vehículo de la solidaridad humana mientras que su carencia es un síntoma del odio.

El modo en que Unamuno da normas a la imaginación consiste en reflexionar sobre las características de las personas auténticamente imaginativas, oponiendo las virtudes que él recomienda a las cualidades que Arguedas encuentra en los *cochabambinos*. Su discusión se centra en la reflexión sobre una de sus ideas predilectas, la de que «la vida es sueño». Arguedas informa que la gente de Cochabamba es soñadora, no emprendedora, y Unamuno, entrando en relación con los temas principales de *Del sentimiento trágico de la vida*, responde que hay que distinguir entre los distintos tipos de sueño. Para el imaginativo, «la vida es sueño y es para él la vida sueño porque el sueño es vida, porque sus sueños tienen realidad de cosas vivientes» (41). El soñador imaginativo es verdaderamente un emprendedor que reproduce, reconstruye y se apropia de lo que ve. El empresario sueña con sus negocios, y puede ser así auténticamente imaginativo, pero el hombre que se tumba en una hamaca y sueña con su amante probablemente sufre una pobreza de imaginación. Aquí, como en *Del sentimiento trágico de la vida*, Unamuno propone una imaginación que se pone al servicio de la vitalidad al atraer al individuo al mundo, proporcionando de este modo integración a la vida e incentivos a la actividad. El soñar debería ser una función dinámica en la vida, debería ser, realmente, tan personal y continuo con la vida que se identificara con ella. A esto se le puede llamar imaginación auténtica, en contraste con la imaginación inauténtica, que separa el sueño de la actividad. El ser mismo de la imaginación es totalizar la vida, unir al hombre con el mundo al llevarlo a una realización concreta, la cual, aunque nunca sea totalmente alcanzada, da continuidad al hombre a través del tiempo y lo perpetúa. Dado su papel en la constitución de la existencia, la imaginación auténtica debe ser «seria y grave» y debe evitar «esa viveza hija de malicia y que florece en burlas y tomaduras de pelo» (44). Esta es la esencia del quijotismo de Unamuno: «la más honda inteligencia desconoce las burlas hábiles y las habilidades felinas» (44-45). El ingenio y la mera curiosidad son aquí vicios que proceden del miedo a correr riesgos con uno mismo: son formas de un distanciamiento paralizado que se adopta para proteger al yo del reconocimiento de su propio menosprecio.

El momento de autenticidad personal, la veta de quijotismo en el pensamiento de Unamuno, no es suficiente para determinar la imaginación perfeccionada. La identificación total de nuestro sueño con nuestra vida puede terminar, paradójicamente, como advirtió Unamuno en *Del sentimiento trágico de la vida*, con la pérdida del yo en el mundo: el quijotismo por sí solo es una forma de locura que sacrifica la unidad del individuo a la continuidad personal. De aquí que el segundo momento de la imaginación sea un momento objetivizante en el cual el yo se distancia de sí mismo al salir al encuentro de la otredad. La imaginación perfeccionada está abierta a lo que la desafía con su dificultad y con su diferencia del yo: «cuando surge algo verdadera y hondamente imaginativo» nos obliga a «detenernos» para imaginarlo (43). Los cochabambinos, informa Arguedas, adoran apasionadamente sus propios dogmas, y no aceptan ninguna creencia diferente a las suyas. Unamuno atribuye tal intolerancia a una imaginación empobrecida: «El intolerante lo es, no porque se imagine con gran vigor sus propias creencias, no porque se las imagine con tanto relieve que excluya las demás, sino por ser incapaz de ponerse en la situación de los otros y ver las cosas como ellos las verían» (40). De aquí que Unamuno alabe a los pueblos «meditativos y observadores»: «Los más grandes imaginativos son los que han sabido ver el fondo de verdad que hay en las más opuestas ideas» (40). Para Unamuno, «el más genuino producto de la imaginación» es «la paradoja», la cual destruye las creencias tópicas y superficiales y une una idea con su opuesta preservando lo característico de cada una. La dialéctica plenamente realizada de la imaginación exige ante todo una mente capaz de seguir su propia visión con dedicación e intensidad y que sea al mismo tiempo radicalmente receptiva a las visiones de otros, asimilando de ellos lo que favorece su propio impulso hacia una plenitud de vida y de entendimiento de los demás. Tal mentalidad es notablemente parecida a la del «hombre selecto» de Ortega, entregado a un ideal específico pero que «transmigra» a las vidas de los demás.[13] La imaginación es el gran mediador a través del cual el yo y el otro se unen provisionalmente y, en el mejor de los casos, en una unidad progresiva que se manifiesta en un proceso continuo de dar y recibir. El mundo se convierte en el dominio del yo a través del poder formativo del sueño, y el yo se hace del mundo por la asimilación de las incitaciones de lo que es otro que el yo. La vida es aquí un proceso dinámico de unificación y la imaginación es la vitalidad misma.

La fruición estética de la imaginación moralizada es un poder lleno de vigor que rehúye la afectación y la mera profusión de imágenes y busca lo auténticamente original, lo que imprime su huella sobre el yo de manera profunda y viva. La mayor «pobreza» de imaginación es ejemplificada por el *palabrero*, quien se alimenta del surtido común de imágenes sin crear nada y oculta desesperadamente su falta de vitalidad en un frenesí expresivo. He aquí las raíces profundas de la crisis cultural contemporánea, prevista por Leopardi cuando le falló la imaginación y se vio a sí mismo sustituir la imaginación por la invención, la originalidad por el sentimentalismo. Y el remedio tiene que buscarse, finalmente, en el poder de la vida. Para Unamuno, «la poderosa imaginación es sobria, ceñida, precisa» (42); «seca y ardiente es la imaginación robusta, y no húmeda y fría» (39). Y de este modo, cuando Unamuno lleva a cabo *la tarea del desescombro*, revela el ideal de la vitalidad humana, lo que podría llamarse pasión graciosa o gracia apasionada; la misma concentración e integridad de vida que Friedrich Nietzsche asociaba con la danza. Esta forma de ser exige una tolerancia radical hacia la diversidad, una habilidad de soportar, en verdad de abrazar, la contradicción a través de la paradoja, una confianza en la visión creativa de uno mismo, y una paciencia y vigilancia juiciosas que permitan que se distinga y afirme la originalidad. No es esta la imaginación democrática y sin trabas de *Del sentimiento trágico de la vida,* sino una imaginación aristocrática o selecta —que tiene sin embargo su fuente en aquélla, es su norma inherente de perfección—, la cual critica las expresiones artificiosas de miedo y desesperación que marcan la vida empobrecida.

La imaginación como constitución y perfección de una vida concentrada interiormente es un ideal crítico que elucida la crisis de la cultura contemporánea. Los vicios que Unamuno denunció en los *cochabambinos* se ven magnificados hoy en día en una sociedad que en su intento de tomarse en serio la razón llega hasta el punto de racionalizar la imaginación. Los medios de comunicación hacen de la imaginación algo completamente reproductivo, revolviendo en los almacenes de la memoria en busca de cualquier imagen que pueda evocar una respuesta sentimental y alimentándose en última instancia de sus propias reproducciones. Y lo mismo sucede en la cultura elitista de las humanidades, en la cual los archivos, las ediciones críticas, la historia cultural y la hermenéutica, es decir, todas las formas del textualismo, sustituyen a la originalidad, a la viveza y al encuentro del yo con lo otro. La atrevida afirmación de Unamuno de que el lenguaje mismo es la esencia de la imaginación, que las fantasías de nuestros antecesores piensan en nosotros a través de nuestro lenguaje, ha sido transformada en la tesis de que somos procesadores de palabras (*word processors*). Hemos externalizado y racionalizado la imaginación hasta el punto de que el cuerpo, nuestro principio físico de unidad, ha sido puesto en manos de la ciencia, y la persona, nuestro principio social de continuidad, ha sido enajenada a la industria del ocio. Nuestro grito es «¡*afuera, afuera*!». Somos monos perdidos entre las industrias de servicios. El grito de Unamuno fue «¡*adentro*!». Entrando en nostros mismos podríamos acceder a la imaginación y buscar luego su perfección como la perfección de la vida. El empobrecimiento de la imaginación, su sustitución por la pareja inconexa razón-sentimentalismo, los cuales se funden grotescamente en el sentimentalismo racionalizado de la producción de cultura y en el racionalismo sentimental de su consumo —el mito de la salvación por la tecnología—, revela una desintegración de la fuerza vital, de la integridad. La imaginación aristocrática quizás esté más allá de nuestro alcance, pero su idea se alza sobre nosotros con su condena implacable.

NOTAS

1. Miguel de Unamuno, *Contra esto y aquello*, Buenos Aires, Espasa-Calpe, 1941, p. 14.

2. *Ibíd.*, pp. 38-45. Las referencias al ensayo «La imaginación en Cochabamba» aparecerán en el texto entre paréntesis.

3. Immanuel Kant, *Crítica de la razón pura,* traduc. Pedro Ribas, Madrid, Alfaguara, 1978, p. 133. *(N. del T.)* En el original en inglés el autor cita por la traducción de Max Muller, *The Critique of Pure Reason,* Garden City, Anchor Books, 1966, p. 102: «unable to reproduce what came before, there would never be a complete representation, and none of the beforementioned thoughts, not even the first and purest representations of space and time, could ever arise within us».

4. Giacomo Leopardi, *Zibaldone* (167). Estoy agradecido a Mr. Todd Hyatt, del departamento de Ciencias Políticas de la Universidad de Purdue, por indicarme la importancia de Leopardi en la interpretación del pensamiento de Unamuno. *(N. del T.)* El original italiano dice así: «Indipendentemente dal desiderio del piacere, esiste nell'uomo una facoltà immaginativa, la quale può concepire le cose che non sono, e in un modo in cui le cose reali non sono». Giacomo Leopardi, *Tutte le opere*, vol. II, ed. Walter Binni, Florencia, Sansoni, 1969, p. 80. En el original las citas de Leopardi están tomadas de traducciones inglesas; aquí se dará el orignal italiano en las notas y la traducción de ese original en el texto, citando, según es costumbre, el número de entrada del diario de Leopardi y dando también el número de página de esa entrada en la edición manejada.

5. *Zibaldone* (144), «Allora l'immaginazione in me fu sommamente infiacchita, e quantunque la facoltà dell'invenzione allora appunto crescesse in me grandemente, anzi quasi cominciasse, verteva però principalmente, o sopra affari di prosa, o sopra poesie sentimentali» (p. 71).

6. *Ibíd.* (144), «quei versi traboccavano di sentimento [...]. Ed io infatti non divenni sentimentale, se non quando perduta la fantasía divenni insensibile alla natura, e tutto dedito alla ragione e al vero, in somma filosofo» (pp. 71-72).

7. *Ibíd.* (168), «é naturale che la facoltà immaginativa faccia una delle sue principale occupazioni della immaginazione del piacere» (167), «E notate in secondo luogo che la natura ha voluto che l'immaginazione non fosse considerata dall'uomo come tale, cioè non ha voluto che l'uomo la considerasse come facoltà ingannatrice, ma la confondesse colla facoltà conoscitrice, e perciò avesse i sogni dell'immaginazione per cose reali e quindi fosse animato dall'immaginario comme dal vero (anzi più, perché l'immaginario ha forze più naturali, e la natura è sempre superiore alla ragione)» (168) (pp. 80 y 81).

8. *Ibíd.* (168-169), «Ma ora le persone istruite, quando anche sieno fecondissime d'illusioni, le hanno per tali, e le seguono più per volontà che per persuasione, al contrario degli antichi degl'ignoranti de' fanciulli e dell'ordine della natura» (p. 81) *(N. del T.)*. El original de Leopardi carece de comas entre los sustantivos del final de la frase.

9. Miguel de Unamuno, *Del sentimiento trágico de la vida,* Madrid, Espasa Calpe, 1967, p. 136.

10. *Ibíd.*, p. 137.

11. *Ibíd.*, p. 137.

12. José Ortega y Gasset, *La rebelión de las masas*, Madrid, Revista de Occidente, 1968, cap. 10.

13. *Ibíd.*, p. 126.

UNAMUNO Y LA METAFÍSICA DE LA FICCIÓN *

Walter Glannon
(Smith College)

Unamuno utiliza frecuentemente el medio novelesco como salida para su preocupación por lo finito de la existencia humana. Esto se advierte particularmente en el capítulo XXXI de *Niebla*, donde se compara la fragilidad de nuestra existencia con la condición inmaterial de esos personajes de ficción que entran y salen de los relatos inventados por los autores que los crean. Sin embargo, Unamuno propone una teoría de la ficción que aunque más esquemática que sistemática, no está meramente subordinada a la psicología, sino que constituye un campo *bona fide* por derecho propio. Sus opiniones sobre los autores tienen un alcance amplio; son pertinentes a lo que *cualquier* escritor hace cuando narra un relato. En algunos pasajes cruciales de algunas de sus obras, adopta una metafísica de la ficción cercana al realismo modal. Aquí «realismo» no debe confundirse con el estilo de escritores del siglo XIX como Galdós, Balzac y Stendhal. Deriva más bien de la doctrina platónica que sostiene la existencia de cosas abstractas, las Formas o universales y de esencias que no son creadas sino descubiertas. Posteriormente, en la escolástica medieval, el realismo se opone al nominalismo, el cual niega que en el lenguaje las palabras representen entida-

* Traducido por Jaime Martínez Tolentino.

des de existencia objetiva. El realismo que he de considerar en el presente trabajo le debe mucho al pensamiento griego y al islámico medieval, así como a las opiniones contemporáneas de David Lewis sobre la noción de los mundos posibles.[1]

I

Expresado más precisamente, el realismo modal sostiene la existencia de objetos y situaciones posibles que existen independientes de nuestros pensamientos y nuestras descripciones de los mismos. El aceptar la existencia de posibles inactualizados (*unactualized*)* equivale a decir que las cosas del mundo podrían ser de otro modo, o podrían haberlo sido. Las cosas existen; pero no están actualizadas. Por ejemplo, el hecho de que yo enseñe cursos de español en el edificio Hatfield es, en este momento, una situación posible inactualizada; inactualizada o potencial tan sólo porque ahora mismo me encuentro aquí, leyendo esta ponencia en la Casa de los Ex-Alumnos. No obstante, la posibilidad de que yo enseñe a esta hora tiene sentido, dado mi horario diario. En otras palabras, la posibilidad es inteligible en relación a cómo las cosas son en la realidad; pero en otras circunstancias las cosas podrían ser diferentes. Ahora bien, las situaciones son en realidad complejos de propiedades. Por ejemplo, mi lectura de esta ponencia consiste en las propiedades de estar frente al podio, de estar frente al público, de leerla en inglés, etc. De igual modo, los personajes novelescos y los mundos ficticios —los relatos— que habitan son complejos de propiedades que sus autores pueden combinar de muchas maneras posibles. Una de esas maneras es la historia de Augusto Pérez en *Niebla*. Esencialmente, la ficción se nutre de la posibilidad, la cual presupone a su vez la existencia de propiedades capaces de ser actualizadas (*instantiated*) por los autores, de

* A lo largo de este trabajo se traducen los términos *to actualize* y *to instantiate* con una misma palabra, «actualizar» (y sus derivados: actualizado, inactualizado, etc.), ofreciéndose entre paréntesis el original inglés la primera vez que aparezca en el texto. El mismo autor usa los dos términos explícitamente como sinónimos al comienzo de la sección 2 *(an author of fiction... instantiates or actualizes already existing possibilities). (N. del T.)*

modos distintos. Sin embargo, las propiedades existen independientemente de esas actualizaciones. La relación entre la ficción y la posibilidad se halla justificada por el argumento de Aristóteles al efecto de que la tarea del poeta —y *poietes* incluye a cualquier escritor de ficción— «no es la de relatar lo que ha sucedido, sino lo que es probable que suceda, i.e., lo que puede suceder según la ley de probabilidad o necesidad».[2] Además, Leibniz subraya la misma relación al decir que «es innegable que muchos relatos, sobre todo los que llamamos novelas, pueden considerarse como posibles, aun cuando no sucedan en esta secuencia particular del universo que Dios ha escogido».[3]

Conforme al argumento hasta aquí presentado, los personajes y los acontecimientos de relatos tales como *Don Quijote* y *Niebla*, en tanto que complejos de propiedades, poseen un estatus ontológico propio, y por consiguiente no surgen *ex nihilo* de la imaginación del autor. Esto lo confirma la aseveración de Unamuno de que «el bueno —¡y tan bueno!— de Cervantes nos revela lo que podríamos llamar la objetividad, la existencia —*existere* quiere decir estar fuera— de Don Quijote y Sancho y su coro entero fuera de la ficción del novelista y sobre ella».[4] Por otra parte alega que «Don Quijote y Sancho son —no es sólo que lo fueron— tan independientes de la ficción poética de Cervantes como lo es de la mía aquel Augusto Pérez de mi novela *Niebla*».[5] El propio Cervantes sugiere algo sobre la independencia de los personajes con respecto a sus autores en el *Quijote*. El pasaje que quizás ilustra mejor la tesis de que los personajes novelescos son entidades existentes como posibles inactualizados antes de ser actualizadas en un mundo novelesco por el autor, y por ello independientes de él, se encuentra en el epílogo de *Amor y pedagogía*. Allí, Unamuno declara que la creación de los personajes de una novela es análoga al proceso de fabricar un cañón, que conlleva el tomar un agujero cilíndrico y recubrirlo de hierro. El procedimiento metafísico de construir personajes en sus novelas equivale a tomar un hueco y recubrirlo de dichos y hechos.[6]

Aparentemente, Unamuno admite que los constituyentes básicos de la ficción son extra-lingüísticos. Esto lo acerca más o menos a Aristóteles y la suposición metafísica de que la posibilidad pertenece no al nivel de las proposiciones y su expresión lingüística (*logoi*), sino al reino de lo extra-lingüístico. Más específicamente, Aristóteles sostiene que en el reino de la ficción el poeta les asigna nombres a los personajes sólo después de haber elaborado su trama de acuerdo con la regla de la posibilidad.[7] Si se acepta una multitud de posibilidades, entonces no parece que un autor podría jamás describirlas todas. Como el vocabulario del autor se limita a los substantivos y predicados de los objetos en el mundo real, sus recursos para describir todos los modos posibles en que las cosas podrían existir también serán limitados. Al igual que nuestra intuición de una serie infinita de números, el campo de la posibilidad se extiende más allá de nuestra capacidad para describirlo. Con miras a un análisis de la ficción, el realismo modal ofrece razones poderosas para oponerse a la moda dominante del reduccionismo lingüístico en la teoría literaria contemporánea. Al proponer una vasta cantidad de posibilidades de entre las cuales un autor selecciona cierto número para una sola obra de ficción, se evitan las restricciones inherentes en la idea de que no existen hechos independientes del lenguaje y de que los mundos novelescos no son otra cosa que palabras encadenadas o conjuntos de oraciones.[8] Esa visión no refleja tan sólo una imaginación empobrecida; su aceptación excluye el riquísimo sentido de la posibilidad que provee el mecanismo mismo de la ficción. En suma, que la posibilidad es una noción irreductiblemente metafísica.

Dado lo que dice Unamuno sobre el acto del autor de desvelar la objetividad de los personajes novelescos, así como sobre la independencia de éstos con respecto al autor, se puede decir que comparte la aversión de Meinong por «el prejuicio a favor de lo real».[9] Sin embargo, aunque Unamuno practique una ontología de los objetos no-reales, no creo que llegase al punto de visualizar objetos tan imposibles como círculos cuadrados y montañas doradas. Está claro que el realismo moral discrepa de nuestras creencias sobre el mundo basadas en el sentido común. No obstante, nuestras intuiciones acerca de conjuntos y números en matemáticas, de intervalos en música y de partículas subatómicas en física pueden justificar aquellas intuiciones que entrañan posibilidades existentes pero irrealizadas. Pero más importante aun, lo que otorga credibilidad a esta teoría es su fuerza explicativa de los cimientos de la empresa de la ficción. Ofrece una percepción no sobre el porqué, sino sobre *lo que* un autor hace al narrar un relato. El mejor modo de ilustrar esto consiste en considerar el rol del autor como semejante al de algunas interpretaciones filosóficas de los actos divinos.

II

La opinión general entre los griegos es que Dios no crea el mundo *ex nihilo*, sino que actúa sobre un substrato material preexistente.[10] Para algunos *falasifa* islámicos medievales tal como Averroes y Avicena, Dios puede además dar realidad, esto es, traer a este mundo cosas contingentes. Pero no puede afectar su posibilidad, algo que ya poseen en una especie de limbo metafísico anterior e independiente de la voluntad de Dios.[11] Al igual que el cliente en un restaurante que debe pedir de una carta de platos fija, Dios no ejerce control sobre el surtido que tiene ante sí. Basándose en esta analogía, podemos decir que un autor de ficción no crea literalmente los personajes y las situaciones, sino que actualiza o da realidad a posibilidades existentes que se realizan en forma de relato. Ese es el alcance del poder que ejerce. Las propiedades y sus muchas combinaciones posibles son el substrato material con que trabaja el autor; ya están a su disposición de antemano. Al construir el mundo de *Don Quijote,* Cervantes da realidad a ciertas situaciones al seleccionar para su personaje propiedades tales como luchar contra molinos de viento, amar a Dulcinea, aventurarse por La Mancha, etc. De un modo semejante, al construir el personaje de Augusto Pérez, Unamuno selecciona propiedades para su mundo novelesco de *Niebla*: ser olvidadizo, ser contemplativo, ser rechazado por una mujer (Eugenia) y provocarse la muerte por indigestión son propiedades que forman parte de la composición de Augusto Pérez. Significativamente, estas y muchas otras propiedades deben existir antes del momento en que el autor ejerce su oficio.

En tanto que grupos o conjuntos de propiedades, los personajes novelescos son ejemplares de tipos universales. Vayamos una vez más a Aristóteles: «la poesía [la ficción] habla más bien de universales. En este caso, universal es qué tipo de persona es probable que diga o haga ciertas cosas, según la probabilidad o la necesidad».[12] Hay aquí una resonancia platónica, interesante en vistas del hecho de que Platón no quería tener nada que ver con los poetas. No obstante, lo importante para nuestros propósitos es que hay modelos abstractos objetivos a los que corresponden tanto Don Quijote como Augusto Pérez. Ahora bien, puede haber un sinnúmero de casos de estos tipos; en tanto que universales, no pueden agotarse con cualquier número finito de ejemplos. Por consiguiente, siempre habrá más propiedades que las que el autor pueda actualizar en una obra de ficción. Como en el caso del Dios de los griegos y de los *falasifa,* la existencia y naturaleza universal de las propiedades impone restricciones lógicas sobre el autor. El personaje de Unamuno, Augusto Pérez, da fe de esas limitaciones al alegar que «aun suponiendo [...] que no soy más que un ente de ficción, [...], aun en ese caso yo no debo estar sometido a lo que llama usted su real gana, a su capricho. Hasta los llamados entes de ficción tienen su lógica interna».[13] El que los personajes novelescos ejemplifiquen tipos universales independientes de la voluntad del autor se ve reforzado por la admisión de Unamuno al efecto de que «los Don Quijote y Sanchos vivos en la eternidad [...] no son exclusivamente de Cervantes ni míos, ni de ningún soñador que los sueñe, sino que cada uno les hace revivir».[14] En otras palabras, que los tipos a los que corresponden los personajes individuales de un relato dado están subdeterminados por esos ejemplos de personajes individuales en relatos concretos. Asumo que Unamuno se refiere a los personajes-tipos cuando alude a «los Don Quijote y los Sanchos», y la percepción de que tales tipos no se agotan en sus diferentes actualizaciones es lo que los hace eternos. Es esa amplia extensión de la posibilidad sugerida por el personaje-tipo quijotesco lo que le permite a Avellaneda, en su apócrifa segunda parte del *Quijote* y contra la previsión de Cervantes, actualizar la propiedad de entrar en la ciudad de Zaragoza. Tanto el entrar en Zaragoza como el pasarla de largo, son posibilidades incluidas en el personaje-tipo. De este modo, el personaje es el mismo; tan sólo las propiedades actualizadas son diferentes. Además, ya que el oficio del autor se limita a la actualización de sólo *algunas* posibilidades, el personaje-tipo que provee la fuente de esas posibilidades está más allá del control del autor. Dicho de otro modo, el autor no tiene derechos de autor sobre su personaje.

Todo esto parece socavar el argumento de Unamuno de que él —o, de hecho, cualquier otro escritor— es un escritor vivíparo.[15] En la ficción no hay un sentido absoluto de la espontaneidad, no hay un milagro de la creación mediante el cual los personajes surgen de la nada. Los autores no crean; actualizan situaciones partiendo de un substrato de posibilidad que ya existe, independiente de la voluntad del autor.

Al declarar que los personajes novelescos son conjuntos o complejos de propiedades, debería añadirse que son incompletos. Esto es, les falta la propiedad que los completaría, a saber, una localización espacio-temporal en el mundo empíricamente real. Debido a este hecho, el actualizar personajes en un relato imaginario no les confiere un sentido de completitud. De hecho, permanecen en una zona, intermedia entre la nada y la existencia total, acercándose al umbral de la concepción pero sin alcanzarlo jamás. Pero pueden tenerse sospechas acerca del estatus ontológico de los personajes novelescos, ya que no existen suficientes criterios de identidad para individualizarlos. Son meramente complejos de propiedades, no objetos de los que posteriormente se puedan predicar propiedades. No obstante, reúnen los requisitos para ser considerados ontológicamente como posibilidades, las cuales espero que ya hayan sido aceptadas como existentes. Como no son ni concretos ni completos, los personajes no están ligados al mundo novelesco de un relato específico en el que puedan aparecer. Más bien poseen la capacidad de ser actualizados en muchos mundos novelescos. Don Quijote, por ejemplo, aparece en los respectivos mundos novelescos creados por Cervantes, Avellaneda, Pierre Menard y Borges.[16] Si fueran algo más que posibilidades, entonces sí estarían ligados, y por ello serían de este mundo. Es su vaguedad en tanto que posibilidades lo que hace que a esos personajes se les puedan aplicar las palabras de Pirandello, «se viene a la vida en tantos modos, en tantas formas».[17]

Aun si se insistiera en que los autores crean personajes de

la nada al escribir ficción, en un sentido muy importante el autor todavía no controlaría a sus personajes. Esto es así porque parte del conjunto incompleto de propiedades de que consta un personaje consiste en la propiedad correlativa de ser juzgado o interpretado por un lector. Tan pronto como se admiten en el debate propiedades correlativas, el autor queda, en efecto, impotente para hacer nada después del tiempo en que crea la ficción, en que escribe el relato. La incertidumbre de la reacción del lector hacia un personaje o acontecimiento después de la fecha de su posición por el autor limita el conocimiento de éste. Aquello que pertenece al futuro es contingente, meramente posible, no un hecho concreto, y por ello queda fuera del alcance de la conciencia del autor. En otras palabras, la aparición de Augusto Pérez al comienzo de *Niebla* y la primera salida por La Mancha de Don Quijote no son hechos completos (*hard facts*) en los momentos en que Unamuno y Cervantes les dan realidad en sus mundos novelescos. Si fueran «completos» estarían ligados a las fechas de su composición o publicación (1913 para uno, y 1605 para el otro) y no trascenderían el momento de su composición, no implicarían nada de cara al futuro. En tanto que hechos completos, serían hechos cerrados y pretéritos. Mas si leo sobre cualquiera de esos hechos en 1986, hay algo en el hecho en sí que tiene relación con mi lectura. Así, podríamos decir que el hecho ocurre en ambas ocasiones, por lo que es un hecho incompleto (*soft or incomplete fact*) lo que ocurre en 1605 (o 1913).[18] Toda obra de ficción implica un público lector. Por ende, los eventos en el relato están por lo menos parcialmente relacionados con la época en que se leen e interpretan. La salida de Don Quijote por La Mancha y la salida de Augusto Pérez de su casa son acontecimientos o propiedades susceptibles de ser repetidos en cuanto van dirigidos a muchos momentos futuros más allá del momento específico en que Cervantes y Unamuno escriben sus relatos. Esta independencia de ciertas propiedades con respecto al agente actualizador de otras propiedades es lo que evita que sean fijadas por el autor y lo que las hace ilimitadamente repetibles. Esto es probablemente lo que hace a Borges decir que el *Quijote* de Pierre Menard es «infinitamente más rico» que el de Cervantes.[19] Es decir, que algunas propiedades del

Quijote, así como su personaje principal, no están ligadas al mundo de Cervantes, sino que guardan relación o van dirigidas a los mundos de muchos lectores. En la ficción, que es una medida de la posibilidad, nada permanece fijo y cerrado, completado y pretérito. No está al alcance del autor el poder alterar la naturaleza de propiedades cuyo destino múltiple va a realizarse en muchos momentos futuros distintos. Por ello, los acontecimientos posibles actualizados por el escritor de un relato son tan sólo hechos incompletos y, por eso, no quedan determinados exclusivamente por la voluntad del autor.

III

Sin embargo, el imponerle restricciones al autor no presupone el principio de la plenitud, ni que cada posibilidad sea actualizada en algún momento. Existen posibilidades que permanecen eternamente irrealizadas, tal como el ejemplo aristotélico de la posibilidad de que se corte en pedazos un abrigo que nunca será cortado porque, de hecho, se gastará antes.[20] Así, las posibilidades no conllevan necesariamente su realización en algún momento. De ser invocado, el principio de la plenitud traería consigo consecuencias desastrosas para la ficción, ya que no importaría *qué* posibilidades o propiedades seleccionase un autor al construir un mundo novelesco. Las posibilidades se realizarían independientemente de la intervención del autor; éste no podría evitar que una posible situación que él supuestamente actualiza suceda por su cuenta. Como resultado, el rol del autor quedaría drásticamente limitado, y el escribir ficción se convertiría en un ejercicio inútil. Todavía habría implicaciones perturbadoras si se aceptase una forma de plenitud más moderada según la cual el autor sería meramente un indicador de roles, u otra forma en la cual alguien, cualquiera, aportase posibilidades a un relato. De ser ese el caso, no importaría *quién* fuera el autor, con tal de que alguien cumpliese la tarea. Claramente, hay que hacer algo para salvar al autor de este apuro. Así como se debe tener en cuenta la psicología divina al especular acerca de por qué Dios seleccionó a éste de entre tantos mundos posibles, también debemos concederle alguna intencionalidad al agente que selecciona las posibilidades en un relato. Debe haber alguna razón para la selección de ciertas posibilidades sobre otras. Es sin embargo crucial entender que sólo se le puede dar esa libertad al autor a condición de que no se sostenga el principio de plenitud. Como Aristóteles, debemos sostener que la gama de posibilidades es tan vasta que impide el que todas puedan jamás realizarse individualmente. Al igual que la neblina de la que emerge Augusto Pérez en *Niebla*, el dominio de la ficción está tan saturado por los muchos modos diferentes en que las cosas podrían existir que el individualizar o realizar cada gota de posibilidad queda excluido. Esto argumenta en contra de la plenitud, tal y como lo hace la teoría de Doris Day según la cual «¡Qué será, será!».

Así, la idea de posibilidad posee suficiente libertad como para poder conferirle un rol significativo a cada autor particular. Si todas las posibilidades no se realizan por su propia cuenta, entonces debe seguirse que por lo menos algunas de sus actualizaciones —las que se dan en la ficción— dependen de la selección hecha por el autor. La ficción no tendría sentido sin las posibilidades inactualizadas; pero, al mismo tiempo, no habría mundos novelescos si faltasen los autores que actualizasen esas posibilidades en relatos de su propia invención. Como Dios, el autor no crea la posibilidad; sin embargo, sólo el autor puede actualizar las posibilidades en la ficción. Tanto la posibilidad como el autor son esenciales si ha de haber ficción.

Aparentemente, un dominio saturado de contingencias inactualizadas no se presta fácilmente a la navaja de Ockham, o al punto de vista económico de que las entidades no deberían multiplicarse más allá de la necesidad explicativa. Ciertamente, una ontología demasiado amplia sería difícil de aceptar para cualquiera que estuviese comprometido con la opinión austera de que los acontecimientos y los objetos de *este* mundo real son todo lo que realmente existe, y esa posibilidad es una manera de hablar injustificada que nos convendría ignorar. Sin embargo, a pesar de las apariencias, el realismo no viola el principio de la parsimonia de Ockham en la ficción, ya que la falta de posibilidades inactualizadas dejaría al autor sin nada de donde poder seleccionar en su intento por proyectar un mundo diferente del que habitamos. En suma, que la inteligibilidad misma de la empresa novelesca depende del realismo modal.

Sin embargo, una ventaja por una parte bien puede ser una desventaja por otra, ya que podríamos perdernos en el tupido paisaje ontológico propuesto para explicar el mecanismo que está detrás de la ficción. El problema es el de demarcar los mundos creados por distintos autores, puesto que las mismas propiedades pueden ser actualizadas en mundos diferentes. Con tantas propiedades y posibilidades flotando en el espacio de la lógica, ¿cómo saber cuáles de ellas intenta actualizar un autor? Además, ya que los nombres de los personajes novelescos son en realidad términos singulares no-denotativos, las oraciones en que se encuentran no pueden ser consideradas semánticamente y por ello no expresan verdaderas proposiciones. De ese modo, no se puede decir que un lector sepa nada, en un sentido estricto, al leer ficción. Esto crea problemas en cuanto a la comunicación entre el autor y el lector, y pone en tela de juicio la noción misma del significado en la ficción en el caso en que se considere el significado como una medida de comunicación entre un orador y un público. Estos problemas le brindan un apoyo especial al argumento de Frege de que «es imposible determinar con exactitud la medida en que se realizan las intenciones del poeta».[21] De hecho, el realismo modal se paga bastante caro en términos epistémicos. No obstante, no me detendré en el problema epistémico de conocer el contenido de las intenciones de un autor al escribir un relato, por temor a desviarme demasiado de las consideraciones metafísicas en cuestión. Si nuestro interés se centra no en *por qué*, sino en *lo que* hace un autor al crear una construcción novelesca, los beneficios del realismo modal sobrepasan con mucho el precio epistémico.

IV

De haber escrúpulos residuales acerca del tono platónico de la idea de que hay muchos modos posibles en que el mundo podría haber existido y de que esas posibilidades son independientes de la mente y extralingüísticas, quizás se puedan disipar apelando al teorema de la incompletitud de Gödel. Para Gödel, la aritmética de los números enteros no puede axiomatizarse completamente y no se puede dar cuenta final de la forma lógica precisa de las demostraciones matemáticas válidas. Por consiguiente, no pueden fijarse límites previos a la capacidad de un matemático para inventar nuevas reglas de pruebas. La razón de esto es que «las clases y los conceptos pueden ser concebidos como objetos reales que existen independientemente de nuestras definiciones y construcciones».[22] Para mí, lo que Gödel sostiene acerca de los números, las clases y los conceptos es semejante a lo que he enunciado sobre las propiedades y la noción de posibilidad, dado que todos participan de la misma naturaleza abstracta. Aun así, sólo he propuesto un realismo minimalista para la ficción, arguyendo que sólo las propiedades y sus posibles ejemplificaciones existen independientemente del autor. Los mundos novelescos constituidos por esos elementos no existen en sí y por sí mismos, sino que son más bien construidos libremente por los escritores. Es aleccionador el paralelismo con las matemáticas, ya que los mundos novelescos son como las construcciones de teorías de conjuntos del intuicionista. No forman parte de una realidad determinada, ya que cobran existencia por virtud de la acción de un autor. Debido a la opinión de que tan sólo los elementos —propiedades capaces de muchas actualizaciones— de los mundos novelescos son independientemente reales, el realismo modal que he adoptado se encuentra más cercano al intuicionismo matemático que al platonismo. Por eso, los temores ontológicos acerca de la existencia de mundos concretos fuera del nuestro son infundados.

Aparte de la moda de ser escéptico acerca de todo lo que quede fuera del dominio del discurso, no encuentro ningún argumento convincente contra la tesis de que una metafísica de la modalidad es consistente con nuestras más profundas intuiciones y provee la mejor explicación de la empresa de la ficción. Son consideraciones metafísicas de ese tipo las que otorgan credibilidad al alegato repetido de Unamuno de que Don Quijote es más real que Cervantes; las propiedades múltiples de aquél permiten que sea actualizado en muchos mundos novelescos. Y si permitimos que la imaginación vaya aún más lejos y consideramos a Shakespeare, podemos especular al menos que son pensamientos modales los que llevan a Hamlet a declarar: «Hay más cosas en el Cielo y la Tierra, Horacio / que las que se sueñan en nuestra filosofía».[23]

Quiero expresar mi agradecimiento a Thomas Tymoczko y a John Kirby por las provechosas discusiones que mantuvieron conmigo.

NOTAS

1. Véase «Possible Worlds», de Lewis, en *Counterfactuals*, Cambridge, MA, Harvard University Press, 1973, pp. 84-91, y el más reciente *On the Plurality of Worlds*, Oxford, Blackwell, 1986, especialmente las pp. 1-69. A diferencia de Lewis, sin embargo, no comparto la opinión realista extrema de que existen *mundos* posibles aparte del nuestro. Mi realismo modal sostiene sólo la existencia no-actualizada de propiedades y situaciones, no mundos. En la ficción, es el autor quien puede construir mundos con esos elementos.

2. *Poetics,* 1451a 37-38, trad. Gerald Else, Ann Arbor, Michigan, University of Michigan Press, 1983. En castellano puede consultarse la traducción de Valentín García Yebra, Madrid, Gredos, 1974. «La probabilidad» (*to eikos*) y «la necesidad» (*to anankaion*) deben ser consideradas como expecies del género «posibilidad» (*ta dunata*) en el pasaje citado. Agradezco a John Kirby el haberme aclarado este punto. En su comentario sobre ese mismo capítulo, en *Aristotle's Poetics: The Argument,* Cambridge, MA, Harvard University Press, 1957, Else hace la siguiente observación: «El poeta no es poeta cuando tan sólo reviste una historia tradicional con versos nuevos. Se le exige *construir* algo propio, a saber, una estructura de acontecimientos en la que los universales puedan ser expresados; y por la honestidad y el énfasis de Aristóteles es evidente que considera esto como el deber supremo del poeta. Pero, por otra parte, «creación» es una idea excesivamente presuntuosa e implica demasiado. Aristóteles es un griego para quien creación significa *descubrimiento (euresis)*, el desvelamiento de una verdadera relación existente ya de algún modo en el trazado de las cosas. El poeta no es un creador en el sentido irresponsable de que la construcción entera surge de su propia sensibilidad sin reglas» (p. 320). Cf. *Metaphysics* 0 1047 a 17ff, donde, en la discusión de *dunamis* y *energeia*, Aristóteles dice que el mundo está lleno de posibilidades irrealizadas en cualquier momento dado.

3. G.W. Leibniz, «On Freedom», en *Philosophical Papers and Letters,* ed. y trad. Leroy E. Loemker, 2.ª ed., Dordrecht, Holanda, D. Reidel, 1970, p. 263.

4. Miguel de Unamuno, *Vida de don Quijote y Sancho*, 8.ª ed., Buenos Aires, Espasa-Calpe, 1949, p. 10.

5. *Ibíd.*, p. 7.

6. Miguel de Unamuno, *Amor y pedagogía*, Buenos Aires, Espasa-Calpe, 1934, p. 401.

7. *Poetics* 1451b12-13 (trad. Else).

8. Cf. Lewis, *On the Plurality of Worlds*, pp. 142-165.

9. Alexius Meinong, «The Theory of Objects», trad. Isaac Levi, D.B. Terrel y Roderick Chisholm, en *Realism and the Background of Phenomenology,* ed. Roderick Chisholm, Atascadero, CA, Ridgeview Publishing, 1960, p. 78. Para una explicación más reciente de la teoría de Meinong y su relevancia para la ficción, véase Terence Parson, *Nonexistent Objects*, New Haven, Yale University Press, 1980, especialmente las pp. 17-60. Otros estudios sobre la metafísica de la ficción dignos de atención son Alvin Plantinga, *The Nature of Necessity,* Clarendon Press, 1974, especialmente las pp. 153-163, y Nicolas Wolterstorff, *Works and Worlds of Art*, Oxford, Clarendon Press, 1980, pp. 106-179.

10. Por ejemplo, Platón en el *Timeo*, y los Libros II y XI de la *Metafísica* de Aristóteles.

11. Averroes: «La materia, en tanto que materia, no deviene... por lo tanto, debe existir necesariamente un substrato que sea el recipiente de la posibilidad y que sea el vehículo del cambio y el devenir». En *Averroes' Tahafut al-tahafut*, trad. S. Van Den Bergh, Londres, Luzac, 1978, sec. 62. Para un comentario sobre las opiniones de Avicena, véase Oliver Leaman, *An Introduction to Medieval Islamic Philosophy,* Cambridge, Cambridge University Press, 1985, pp. 28-32, 34-37.

12. *Poetics* 1451b6-9 (trad. Else).

13. Unamuno, *Niebla*, 17.ª ed., Madrid, Espasa-Calpe, 1979, p. 150.

14. *Ibíd.*, p. 21.

15. Véase el ensayo «A lo que salga», *Obras completas*, III, Madrid, Aguilar, 1958, pp. 789-805.

16. Véase Jorge Luis Borges, «Pierre Menard, autor del *Quijote*», en *Ficciones*, 2.ª ed., Madrid, Alianza, 1972, pp. 47-59.

17. *Sei personaggi in cerca d'autore*, Verona, Arnoldo Mondadori, 1975, Acto I, p. 41: «si nasce alla vita in tanti modi, in tante forme».

18. El término *soft fact* (hecho incompleto) proviene de la discusión reciente en torno al problema del conocimiento previo divino y la libertad humana y en especial de Joshua Hoffman y Gary Rosenkrantz, «Hard and Soft Facts», *Philosophical Review*, XCIII, 3, julio 1984, pp. 419-434, y de John Martin Fischer, «Ockhamism», *Philosophical Review*, XCIV,1, enero 1985, pp. 81-100.

19. Borges, *op. cit.*, pp. 56-57.

20. *De Interpretatione* 9,19a12-14.

21. «On Sense and Reference», en *Translations from the Philosophical Writings of Gottlob Frege,* eds. P.T. Geach y Max Black, Oxford, Blackwell, 1970, p. 61.

22. Kurt Gödel, «Russell's Mathematical Logic», en *The Philosophy of Bertrand Russell*, ed. Paul A. Schilpp, Chicago, University of Chicago Press, 1944, p. 137.

23. *Hamlet,* Acto I, Escena V.

II

VALLE-INCLÁN

CULMINACIÓN DRAMÁTICA DE VALLE-INCLÁN: EL DIÁLOGO A GRITOS

Gonzalo Sobejano
(Columbia University, New York)

Hablar a gritos no es meramente lanzar y devolver interjecciones (¡oh!, ¡ay!). El diccionario define *grito* como «sonido inarticulado» pero también como «palabra o expresión breve proferidos con fuerza y violencia» (M. Moliner). Se habla «a gritos» o «a grito pelado» cuando aquello de que se habla excita los ánimos en grado muy alto. «Andan a gritos» quienes se enfadan hasta el punto de desahogar su cólera. «Se pide una cosa a gritos» cuando se necesita mucho de ella. Si alguno precisa manifestar violentamente su indignación por algo o contra alguien «pone el grito en el cielo», y en general hablan «a voz en grito» o «gritan a voz en cuello» los que movidos a pasión levantan el volumen de la voz y alzan el tono por encima del nivel normal de la interlocución acostumbrada en el ámbito en que viven. Incluso un poeta de tan señalado iberismo como Blas de Otero pudo decir: «escribo a gritos, digo cosas fuertes / y se entera hasta dios. Así se habla» (segundo soneto de «Y el verso se hizo hombre», *Ancia*, 1958).

Un diálogo a gritos sería, por ejemplo, éste:

> LA ENCAMADA: —¡Que me matas, renegado! ¡Que la cabeza se me parte! ¡Deja ese martillar del infierno!

JULEPE: —¡El trabajo regenera al hombre!

LA E: —¡Borrachón! Hoy te dio la de trabajar porque me ves morir, que de no, estarías en la taberna.

J: —A mí la calumnia no me mancha.

LA E: —¡Mi Dios, sácame de este mundo!

J: —¡No caerá esa breva!

LA E: —¡Criminal!

J: —¡Muy criminal, pero bien me has buscado!

LA E: —¡Sólo vales para engañar!

J: —Florianita, atente a las consecuencias.

LA E: —¡Mal cristiano!

J: —Ni malo ni bueno.

LA E: —¡Mala casta!

J: —Tendré que ausentarme para no zurrarte la pandereta.

LA E: —¡Espera!

J: —¡No seas pelma!

LA E: —¡Oye!

J: —Me quedé sordo de un aire.

(*Retablo*, 43-44)*

Es el comienzo del «melodrama para marionetas» *La rosa de papel*, de Valle-Inclán, 1924. Floriana, la mujer enferma y moribunda, grita más que Julepe, su marido, y sus gritos son de lamentación, de inculpación, de angustia y de súplica. Menos una frase, todas las enunciadas por la mujer van escritas entre signos de admiración, que son las marcas gráficas del estilo exclamativo. Cinco de las réplicas del hombre no llevan esos signos, pues el agredido Julepe intenta moderar el ataque con resignadas aclaraciones, pero las otras cuatro, portadoras de tales marcas, aunque algo irónicas también, expresan irritación e impaciencia crecientes.

El polo opuesto al diálogo a gritos es el diálogo conversacional o coloquial en el que los interlocutores discurren acerca de algo que no excita sus ánimos hasta el punto de hacerles levantar la voz. Por ejemplo:

* Las cifras entre paréntesis y corchetes refieren a las páginas de las ediciones usuales de las obras dramáticas de Valle-Inclán en la Colección Austral, con excepción de *El yermo de las almas, Una tertulia de antaño* (Madrid, Alianza, 1970).

LA DAMA: —¿En qué piensas, Xavier?
EL MARQUÉS DE BRADOMÍN: —En el pasado, Concha.
LA D: —Tengo celos de él.
EL M: —Es el pasado de nuestros amores.
LA D: —¡Qué triste pasado! Fue allá, en el fondo del laberinto, donde nos dijimos adiós.
EL M: —Y, como ahora, los tritones de la fuente borboteaban su risa, aunque entonces tal vez nos haya parecido que lloraban.
LA D: —Todo el jardín estaba cubierto de hojas, y el viento las arrastraba delante de nosotros con un largo susurro. Las últimas rosas de otoño empezaban a marchitarse y esparcían ese aroma indeciso que tiene la melancolía de los recuerdos. Nos sentamos en un banco de piedra. Ante nosotros se abría la puerta del laberinto, y un sendero, un solo sendero, ondulaba entre los mirtos como el camino de una vida solitaria y triste. ¡Mi vida desde entonces!
EL M: —¡Nuestra vida!
LA D: —Y todo permanece lo mismo, y sólo nosotros hemos cambiado.
EL M: —No hemos podido ser como los tritones de la fuente, que en el fondo del laberinto aún ríen, con su risa de cristal, sin alma y sin edad.
LA D: —Te escribí que vinieses, porque entre nosotros ya no puede haber más que un cariño ideal... Y, enferma como estoy, deseaba verte antes de morir. Y ahora me parece una felicidad estar enferma. ¿No lo crees? Es que tú no sabes cómo yo te quiero.

(*El marqués de Bradomín,* 126)

Se trata del segundo momento de la Jornada II de *El marqués de Bradomín* (*Coloquios románticos*), dramatización de la *Sonata de otoño* y de algunas páginas de la *Sonata de invierno* que Valle-Inclán vio estrenada en 1906. Una mujer enferma y un hombre a su lado. Sólo tres exclamaciones, dos de ella y una de él, solidarias. El coloquio gira en torno a un pasado lejano vivido por ellos en el mismo ámbito donde ahora conversan. Las frases son reposadas, morosamente descriptivas de lo evocado en común, y se complacen en la reiteración: «en el pasado»; «es el pasado», «triste pasado»; «un sendero, un solo sendero», etc. Entre los dos personajes que se comunican hay una concordancia de actitud, de asunto, de lenguaje, y el equilibrio de las conciencias permite dentro del diálogo narrar un tiempo, describir unos objetos o lugares, enunciar pensamientos.

Son dos ejemplos extremos que ilustran dos formas contrapuestas de diálogo: la exclamativa y la coloquial. La forma *exclamativa* de dialogar cumple principalmente la función emotiva del lenguaje, dirigida al tú, y corresponde al *pathos*, al patetismo cuyo fin es convencer a la segunda persona. La forma *coloquial* del diálogo es característica de la función referencial, vertida hacia el ello, y corresponde al *logos*, al razonamiento cuya finalidad es evocar un mundo. Entre ambas formas puede distinguirse otra, la forma *declamatoria* de dialogar, consistente en expresar con elocuencia lo pensado y sentido por el yo, y que corresponde al *ethos*, es decir, al testimonio que todo hablante ofrece de su verdad si quiere persuadir a alguien. Pues en el género dramático más que en otro cualquiera las tres formas o funciones convergen en la necesidad de persuadir, y no sólo un personaje a otro, sino todo el mensaje dramático a todo un público. (Manfred Pfister, *Das Drama*, Munich, W. Fink, 1984[4], 213-215.)

Como muestra del estilo declamatorio, he aquí este pasaje de la Jornada III de *Voces de gesta*, «tragedia pastoril» de 1911:

EL REY

¡Sombra de la muerte!

GINEBRA

Ha sido en su día
cabeza segada por la mano mía.
¡Y cuántas vegadas sintieron mis manos,
igual que un harapo, caer su envoltura!...
Comieron en ella nidos de gusanos,
pudrió en mis alforjas como en sepultura.

EL REY

¡Fría calavera, sombra de la muerte,
ríes en mis manos y tiemblo de verte!
Arca de miserias toda hueca y vana,
tus ojos de sombra tienen en su hondura

el sombrío misterio de la vida humana,
el fúnebre espanto de la sepultura.
Bajo los solemnes augurios astrales
que dicen en lo alto las constelaciones,
tus ojos se abren en los arenales,
sepulcro de razas y de religiones.
En mi vencimiento serás compañera,
en mi desventura me confortarás,
y al ser de enemigo, muda calavera,
a mi alma con voces de espanto hablarás.

GINEBRA

Voces de venganza son las que ha de darte,
no voces de espanto sobre un folio abierto,
como al ermitaño que el tiempo reparte
en meditaciones y cavar el huerto.

(*Voces de gesta,* 88-89)

La forma declamatoria es la más propia del monólogo, y aquí el parlamento del rey Carlino, herido y derrotado, tiene más de monologante que de dialogal, pues no atiende a las palabras de Ginebra, y se dirige sólo a la calavera que ella le entregó, en un apóstrofe a través del cual lo que le importa al Rey es reconocer su propio destino. Aun proyectada hacia otro, la declamación desenvuelve la generosa amplitud de sus frases en giros concéntricos a la conciencia del que declama.

Deslindadas estas tres formas —coloquial, declamatoria y exclamativa— del diálogo dramático, recordemos lo que a este propósito pensaba Valle-Inclán.

En una entrevista de 1928 realizada por Francisco Navas decía nuestro autor, entre otras cosas:

> España, tan racialmente teatral y plástica, es más calderoniana y echegarayesca que otra cosa. Y no penetra en el verdadero sentido de la realidad teatral. [...] Nos falta el diálogo. Aunque poseemos el retoricismo vivido y hablado del denuesto, la imprecación, el apóstrofe. Pero nos falta el diálogo [...]. Francia es madre creadora del diálogo. Que es el matiz encantador y sugestivo, y que requiere además unos artistas excepcionales.

Y al final ponía el encuestado, como lemas del diálogo, estas dos notas: «sencillez y trascendencia».

Del año siguiente, 1929, es otra declaración de Valle-Inclán (a Emilio Soto), donde, tras elogiar a los franceses por su arte del diálogo siempre lleno de *esprit*, puntualizaba:

> Carece por completo de esta disposición para la frivolidad el recto romance de Castilla, lengua de labriegos, de clérigos y de jueces. Sucede aquí al revés de lo que pasa en Francia; su riqueza y su perfección hay que ir a sorprenderla entre el pueblo cuyos estados de alma van de extremo a extremo. Es el genio de nuestro idioma el que impone esas formas totales y definitivas: la sentencia, la imprecación, el denuesto, el grito. A causa de este registro máximo que singulariza al español, antes que atraer, fatiga cuando se le oye. Por analogía recuerdo también que uno de los más altos momentos de *La noche del sábado* se suscita cuando entran en escena varias personas a todo gritar. Es éste, pues, otro de los términos capitales a cuyo régimen debe someterse en nuestro teatro toda creación genuina que aspire a tocar el alma del pueblo. A la importancia que asume el escenario [...] es preciso ahora añadir la del grito. Ambas exigencias entroncan con nuestra tradición más legítima y son hoy más imperiosas que nunca, si es que madura el esfuerzo renovador entre nosotros. Concretemos la fórmula que tiene por delante el dramaturgo español: escenarios y gritos...

En esta declaración lo que parecía una rémora en la entrevista anterior es considerado como una cualidad «genuina» sobre la cual erigir todo un programa. Se alude a un pasaje de *La noche del sábado*, «novela escénica» de Benavente estrenada en 1903, que debe de ser el constituido por las escenas III y IV del «Cuadro III»: varios personajes entran gritando y sosteniendo al Príncipe herido de muerte: «¿Quién grita?», «¡Silencio! ¡Todos quietos! ¡No salga nadie!», «¡El Príncipe!...», «¡Sangre!», «¡Paso! ¡Quita o...!», «¡Calma, calma!», «¡Has sido tú!... ¡Tú!... ¡Estamos perdidos!», etc. Evocaba, pues, Valle-Inclán en 1929 el momento más exclamativo de una obra ya muy lejana en el tiempo. Pero lo notable ante todo es la asociación que plantea entre idioma castellano, grito y «creación genuina que aspire a tocar el alma del pueblo». Tradición y renovación parecen importarle por igual al artista, y un indicio de que esta declaración de 1929 no obedeciera a momentánea ocurrencia, lo encuentro en la novelita *Una tertulia de antaño*, de 1908. En cierto instante, la duquesa de Ordax anuncia a sus contertulios que tiene la casa rodeada de policía, y dice el narrador:

> Protestaron muchas voces. Algunas tenían acentos trágicos. Y los gritos de aquellas damas, y los trenos de aquellos caballeros, se correspondían de dos en dos, con un paralelismo que recordaba la bella manera literaria de los antiguos semitas:
> —¡Es indignante!
> —¡Crispa los nervios!
> —¡Una nación heroica gobernada por gentuza!
> —¡Los leones españoles regidos por gozquejos!
> —¡Sufrimos la tiranía de las moscas borriqueras!
> —¡Se comprende el despotismo de un emperador!
> (*Una tertulia de antaño,* XIII, 168)

El paralelismo de exclamaciones aquí mimetizado anuncia las esticomitias de ciertos esperpentos, melodramas y autos. Es ya el ritmo de exclamaciones abruptas, parejas de extensión y variables en tono, que distinguirá obras posteriores de nuestro dramaturgo.

En su *Anatomía de un teatro problemático* (Madrid, Fundamentos, 1972, 28-29), Sumner Greenfield glosó breve pero certeramente las opiniones de Valle-Inclán acerca de la actitud del castellano para el grito, y John Lyon, en su libro *The Theatre of Valle-Inclán* (Londres, Cambridge University Press, 1983), incluye en apéndice, entre otras páginas sobre materia teatral, la entrevista de 1928 y la declaración de 1929 (pp. 208-209 y 205-206) parafraseándolas en un corto párrafo del capítulo I; pero en su excelente monografía estudia la concepción dramática y también en buena medida lo espectacular (los escenarios) sin referirse apenas al diálogo exclamativo, aunque en cierta ocasión habla de «postura estridente» (*strident posturing*, p. 188).

Pienso que Valle-Inclán admiraba sinceramente el diálogo coloquial de franceses e italianos, pero que al irse percatando de la tendencia natural del castellano al grito y de la necesidad de llegar al alma del pueblo por esta vía de la extremosidad locuente, hubo de comprender (mucho antes de 1929) que una forma de renovación auténtica podía ser lo que aquí llamo el «diálogo a gritos», y esto sin perjuicio de las sugestiones que hubieron de venirle del guiñol y del expresionismo contemporáneo (aspecto atendido por muchos críticos, entre ellos Juan Antonio Hormigón y Alfredo Matilla, 1972). Lo peculiar de este diálogo no es tanto la abundancia de expresiones exclamativas, sino su brusquedad, brevedad, vivacidad: la esticomitia que hace de ese diálogo una verdadera esgrima de réplicas enfáticas repartidas en porciones iguales o semejantes, un saltar de grito en grito, un duelo chillado.

La trayectoria de la producción dramática de nuestro autor no es, sin embargo, homogénea. En líneas muy generales puede notarse en ella el predominio del coloquio hasta 1910, del diálogo declamatorio hasta 1912, y del exclamativo desde 1920. Mirando más de cerca la trayectoria, cabe percibir sin dificultad que el diálogo exclamativo aparece ya con bastante relieve en las dos primeras «comedias bárbaras» (1907 y 1908), en no pocas escenas de *Voces de gesta* (1911) y en *El embrujado* (1913). Es lógico que esto ocurra porque tales obras son de signo trágico, y el lenguaje adecuado a la tragedia no puede menos de favorecer el grito. Pero, no obstante las lógicas de cada género, siempre será sintomático por qué el escritor en determinadas etapas de su labor prefiere un género a otro y hasta qué grado puede estilizar las calidades propias de cada uno.

Caracterizar brevemente la técnica del «diálogo a gritos» del último Valle-Inclán es el propósito de estas consideraciones, a fin de descubrir, si es posible, el sentido de este modo de dialogar como culminación de su dramaturgia.

La expresión exclamativa surge de un ánimo movido por las pasiones, que pueden ser descendentes (tristeza, necesidad, odio, dolor) o ascendentes (alegría, admiración, amor, entusiasmo). Sólo cuando las pasiones se desatan, se expresan en forma exclamativa, por lo cual hallaremos más gritos en un protagonista colérico (Montenegro) que en otro relativamente reportado (Bradomín) o entre el pueblo (rural o urbano) que entre la fina burguesía o la cortesana aristocracia.

Las primeras tentativas dramáticas de Valle-Inclán tienen notorias semejanzas con la pieza conversacional benaventina y, desde luego, con la novela dialogada a la manera del Galdós autor de *Realidad*.

Cenizas, de 1899, reelaborada como *El yermo de las almas* en 1908 con el subtítulo de «Episodios de la vida íntima», presenta una serie de escenas donde una dama enferma, en amores adúlteros con un joven pintor, lucha entre la pasión que hacia él siente y la urgencia de salvar su alma, y lo exclamativo se reduce casi sólo al patetismo de la despedida que sobre los amantes se cierne como un deber doloroso (sollozos y quejas). Pero, en conjunto, domina el coloquio, y aun el jesuita y el médico que visitan a la moribunda eluden toda disputa, celebrando una muy comedida plática.

Por lo que atañe a los «Coloquios románticos» escenificados en 1906 bajo el título de *El marqués de Bradomín*, nada ocurre que no sea un sereno dialogar amoroso acerca del pasado entre la llegada de Bradomín al pazo donde le espera su prima Concha y su marcha de la señorial mansión. Si algunas exclamaciones se escuchan es en el momento final de los adioses, aunque en la Jornada I, una niña, Ádega la Inocente, «clama llena de un terror profético»: «¡Ay de la gente que no tiene caridad!», «Se morirán los rebaños sin quedar una triste oveja, ¡y su carne se volverá ponzoña! ¡Tanta ponzoña que habrá para envenenar siete reinos!» (I, 106). Indico estos primeros gritos porque vienen de una criatura humilde que acude, con otros pordioseros, a recoger limosna de los señores, y en los años inmediatos Valle-Inclán publica *Águila de blasón* (1907) y *Romance de lobos* (1908), comedias bárbaras en las que aparecen siervos o criados, pobres y mendigos alzando repetidos y clamorosos lamentos. Es por la voz del pueblo (y también a través de las voces de una familia noble en proceso de desintegración) como el grito se abre paso en la producción de Valle-Inclán, adoptando dos modos principales: el lamento y el denuesto. Particularmente *Romance de lobos* pone muy de relieve la tensión entre siervos y amos, hijos rapaces y padre caballero, chalanes e hidalgos, y abunda en plantos de mendigos, imprecaciones, amenazas y querellas.

La línea coloquial de las primeras obras no sufre alteración con *La cabeza del dragón*, estrenada en 1910 y recogida ulteriormente en *Tablado de marionetas* como «farsa infantil». En prosa como las obras precedentes, esta pieza tiene un primer plano legendario (el Príncipe y la Infantina, los Reyes, el Duende que ayuda al Príncipe a matar al dragón) y un segundo plano satírico en el que se aprovechan incidentes y conductas para criticar la monarquía constitucional y sus ridiculeces. Todo se desenvuelve en animado estilo coloquial (charlas amicales, diálogos amorosos, comentarios agudos), y el estilo exclamatorio sólo asoma cuando interviene Espandián, el bravucón plebeyo.

Hasta ahí (salvo las dos comedias bárbaras, no destinadas a la representación, sino a la lectura) el teatro de Valle-Inclán no difiere mucho del de su compañero de generación Jacinto Benavente.

En 1910 estrena nuestro autor *Cuento de abril*, en 1911 *Voces de gesta* y en 1912 *La marquesa Rosalinda*, tres obras compuestas en refinado verso modernista (incluidas las acotaciones). Las «Escenas rimadas de una manera extravagante» de que consta *Cuento de abril* ponen sobre el tablado las vicisitudes cordiales de una princesa provenzal entre la galantería de un trovador de aquellas tierras y la rudeza de un infante de la lejana Castilla. Son escenas coloquiales que a menudo se vuelven declamatorias en largas tiradas del soñador trovero, del infante hazañoso y de la princesa que compara ventajosamente al primero con el segundo. Nada más lejano de la cortante forma exclamativa de las últimas obras de Valle-Inclán (réplicas breves que alteran los contextos semánticos a gran velocidad) que estos diálogos donde las réplicas se alargan en parlamentos retóricos a través de los cuales cada personaje articula de modo coherente su perspectiva, para expresarse a sí mismo ante el otro (véase Pfister, *op. cit.*, p. 199).

Igual tendencia se observa en *Voces de gesta,* a pesar del título épico que sugiere clamores populares y gritos de combate. Y, sí, hay pregones y piedades para el rey Carlino, un vehemente monólogo de éste en la Jornada I pidiendo a Dios dolor para su cuerpo y salvación para su alma, bendiciones y maldiciones de Ginebra, alarmas, jamases, increpaciones, ayes, y lamentos del pueblo por los estragos de la guerra. Pero en esta «tragedia pastoril» que evoca las contiendas civiles, todos los ingredientes, aun los coloquiales (que ocupan en cada acto, como es habitual, los tramos expositivos) padecen el predominio de la declamación proclive a los parlamentos extensos. Conviene notar, sin embargo, que también aquí hay grito porque hay pueblo.

Más acentuado es el sello declamatorio en *La marquesa Rosalinda,* cuya protagonista es de nuevo una dama noble entre un soñador (Arlequín) y un inimaginativo (su marido, que, aunque francés, se ha contagiado de la severidad castellana). Conjugando en un solo ser los proyectos de medro del Crispín y la inclinación amorosa del Leandro de *Los intereses creados*, el Arlequín valle-inclaniano, que jamás incurre en las ñoñeces de Leandro pero que se ve como Crispín amenazado de galeras, alivia la soledad de Rosalinda aunque tenga que despedirse de ella y volverse a su carreta de farándula. Lo coloquial se torna declamatorio a veces, sobre todo en el monólogo de Arlequín a la luna (I, 50-52). Y los pocos gritos que en esta pieza se oyen los emiten Colombina y Arlequín en riña, Polichinela con su pregón, Pierrot cuando desafía a Arlequín a un duelo con espadas de hojalata, y algunas dueñas y mujeres escandalizadas por el diábolico farandul. Quienes exclaman son también aquí, por lo tanto, personajes populares o humildes, y lo hacen con un «ritmo de marioneta(s)» (II, 87), novedad esta la más avanzada en camino hacia un teatro estridente.

Tanto el verso modernista como la declamación en largas tiradas pintorescas o musicales son atributos llevados a la escena española, con menos arte que Valle-Inclán, pero antes que él, por Eduardo Marquina en *Las hijas del Cid* (1908) o *En Flandes se ha puesto el sol* (1910). Parece indudable que, en sus comienzos dramáticos, el ya gran novelista Valle-Inclán no fue inmune a las tentaciones de la comedia conversacional y de la farsa italianizante en prosa, de Benavente, por un lado, ni del drama declamatorio en verso, de Marquina, por otro.

Con *El embrujado*, tragedia en prosa de 1913, recupera Valle-Inclán lo hasta entonces más peculiar de su producción dialogada: la fuerza exclamativa que ostentaban ya sus primeras «comedias bárbaras». Contiene *El embrujado* momentos coloquiales (conversaciones, murmuraciones, comentarios casi corales de criados, pobres y viandantes), pero carece de tonos declamatorios y presenta una hechura dialogal escueta y briosa. Ofrece, sobre todo, un signo exclamativo mayoritario, aunque motivado en especial por el patetismo trágico de los lamentos: lamentos del caballero Bolaño en su soledad sin descendencia («¡Tan viejo y tan solo! ¡Ya me pueden enterrar!», III, 145), del barquero Ánxelo bajo el hechizo de Rosa la Galana («¡Mi culpa pagada, mi alma, de negra, blanca!», I, 108-111) y lamentos de los pobres en su pobreza. La hechicera Rosa «estalla en denuestos»: «¡Hemos de ver si por el rapaz no vienes, viejo avaricioso!», y el rumor religioso de todos (labradores en perpetua indigencia) clama: «¡Brujas fuera!... ¡Brujas fuera!... ¡Brujas fuera!...» (I, 104-105).

En agraciado verso coloquial está compuesta la dieciochesca *Farsa italiana de la enamorada del Rey* (1920), con parlamentos declamatorios de Justina la soñadora y del inspirador Maese Lotario, que viene a trocar por normas de poesía los chabacanos ritos leguleyos de la corte del viejo, feo y bondadoso Borbón. En cambio, en la decimonónica *Farsa y licencia de la reina castiza* (1920), guiñolesca a todas luces, la declamación ha desaparecido, y lo conversado adopta un modo exclamativo no patético, sino mecánico, chillón, de falsete muñequil. El severo Gran Preboste y el celoso don Gargarabete comentan a voz en cuello la tolerancia del Rey Consorte y las veleidades de la Señora (I, 161-163). El Jorobeta sirve de excitado medianero entre los ardides de El Sopón y las alarmas del Consorte a causa de la licencia isabelina (II, 192-195). La Infanta Francisca y las Dueñas hacen aspavientos con «lenguas de tarabilla» (II, 201). Y por los ámbitos palatinos cunde la irritación, se discute, se jura, se dicen palabrotas (cuando menos para los oídos del delicado don Lindo, III, 210), y los fieros, amenazas y vituperios de los botarates que disputan cerca de la alcoba regia («¡crac!, ¡crac!» canta la navaja, «¡Qué Dos de Mayo!» pondera la Infanta, «¡Jesús! ¡Jesús!» y «¡Pobre de mí!» chilla el Rey Consorte) llevan a Mari-Morena a comprobar asustada: «¡Con nuestros gritos ya la Señora / se ha despertado!» (III, 234), y poco después la voz de un ciego en la plaza remata la farsa pregonando el buen éxito de la estafa de El Sopón: «¡Extraordinario a *La Gaceta* con el nombramiento del nuevo Arzobispo de Manila!» (III, 237). Pero este diálogo a gritos de *La reina castiza* pertenece por entero al registro cómico del teatro de marionetas y no ofrece la varia matización de una obra más importante de la misma fecha: *Divinas palabras* («Tragicomedia de aldea»).

Divinas palabras configura el drama entre risible y grave de la adúltera que, arrancada del hogar por la fuerza del mal amor y librada a las lujurias y a las iras del pueblo, se salva de ellas por la virtud de unas palabras divinas no entendidas. Lo trágico y lo cómico se alían con intensa novedad en esta obra donde (a tono con la simplicidad o primitividad de las almas aldeanas) falta la declamación y sólo funciona el coloquio en la breve exposición acerca de la familia del Idiota y durante el amigable fallo del pleito del carretón (Jornada I), para ilustrar la vida nómada de Mari-Gaila en contacto con las gentes a las que exhibe el monstruo (Jornada II) y en el rápido diálogo teológico entre el Compadre Miau y el sacristán Pedro Gailo (Jornada III). La exclamación, en cambio, llena el espacio escénico de principio a fin en muy variadas proyecciones: el aserto enfático, el lamento, el mandato y el ruego, el insulto, la exultación y la interjección propia y la derivada.

Así como en el principio del gritar dramático de Valle-Inclán (en las «comedias bárbaras») puede reconocerse el predominio del lamento popular, del mandato señorial y del insulto entre los personajes que encarnan las fuerzas hostiles, y en obras trágicas como *Voces de gesta* y *El embrujado* se afianza el lamento por el fracaso colectivo (la causa carlista) y el fracaso personal (el caballero Bolaño), al final del proceso vendrá a adquirir mayor rango la exclamación exultante (de amor, entusiasmo o piedad) casi inaudible en las obras anteriores.

Divinas palabras contiene lamentos que sólo parecen sinceros en las quejas de Juana la Reina antes de morir y en los gritos de socorro con que la Tatula trata de asistirla, si bien poco antes oímos un diálogo exclamativo entre ambas que trasluce más el interés que la pena: «Habías de estar en el Hospital de Santiago. ¡Te entró fiera la dolor!», «¡Años va que no me deja!», «¡Y fortuna que el hijo te vale un horno de pan!», «¡Pudiera él salir de su jergón, aun cuando contra su madre con un puñal desnudo se viniera!» (I, ii, 21). Pero la forma de lamento está en los plantos rituales de Gaila, de Marica del Reino y de Gailo, entre plañideras, ante el cadáver de Juana («¡Ay Juana, hermana mía, qué blanca estás! ¡Ya no me miran tus ojos! ¡Ya esa boca no tiene palabras para esta tu hermana que lo es!», etc., I, iv, 34); o en el planto de Mari-Gaila ante el cadáver del Idiota: «¡Nuestro Señor Misericordioso, te llevas mis provechos y mis males me dejas! ¡Ya se voló de este mundo quien me llenaba la alforja! ¡Jesús Nazareno, me quitas el amparo de andar por los caminos, y no me dejas otro sustento! ¡No harás para mí tus milagros, no me llenarás el horno de panes, Jesús Nazareno!» (II, vii, 89).

Que el planto sea un rito no estorba a la verdad del sentimiento, pues también las oraciones o palabras sacramentales en bodas y en bautizos forman un texto invariable y pueden decirse con fe auténtica o por mera rutina. Ningún familiar del Idiota parece sentir la muerte de la madre (que les deja a ellos la ganancia) ni la del Idiota mismo a no ser porque con ella cesa el lucro. Las retóricas rituales, sin embargo, pueden operar una conversión de la falsedad en sinceridad: el que plañe puede llegar a sentir de veras el dolor porque plañe, y el que reza la fe porque reza (no lloramos porque estamos tristes, sino que estamos tristes porque lloramos, advierte una máxima psicológica bien conocida). En *Divinas palabras* no parece insinuarse siquiera tal conversión: la espléndida imitación estilizadora que el autor hace de los plantos que pone en boca de sus figuras no trasmite un efecto de veracidad.

Faltan en *Divinas palabras* modos importantes de mandato y ruego porque aquí no se enfrentan personas de diferentes clases sociales: todas pertenecen al mismo estrato popular. Sólo en la escena penúltima, cuando Mari-Gaila desnuda arrostra a sus perseguidores, se contrasta la energía voluntativa de éstos («¡Dadle seguimiento!», «¡Que baile en camisa!», etc.) con la actitud entre imperiosa y suplicante de quien, por encima de ellos humanamente, depende vitalmente de ellos: «¡Mira y hasta cegar, sin poner mano!», «¡Conformarse con esto!». Pero esa misma escena, donde la igualdad aldeana cede ante la diferenciación de la mujer en su trono y los jayanes que la desean con brama animal, se resuelve mayormente en insultos: «¡Cabras! ¡Cabras! ¡Cabras!», «¡Sarracenos! ¡Negros del Infierno!», grita Mari-Gaila; y los mozos, entre los «jujurujúes» de su coral relincho: «¡Perra salida!».

El insulto es la forma de altercado entre Pedro Gailo y la mujer. Atizado por los prejuicios de honra que su hermana Marica le ha imbuido y que le llevan a conducirse mentalmente como después lo hará el Teniente Friolera, Pedro Gailo, al retorno de su hembra, se manifiesta obligatoriamente honorable y celoso, calificándola de «descarriada» y de «pública» mientras ella repite el vocativo «latino», y es Simoniña quien aborta el duelo de sus padres clamando: «¡No comiencen la pelea!» (II, ix). Con toda su simplicidad o a causa de ella, es Pedro quien al fin tiende la paz sobre la mujer amenazada.

Los asertos enfáticos son demasiados como para ilustrarlos aquí, pero valga recordar la escena en que Pedro se embriaga preparando la venganza: «¡Toda la noche a la faena!... ¡Para vengar mi honra! ¡Para procurar por ella! ¡Ya va dando los filos! ¡Es mi suerte que me pierda! ¡Sin padre y sin madre te vas a encontrar, Simoniña! ¡Considera! ¡Mira cómo el cuchillo da los filos! ¡Tiene lumbres de centellón! Y tú, tan nueva, ¿qué harás en este valle de lágrimas? ¡Ay Simoniña, el fuero de honra sin padre te deja!» (II, vi, 77). Es propio del aserto enfático la acumulación y reiteración de exclamaciones de un solo interlocutor, y es frecuente en este aumento exagerador de lo enunciado el valor de grito que tienen muchas aparentes interrogaciones: «¿qué harás en este valle de lágrimas?» no es tanto una pregunta retórica como un grito: «¡qué harás en este valle de lágrimas!» Y, a este propósito, no es inoportuno recordar que entre las mayores dificultades que el teatro de Valle-Inclán plantea una de las más graves es la entonación y, en general, la *pronuntiatio* del texto verbal de sus obras.

Tenemos, pues, asertos, insultos, mandatos, ruegos, lamentos veraces y plantos histriónicos. Agreguemos a todo ello los gritos interjectivos y las onomatopeyas del Idiota («¡Hou! ¡Hou!», «¡Releche!», «¡Miau! ¡Fu! ¡Miau!», «¡Ist!... ¡Tun!... ¡Tun!...», «¡Cro! ¡Cro!», I, v, 44-45), los «¡Jujurujú!»

de El Cabrío (II, viii) y de la jauría de mozos y su final «¡Tunturuntún!» (III, iv y v). Recordemos también el peloteo de réplicas entre la incitante Tatula y la evasiva Mari-Gaila («¡Buena vida pierdes!», «¡Andar errante!», «¡Contar pesetas!», «¡Soles y lluvias!», «¡Comer de mesones!», «¡Sobresaltos!», III, ii, 115) que, si bien en tensión discordante, no está muy lejos de la monótona hilera de frases de Estragón y Vladimir en *Waiting for Godot: «All the dead voices», «They make a noise like wings», «Like leaves», «Like sand», «Like leaves»,* silencio, *«They all speake at once», «Each one to itself»,* silencio, *«Rather they whisper», «They rustle», «They murmur», «They rustle»* (ed. 1954, II, p. 40b). Atendidas estas variaciones, *Divinas palabras* podría estimarse la pieza dramática más complejamente exclamativa escrita por Valle-Inclán hasta entonces; aquella en que cooperan casi todas las modalidades del diálogo a gritos, incluso la que aún no he mencionado: el grito exultante (de alegría, admiración o amor). Surge al final del cerco puesto por Séptimo Miau a Mari-Gaila. El farandul muerde la boca de la mujer suspirante, al claro de la luna, en la puerta de la garita abandonada: «¡Bebí tu sangre!» (exclama él), «A ti me entrego» (declara ella), «¿Sabes quién soy?» (pregunta él), «¡Eres mi negro!» (exulta ella), II, 76.

Obra tan agitadora concluye disipando al conjuro de las palabras de Cristo el soplo de aquel «verbo popular y judaico» de las cóleras y las soberbias que «desatan las lenguas» (135). Intimidados, los agresores se apartan, se retiran, se dispersan. Todo grito ha cesado.

Los muchos y buenos críticos que se han ocupado de los esperpentos apenas han puesto de relieve como rasgo definidor del género, la estridencia. Claro es que al examinar algunos de los rasgos constitutivos (especialmente la animalización, los muñecos y la teatralería) no dejan de referirse algunos de esos críticos a fenómenos de locución, como ciertas onomatopeyas zoológicas, el timbre de voz ventriloquial de los títeres, el énfasis de las palabras y determinados efectos sonoros. Creo, sin embargo, que la estridencia debería analizarse por sí misma, ya que no siempre depende de los rasgos a que acabo de aludir. Pero, de todas maneras, el diálogo a gritos en el que me parece culmina el arte dramático de Valle-Inclán, no tiene su expresión más rica en los esperpentos propiamente tales, sino en obras que, emparentadas con ellos, no son del todo esperpentos: *Luces de Bohemia, Cara de Plata* y los melodramas y autos.

Señalé hace tiempo que en *Luces de Bohemia* operaban en curiosa combinación la perspectiva elegíaca y la satírica, y al releer ahora esta obra pienso que tal interpretación pudiera confirmarse porque en *Luces de Bohemia* el coloquio (de sesgo elegíaco o meditador) sobrepuja a la exclamación crítica o satírica.

Las conversaciones de Max Estrella con su familia en la buhardilla y con don Latino y don Gay en la librería de Zaratustra (I, II), de los modernistas con don Filiberto en la redacción del periódico (VIII) y de los bohemios con las prostitutas en el jardín urbano (X), son momentos coloquiales referidos a circunstancias del presente en los que apenas se levanta la voz. Más mesurados todavía son los coloquios sobre el pretérito, como el de Max y el Ministro que le brinda su ayuda (VIII), y el de Max con Rubén Darío en el café de los empañados espejos (IX): aquí modera todo conato de irritación el repetido «¡Admirable!» con que el poeta americano aprueba las ingenuas jactancias de su amigo. A estas escenas hay que añadir las de reflexión acerca del futuro (conversación del proletario catalán y del poeta ciego en el calabozo, VI) o acerca de la muerte (diálogo entre Rubén Darío y el Marqués de Bradomín meditando en el camposanto sobre el terror de lo incierto, la muerte cristiana, el amigo enterrado, la tragedia de Hamlet y sobre la mañana y el olvido, XIV).

El estilo exclamativo posee, sin embargo, suficiente relieve. En las escenas tercera y última, que tienen lugar en la taberna de Pica Lagartos, la florista, el vendedor de periódicos, el borracho, el chico y algún pollo o golfo ejemplifican el castizo galleo madrileño con sus descaros y sus ironías: «¡Calla, bocón!», «¡Soleche, no seas tú provocativa!» (33); «¡Olé los hombres!» (139), «¡Que te frían un huevo, Nicanor!» (142); y, como una explosión solipsista de admiración del pueblo hacia el hombre cultivado y desgraciado, vuelve y vuelve hasta el final la exclamación aislada de El Borracho: «¡Cráneo privilegiado!».

Pero la causa primaria de los gritos que se escuchan en *Luces de Bohemia* no parece ser otra que el hondo malestar social y político del que este esperpento elegíaco da testimonio. Los insultos a la política vigente se oyen en la taberna (III, 33-35) y se multiplican en las calles. La voz de Max Estrella lanza mueras a Maura y temerarias bravatas a los policías que le conducen entre improperios al calabozo en el que, llorando de impotencia y de rabia, se abrazará al obrero catalán condenado a morir (VI). La cumbre exclamativa de la obra no está, sin embargo, en esa escena, sino en otra (la XI) que, igualmente añadida a la versión de 1920 cuatro años más tarde, contrasta la cautelosa o cobarde prudencia de ciertos vecinos (un retirado y un empeñista entre ellos) con las maldiciones y las deprecaciones de la madre que sostiene en los brazos a su niño, muerto por una bala en medio del arroyo. Los gritos de la mujer van desde el insulto («¡Maricas, cobardes!», «¡Sicarios, asesinos de criaturas!», «¡Verdugos del hijo de mis entrañas!»), a través del anhelo de la muerte propia («¡Que me maten como a este rosal de mayo!», «¡Negros fusiles, matadme también con vuestros plomos!») hasta el puro quejido de dolor: «¡Que tan fría, boca de nardo!». Y Max Estrella va reaccionando a la cólera trágica de esa voz, desde la inicial pregunta «¿Qué sucede, Latino? ¿Quién llora? ¿Quién grita con tal rabia?», hasta el momento en que, reconociendo en un tableteo de fusilada la muerte en supuesta fuga del preso catalán, confiesa a su también cauteloso y cobarde escudero: «Latino, ya no puedo gritar... ¡Me muero de rabia!...» Y de rabia casi más que de hambre muere el bohemio ilustre, sintiéndose inútil para arrostrar como poeta la pleamar de la injusticia.

En *Luces de Bohemia* no hay planto ritual: la madre con su niño en los brazos sólo es capaz de grito, no de rito. Pero una parodia de planto sí la hay: Valle-Inclán la encomienda al histrión don Latino para decir, por boca de este bohemio golfante, verdades que el alcohol caldea pero no falsifica y que la parodia misma ironiza pero no invalida:

> ¡Jóvenes modernistas, ha muerto el maestro, y os llamáis todos de tú en el Parnaso Hispano-Americano! ¡Yo tenía apostado con este cadáver frío sobre cuál de los dos emprendería

> primero el viaje, y me ha vencido en esto como en todo! ¡Cuántas veces cruzamos la misma apuesta! ¿Te acuerdas, hermano? ¡Te has muerto de hambre, como yo voy a morir, como moriremos todos los españoles dignos! ¡Te habían cerrado todas las puertas, y te has vengado muriéndote de hambre! ¡Bien hecho! ¡Que caiga esa vergüenza sobre los cabrones de la Academia! ¡En España es un delito el talento!

Que don Latino recite estas razones bajo los efectos del aguardiente, e incluso que su embriaguez se deba al hecho de haberle quitado la cartera al amigo moribundo no priva de verdad a estas palabras, pues con frecuencia la verdad se abre camino por la boca del necio, del loco y aun del pícaro. En todo caso, cabe decir que en *Luces de Bohemia* la elegía del artista inerme deriva hacia el coloquio, y la crítica y la sátira de la realidad sociopolítica se expresan a voz en grito.

De los tres esperpentos en sentido estricto el más clamante es el primero en fecha, *Los cuernos de don Friolera* (1921). Dentro del prólogo coloquiado entre don Estrafalario y don Manolito queda enmarcada la «trigedia» de la Moña y el Fantoche, muñecos movidos por el acólito y a los que el bululú hace hablar e interpela durante una brevísima representación en el corral de una posada de la raya portuguesa. Ese hablar es más precisamente un chillar entre peleles y demiurgo: «¡Mentira!», «¡Calla, renegado perro de Moisés!», «¡Soo!», «¡Comparece, mujer deshonesta!», «¡Amor mío, calma tus furias!», «¡Válgame Dios, que soy un cabrón!», «¡Muere, ingrata!», «¡Muerta soy! ¡El teniente me mata!», etc. (70-73). Al final, dentro del epílogo, provoca nuevo coloquio entre don Manolito y don Estrafalario (ahora prisioneros) el «romance» que, declamado por el ciego en el mercado de una blanca ciudad próxima a África, narra con pompa el mismo caso expuesto en el esperpento situado entre prólogo y epílogo, pero con distinto desenlace, ya que en el romance, Friolera no es tomado por loco y enviado al hospital, sino que, después de haber matado a su hija creyendo matar a la esposa adúltera y a su amante, degüella a éstos, presenta ambas cabezas al general de la plaza, es condecorado y prosigue sus hazañas de matamoros hasta hacerse famoso y alcanzar regias mercedes.

El esperpento central está concebido desde la actitud y compuesto con la estructura y el lenguaje de la desenfadada «trigedia», pero su anécdota medular (la muerte por error de la hija del Teniente) es la del sanguinario «romance». Lo que pudiera haber de tragedia latente en este esperpento radicaría en el conflicto entre el simple y aquello que al simple se le aparece como necesidad social y legal. Pero la tragedia queda invertida: en lugar de la necesidad íntima del personaje decide las acciones de éste la mecánica arbitrariedad de la convención.

No puede haber, pues, en este esperpento puro (como sí lo había en *Divinas palabras* y en *Luces de Bohemia*) ningún grito de autenticidad. Lo que hallamos en abundancia son gritos en falsete, que no arrancan de la conciencia, sino que proceden de la sumisión irreflexiva a un código, en este caso el código del honor marital y militar. Son gritos externos, meramente vocales, del hombre degradado a fantoche por causa de aquel sometimiento.

Valle-Inclán aprovecha, eso sí, la degeneración de la posible tragedia en grotesco adefesio para prodigar los modos más superficiales de la exclamación: la riña increpatoria y el monólogo enajenado.

Las riñas vituperativas se entablan entre don Friolera y doña Tadea (su inductora a los celos y a la venganza) y entre aquél y Loreta, su mujer. El monólogo enajenado se proyecta sobre los imaginarios escuchantes que impiden al Teniente sentir y pensar desde sí mismo.

En la memoria de todos está el repetido intercambio de insultos entre don Friolera y doña Tadea: «¡Perra!», «¡Asesino!», «¡Arpía! ¿Por qué has escrito esta infamia?», «¡Mujer infernal!», «¡Grosero!», «¡Chiflado!», «¡Pero usted sabe que soy un cabrón!», «Lo sabe el pueblo entero. ¡Suélteme usted! Debe usted sangrarse», «¡Aborto infernal!» (III, 93). Parecido juego de improperios entre el marido y la esposa: «¡Farolón!», «Estás buscando que te mate, Loreta! ¡Que lave mi honor con tu sangre!», «¡Hazlo! ¡Solamente por verte subir al patíbulo lo estoy deseando!», «¡Disipada!» «¡Verdugo!» (IV, 98).

«Cuanto más vívido el diálogo, cuanto más cortas las réplicas individuales, tanto más perceptible el choque de los contextos. Ello suscita un efecto semántico especial para el que la estilística ha creado un término: la esticomitia», observa Jan Mukarovsky («Two Studies of Dialogue», en *The Word and Verbal Art*, Yale University Press, 1977, 81-115; lo citado en p. 88).

Estas exclamaciones esticomíticas no sólo se prodigan en las riñas del Teniente: aparecen también en sus monólogos. Al principio, cuando Friolera ha leído el papel delator, las exclamaciones van cambiando de enfoque por modo saltante (yo sentido como tú, yo, ella, interjección, yo ante ella, ella en su condena, código condenatorio, interjección): «Tu mujer piedra de escándalo. ¡Esto es un rayo a mis pies! ¡Loreta con sentencia de muerte! ¡Friolera! ¡Si fuese verdad tendría que degollarla! ¡Irremisiblemente condenada! En el Cuerpo de Carabineros no hay cabrones. ¡Friolera!» (I, 77).

En el momento de disparar contra los presuntos infieles, don Friolera lanza sus gritos en parecida fuga de asertos, insultos, interjecciones y votos que él mismo no siente pero se cree obligado a sentir: «¡Vengaré mi honra! ¡Pelones! ¡Villa de cabrones! ¡Un militar no es un paisano! ¡Pim! ¡Pam! ¡Pum! ¡No me tiembla a mí el pulso! ¡Hecha justicia, me presento a mi coronel!» (XI, 161).

Los otros esperpentos, que con el de don Friolera integrarían en 1930 *Martes de carnaval*, no emiten tonos tan agudos. Pero en *Las galas del difunto* (1926) el boticario de pétreo corazón que se niega a leer la carta de su hija prostituida y la bruja que viene a traérsela con la súplica de que la lea se arrojan insultos semejantes en su violenta rapidez a los de don Friolera y doña Tadea: «¡Iscariote!», «¡Emplumada!», «¡Perro avariento, es una hija necesitada la que te implora! ¡Tu hija! ¡Corazón perverso, no desoigas la voz de la sangre!», «Vienes mal guiada, serpiente. ¿De qué hija me hablas? Una tuve y ha muerto. Los muertos no escriben cartas. ¡Retira ese papel de la calle, vieja maldita!», «¡Guau! ¡Guau! Ahí se queda para tu sonrojo. Que lo recoja y lo lea el primero que pase» (II, 24-25). Y la jactancia de Juanito Ventolera da ocasión a exclamadas reprobaciones y avisos disuasivos de los pistolos a quienes participa su macabro reto (III, 31-32) y al susto de la viuda que «se dramatiza con un grito» al ver entrar por el balcón al burlador y se descompone en exclamaciones múltiples ante su acoso: «¡Cristo bendito! ¡Noche de espantos!, ¡Esto es un mal sueño! ¡Sueño renegado!» (IV, 52). Todo el horror de la Daifa al reconocer en poder de Juanito la carta enviada al padre y saber a éste difunto y enterrado, se condensa al final en una frase interjectiva que parecería trivial si no fuera espantosa: «¡Ay mi padre!» (VIII, 60). Pronunciarla sin borrar su trivialidad aparente ni desvirtuar su carga de angustia, pondría a prueba a la mejor actriz.

En el esperpento de *La hija del capitán* (1927) predomina la conversación sobre cualquier otra forma de diálogo: al principio, exposición (I), y más tarde negocio (IV) y tertulia o chismorreo (V). Pero la hija del capitán, víctima de la inmoralidad de éste y del general al que ha sido vendida, pelea con ellos a golpes de ofensas: «¡Gorrista!», «¡Miserable!», «¡Marrano!», grita al general (II, 192-193), y al padre: «¡Suéltame, Chuletas de Sargento!», «¡Asesino! ¡Chuletas de Sargento!», «¡Hija malvada!», «¡Hija de Chuletas de Sargento!» (IV, 200). Y es ella misma quien, ya camino de la libertad en compañía del El Golfante, recapitula el sentido de la farsa aludiendo al equivocado asesinato que ha dado pábulo al general para derrocar el gobierno e imponer su directorio: «¡Don Joselito de mi vida, le rezaré por el alma! ¡Carajeta, si usted no la diña, la hubiera diñado la Madre Patria!, ¡De risa me escacho!» (VII, 232).

Aunque los esperpentos deben mucho al arte del guiñol, cifrado en la mueca y el grito, y es omnipresente en ellos una voluntad de estilización fársica exaltada, muchos de los gritos aludidos responden no sólo a las premisas del teatro de títeres, sino también a realidades coetáneas que clamaban al cielo. Proceden también del pueblo (pueblo medio y urbano ahora, no rural ni paupérrimo, pero pueblo) y delatan la opresión de códigos y de mitos degenerados hasta lo intolerable: la honra familiar y el honor militar bajo cuyo marcial pretexto *(Martes de carnaval)* el mísero soldado se transforma en tenorio, el pusilánime teniente en vengador calderoniano y el capitán tahúr y el general juerguista en providenciales salvadores de la patria.

Es opinión común que la comedia bárbara *Cara de Plata* (1922) posee numerosos rasgos esperpénticos a pesar de que su planteamiento no es grotesco, como no lo era en *Águila de blasón* ni en *Romance de lobos*. Me limito aquí a señalar su fuerza exclamativa, tan intensa y constante que corre a través de las tres jornadas sin apenas una tregua coloquial. Esta presencia del grito se corresponde con la de la colectividad popular, visible aquí en su condición de parte oprimida que reclama y protesta. En la estridencia de *Cara de Plata* intervienen todas las modalidades apuntadas para el caso de *Divinas palabras*, sólo que los lamentos pesan menos en esta comedia bárbara que el aserto enfático, el mandato, la súplica, el insulto, la interjección y la exultación. Las gentes que claman contra las prohibiciones de Montenegro y que sólo esperan «voces y denuestos» pero no por eso callan (I, 1, 15), el clamor de las mujerucas pidiendo a Cara de Plata el paso por sus tierras (II, 2), el tumulto de los feriantes (I, 4), las voces de pregoneros, mendigos y rameras y el acosante «¡Touporrotóu!» del loco Fuso Negro (II, 1) componen un griterío popular que sirve de fondo a expresiones más personales de la intemperancia: las disputas entre el Abad y los Montenegro por el permiso de tránsito y por la custodia de Sabel; disputas que originan riñas violentas, rivalidades y aun sacrilegios, siempre entre improperios, desafíos y enconos crecientes. Entre todos estos clamores de discordia y en medio de la crispatura que hace correr, chillar y gesticular —a menudo con ademanes de fantoches— a los personajes, se destacan momentos de exultación que, a mi entender, suponen lo más nuevo en la gama estridente. Aludo en particular a las escenas quinta y séptima de la Jornada II: Cara de Plata, tratando de olvidar su pena por el desvío de Sabel, dialoga con Ludovina y con Pichona la Biribisera en un vaivén de abstracción y atracción que deja paso al poder envolvente del deseo y culmina en el abrazo ofrecido por la humilde pupila: «Abrázame, tesorín. Abrázame, mi rey moro castellano. ¡Es la primera vez que me buscas! ¿Por dónde consumes la flor de tu sangre? ¡Tienes la boca fría! ¡Tesorín, abrázame!» (II, 7, 107). Se anuncia aquí el momento final de *La cabeza del Bautista*, aunque no vence la muerte, sino el placer, y en la cuarta escena de la jornada última se asiste al holgar de los emparejados mientras Fuso Negro da voces por la chimenea. Preludia, de otro lado, el comienzo de *La rosa de papel,* la tercera escena de esa misma jornada final de *Cara de Plata:*

la Sacristana embriagada y el coro de crianzas que, tempranamente alcoholizadas, se disputan el pichel hasta hacerlo añicos, forman un vértigo de gritos que llega al delirio cuando el Sacristán, simulando mortal enfermedad para que el Abad pueda exigir a Montenegro el paso por sus tierras so pena de sacrilegio, riñe a grito pelado con la mujer («¡Cuidas que muero y aún he de darte mucha leña! ¡De ésta salvo!», «¡No te rebeles contra la divina sentencia!») en tanto las criaturas plañen («¡O noso paisiño! ¡O noso paisiño!», «¡Ay, pay! ¡Ay, pay! ¡Ay, pay!», III, 4, 130-131); grita y lloriqueo esperpénticos que no por eso dejan de descubrir, bajo la portentosa estilización, una realidad misérrima.

La rosa de papel y *La cabeza del Bautista*, de 1924 ambos, son los «melodramas para marionetas» que escoltan inmediatamente a la tragedia *El embrujado* y son escoltados a su vez por los «autos para siluetas» *Ligazón* y *Sacrilegio* en el *Retablo de la avaricia, la lujuria y la muerte* (1927). Inicié estas reflexiones leyendo una escena del primer melodrama, en el cual todas las variaciones registradas concurren a un efecto patético difícil de superar: los asertos enfáticos de Julepe y sus vecinos, las súplicas y los mandatos y denuestos entre Floriana y Julepe, las quejas de la moribunda y de sus niños y de las comadres, los vituperios entre Julepe y los demás, y sus interjecciones («¡Rediós!» «¡Puñela!»), pero sobre todo el exulto final del viudo:

> Estoy en mi derecho. ¡Ángel embalsamado, qué vale a tu comparación el cupletismo de la Perla. ¡Rediós, médicos y farmacéuticos, vengan a puja para embalsamar este cuerpo de ilusión! No se mira la plata. Cinco mil pesos para el que lo deje más aparente para una cristalera. ¡No me rajo! ¡Tendrá una cristalera, Floriana! Estoy en mi derecho al pedirte amor. ¡Fuera de aquí! [70]

Esto que Julepe dice, lo «grita frenético» abrazando al cadáver que con su rosa de papel entre las marfileñas manos arde en el ataúd, proyectando sobre la fragua un reflejo de incendio. Algún crítico ha sentido en este ardor la verdad del sentimiento (David Bary en 1969, por ejemplo), y otros han creído reconocer una insinceridad histriónica (por ejemplo,

J.L. Brooks en 1959 y John Lyon en 1983). Pienso yo que la atracción que el protagonista expresa ante la mujer amortajada, luego de haberla descuidado o maltratado, se ilumina a la luz de lo que dice uno de los vecinos, Pepe el Tendero, cuando una mujeruca le niega la sospecha de que Julepe llegue a encargar un panteón para la difunta alegando que no es tan negra su pena. Exclama el vecino: «Ustedes, mujeres, ¡ciertas cosas no las comprenden!» (63). Frase tan sencilla, deslizada en el velatorio como quien nada dice, aludiría a mi ver a un sentimiento sin nombre, de los muchos que habitan en los limbos del lenguaje humano: el amor a la mujer en su última verdad quieta, en su final hermosura invariable, en su ser. No porque Simeón Julepe clame esas palabras de póstuma anagnórisis bajo los efectos del alcohol y al tocar la helada muerte, arde menos intensamente él mismo con la mujer amada y su modesta rosa artificial.

El otro melodrama, *La cabeza del Bautista*, es menos gritado, más conversado, que el primero, en concordancia con los secreteos del Gachupín y la Pepona que preparan la muerte del visitante. Pero al final, en el mismo desenlace, la mujer pasa abruptamente del odio al amor, de las intrigas con el viejo avaro al beso probado en la boca del joven que ella misma ha ayudado a matar. Aunque ya tarde, la mujer pasa de la esclavitud laboral al amor libertador y plenificante:

> ¡Anda a cavar bajo los limoneros, malvado! ¡Quiero bajar a la tierra con este cuerpo abrazada! ¡Bésame otra vez, flor galana! ¡Vuélveme los besos que te doy, cabeza yerta! ¡Abrazada contigo quiero ir a la tierra! ¡Tan desconocido, tan desconocido! ¡Venir a morir en mis brazos de tan lejos! [...] ¿Eres engaño? ¡Te muerdo la boca! Vida, ¡sácame de este sueño! [184]

Nunca el grito exultante dio en la obra de Valle-Inclán pruebas de tan soberano poder dramático como en los finales de ambos melodramas que exhiben clamorosamente, en el nexo del abrazo tardío, el amor en la muerte, la muerte en el amor.

Los «autos para siluetas» son nocturnos que parecen menos clamantes que los melodramas. En el último, *Sacrilegio*, de 1927, se marca una progresión desde la aspereza de los denuestos entre los bandoleros, a través del lamento confesional del condenado, hacia un sentir de auténtica caridad: el capitán mata al confesante, disparándole un fogonazo, para poner fin a los «mea culpa» cada vez más sentidos del pecador: «¡Si no le sello la boca, nos gana la entraña ese tunante!» (209). En el penúltimo auto, *Ligazón*, de 1926, había un fondo de gritos sofocados circuyendo el grito de la libertad de la Mozuela, que prefería entregarse al caminante a venderse al comprador que su madre y la alcahueta le preparaban: «Irás por donde tu madre te ordene» dice la madre a la hija, y ésta a aquélla: «¡Mi cuerpo es mío!» (27); exclamación que anticipa la de Adela en *La casa de Bernarda Alba*, de 1936: «¡Aquí se acabaron las voces de presidio! (*Adela arrebata un bastón a su madre y lo parte en dos*). Esto hago yo con la vara de la dominadora. No dé usted un paso más».

Cuando la Mozuela y el Afilador han hecho ligazón y descolgado por el ventano el pelele del hombre que quiso comprarla con aljófares y corales y que ahora cae, clavadas las tijeras en su pecho, al grito y al golpe del cuerpo en tierra sigue en la sombra de la noche un «tenso silencio».

Preparando su tragedia *Fedra*, escribía a un amigo, Miguel de Unamuno en 1911: «Creo haber hecho un drama de pasión de que nuestro teatro contemporáneo anda escaso. Nuestro supremo dramaturgo de hoy, Benavente, es muy ingenioso y fino, pero *apatético*» (*Teatro completo*, Madrid, Aguilar, 1959, p. 85). Unamuno supo crear, sin duda, dramas patéticos, despreciando los escenarios y acogido a un grito único, el suyo, demasiado obsesivo y repetido. Con clamores populares de lamento y protesta, con singulares voces de rabia y desafío, pero sobre todo con estas últimas confesiones exultantes de amor o deseo, de rebelión y de verdad entrañalmente humana (y cuidando prodigiosamente de los escenarios) Valle-Inclán llevó el teatro español a su más genuina raíz: el grito.

EL CONCEPTO DE KARMA EN DOS MAGOS ESPAÑOLES: DON RAMÓN DEL VALLE-INCLÁN Y DON MARIO ROSO DE LUNA *

Virginia M. Garlitz
(Plymouth State College of the University System of New Hampshire)

Una de las fuentes principales del ocultismo, señalada por Valle-Inclán como fundamento de *La lámpara maravillosa*,[1] es la teosofía en los términos en que fue popularizada por la Sociedad Teosófica, cuyas actividades en España tuvieron lugar entre 1892 y el comienzo de la Guerra Civil.[2] Además de conocer a otros escritores también atraídos por el ocultismo, como Rubén Darío, Leopoldo Lugones y Ciro Bayo,[3] Valle estaba familiarizado con los teósofos pontevedreses Alfredo de Aldoa y Javier Pintos Fonseca[4] y, con toda seguridad, conocía a Rafael Urbano[5] y a su mentor, el más famoso de los teósofos españoles, el Mago Rojo de Logrosán, Mario Roso de Luna (1872-1931),[6] ambos afincados en Madrid. Me gustaría sugerir en este artículo cómo varias de las ideas teosóficas que Roso favoreció, especialmente el concepto de karma, vinculan dos obras, aparentemente dispares, como *La lámpara maravillosa* y *Luces de Bohemia*.[7]

Roso de Luna comenzó a leer los trabajos de la fundadora de la Sociedad Teosófica, Helena Petrovna Blavatsky, mientras estudiaba físico-química y astronomía en París en 1902.[8] Más tarde se convertiría en el principal traductor y comentarista en España de las obras de la Blavatsky.[9] En 1904 entró

* Traducido por Fernando Amigo.

a formar parte de la Sociedad Teosófica y se mudó con toda su familia de Cáceres a Madrid donde trabajó como periodista y conferenciante. Roso colaboró en algunos de los mismos periódicos y revistas que Valle-Inclán: *El Globo, El Liberal* y *Por esos mundos,* y entre 1903 y 1912 publicó con regularidad en *Sophía*, una importante revista teosófica.[10] En 1909 era ya lo suficientemente respetado por la Sociedad Teosófica Internacional como para representar a su presidenta, Annie Besant, en una gira de conferencias por Sudamérica. Por tan sólo un mes no coincidió con la gira que realizó Valle-Inclán por la misma región.[11] Sin embargo, sí coincidió con Valle en el Ateneo de Madrid como conferenciante[12] y como contertulio en la cacharrería donde presentó muchas de sus obras antes de publicarlas. En 1919, Roso fundó un centro de estudios teosóficos, y entre 1921 y 1924 presidió la Rama Hesperia y la revista del mismo nombre.[13] En 1931, año de su muerte, fundó un Ateneo teosófico.

Era Roso una persona agradable, aficionada a la buena comida, a los puros, a la música, a la conversación,[14] y era un hombre apreciado en general. A sus conferencias asistían algunos de los intelectuales más importantes de su tiempo, como Julio Casares y Santiago Ramón y Cajal, y los poetas modernistas Salvador Rueda y Francisco Villaespesa escribieron cada uno un poema en su honor.[15]

La amistad entre Roso y Valle-Inclán llevó al primero a dedicar el segundo volumen de su *Biblioteca de las maravillas* al «místico cantor de *La lámpara maravillosa*».[16] Su influencia es evidente tanto en esta obra como en *Luces de Bohemia* en la que Roso aparece como *El Redactor*, don Filiberto.[17]

En el prólogo a su libro *Hacia la gnosis*, Roso explica el título como la búsqueda por el hombre de la doctrina secreta que subyace a toda ciencia y religión. Esta búsqueda es parte de la evolución espiritual que el hombre experimenta en sucesivas reencarnaciones para lograr la unión última con el Principio Divino. Un requisito para lograr esta transformación es ayudar a los demás en el mismo viaje porque, para verdaderamente seguir el camino, uno debe convertirse en camino.[18]

En la introducción a su *Biblioteca* (en el primer volumen) Roso declara, siguiendo a Schopenhauer, que la puerta secreta de la fortaleza del conocimiento trascendental es la intuición, o *ensueño** en oposición a los métodos de sus archienemigos, los positivistas y materialistas. Todas las grandes épocas han sido guiadas por el intuitivo supremo, el Poeta, el *Faro de la Humanidad.*[19] En la novela ocultista, en el mismo volumen, *Por las Asturias tenebrosas: El tesoro de los lagos de Somiedo*, Roso y su maestro, Miranda, dan con una lámpara inextinguible, una «lámpara maravillosa», y por medio de una proyección astral se comunican con la Hermandad Secreta de los iniciados.[20]

La caverna, relacionada con la alegoría platónica de la condición humana, el tesoro, que en esta historia resulta ser finalmente la biblioteca perdida de libros esotéricos, y la visión a través de la lámpara o proyección astral, son, todos ellos, temas importantes en las obras de Roso y son parte del concepto teosófico fundamental, la ley del karma.

El iniciado puede proyectar su cuerpo astral fuera de su cuerpo físico para lograr una visión de las cosas que otros hombres alcanzarán tan sólo después de su muerte. Puede contemplar su pasado tal como está grabado en el espejo de la Luz Astral. El conocimiento del pasado es equivalente al conocimiento del futuro debido a que, de acuerdo con la ley de retribución o karma, las vidas anteriores determinan los premios o castigos de sucesivas encarnaciones. Esta ley es representada frecuentemente en forma de rueda y se la asocia con la serpiente Ouroborus, la cual se muerde su propia cola para indicar que lo que un hombre siembra será lo que cosecha.[21]

El karma es un tema casi obsesivo en la obra de Roso. En la recopilación de sus conferencias sudamericanas declara que no hay tal cosa como el azar, sino que el hombre crea su propio destino con resultados gloriosos o desastrosos.[22] En *La Humanidad y los césares* explica la primera guerra mundial mostrando como, a través de la historia, los imperialistas o césares han encadenado a las naciones en un sinfín de ciclos de sufrimiento y destrucción por su influencia negativa en el karma colectivo.[23]

* Todas las palabras en cursiva en el texto aparecen en el original en castellano y subrayadas. *(N. del T.)*

En *La lámpara maravillosa* de Valle, un Poeta Peregrino guía a un Hermano Peregrino fuera de una caverna o existencia carcelaria llevándolo por el camino de una visión de la verdad y de la belleza. El Poeta Peregrino ha sido transformado por la Piedra Filosofal del amor y puede ahora, a su vez, transformar. El que ha encontrado la lámpara puede convertirse, como el rapsoda ciego Homero, en la lámpara del karma de su pueblo. Centrándose en el poder del amor, a través del cual tiene la verdadera visión de la naturaleza de la creación, puede iluminar el pasado y guiar el destino futuro.

La lámpara también revela las consecuencias negativas que acontecen al hombre que rehúsa centrar su existencia en el amor y que por lo tanto se condena, como Julián el Apóstata, a un ciclo interminable de dolor. La obra termina con una exhortación al Hermano Peregrino a que evite ese destino utilizando el poder del amor para transformarse a sí mismo y al mundo.[24]

El mismo año en que publicó *La lámpara* Valle visitó el frente francés y pudo comprobar por sí mismo los horrores de la destrucción de que hablaba Roso.[25] Cuando vuelve de nuevo a las consideraciones estéticas en *Luces de Bohemia* Valle parece negar deliberadamente la visión de la belleza y de la armonía de *La lámpara*.[26]

En el primer *esperpento* que Valle *«sacó a la luz»*, la lámpara maravillosa queda reducida a las legañosas luces de bohemia que iluminan no la ascensión al éxtasis atemporal, sino el descenso al infierno del decadente Madrid contemporáneo. El Poeta Peregrino, con la estrella en su frente, se convierte en el poeta fracasado, Máximo Estrella. Su guía no es ahora el Hermano Peregrino, embebido de la verdad trascendental, sino un borracho vendedor ambulante de revistas. Pero la cuestión esencial acerca de lo que constituye el centro de la vida y del arte es aquí, como ya lo era en *La lámpara*, el foco central. Como Homero y la Costurera, el ciego Max alcanzará en sus vagabundeos una visión de la verdad. Pero verá un mundo basado no en el amor sino en la corrupción, un mundo en el que el gran poder del amor o del entendimiento queda reducido a una chabacana sensibilidad, la cual, a su vez, reduce todos los enigmas de la vida y la muerte a cuentos de beatas costureras en vez de exaltarlos como el rapsoda griego o su contrapartida gallega, una versión elevada de la costurera.[27]

Esta es la base de la discusión que se añade en la segunda escena de la versión de 1924 de *Luces*, en la que Max y los demás personajes ofrecen ideas para una religión estatal que lleve a la regeneración moral de España. La sugerencia de Latino de que todos ellos podrían acabar profesando en la Secta Teosófica, anuncia que las ideas ocultistas veneradas en *La lámpara* forman parte de los grandes conceptos que serán degradados en *Luces*.

La escena que tiene lugar en la caverna-librería de Zaratustra, que ha sido identificado como el librero y editor madrileño Gregorio Pueyo,[28] tiene interesantes paralelos con un cuento de Roso de Luna, «La venta del alma», publicado en los años transcurridos entre las dos versiones de *Luces*.[29] En este cuento Roso viaja a Toledo con el editor de sus libros, Gregorio Pueyo, a quien describe como «un astuto comerciante» con «una nariz borbónica».[30] Ya en Toledo, Pueyo compra una colección de libros y manuscritos (pertenecientes a un canónigo recién fallecido) a una sobrina más preocupada por el dinero que por el luto que debe guardar a su tío. Roso lee uno de los manuscritos, el cual resulta ser una autobiografía de un rabino judío del siglo XVI. Éste cuenta como, de joven, escapó con su amante gitana a las cavernas situadas detrás de la casa de su tío después de haber matado a uno de los pretendientes de aquélla. Allí, en las laberínticas estancias que el tío usaba para sus secretas prácticas de alquimia, el joven y la bailadora gitana encuentran un tesoro visigótico. Intentan escapar con él pero la codicia vence a la muchacha la cual, nueva reencarnación de Salomé, trata de matar al joven. Como consecuencia, él se ve forzado a matarla a ella. En lugar de vender su alma por un tesoro el muchacho ha conseguido la verdadera riqueza o lección moral acerca del poder de la serpiente del Edén, que es parte de la intención espiritual de la verdadera alquimia.

Este cuento, junto con la referencia de Roso a las librerías como «covachuelas [...] basureros dignificados, criptas iniciáticas y antros de sórdidas codicias»[31] en *El tesoro de Somiedo* (otro cuento sobre cuevas con tesoros y lecciones espirituales), podría haber estado en la mente de Valle cuando escribió esta escena. La caverna-librería de Zaratustra-Pueyo, como microcosmos de España, es el lugar donde preciados conceptos son discutidos, pero el irresistible deseo allí revelado es la codicia. Latino sugiere la teosofía como una posible salvación ética para España en el mismo lugar en el que acaba de ayudar a Zaratustra a timar a su mejor amigo, Max, los escasos ingresos de sus libros. Latino de Hispalis, como su nombre indica, representa al pueblo español cuyos valores son tan falsos como la pretensión de Latino de ser un iniciado. El conocimiento de lo oculto de don Lati se limita a los aspectos más superficiales de «la vieja Blavatsky».[32] Lejos de poseer la Piedra Filosofal, los poderes transformadores de Latino se limitan a la capacidad de escribir su nombre al revés.[33] Más que transformar, él, como su mundo, deforma.

El escribir *«al revés»* es parte de la estética que debe reflejar este mundo decadente, una estética en la que lo mágico, espejo transformador de *La lámpara*, se convierte en el «reverso» o espejo cóncavo del Callejón del Gato.[34] Esta transformación es ejemplificada en esta escena por el trastrueque de atributos en la personificación de animales, la animalización de personas y, en el caso extremo de Zaratustra, incluso en la animación de la ropa.[35] La bufanda verde de Zaratustra, descrita como una serpiente en esta alegoría de los españoles o de la condición humana, debe recordarnos a la serpiente del Edén y a la serpiente Ouroborus de la Tradición Secreta.

El principal representante de esta tradición en *Luces*, don Filiberto, está claramente basado en el rotundo, calvo, fumador de puros, cuentista, periodista, ateneísta y teósofo Roso de Luna, y expone el tema favorito de Roso, «la noble Doctrina del karma».[36] A lo largo de la escena 7, número ocultista, en la que don Filiberto aparece en el «círculo luminoso y verdoso de una lámpara con enagüillas»,[37] Valle juega con la circularidad conectada con el karma. La lámpara, ahora con enagüillas, es del mismo color que la bufanda-serpiente de Zaratustra.

La característica principal de don Filiberto es su calvicie, la cual, en las acotaciones escénicas, como señala Zahareas, es al principio un epíteto que acaba al final dominando al personaje.[38] La calvicie de Filiberto, que revela la esfera de su cabeza, es, pienso, una representación visual del ciclo kármico. Palabras como *«eterno»* y *«místico»*, aplicadas a Filiberto, muestran su dimensión simbólica. Filiberto publica en una revista que, sugerentemente, se llama *Los Orbes*, y él es el redactor[39] no de un simple periódico sino del Libro del Destino. Después de llamar a la Oficina del Ministro para intentar, presionado por los Modernistas, interceder por el Max encarcelado, Filiberto vuelve «cubriéndose la calva con las manos [...] de esqueleto memorialista en el día bíblico del Juicio Final».[40] Cuando llega finalmente a la oficina y ha limpiado su conciencia reaparece «el teósofo en su sonrisa plácida, en el marfil de sus sienes, en toda la ancha redondez de su calva».[41]

Filiberto está orgulloso de la conexión de su periódico con el Ministerio y ofrece una cínica descripción de cómo todas las cosas están conectadas en el círculo kármico al explicar que ambos, la prensa y el gobierno, están centrados en la misma travesura.[42]

La circularidad kármica es la base de la estructura del drama. Al contrario de la elaborada simetría de *La lámpara*, la cual revela una concepción armoniosa del cosmos,[43] el emparejamiento de escenas en la trayectoria nocturna de Max apunta hacia un mundo controlado por una corrupción que convierte la travesura de Filiberto en un grotesco sobreentendido. En la versión de 1924 de *Luces* la acción de la escena de don Filiberto es simultánea a la escena 6, en la que Max conoce al preso catalán y percibe que sus destinos están unidos. De hecho, ambos estarán muertos a la mañana siguiente, víctimas del mismo mundo.

Max se siente impotente para ayudar al catalán. Esto se debe a que, en el mundo de *Luces*, el puesto legítimo del poeta en el centro del karma de su gente ha sido usurpado por un periodista, un redactor de *El Popular*. Pero Filiberto no es un vidente (lleva sus gafas en la frente),[44] sino tan sólo un registrador y, como él mismo explica, sólo puede escribir aquello que le es ordenado. Por la conversación entre Max y el preso[45] se nos hace ver que eso va a quedar ejemplificado cuando la prensa imprima la historia oficial de la causa de la muerte del catalán. En este mundo el escritor no revela la verdad sino que la deforma: escribe falsedades.

Aquí, la corrupción aprisiona a todos en su círculo. En la escena 11, que corresponde a la escena en la caverna de Zaratustra en la que el preso catalán pasa sin que Max y los otros lo adviertan, el preso es muerto a balazos y la misma policía que lo asesina mata también a un chiquillo. El poeta, al que no se le permite estar en el centro de gobierno de las cosas, sólo puede mirar y morir de rabia. Max llega a la misma visión negativa, entrevista por el Poeta Peregrino de *La lámpara*, del hombre encadenado por su propio pecado a un interminable ciclo de sufrimiento. Su reacción ética y estética se relaciona con el distanciamiento descrito en *La lámpara* como la visión desde el otro lado de la muerte. Este distanciamiento está representado aquí por la muerte real y figurada de Max que cierra al amanecer la trayectoria circular que el propio poeta comenzó al anochecer. Pero el distanciamiento quietista de *La lámpara* se convierte aquí en inquietante ironía que desacredita toda heroicidad. Esto queda ejemplificado cuando Max y su visión estelar son parodiados en la escena 12. Cuando Max yace agonizante, «un perro golfo» corre hacia el centro del escenario y orina, «el ojo legañoso, como un poeta, levantado al azul de la última estrella».[46]

Se nos muestra que Max ha sido literalmente desplazado[47] de su puesto legítimo en el drama por el hecho de que la obra continúa después de su muerte, una muerte que es, a su vez, degradada por la chabacana sensibilidad de sus amigos. La triste verdad de su visión queda confirmada en la última escena. En ella sabemos que a Latino le ha tocado la lotería con el billete que robó a su amigo moribundo. Bajo el círculo luminoso de una lámpara en el bar de Pica-Lagartos, nombre con connotaciones de serpiente, Latino lee la noticia del suicidio de la mujer y la hija de Max. Lo que no se dice en el periódico, pero que tanto el público como el lector saben, es que Lati contribuyó a ese suicidio al abandonar a su amigo y al privar a su familia del dinero de la lotería. El corro de personajes que rodean y amenazan con matar y quitarle el dinero a Latino indica que el crimen y la corrupción continuarán en un círculo tan cerrado como el número capicúa del billete que Latino y Max buscaron por todo Madrid.

En una historia de Roso de Luna del año 1924, llamada «La suspensión de pagos»,[48] un billete de lotería premiado sirve para evitar un suicidio. Esta historia es utilizada por Roso para representar, no la suerte gratuita sino otro ejemplo del karma recompensando la conducta ejemplar.[49] Quizás la gran divergencia entre la fe de Roso y la de Valle en el triunfo final de la virtud explica la parodia que hace don Ramón de su amigo y sus ideas. Pero mientras las ideas cada vez más pesimistas de Valle exigieron un estilo muy diferente al del Mago de Logrosán, el concepto teosófico que Roso adoptó —el hombre crea su propio destino— permanece constante, creo yo, a través de la obra del mago literario Valle-Inclán.[50]

NOTAS

1. *Obras escogidas*, Madrid, Aguilar, 1971, T.I, p. 571. Emma Speratti-Piñeiro distinguió entre el «ocultismo místico» de *La lámpara* y el «ocultismo popular» del que se ocupa en su estudio *El ocultismo en Valle-Inclán*, Londres, Tamesis Books, 1974.

2. Para más información sobre la Sociedad Teosófica en España, véase Esteban Cortijo, *Mario Roso de Luna, teósofo y ateneísta,* Cáceres, Institución Cultural «El Brocense», 1986; Apunte II, Reseña histórica de la Sociedad Teosófica Española, pp. 123-132; y Mario Méndez Bejarano, *Historia de la filosofía en España hasta el siglo XX: Ensayo,* Madrid, Renacimiento, p. 538 ss.

Para otras fuentes del ocultismo en Valle-Inclán véase Virginia Garlitz, «El centro del círculo: *La lámpara maravillosa* de Valle-Inclán», tesis doctoral, Universidad de Chicago, 1978, pp. 8-93; «Occultism in *La lámpara maravillosa*» (Conferencia), MLA, División on Twentieth Century Spanish Literature, Washington, D.C., 29 dic., 1984; y «Fuentes del ocultismo modernista en *La lámpara maravillosa*», en John P. Gabriele, ed., *Genio y virtuosismo de Valle-Inclán*, Madrid, Orígenes, 1987 (selección de ponencias presentadas en el Simposio sobre Valle-Inclán, celebrado en el 50 aniversario de su muerte en Purdue University, West Lafayette, Indiana, el 11 de abril de 1986).

Para el ocultismo y el modernismo, véase Giovanni Allegra, *Il regno interiore. Premesse e sembianti del modernismo in Spagna*, Milán, Ed. Jaca Book, 1982; «Ermete modernista. Occultisti e teosofisti in Spagna, tra fine ottocento e primo novecento», *Annale Instituto Universitario Orientale, Sezione Romanza,* XXI, 2 (1978), pp. 357-415; y «Sull'influsso dell'occultismo in Spagna (1893-1912); Gli esiti neospiritualistici», suplemento a «Vie della Tradizione», 39, X (1981); y la introducción a su traducción de *La lámpara, La lampada meravigliosa*, Lanciano, R. Carabba Ed., 1982, pp. 5-37.

3. Véase Garlitz, «El centro», pp. 87-90; y para Lugones véase Allegra, «Sull'influsso», pp. 9-13.

4. Aldoa, autor de *El hipnotismo prodigioso*, fue el fundador y Pintos Fonseca el secretario de la Rama «Marco Aurelio», fundada en Pontevedra en 1911, *Sophía* (1912), pp. 109-110 y 370. Ese grupo nombró a Mario Roso de Luna Presidente Honorario y publicó su *Beethoven, teósofo*, Pontevedra, Tipografía Vda. e Hijos de Antúnez, 1915, capítulo de un libro publicado bajo el título de *Wagner, mitólogo y ocultista, Biblioteca de las maravillas*, T. XIII, Madrid, Pueyo, 1917. Además de estar en contacto con Roso de Luna y *Sophía*, Aldoa era amigo de Manuel Otero Acevedo (véase Garlitz, «Modernist Occultism») y de Víctor Said Armesto, también amigos de Valle. José Filgueira Valverde me afirmó, en una carta fechada el 6 de agosto de 1973, que Valle conoció a Pintos Fonseca.

5. Véase Garlitz, «El centro del círculo», p. 23 y «Modernist Occultism»; y Allegra, «Ermete», pp. 386-395 y «Sull'influsso», pp. 25-28.

6. El nombre dado a Roso por un temprano éxito como astrónomo le siguió a lo largo de su vida y fue utilizado en el título de uno de los primeros estudios realizados sobre él: Liborio Canetti y Alvarez de Gades, *El mago de Logrosán: Vida y milagros de un raro mortal, teósofo y ateneísta*, Madrid, Librería Hispanoamericana de la Viuda de Pueyo, 1917.

Para la relación entre Roso y Valle véase Victoriano García Martí, *El Ateneo de Madrid 1835-1933*, Madrid, Dossat, 1948, pp. 218-219; *Luces de Bohemia*, ed. Alonso Zamora Vicente, Madrid, Espasa Calpe, 1973, p. 107, n.º 19; y Eliane Lavaud, *Valle-Inclán. Du Journal au Roman (1888-1915)*, Braga, Barbosa e Xavier, 1980, p. 289, nota 79.

7. La influencia de Roso en otras obras, especialmente en *El Pasajero*, tendrá que esperar a otro estudio.

8. A menos que se diga lo contrario, esta sección dedicada a la vida y obra de Roso está basada en el estudio de Cortijo, *supra* n.º 2, el más completo hasta la fecha. Otros estudios son: *El mago de Logrosán, supra* n.º 6; Viriato Darío Pérez, «Mario Roso de Luna», en *Figuras de España,* Madrid, Compañía Iberoamericana, 1930; y Romano García, *El mago de Logrosán. Mario Roso de Luna, un genio extremeño olvidado*, Badajoz, Diputación Provincial de Badajoz, Institución de Servicios Culturales y Publicaciones, 1976.

9. *Por las grutas y selvas del Indostán, Obras completas,* T. XIV, Madrid, Pueyo, 1918; *Páginas ocultistas y cuentos macabros* (de H.P. Blavatsky con comentarios de Roso de Luna), *OC*, T. XV, Madrid, Pueyo, 1919; *El velo de Isis, OC,* T. XX, Madrid, Pueyo, 1923; y *Una mártir del siglo XIX: H.P. Blavatsky, OC,* T. XXI, Madrid, Pueyo, 1924.

10. Para más información sobre *Sophía* y Roso véase Allegra, «Ermete», pp. 379-386 y 395-415, y «Sull'influsso», pp. 4-7. Para la importancia de *Sophía* en Valle-Inclán, véase Garlitz, «Modernist Occultism».

11. Roso terminó su gira por Argentina, Chile, Uruguay y Brasil en Río de Janeiro, el 14 de marzo de 1910 (Cortijo, *Roso*, p. 20.). Valle llegó a Buenos Aires el 22 de abril del mismo año.

12. En 1913, por ejemplo, el mismo año en que Valle presentó su desafortunada lectura de *El embrujado* en el Ateneo, Roso dio trece conferencias como parte de un ciclo sobre «La filosofía oriental en sus relaciones con la ciencia moderna». *Boletín del Ateneo: 1910-1916.*

13. Roso publicó numerosos artículos en los treinta y siete números de *Hesperia* (Cortijo, *Roso*, Bibliografía, p. 138), y también en *El loto blanco*, la revista teosófica barcelonesa que incorporó a *Sophía* cuando cesó de publicarse tras el fracaso del intento de comenzar una segunda época (Allegra, «Ermete», p. 138).

14. El aprecio que sentía Roso por la buena comida fue la causa de que Ignacio Domenech le pidiera escribir el prólogo a *El cocinero americano. Recetas prácticas culinarias de todos los países de América*, 2.ª ed., Barcelona, Quintilla y Cardona. Su pasión de toda la vida por la música (él mismo era un consumado pianista y guitarrista) fue reconocida cuando el Ateneo le nombró Presidente de la Sección de la Música el 30 de junio de 1930 (Cortijo, *Roso*, p. 23).

15. Rafael Carrillo, «Un rato de charla con un teósofo ateneísta», *El telégrafo español*, 2 (30 de junio de 1918), p. 309. Casares elogia la erudición, el ingenio y la fantasía de Roso en un ensayo de 1916 citado en el prólogo a «En suspensión de pagos», *La novela semanal*, año IV, n.º 181 (27 de dic. de 1924), p. 5, Edición Facsímil, Badajoz, Departamento de Publicaciones de la Excma. Diputación, 1986. Ramón y Cajal llamó a Roso «Nuestro elocuente escritor y simpático brujo», *Charlas de café: Pensamientos, anécdotas y confidencias* (1921), 2.ª ed. Buenos Aires y México, Espasa-Calpe Argentina, 1943, p. 179.

Canetti menciona los dos poemas en *El mago*, p. 75. En su introducción a «El andar de la materia», cuyo tema es la reencarnación, Rueda llama a Roso «sabio y artista; total, poeta».

El poema que Villaespesa dedicó a Roso, «El poema de los Salamandros, los Silfos, las Ondinas y los Gnomos», es reproducido y discutido por Allegra en «Sull'influsso», pp. 38-40.

16. *De gentes del otro mundo*, Madrid, Helénica, 1916. Como ha señalado Guillermo Díaz-Plaja, *La estética de Valle-Inclán*, Madrid, Gredos, 1965, p. 115, el prólogo de esta obra fue escrito por Fernando de la Quadra-Salcedo, poeta para el que Valle escribió el prólogo a su colección de poemas *El versolari*. Quadra-Salcedo parece haberse sentido atraído también por la teosofía como se desprende de su artículo «La religión de los Samanos» en *Hesperia*, n.º 2-7.

17. *Luces de Bohemia*, trad. de Anthony N. Zahareas y Gerard Gillespie. Introducción y comentarios por Zahareas, Edinburgh Bilingual Library, n.º 10, Austin, University of Texas Press, 1976, p. 242, nota 191.

18. *Ciencia y Teosofía* 1 (1916), *OC,* vol. I, Madrid, Pueyo, 1921, 2.ª ed., pp. XXXI-XXXIX.

19. Madrid, Pueyo, 1916, pp. XXXI-XXXIX.

20. En las pp. 88-89. Allegra discute esta obra y otros cuentos de Roso en «Ermete», pp. 395-415.

21. Estas ideas teosóficas básicas pueden encontrarse en toda la obra de Roso y también en *Sophía*. Véanse especialmente los artículos de 1893, primer año de *Sophía*.

22. *Conferencias teosóficas en América del Sur*, Madrid, Pueyo, 1911, p. 174.

23. *La Humanidad y los césares. Suscitaciones teosóficas con motivo de la Guerra actual,* Madrid, Vda. de Pueyo, 1916.

24. Véase Garlitz, «El centro», «Occultism in *La lámpara*», y «Modernist Occultism».

25. Para una discusión de las obras que Valle escribió basadas en esta experiencia, *La medianoche* y *En la luz del día*, y su relación con *La lámpara*, véase Garlitz, «El centro», pp. 278-290.

26. Para una discusión más detallada del papel que juega el ocultismo en *La lámpara*, véase Garlitz, «El centro», pp. 290-309.

27. Antonio Risco en *La estética de Valle-Inclán en los esperpentos y en El Ruedo Ibérico*, Madrid, Gredos, 1966, y *El Demiurgo y su mundo en Valle-Inclán,* Madrid, Gredos, 1977, también concluye que el *esperpento* y el *modernismo* de Valle son «la cara y la cruz de la misma estética», pero ni él ni ninguno de los muchos que han estudiado *Luces*, al menos que yo sepa, ha demostrado cómo esto queda confirmado por los temas ocultistas en *La lámpara* y en *Luces*.

28. *Luces de Bohemia*, ed., prólogo y notas de Alonso Zamora Vicente, Clásicos Castellanos, 180, Madrid, Espasa Calpe, 1973, p. XXXIV; ed. Zahareas, nota 20, pp. 224-225.

Valle mostró su actitud ambivalente hacia Pueyo en una entrevista con Luis Antón del Olmet, después de volver de Sudamérica en 1910. Según Valle, la publicación por parte de Pueyo de «libracos medio eróticos y medio simplones [...] está desacreditando a la España intelectual», pero, al menos, el empresario Pueyo intenta llevar los libros españoles al público sudamericano, dominado por los editores franceses. «Impresiones de América», *El Debate* (Madrid, 27 de dic. de 1910), reeditado por Dru Dougherty en *Un Valle-Inclán olvidado: entrevistas y conferencias*, Madrid, Fundamentos, 1982, p. 23. Dougherty ofrece más información acerca de las opiniones que sobre Pueyo tenían sus contemporáneos en la nota 30, p. 24.

29. *Del árbol de las Hespérides*, Madrid, Pueyo, 1923, pp. 93-116. Allegra discute este cuento, que él considera como el mejor de Roso, en «Ermete», pp. 409-412.

30. *Del árbol*, p. 94.

31. *El tesoro*, p. 59.

32. La discusión entre Latino y Darío en la escena 9 versa sobre los Elementales y los Elementarios, tema común entre los teósofos y muy frecuente en los escritos de Roso, entre otros en *De gentes del otro mundo*, dedicado a Valle. Cuando Max se burla de los conocimientos de Latino sobre Blavatsky, Latino le advierte que su kamarupa (cáscara astral) debería castigar su falta de respeto. Para más información sobre esta escena, véase Garlitz, «El centro», pp. 26-28.

33. En la escena 7, Latino presume de su conocimiento del ocultismo al decir que «Latino, en lectura cabalística, se resuelve en una de las palabras mágicas: Onital» (ed. Zahareas, p. 140), lo cual, como señala Zahareas (nota 190), es simplemente su nombre deletreado al revés.

34. La escena en la calle, en la que Max pronuncia su famoso punto de vista estético, es una de las más comentadas por la crítica, pero, que yo sepa, no ha sido conectada con el ocultismo de *La lámpara*.

35. Entre los muchos estudios dedicados a las técnicas de deformación en *Luces* destaca el de Speratti-Piñero, *De la Sonata de otoño al esperpento: Aspectos del arte de Valle-Inclán*, Londres, Tamesis Books, 1968.

36. Roso se quedó calvo después de una enfermedad en 1914 (Cortijo, *Roso,* p. 21). El retrato que de él nos ofrece Zahareas en *Luces*, p. 242, nota 191, queda corroborado por las fotos de Roso en *El Telégrafo español* (dic., 1917), p. 301 y (junio, 1918), pp. 310-311.

37. *Luces,* ed. Zahareas, p. 136.

38. *Ibíd.*, p. 245, n.º 212.

39. Esto es también una broma sobre el hecho de que Roso escribió para *El Globo, El Mundo* y *Por esos mundos.*

40. *Luces*, p. 144.

41. *Ibíd.*, p. 146.

42. *Ibíd.*, p. 140.

43. Sobre la simetría circular en *La lámpara* y *Luces*, véase Garlitz, «El centro», pp. 133-134 y 298-303. La circularidad de la trayectoria de Max es estudiada también por Rodolfo Cardona y Anthony Zahareas, *Visión del esperpento: Teoría y práctica de los esperpentos de Valle-Inclán,* Madrid, Castalia, 1970.

44. Este juego sobre la miopía física como símbolo de la ceguera espiritual aparece de nuevo en el caso del Ministro, cuyos «quevedos» son como «ojos absurdos bailándole sobre la panza» (p. 74).

45. El preso dice: «Van a matarme... ¿Qué dirá mañana esa prensa canalla?». Max responde: «Lo que le manden» (p. 136).

46. P. 186.

47. Para más información sobre este concepto de «descentramiento» en la estética de Valle, véase Carol Maier, «Literary Re-creation, the Creation of Readership and Valle-Inclán's *La lámpara maravillosa*», de próxima publicación en *Hispania*.

48. En *La novela semanal*, véase *supra*, nota 15.

49. «"Los astros inclinan pero no obligan", el Hombre es superior al Destino mismo cuando da de lado todo móvil egoísta, inclinándose hacia la sensata virtud.» *Ibíd.*, p. 55.

50. Para su presencia en *Tirano Banderas* véase, por ejemplo, Garlitz, «Teosofismo en Tirano Banderas», *Journal of Spanish Studies: Twentieth Century*, 2 (1974) pp. 21-29, y «El centro», pp. 309-323.

¿PALABRAS DE ARMONÍA?: REFLEXIONES SOBRE LA LECTURA, LOS LÍMITES Y LA ESTÉTICA DE VALLE-INCLÁN *

Carol Maier
(Bradley University)

> *Como a la piedra y al árbol, me aprisionan el paraje donde reposo, y el camino por donde peregrino. Alma mía, para estar en todas las cosas como la imagen en el fondo del espejo, que no puede ser separada, ama tu cárcel y todas las cárceles...*
>
> *«La piedra del sabio 3»*,
> La lámpara maravillosa

I

Al igual que la convergencia entre abertura y ensimismamiento ejemplificada por los consejos que el narrador poeta dirige a su propia alma en «La piedra del sabio», las reflexiones y asociaciones expresadas en la segunda sección de este ensayo surgieron de una intuición paradójica: las palabras en la obra de Valle-Inclán suscitan armonía y, a la vez, ocasionan una falta de armonía. Por una parte, y de acuerdo con la crítica más reciente sobre *La lámpara maravillosa*, entiendo el «gesto único» de esta obra como el de un «Cristo (poeta) modernista y ocultista» cuyo objetivo es la reunificación

* Traducido por Ana Dotras.

del lenguaje fragmentado en España.[1] En este contexto, mi punto de partida han sido las sorprendentes y «milagrosas» imágenes definidas en los «Ejercicios espirituales» de Valle. Por consiguiente, he aceptado el propósito expreso de su narrador poeta de armonizar las perspectivas parciales y acríticas de los lectores complacientes haciéndoles que se cuestionen su modo de recibir el texto y permitiéndoles reconocer e incluso disfrutar de la imprecisa pluralidad del lenguaje, devolviendo a las palabras su impulso colectivo y recomponiendo la fragmentación y las quiebras de ese impulso en el castellano. Al mismo tiempo, sin embargo, empujada por las sugerencias de otros críticos que han señalado los prejuicios y las limitaciones en la concepción de esta obra de Valle y por el reconocimiento de mi propia exclusión del lector desarrollado en *La lámpara maravillosa*, he examinado una percepción contradictoria. En este contexto, he puesto en cuestión la generosidad del «gesto único» de Valle, he considerado su estética desde una posición diferente, y he encontrado que el todo propuesto por el narrador poeta es mucho menos completo de lo que el narrador y su texto creen.

Por algún tiempo me he sentido incómoda debido a la desconfianza que Valle parece tener hacia las lectoras y por su consideración de la lectura como una experiencia hecha posible a través de «médiums» esencialmente peligrosos, los cuales, a su vez, son incapaces de aprender a leer y ofrecen una lección negativa de lo que es la ficción última de todas las figuras de la representación.[2] El impulso más inmediato hacia la duda sobre «la intuición de la unidad» ofrecida por *La lámpara maravillosa* se debe, sin embargo, a varios ensayos leídos o escuchados el año pasado. En lugar de limitarse a aclarar cómo se articula o se define la estética de Valle, estos ensayos asumen una actitud de desconfianza y sugieren así que la experiencia integral que algunas de las obras más elogiadas de Valle proporcionan no es accesible a todos los lectores. Por el contrario, y a pesar de la naturaleza radical y revolucionaria de otros aspectos de su obra, estos autores afirman que el uso del lenguaje en Valle —el verdadero centro de su estética— es en sí mismo egocéntrico, privilegiado y alienante. En otras palabras, tal como Noël Valis ha mostrado respecto al autor de *Sonata de otoño*[3] o Herbert Espinoza sostiene en relación al rígido «punto de vista europeo» que encuentra en *Tirano Banderas,*[4] la perspectiva que dirige las palabras de Valle es restrictiva, limitadora.

En cierto sentido, por supuesto —y tal como numerosos estudios críticos han explicado con gran detalle— tanto el poeta de *La lámpara maravillosa* como el mismo Valle alcanzan la pluralidad ejemplificada en ese libro. Sin embargo, la sugerencia de falta de unidad, de una falla en la fuerza motivadora de su estética, me incitó a examinar de una nueva forma un movimiento que —a pesar de reconocer en Valle una representación ambivalente de la mujer— siempre había considerado «de armonía». Más concretamente, me sentí atraída a examinar el equilibrio entre el yo y el otro que determina nuestra capacidad para romper los límites de la percepción individual (el «paraje» referido en «La piedra del sabio»). Decidí releer *La lámpara maravillosa* teniendo presente la delicada naturaleza de ese equilibrio y considerando que ese balance podría ser el punto donde cualquier límite en el pensamiento estético de Valle sería más fácilmente discernible. Percibí que había ciertos puntos de conexión entre mi propia respuesta contradictoria, las reservas que había oído expresar a otros valleinclanistas y lo que podríamos llamar falta de inclinación o incapacidad de Valle para sumergirse en la «cárcel» de su propia individualidad y —al mismo tiempo— hacer posible una experiencia de lectura con un centro no focalizado. No me preocupaba lo que podría ahora denominarse naturaleza autorreflexiva de su obra ni tampoco las exigencias que la obra presenta a cambio de la libertad de lectura que ofrece.[5] Lo que quería saber era si había o no un impulso a un tiempo entorpecedor y unificador en la autorreflexión de Valle y en su deliberado y paradójico «tono hiriente» ante la credulidad que criticaba en los lectores españoles. Me preguntaba si tal impulso podría ser el responsable o no de una inquietud bastante diferente al confuso «quietismo estético» de *La lámpara maravillosa* y me preguntaba a mí misma, por ejemplo, si Valis estaría en lo cierto cuando afirma la incapacidad de Valle de renunciar al control autorial y crear «pura literatura de ensueño».[6] En suma, quería ver si la subversiva y liberadora experiencia lingüística y de descentralización de la literatura castellana llevada a cabo en *La lámpara maravi-*

llosa no está centrada a su pesar: el «circulo mágico» del poeta, ¿no podría estar cerrado para algunos lectores o inscrito de tal forma que les haga preferir no entrar dentro de sus límites?[7]

II

A primera vista, la posibilidad de que una sombra narcisista y poco generosa pudiera dominar el «gesto único» que ocupa el centro de *La lámpara maravillosa* parece altamente improbable. En primer lugar, el narrador poeta de Valle expresa con lujo de detalles sus luchas con los «demonios» interiores y oscuros que amenazan con controlar sus autorreflexiones. Es más, los «Ejercicios espirituales» en sí mismos están claramente concebidos en relación a un «Otro». De hecho, el narrador comienza sus meditaciones con una introducción que está claramente dirigida a ese otro, un principiante que está a punto de embarcarse en un viaje estético. A pesar de la diferencia de edad que implícitamente le separa del «novicio», el poeta de Valle se esfuerza por incluir a ese lector desde las primeras páginas. Se dirige directamente a él como a un compañero de viaje acentuando un lazo de unión entre ellos que mencionará posteriormente en varias ocasiones. Más concretamente, el hermano peregrino reaparecerá en el último capítulo del libro al incluirlo de nuevo el narrador explícitamente en el texto, con lo que concluye así su guía espiritual tal como la había empezado, con una referencia a su «pálido adolescente» lector. Además de esta inclusión del lector en el marco, la referencia específica al lector peregrino que efectúa el narrador poeta en tres de los aforismos que siguen a cada una de las «meditaciones» de *La lámpara maravillosa* sugiere que este rol es el de la figura que Gerald Prince ha denominado «narratario principal».[8] Efectivamente, a él se dirige la narración en «El quietismo estético» y se le menciona al final del primer y último capítulos de la sección que abre el libro, «El anillo de Giges».[9] Así, aunque poco frecuentes, estas alusiones al hermano peregrino y el uso de la segunda persona crean la impresión de una situación compartida. El narrador ha escrito sobre su propio aprendizaje estético pero al escribir ha anticipado el aprendizaje futuro de otro escritor y ha convertido su experiencia personal en una serie de ejemplos cuidadosamente elaborados que implícitamente se presentan como un regalo destinado a orientar a un «peregrino» menos experimentado.

Que este gesto de ofrecimiento, este esmero por establecer una comunicación, ocupa el centro de *La lámpara maravillosa* queda indicado también en el aforismo final del libro y en las *mises en abyme* que la obra parece sugerir. El poeta más joven es instruido para que ame todas las cosas «en la luz del día» y ser así capaz de convertir la negra carne en el «áureo símbolo de la piedra del sabio», o sea —por lo menos en cierto sentido—, en «La piedra del sabio», el libro que está leyendo en este momento y que constituye una de las repetidas encarnaciones de las «milagrosas» alusiones verbales que *La lámpara maravillosa* se esfuerza por evocar. La relación directa entre el narrador y su narratario principal es decisiva para esta evocación, ya que ese lazo de la segunda persona que existe entre ellos y que abarca todo el libro sirve de contexto para otros varios casos del uso de la segunda persona. En estas situaciones un maestro instruye a su discípulo de una forma análoga a la enseñanza del narrador poeta o éste mismo se dirige a un creador cuya obra admira. Así, en «El milagro musical 3», en el marco de la primera persona del narrador de Valle, Verlaine se dirige al lector con una cita indirecta de «L'art poétique» («Elige tus palabras siempre equivocándote un poco») y en «Exégesis trina 5», el capítulo central de *La lámpara maravillosa*, una voz en primera persona parece mezclar la sabiduría de la Tabla de Esmeralda con la figura de Cristo al usar las palabras de Pablo en las Cartas a los Efesios 3:19 («Te doy el amor en el cual está contenido el sumo conocimiento»). En otras dos ocasiones la situación maestro-alumno se invierte y el narrador le habla directamente a otra figura que le ha servido de inspiración. En «Exégesis trina 7» elogia la obra de un cantero medieval visionario que se ha revertido a sí mismo en piedra («en la piedra revertiste»)[10] y en «La piedra del sabio 6» se dirige al «Divino Maestro», una figura que trae a la memoria el Cristo alquímico que aparece en «Exégesis trina».

Todos estos usos de la segunda persona sugieren entonces

que, a pesar de la necesidad que tiene el poeta de distanciarse, de los límites impuestos por el lenguaje y por su propia perspectiva, toda obra creativa, y en particular esta obra de este poeta, tiende a eliminar las distancias, a armonizar los contrarios. Para lograr este efecto, el tratamiento directo entre maestro y alumno es repetido y reflejado por numerosas situaciones en las que —de modo análogo pero menos palpable— la enseñanza que imparten los poetas es descrita como gnosis a un tiempo amorosa y distanciadora, la cual se lleva a cabo a través de las sutilezas de la palabra que, aunque sea escrita, está de todos modos cargada con el impacto apremiante y directo de las instrucciones orales. Aún más: además de estas reflexiones, con las imágenes de figuras poéticas como Pedro Soulinake o San Francisco de Asís, la primera y segunda personas del singular confluyen a lo largo de toda *La lámpara maravillosa* para crear una primera persona del plural igualmente abarcadora. De hecho, dentro del «nosotros» que se desarrolla en los «Ejercicios espirituales» de Valle hay una repetición o reflejo de la múltiple exégesis tripartita que ocupa el centro de esos «ejercicios». Así como en «Exégesis trina» se representa lo individual, lo español y lo universal como fenómenos concéntricos, el «nosotros» creado por el maestro poeta y su lector-oyente surge para representar a una comunidad de poetas establecida simultáneamente dentro de un «nosotros los españoles» y dentro de un «nosotros» universal que abarca a toda la humanidad. Tal vez debido a esta multiplicidad el narrador poeta usa a menudo la primera persona del plural y cuando así lo hace son más frecuentes los casos en que el poeta no especifica el punto de referencia. En realidad, en más de un párrafo los sujetos que se hallan comprendidos dentro de este «nosotros» varían sin ningún aviso y repentinamente el lector se encuentra formando parte de esos compañeros españoles o de la totalidad de la raza humana. (Así ocurre, por ejemplo, en los primeros párrafos de «El milagro musical 5», donde este «nosotros» se refiere al principio a un «nosotros los modernos» [«advertimos en las más viejas lenguas»], a continuación parece indicar a toda la humanidad [«las palabras son en nosotros»], y finalmente señala de forma específica a la España contemporánea [«la mengua de nuestra raza»].) De manera similar al momento estético en que se nos dice que se detienen las tres direcciones del tiempo en un equilibrio dinámico de flujo contenido, se presenta al poeta como el centro de una convergencia cuyos límites se quiebran. En el alma del poeta los límites de la perspectiva individual pueden ser superados, y —gracias a la estructura intrincada y autorreflexiva de *La lámpara maravillosa*— a medida que el poeta abre su «yo» para dirigirse al lector lo conduce hacia la naturaleza intuitiva y gnóstica de la experiencia poética.

Dada la textura altamente compleja de esta experiencia y la manera indirecta en que las palabras deben ser usadas con objeto de evocar y no de crear definiciones, no es sorprendente que todavía se use la segunda persona para dirigirse a otro narratario. Esta segunda persona adicional es la propia alma del narrador poeta a quien él se dirige directamente en varios pasajes importantes. En todos estos pasajes (AG 6, QE 6, QE 7, PS 3), al igual que en el citado al principio de este ensayo, el poeta le recuerda a su propia alma que el único escape posible de los límites mortales que la confinan se encuentra no en la huida o la separación sino en la capacidad de afirmar y expandir esos mismos límites. Así, como explica en «El anillo de Giges», la ruptura de la «cárcel de barro» mortal tendrá lugar cuando en el interior del alma misma, en el interior de la convergencia entre contrarios ejemplificada en toda *La lámpara maravillosa*, el alma aprenda a superar las limitaciones impuestas por su «paraje» (PS 3) y a distanciarse del mundo y a fundirse con él simultáneamente. Este doble movimiento y la penetración en nuestra «vida dionisíaca» de «intuiciones místicas» (MM 3) que tal movimiento implica es la clave para que el poeta logre para su obra el gesto simple y a la vez tripartito mostrado en «Exégesis trina», y resulta adecuado que el poeta intensifique la naturaleza «religiosa» de ese gesto, situándolo en una «venerable tradición espiritual» y que le hable a su alma en las ocasiones en que lo hace. Así situadas, las palabras del narrador poeta reclaman la atención del alma hacia la milagrosa «triple llama» que se encuentra dentro de ella (PS 3), pero sugieren también las dificultades que le aguardan a cualquier alma que intente encender esa llama. Las fuerzas contrarias que el alma contiene no serán fácilmente mantenidas en el precario equilibrio que él busca y, antes de llegar a convertirse en la sede mágica del quietismo estético del narrador poeta, el alma será el campo de batalla de la lucha librada entre sus polaridades. En esta lucha el alma podría ser dividida irremediablemente y —como muestra el último capítulo de «Exégesis trina»— su destino podría ser la abstracción o el egotismo en vez de la armonía.

Al estar situadas dentro del conjunto de los ejercicios espirituales que supuestamente él está leyendo, estas segundas personas y sus advertencias se dirigen directamente al joven peregrino de *La lámpara maravillosa* y sirven para atraerlo aún más hacia la «gnosis» del libro. El narrador no sólo se dirige a él como a un hermano sino que el uso de la segunda persona en esa comunicación parece indicar una relación incluso más cercana. De hecho, en varias ocasiones la segunda persona se usa para dirigirse a un «alma» que no se identifica como la del hermano peregrino o como la del alma del poeta. En estos pasajes el «tú» al que se dirige el narrador podría referirse tanto al lector como a la propia alma del narrador, especialmente en «Exégesis trina 3», en donde el alma es un peregrino («¡Alma que peregrinas...»). Esta imprecisión se ve incrementada por otros pasajes en los que el poeta o habla de sus propias peregrinaciones («el camino por donde peregrino» [PS 3]) o se refiere a los poetas como almas estéticas («las almas estéticas hacen su camino de perfección» [PS 7]). Tal vez alcanza su mayor intensidad en dos pasajes en los que se habla del fenómeno del alma-peregrina en términos universales, donde el alma en búsqueda de la belleza eterna es un «alma peregrina del mundo» (ET 3) e incluso quizás un «alma universal», o cuando se utiliza la segunda persona para dirigirse a un «peregrino del mundo» (ET 7) de tal forma que el alma del narrador poeta parece identificarse con el lector peregrino a quien dirige sus instrucciones.

El capítulo del que se ha extraído el segundo de estos pasajes merece ser examinado con mayor detenimiento ya que, aunque no aparece en «Exégesis trina», ofrece una representación especialmente completa y personal del gesto, singular pero complejo, de entregarse al ensimismarse, que ocupa el centro de los «Ejercicios espirituales» de Valle. Este gesto tiene lugar casi al final del «Quietismo estético» —la sección de *La lámpara maravillosa* que está centrada en el logro y la definición de la estética individual del poeta— y presenta en cuatro párrafos altamente sintéticos y simbólicos la historia completa de su aprendizaje. El narrador comienza contrastando las imágenes que recibe de sus «ojos de tierra» con la visión que trata de alcanzar olvidando esas imágenes. Aunque en un principio sugiere que es capaz de lograr ese olvido («la conciencia, como ha depurado mis intuiciones, me ayuda para este logro»), también subraya su dificultad e incluso admite su imposibilidad. Con este fin explica que hubo un tiempo al comienzo de su adoctrinamiento estético en el que se sintió lo bastante frustrado como para recurrir a las ciencias ocultas con la esperanza de desencadenar su alma y permitir que su mirada existiera como un fenómeno independiente («para llegar a desencadenar el alma y llevar el don de la aseidad a mi mirada»). Estos experimentos con lo oculto ni le enseñaron a volar ni le otorgaron la invisibilidad. Por otra parte, el Paracelso aprendió que la mirada humana es como un punto que vuela y que esa similitud lo impulsó a perseguir la quimera en la que cimentó la estética que describe en el segundo y tercer párrafos del capítulo. Explica en ellos cómo incluso dentro del karma «esotérico y fatal» de su nación (y su lengua) y dentro de su propia vista, el poeta puede abrir el círculo de su mirada y dejarla volar tanto a través del tiempo como a través de las limitaciones que lo encierran en una postura única. Una vez más, el gesto individual demuestra tener dimensiones tanto míticas como nacionales e individuales, ya que el amor y la lucha que exige son presentados no en términos de creación y destrucción verbal sino como una interacción cósmica entre fuerzas dionisíacas y apolíneas.

Esta descripción de la obra del poeta no finaliza, sin embargo, con esa presentación bastante abstracta de la gracia estética, ya que en el cuarto párrafo se vuelve repentinamente hacia su alma y se dirige a ella directamente. La conmina a que «purifique» —que remedie— la «voluntad tiránica y desenamorada» del mundo mirándolo todo con ojos enamorados, adoptando la postura de todo lo que ve y reuniendo todos los puntos de vista en una visión definida pero desinteresada. Más explícitamente —y para citar uno de los ejemplos dados por el narrador poeta— el alma necesitará llegar a ser como el peregrino cuando éste busca la sombra, y después ella necesitará purificar esa alma adoptada de las necesidades personales que la cohíben. Finalmente, como si quisiera acentuar aún más la conjunción de contrarios implícita en esa purificación, el poeta se dirige aparentemente al lector peregrino («Peregrino del mundo») en el aforismo que cierra el capítulo, recordándole que él también puede conseguir esa «intuición teologal» si sabe amar con «todos los corazones».

El capítulo termina, entonces, con un «mensaje» sobre el gesto amoroso y dirigido hacia afuera que da origen a la creación estética y con un gesto de abertura por parte del poeta. El aforismo dirigido al peregrino y el párrafo final en el que el poeta exhorta a su alma a que mire al mundo como si ella fuera un peregrino explican el proceso metafórico de semejanza que ocupa el centro de *La lámpara maravillosa* y muestran como, al convertir su propia experiencia en una «cifra» (PS 2), el narrador poeta la ha concebido en los mismos términos y como inseparable de las experiencias que él espera que la suya haga posible. Por consiguiente, como si el poeta estuviera instruyendo a su alma y al mismo tiempo estuviera poniendo en práctica esas mismas instrucciones, la comunicación con la segunda persona parece integrarse con la comunicación del narrador poeta con su propia alma, a pesar de la clara situación del marco en la que un peregrino recibe la narración.

La compleja intimidad que existe entre el narrador poeta y su narratario principal crea, entonces, un lazo de unión entre ellos que ejemplifica de manera precisa el doble gesto paradójico de la creatividad. La personificación del alma del poeta también contribuye a la urgencia de ese gesto porque, y así lo ha señalado Mariateresa Cattaneo, sugiere que (a pesar de su sabiduría y esfuerzo) el poeta está todavía luchando con las dificultades inherentes a su obra, «un esfuerzo que no se relaja ni siquiera con la conquista».[11] Aunque ya ha aprendido a recordar imágenes distantes, aún está tratando de purificarlas («procuro olvidarme»), todavía necesita animar a su alma a que supere la interesada fijación de su mirada y admite que su estética está basada en una quimera. Esto es, además de crear la impresión general de que ha logrado llevar a cabo su «quietismo estético» tanto como con la estética como con la práctica concreta de sus «Ejercicios espirituales», el poeta confiesa sus dudas sobre la perfección de esa obra, casi como si estuviera avisando a sus futuros lectores reales o implícitos de la imperfección que encontrarán en la «piedra filosofal» que él está escribiendo para ellos, como si supiera que contiene una limitación que, ligada de alguna manera a su concepción misma o a su centro, hará imposible la dimensión universal que buscaba para ella. Estas reservas sobre el «éxito» último de la obra del poeta no son desarrolladas más en este capítulo ni se les permite que se manifiesten explícitamente en *La lámpara maravillosa* como un todo. Aparecen en otras secciones del libro sin embargo y, a pesar de que sólo se sugieren, indican que a Valle le preocupa que su obra pueda estar marcada por un control o un comedimiento que es diferente de la inefabilidad inevitable de la experiencia humana. Esto es, Valle muestra el temor de que el «gesto único» que deseaba evocar fuera puesto en peligro no solamente por la imposibilidad inherente a las palabras sino también por una separación, una brecha o falta de unidad que él mismo hubiese permitido.

La posibilidad de esa separación se anuncia, de forma simbólica o altamente abstracta, con bastante claridad en «Exégesis trina», al concluir el último capítulo en un tono de cierto mal agüero con su advertencia sobre el monstruo egotista de tres cabezas que amenaza cada uno de los aspectos de sus «trinidades». Está también presentada de modo más concreto en las reservas expresadas por el narrador poeta, en las que vincula la naturaleza quimérica de su estética no solamente con la naturaleza esquiva de las palabras, sino también con las dificultades para escapar de la cárcel de su propia percepción. De este modo, y en oposición al milagro de las palabras en «El milagro musical» (la segunda sección del libro), el cual está en deuda principalmente con el triunfo sobre las limitaciones del lenguaje, el milagro descrito en «El quietismo estético» se debe al triunfo sobre los límites individuales, a la capacidad de ver con otros ojos. La capacidad, esto es, no de asumir o forzar una semejanza, sino de reconocer la belleza que se encuentra debajo de la diferencia y fomentar la semejanza ampliando la propia mirada, la propia imaginación, lo que se logra dando un paso —y sin duda alguna la ironía de esto le agradaría a Valle aunque al mismo tiempo le decepcionara amargamente— que el narrador poeta de *La lámpara maravillosa* no da verdaderamente en la representación o en la imaginería que usa para expresar su propia lucha estética.

La repetición de imaginación e imaginería en las dos últimas frases ha sido deliberada, ya que cuando tomamos literalmente las instrucciones del narrador poeta de mirar «con todos los ojos», cuando la visión plural que repetidamente exige es yuxtapuesta a la imagen de un lector peregrino ofrecida por la propia imaginación del narrador, es cuando el espectro del egocentrismo a que se hace alusión a lo largo de *La lámpara maravillosa* pasa a ejercer una influencia considerablemente más tangible y restrictiva de lo que el poeta parece haber sospechado. Desde luego, dada la naturaleza «larval» (por usar las mismas palabras del poeta) de ese «yo» fantasmal que acecha detrás de un comportamiento amoroso y docente (hay que recordar la *mises en abyme* que lo asemejan a Cristo, san Francisco de Asís y san Bernardo), su ceguera es tan comprensible que hasta se puede dar por supuesta. No obstante, si como lectores reales al margen del lazo o pacto narrativo que existe entre el narrador poeta y el peregrino, hacemos lo que el poeta ordena y, siguiendo sus instrucciones hasta el límite, tratamos de dar un perfil al hermano al que se está hablando en vez de a la voz que habla, queda en claro que aun cuando el poeta parece probar la generosidad de su instinto narrativo, la figura, la imagen del peregrino, señala una limitación en la imaginación que la ha engendrado.

Con esto no se quiere afirmar que para proveer una representación convincente de la generosidad del poeta el peregrino hubiera necesitado representar un papel de mayor relevancia en la narración o debiera haber sido descrito de una forma más completa. Tampoco es un deseo de que se nos hubiese dado más información sobre él. Se quiere señalar más bien hasta qué punto el narrador poeta concibió a su hermano sólo como receptor y por eso no lo proveyó con el sentido de otredad que habría indicado el salvar una diferencia por su propia parte. No solamente el peregrino no habla en *La lámpara maravillosa,* sino que no hay ninguna indicación de intercambio entre las dos figuras. Aunque el narrador poeta desea que su oyente pueda participar en el acto creativo, que sepa por medio de la experiencia directa la forma en que la intuición puede ser manifestada en palabras, la experiencia creativa que comparten es esencialmente la del narrador, y a la obra del peregrino se hace referencia solamente en el último capítulo más como una futura posibilidad que como una realidad presente. El peregrino es bienvenido al centro del proceso creativo del narrador pero se le lleva a que duplique ese proceso y, podemos asumir, a que lo encarne finalmente en su obra ya que la inquietante convergencia de los contrarios no pone en cuestión su propia integridad. Por el contrario, y a pesar de su naturaleza paródica y subversiva, esta integridad le es ofrecida al peregrino como un todo que él ha sido elegido para recibir por una semejanza con el narrador. Aunque el esquema narrativo presupone un diálogo entre ellos, en realidad la situación narrativa es más bien un monólogo dirigido al peregrino, de forma muy similar a como Pedro Soulinake se sienta en el jardín del narrador (espacio claramente identificado con el alma del poeta) y «pronuncia su monólogo eterno». Las palabras que pronuncia serán recibidas activamente al ser experimentadas como «gnosis» personal de la que el peregrino participa, pero también pueden ser recibidas pasivamente como una unidad, una intuición que más tarde, cuando el peregrino reflexione sobre su propia experiencia, él mismo reflejará más que cuestionará: se situará en relación con su creador-poeta como una imagen que es inseparable del espejo que la contiene (PS 3).[12]

Este reflejo, por supuesto, contribuye en gran medida a la creación de una relación íntima entre el poeta y el peregrino. En lo que se refiere al peregrino, sin embargo, sugiere también cierta carencia de autonomía, especialmente si se le considera a la luz de los pasajes en los que el poeta se olvida de indicar el sujeto de la segunda persona y emplea un «tú» que tanto podría referirse al peregrino como a su propia alma. Aunque una cuidadosa relectura pone al descubierto el marco bien definido descrito con anterioridad en este ensayo, la primera impresión es la de que hay una fusión. Además, incluso cuando es posible distinguir claramente entre el «alma peregrina» del narrador y el narratario principiante como alma peregrina, se da un efecto de aproximación, de una voz única que más bien se dirige a un fantasma que a una segunda persona real. De hecho, cuando se pone en claro la casi identidad del peregrino y del alma del poeta, se puede incluso afirmar que el poeta no le está hablando al peregrino sino que está hablando consigo mismo, ofreciendo no solamente un monólogo ligeramente velado sino también lo que Gonzalo Sobejano ha llamado «autodiálogo», un monólogo dirigido a uno mismo como si uno mismo fuera esa segunda persona.[13] Visto de esta manera, con los ojos del peregrino, el abrazo que el poeta da al Otro, a pesar de ser un gesto de amistad, es esencialmente un abrazo a sí mismo. Presenta, dicho de otro modo, una visión totalizadora que resuena con una pluralidad de voces y que recomienda la expresión de todas las polaridades pero que, sin embargo, impone su círculo cerrado, ofreciendo un abrazo que aunque parece dirigido a otros en realidad se vuelve hacia sí mismo. Sea que se represente al destinatario de ese abrazo como el lector peregrino o como el alma del poeta (la cual, como el poeta, es silenciosa y recibe instrucciones sobre la autotrascendencia en un contexto trascendente libre de toda tensión real), el poeta ha logrado una gnosis que desafía tanto los límites del castellano como los límites inherentes a todo lenguaje, pero no ha podido crear un lector peregrino libre de su propia presencia «imperialista». Por consiguiente, a pesar de la subversión de varios textos altamente ortodoxos, el «gesto único» que es el fundamento de *La lámpara maravillosa* es más de ensimismamiento que de entrega.[14] Si bien el narrador se dirige al peregrino que está esperando en la puerta dorada con la intención de ayudarle a atravesarla, el Dios Padre ha sido minado y derrocado sólo para ser reemplazado a su vez por un poeta padre. Más que atreverse a mirar con los ojos de todas las criaturas y transformar de verdad sus miradas, este poeta se ha conformado con una pluralidad menos perturbadora: tanto en el diálogo que le ofrece al lector peregrino como en las instrucciones que le da a su propia alma, ha formado el Otro a su propia imagen y semejanza y ha encarcelado a ese Otro en su espejo mágico (QE 10).

III

Debido a que el «quietismo estético» de Valle, a pesar de su presentación altamente estilizada, ofrece la visión más detallada y sincera que tenemos de su estética, y debido a que parece ilustrar de forma tan adecuada su «gesto único», el lector que halle que más que ofrecer belleza la escatima, se verá situado en una posición difícil y contradictoria. Desde luego, la fuerza de este escritor en gran parte radica en su capacidad para llevar la máscara de muchas voces y reunir su murmullo en una unidad irónica y heterodoxa, un todo evocador que tiene dimensiones individuales, nacionales y universales: es «la postura altiva y distanciadora, objetiva» que Adelaida López Martínez ha descrito refiriéndose al narrador de *La guerra carlista.*[15] Al mismo tiempo, sin embargo, para el lector que abre *La lámpara maravillosa* y que no se proyecta sin un esfuerzo consciente en el papel de «hermano peregrino» que se le sugiere, una reacción de otredad es tan probable como una reacción de aceptación, ya que el impulso autodirigido que ocupa el centro del libro repite y confirma, tanto a nivel práctico como teórico, las reservas sobre exclusividad y separación ya señaladas al principio de este ensayo. En particular —y esto me parece más significativo que los casos específicos de diferencias individuales que originaron estas reservas— indica que a pesar de la desconfianza hacia las epifanías que Valle expresa a menudo y de la estructura rigurosamente fragmentaria y panorámica de tantas de sus obras, encontramos como fundamento de su obra la presencia de una postura autorial dominante e incluso anuladora. Aunque esta postura, como Maldonado Macías y otros han señalado bastante detalladamente,[16] le permite al autor minar sin piedad la rigidez de la certeza de una lengua castellana ortodoxa y abrirles los ojos a los lectores hasta que los llenen con una multiplicidad de imágenes, también se impone a sí misma de una forma que no es evidente de inmediato. Una vez que esta paradoja es percibida, la arrogancia y el distanciamiento inherentes a su «postura altiva» se vuelven evidentes. Al igual que la inconsistencia entre la enseñanza del poeta de una totalidad estética incondicional, completa y amorosa y su «diálogo» centrado en sí mismo, tal arrogancia sugiere que aunque en *La lámpara maravillosa*, Valle reescribió parte de su obra anterior, el lugar donde este juego se detiene en su libro, donde parece alcanzar su límite y «ofrecernos otras riquezas que podrían ser destruidas por la ironía», es en el yo autorial del narrador poeta.[17]

Esa definición de los límites del juego, aunque es propuesta en un contexto ligeramente diferente, sugiere de manera bien clara las interrogantes que veo surgir en mis páginas precedentes: ¿es posible para un lector y crítico someterse y oponerse simultáneamente a los efectos de un proceso metafórico tan enérgico como el de Valle? Si tal lectura crítica puede ser alcanzada, ¿será útil y esclarecedora para otros lectores? ¿Qué tipo de lectura crítica sería y en qué diferiría de la gran cantidad de elogios y rechazos que ya han sido dedicados a su obra con anterioridad? Estas interrogantes, por supuesto, son muy amplias, y dados los límites de este estudio cuyo propósito es más exploratorio que definitivo, no pueden ser contestadas aquí completamente. Me gustaría terminar, sin embargo, con unas palabras que indican de modo breve la respuesta que está empezando a adquirir forma en mi propia reflexión.

Los párrafos finales de *La lámpara maravillosa* son cruciales para esta reflexión, ya que no solamente se alejan del hermano peregrino del narrador al mismo tiempo que lo atraen en un abrazo, sino que también la imagen abierta del aforismo final («Peregrino sin destino») me acoge y me excluye a mí. Yo he realizado el peregrinaje que se le exige al «hermano» principiante pero sé que no hay mujeres en esta hermandad y veo que estos sentimientos de exclusión están ligados con ciertas separaciones que las palabras de Valle provocan, más que cierran. Al mismo tiempo, sin embargo, el afecto que he adquirido por esas palabras y el respeto que hacia ellas siento debido a su poder para crear un espacio estético que enlaza y explora las limitaciones dentro del lenguaje me llevan a ver que mi papel de peregrina autoproclamada es participar en ese proceso doble de una manera que la obra de Valle sólo parece proponer fortuita y paradójicamente. De hecho, mientras vuelvo a mirar el aforismo final y observo el cometido que el narrador poeta le encarga al peregrino y su afirmación de que si el poeta puede ver con todos los ojos y amar con todos los corazones convertirá «la negra carne del mundo en el áureo símbolo de la Piedra del Sabio», me pregunto a mí misma si esta conversión no es el deber más esencial de un lector que en la propia «piedra filosofal» de Valle no ve solamente oro sino también la presencia de una sombra oscura y carnal. ¿No es el cometido del lector disidente el prevenir el estancamiento de la metáfora, el negarse a rechazar una lectura que sea molesta o desagradable, el emplear la perspectiva lograda por el distanciamiento, así como la lograda por el compromiso, si quiere comprender la belleza de las subversiones de Valle y, haciendo uso de sus propios métodos subversivos, revolverse contra su obra y «convertirla»? De hecho, ¿no es injusto o insultante proceder de otro modo? En vista del placer que ofrecen, ¿no les debemos a esos textos el placer de una respuesta y no es el delineamiento de sus límites así como de sus logros lo que mantiene viva su obra, sobre todo cuando la reacción habitual de los críticos que disienten no es la de explorar sus límites sino la de afirmar que una obra es decepcionante o rechazarla como contradictoria, elitista, racista o sexista?[18]

Finalmente, es necesario añadir algunas palabras sobre el proceso o la praxis. Aunque el diseño y el método de este ensayo han sido una parte integrante de la investigación que he llevado a cabo y debido a la forma en que he perseguido esas dos respuestas contradictorias y he tratado de situarlas a ambas en un único gesto crítico, soy consciente de que un vehículo adecuado y verdadero para el tipo de lectura doble que he sugerido no ha sido elaborado todavía en relación a la obra de Valle. Cuando estaba a punto de finalizar este ensayo tuve la suerte de leer varios artículos de la obra *Reading and Gender*, una colección editada por Elizabeth A. Flynn y Patrocinio P. Schweickart,[19] y me dejó impresionada la «doble hermenéutica» propuesta por Schweickart como una forma de aproximación a los textos de ciertos autores masculinos.[20] Me parece que el proceso de lectura en dos fases que ella delinea, el cual «revela [...] la complicidad con la ideología patriarcal» aunque al mismo tiempo también «recupera el momento utópico», se acerca mucho al método que yo he tratado de elaborar en el presente trabajo. Deseo explorar en el futuro esa dualidad en mis lecturas de Valle y me atrevo a proponer que es este tipo de lectura —equipada con conciencia de los límites— la que permitirá que las palabras se liberen de ese «paraje» que las atrapa y poner en libertad su capacidad para reconciliar incluso al mismo tiempo que los límites de esa reconciliación son reconocidos. Como el narrador poeta de *La lámpara maravillosa* observa en «Quietismo estético» (9), en los labios de la expresión última de un autor se dibujará una risa que nunca tuvieron: esa risa sonará sólo si el lector sigue las instrucciones del autor y fuerza su «gesto único» a girar y enfrentarse consigo mismo.[21]

NOTAS

1. Virginia Garlitz, «Modernist Occultism in Valle-Inclán», en John P. Gabriele, ed., *Genio y virtuosismo de Valle-Inclán*, selección de ponencias presentadas en el Simposio sobre Valle-Inclán celebrado en Purdue University (West Lafayette, Indiana), 11-12 de abril de 1986, Madrid, Orígenes, 1987.

2. Véase, por ejemplo, «Toward a Definition of Woman as Reader in Valle-Inclán's Aesthetics», ponencia leída en la Sesión Especial sobre «Woman as Reader of Hispanic Narrative», MLA Convention, Washington DC, 28 de diciembre de 1985.

3. Noël Valis, «The Novel as Feminine Entrapment: Vale-Inclán's *Sonata de otoño*», conferencia leída en la Sesión Especial sobre «Burial, Resurrection, and Fiction in Valle-Inclán's *Sonatas*», MLA Convention, Chicago, 29 de diciembre de 1985.

4. Herbert O. Espinoza, «Lenguaje e ideología: El rostro latinoamericano de Valle-Inclán», ponencia leída en el Simposio sobre Valle-Inclán celebrado en Purdue University. Véase también la discusión de Biruté Ciplijauskaité sobre los límites del uso del lenguaje en Valle-Inclán y la creación de personajes femeninos, «La función del lenguaje en la configuración del personaje femenino», en John P. Gabriele, ed., *op. cit.*, y los comentarios de Kathleen Walsh Greene sobre los límites de los esperpentos de Valle-Inclán en «The Theater of Cruelty in Spain: Valle-Inclán, García Lorca, and Arrabal», Tesis doctoral, University of Kentucky, 1976, p. 126.

5. El concepto de ficción de Valle, por ejemplo, podría ser tratado —al igual que en el caso de Unamuno— en términos del «narcisismo» que Linda Hutcheon explora en *Narcissistic Narrative: The Metafictional Paradox,* 1980, 1, Nueva York, Methuen, 1984. Podría ser útil considerar también el proceso simultáneo de conflicto y armonía que se da en Valle a la luz del reciente estudio de Gwen Kirkpatrick, «Lugones and Herrera: Destruction and Subversion of *Modernismo*», *Romance Quaterly*, 33, 1, 1986, pp. 89-98, artículo que no tuve ocasión de conocer hasta después de haber terminado este ensayo.

6. Valis, p. 3.

7. Para una discusión de este espacio estético véase Carol Maier, «Lugares maravillosos: La creación de un espacio estético en la ficción de Ramón

del Valle-Inclán», *La Chispa 1985: Selected Proceedings*, ed. Gilbert Paolini, Nueva Orleans, Tulane University, The Sixth Conference on Hispanic Languages and Literatures, 1985, pp. 219-30.

8. Gerald Prince, «Introduction to the Study of the Narratee», en *Reader Response Criticism: From Formalism to Post-Structuralism*, ed. Jane P. Tompkins, Baltimore, Maryland, Johns Hopkins University Press, 1980, pp. 7-25 y *Narratology: The Form and Functioning of Narrative,* Berlín, Mouton, 1982, pp. 16-17. Otras lecturas que me prestaron gran ayuda han sido Faustino Garduño López, «Condicionamientos del narrador y del destinatario en las estructuras novelísticas», *Estudios franceses*, Universidad de Salamanca, Facultad de Filología, 2, 1986, pp. 109-29; Susan R. Suleiman, «Introduction: Varieties of Audience-Oriented Cristicism», en *The Reader in the Text: Essays on Audience and Interpretation*, ed. Susan R. Suleiman e Inge Crosman, Princeton, Princeton University Press, 1980, pp. 3-45, y Darío Villanueva, «Narratario y lectores implícitos en la evolución formal de la novela picaresca», en *Estudios en honor a Ricardo Gullón*, ed. Luis T. González del Valle y Darío Villanueva, Lincoln, Nebraska, University of Nebraska, Society of Spanish and Spanish-American Studies, 1984, pp. 343-67. Aunque los comentarios de Mariateresa Cattaneo se ocupan más de la distancia entre las dos voces narrativas en *La lámpara maravillosa* («el yo narrante» y «el yo narrado») también hace referencia al narratario en «Desviación de un trazado autobiográfico: *La lámpara maravillosa*», en John P. Gabriele, ed., *op. cit.*

9. He usado la edición de 1922 de *La lámpara maravillosa*, Madrid, Artes de la Ilustración, y todas las citas pertenecen a esta edición. Puesto que no hay una edición definitiva disponible, las referencias en el texto se darán por capítulos y no por páginas. Se usarán las siguientes abreviaturas: «El anillo de Giges» (AG); «El milagro musical» (MM); «Exégesis trina» (ET); «El quietismo estético» (QE) y «La piedra del sabio» (PS).

10. Al referirse a este pasaje del texto de Valle y así colocarlo en un nuevo contexto, conviene recordar la selección entre *revertir* y *reverter* exigida por el acto de citar. Dirigiéndose al cantero, Valle ha escrito: «En la llama viste, en la piedra revertiste temblando al decir Amor de Dios», y así sería posible entender la acción o como una de reversión o una de rebosamiento. Aunque creo que en cierto sentido las dos interpretaciones son válidas (y que la «ambigüedad» enriquece el texto de la *Lámpara maravillosa*) el uso de la preposición *en* (en vez de *a*) y el pasaje en sí me inclinan a leer *revertiste* más como «rebosaste» que como «volviste la piedra al estado o condición que tenía anteriormente».

11. Cattaneo, *op. cit.*

12. Aunque sería una digresión excesiva el seguir la asociación aquí, merece la pena señalar que el uso de la forma autobiográfica determina en gran medida esa inseparabilidad y significa que, por consiguiente, la intuición de la unidad —aunque sea inquietante— que el narrador se esfuerza por lograr será imposible. Como Georges Gusdorf ha explicado, la autobiografía es esencialmente el «diálogo consigo mismo» del escritor y hay una «distancia considerable entre la intención autobiográfica confesada, que es simplemente rememorar la historia de la vida, y sus intenciones más profundas» («Conditions and Limitis of Autobiography» trad. James Olney, en *Autobiography: Essays Theoretical and Critical*, ed. James Olney, Princeton, Princeton

University Press, 1980, pp. 47 y 39. Sería fructífero leer *La lámpara maravillosa* tomando como referencia el artículo de Gusdorf y proseguir con más detalle las sugerencias de Cattaneo de que este libro pertenece al «vasto y no rigurosamente definido» género de la autobiografía. En este contexto Cattaneo también encuentra una presencia autorial constante en *La lámpara maravillosa* cuyo «valor autorreferencial nos lleva continuamente al momento de la escritura y al 'yo narrante' actual».

13. Gonzalo Sobejano, «De Alemán a Cervantes: Monólogo y diálogo». *Homenaje al profesor Muñoz Cortés*, 2 vols. Murcia, Universidad de Murcia, Facultad de Filosofía y Letras, 1976-1977, vol. 2, p. 725.

14. De esta subversión se ocupa Carol S. Maier, «Untwisting the Castilian Tongue: Some Suggestions from Valle-Inclán's *La lámpara maravillosa*», *Hispanic Journal*, 6, 2, 1985, pp. 59-76.

15. Adelaida López de Martínez, «La función estructural de la perspectiva del narrador en *La guerra carlista*», *Hispanic Review*, 47, 1979, p. 360.

16. Véase Humberto Maldonado Macías, *Valle-Inclán, gnóstico y vanguardista: La lámpara maravillosa*, México, Universidad Nacional Autónoma de México, 1980.

17. He utilizado aquí la definición de los límites de la ironía que Wayne C. Booth postula en su discusión acerca de cuando parar «in our search for ironic pleasures». En *A Rhetoric of Irony*, Chicago, University of Chicago Press, 1974, p. 190.

18. Por ejemplo, en *Writers and Politics in Modern Spain*, Nueva York, Holmes and Meier, 1978, pp. 14-17 y 51-53, John Butt ha delineado el efecto que tal rechazo ha tenido en los estudios sobre Valle-Inclán y otros escritores peninsulares del siglo XX.

19. Elizabeth A. Flynn y Patrocinio P. Schweickart, *Reading and Geder: Essays on Readers, Texs and Contexts*, Baltimore, Maryland, Johns Hopkins University Press, 1986.

20. «Reading Ourselves: Toward a Feminist Theory of Reading», p. 43. Véase también el ensayo de Susan Rubin Suleiman en el mismo volumen («Malraux's Women: A Re-vision», pp 124-46).

21. En gran parte la decisión de darle una intención exploratoria a este ensayo se debió a la sugerencia hecha por la profesora Alice Clemente, coordinadora del Simposio «Spain '36», de que los participantes «tratasen de discernir las direcciones que la investigación debería tomar en el futuro». Puesto que durante algún tiempo he querido considerar mi trabajo sobre *La lámpara maravillosa* desde esa perspectiva y reflexionar sobre ella teniendo en consideración lo que otros críticos han escrito sobre la estética de Valle-Inclán, le estoy agradecida a la profesora Clemente por su estímulo a que escribiese una ponencia de carácter especulativo. Aunque me doy cuenta de que mi ensayo suscita algunas interrogantes al mismo tiempo que aporta algunas respuestas, creo que delinea un nuevo paraje crítico para evaluar y disentir al mismo tiempo. Mi cuestionamiento de la postura autorial de Valle ha surgido de una lectura feminista, pero espero que quede claro que una «hermenéutica dual» similar a la que hago referencia en los párrafos finales podría ser llevada a cabo desde diversas perspectivas. La tarea esencial es la de aprender a oír una voz y todas sus resonancias y al mismo tiempo encontrar una forma de escuchar que no sea en sí misma un eco.

«MI HERMANA ANTONIA» Y LA ESTÉTICA DEL ENIGMA INENIGMÁTICO

Luis T. González del Valle
(University of Colorado, Boulder)

> *[...] para ser perpetuada por el arte no es la verdad aquello que un momento está ante la vista, sino lo que perdura en el recuerdo. Yo suelo expresar en una frase este concepto estético que conviene por igual a la pintura y a la literatura: Nada es como es, sino como se recuerda.*
>
> RAMÓN DEL VALLE-INCLÁN[1]

Uno de los mejores relatos de Valle-Inclán, «Mi hermana Antonia», es, a la vez, uno de sus textos más evasivos conceptualmente, ya que lo que aparenta manifestar no resulta ser tan claro después de su lectura y del estudio de las varias interpretaciones que sobre este cuento disponemos.[2] Todo en la narración requiere una amplia y profunda reinterpretación, debido a ciertos pasajes y circunstancias que le restan precisión a su supuesto mensaje.

I

En «Mi hermana Antonia»[3] aparece la historia de dos jóvenes —Antonia y Máximo— que se aman a pesar de la oposición de la madre de ella. La pasión que ambos sienten queda expuesta a través del hermano menor de Antonia, niño impresionable que de adulto recuerda hechos que sucedieron hace ya mucho tiempo. Para este niño, la realidad que le rodea está cargada de una gran tensión que refleja la presencia de fuerzas sobrenaturales en el mundo en que se desenvuelve, circunstancias que para él y otros personajes del relato ejercieron influencia en la relación amorosa de Antonia y Máximo[4] y en la dolorosa muerte de su madre.

Abundan en «Mi hermana Antonia» situaciones en las que lo que acontece responde, al parecer, a potencias cuyas características no se ajustan a las fuerzas de la naturaleza. Es así que se cree que Antonia se enamoró de Máximo Bretal debido a que comió una manzana hechizada (p. 68) y que el joven estudiante asume la identidad de un gato que tortura a la madre de Antonia y que sólo abandona a su víctima cuando en dos ocasiones el niño que narra el relato lo espanta debido a que es un ser inocente (p. 76) y al valerse, en una oportunidad, de una cruz para conseguir sus objetivos (pp. 79-80).[5]

El segundo episodio, el del gato, es de suma envergadura en el cuento como resultado de la repetida presencia del gato y de la vinculación tradicional entre este animal, el diablo, las tinieblas y la muerte.[6] En «Mi hermana Antonia» este gato queda directamente vinculado con Máximo Bretal cuando, al final de la historia, se describe a este personaje de forma tal que recuerda la escena en que Basilisa la Galinda, al parecer, le cortó las orejas al gato que estaba en la cama de la madre de Antonia. A pesar del supuesto nexo entre los dos pasajes, sin embargo, una lectura cuidadosa de ambos pone en entredicho lo que se podría tomar como su conclusión lógica: es decir que Máximo Bretal, como agente del diablo, ha adoptado la figura de un gato para vengarse de la madre de Antonia. Leamos los dos textos:

> Basilisa la Galinda entra en aquella alcoba [...] y sale con una cruz de madera negra. Murmura unas palabras oscuras, y me santigua por el pecho, por la espalda y por los costados. Después, me entrega la cruz y ella toma las tijeras de su hermano [...].
>
> Me condujo por la mano a la alcoba de mi madre, que seguía gritando:
>
> —¡Espantarme ese gato! ¡Espantarme ese gato!

Sobre el umbral me aconsejó en voz baja:

—Llega muy paso y pon la luz sobre la almohada [...]. Yo quedo aquí en la puerta.

Entré en la alcoba. Mi madre estaba incorporada, con el pelo revuelto, las manos tendidas y los dedos abiertos como garfios. Una mano era negra y otra blanca. Antonia la miraba, pálida y suplicante. Yo pasé rodeando, y vi de frente los ojos de mi hermana, negros, profundos y sin lágrimas. Me subí a la cama sin ruido, y puse la cruz sobre las almohadas. Allá en la puerta, toda encogida sobre el umbral, estaba Basilisa la Galinda. Sólo la vi un momento, mientras trepé a la cama, porque apenas puse la cruz en las almohadas, mi madre empezó a retorcerse, y un gato negro escapó de entre las ropas hacia la puerta. Cerré los ojos, y con ellos cerrados, oí sonar las tijeras de Basilisa [...]. En el corredor, cerca de la mesa que tenía detrás la sombra enana del sastre, a la luz de las velas, enseñaba dos recortes negros que le manchaban las manos de sangre, y decía que eran las orejas del gato (pp. 79-80).

Llevaba a la cara una venda negra y bajo ella creí ver el recorte sangriento de las orejas rebanadas a cercén (p. 84).

Indudablemente, en las dos citas el narrador establece una conexión entre el gato y Máximo. Esta unión, sin embargo, queda debilitada cuando el narrador admite tener los ojos cerrados en el instante en que, según Basilisa, ella le cortó las orejas al animal y cuando se comprende que en realidad no vio un «recorte sangriento» bajo la venda negra que llevaba Máximo sino que creyó ver esto. La distancia semántica entre «creer» y «ver» es semejante a aquella que existe cuando el narrador asevera que el sastre «decía» que los recortes «eran las orejas del gato» en vez de afirmar tajantemente que los recortes eran dichas orejas. En estos textos, los vocablos «creí ver» y «decía» implican una falta de certidumbre total por parte del narrador sobre lo que ha pasado: en el primer ejemplo ello se debe a que tenía los ojos cerrados, mientras que en el segundo lo que dice bien puede ser justificado si se acepta que el narrador desea percibir cómo lo hace, como indicio del funcionamiento de lo sobrenatural en el cuento.[7] Dicho de otra forma, lo sobrenatural en «Mi hermana Antonia» no se manifiesta con el absoluto convencimiento del hermano de Antonia. Que ello sea así es de extraordinaria importancia al ser el niño el narrador del relato, esa voz por la que se expresa cuanto ocurre.

La falta de certidumbre en el hermano de Antonia a que he hecho referencia tiene además antecedentes en otros sucesos del cuento que merecen estudio. En primer término, ya en la sección VII el niño dice que «nuestra madre era muy piadosa y no creía en agüeros ni brujerías, pero alguna vez lo aparentaba por disculpar la pasión que consumía a su hija» (p. 68). Estas palabras, por supuesto, le restan vigencia a las percepciones de aquellos que realmente creen que Antonia está motivada por fuerzas prodigiosas en su amor por Máximo y explica cómo esta teoría la usaba su madre para justificar lo que era para ella una deficiencia de su hija.

Otro aspecto que ejerce influencia sobre por qué el niño opta por enfocarlo todo de esta manera tiene que ver con el ascendiente que sobre él ejercía el mundo milagrero gallego que le rodeaba.[8] Indicio directo de esta influencia cultural aparece en una tercera intentona —la segunda en términos cronológicos— que el niño hace por espantar al gato y librar a su madre de más sufrimiento. En esta escena, el pequeño fracasa y, como resultado, es acusado de haber «cometido algún pecado» que le impidió «espantar al enemigo malo» (pp. 76-77). En esta circunstancia, es importante observar que el niño-narrador no sólo no puede espantar al supuesto gato; además, tampoco siente su presencia sobre la torturada espalda de su madre. Ambas cosas llevan a una censura del personaje, algo de suma importancia con vistas a la definición de lo que le motiva a integrar la realidad circundante cual lo hace, ya que en el mundo donde le ha tocado vivir no se pueden ignorar las creencias de los demás si uno quiere que se le valore en forma apropiada.[9] En este ejemplo es significativo también que el niño no ponga en duda las creencias de los demás sobre el gato (algo lógico ya que él no lo percibe) y que opte esa misma noche por recordar la historia del Gigante Goliat y del niño David (pp. 77-78). Al hacerlo, el hermano de Antonia mezcla su situación personal (el sufrimiento de su madre y la oposición de ésta a las relaciones entre Antonia y el estudiante de Bretal) con la historia bíblica. Es decir, su fértil imaginación juvenil no distingue entre ficción y realidad, al mezclar ambas cosas cuando desea convertirse en otro David que lucharía con un nuevo Goliat (en este caso, Máximo):

> Yo me senté en el corredor, cerca de una mesa donde había un candelero con dos velas, y me puse a pensar en la historia del Gigante Goliat [...]. Por aquel tiempo, nada admiraba tanto como la destreza con que manejó la honda el niño David. Hacía propósito de ejercitarme en ella cuando saliese de paseo a la orilla del río. Tenía como un vago y novelesco presentimiento de poner mis tiros en la frente pálida del estudiante de Bretal (pp. 77-78).

Si se acepta que el niño-narrador debilita sus percepciones en torno a lo sobrenatural debido a cómo las expresa, que este ser está sujeto a fuerzas culturales imperantes en el medio en que se desenvuelve, y que él sabe de la estrategia de su madre al valerse de lo prodigioso para justificar a su hija, entonces es necesario reexaminar también ese pasaje en el cuento donde las fuerzas del mal son abiertamente discutidas.[10] Me refiero a la escena en que el Padre Bernardo se entrevista con la madre de Antonia, conversación que es escuchada parcialmente por el niño y la criada (secciones X a XII, pp. 70-74) y que ocurre antes de que la figura del gato obsesionara a la dama.

Desde temprano en la sección X es evidente que el narrador tiene cierta predisposición por percibir la figura del Padre Bernardo en un sentido diabólico, actitud que compagina bien con esas historias de santos que ha estado escuchando:

> Quedé arrodillado mirándole y esperando su bendición, y me pareció que hacía los cuernos. ¡Ay, cerré los ojos, espantado de aquella burla del Demonio! Con un escalofrío comprendí que era asechanza suya, y como aquellas que traían las historias de santos que yo comenzaba a leer en voz alta delante de mi madre y de Antonia. Era una asechanza para hacerme pecar, parecida a otra que se cuenta de la vida de San Antonio de Padua. El Padre Bernardo, que mi abuela diría un santo sobre la tierra, se distrajo saludando a la oveja de otro tiempo y olvidó formular su bendición sobre mi cabeza [...] (pp. 70-71.

En la conversación que sigue a este pasaje, el Padre Bernardo refiere cómo un joven enamorado le ha confesado que desesperado de amor invocó al demonio para obtener su ayuda. Por el momento, este joven, según el fraile, no ha firmado un pacto con Satanás aunque tampoco ha renunciado a sus tácticas diabólicas para alcanzar sus objetivos amorosos. Ante estas revelaciones, la madre de Antonia demuestra poca caridad cuando dice que «—¡Preferiría muerta mi hija!» (p. 72) antes de entregársela al estudiante a la vez que indica que cuenta con la «gracia de Dios» (p. 73) para proteger sus intereses. Acto seguido, el Padre Bernardo la recrimina por no preocuparse por la salvación del alma de un semejante como es su obligación cristiana:

> Hay almas que sólo piensan en su salvación, y nunca sintieron amor por las otras criaturas. Son las fuentes secas. Dime. ¿Qué cuidado sintió su corazón al anuncio de estar en riesgo de perderse un cristiano? ¿Qué hacer tú por evitar este negro concierto con los poderes infernales? ¡Negarle a tu hija para que la tenga de manos de Satanás! [...]
> —El amor debe ser por igual para todas las criaturas. Amar al padre, al hijo o al marido, es amar figuras de lodo. Sin saberlo, con tu mano negra también azotas la cruz como el estudiante de Bretal (p. 73).

Continúa la escena con un tipo de especulación sobre cómo el cura salió de la sala, ya que sólo un gato negro pasó junto al niño y Basilisa, cuando ambos escapan de la puerta a través de la cual han sido testigos de la conversación entre la dama y el fraile (pp. 73-74). Concluye el pasaje con la siguiente afirmación: «Basilisa fue aquella tarde al convento y vino contando que estaba en una misión, a muchas leguas» (p. 74). Si bien lo sustentado en este breve texto tiende a indicar que el verdadero Padre Bernardo no fue quien visitó a la madre de Antonia, la fuente de esta información resulta indigna de confianza: por todo el texto Basilisa ha demostrado comulgar con ciertas creencias sobre el diablo y, por tanto, lo que ella dice no puede ser aceptado por el lector ciegamente (recuérdese que el narrador se limita a decir que ella «vino contando», frase que bien puede implicar que ella vino narrando algo que ha inventado).[11]

Si se examinan los comentarios del Padre Bernardo a la luz de las creencias cristianas y con cierta objetividad, es innegable que su crítica a la madre de Antonia tiene validez: esta señora nunca ha justificado su odio por Máximo ni demuestra por él ninguna caridad.[12] De ser aceptada esta interpretación de la dama, el gato podría entonces ser concebido como una manifestación de su cargo de conciencia al saberse culpable y al no estar dispuesta a alterar su conducta. En este sentido, el gato dejaría de ser un agente del diablo y se convertiría en una manifestación física de la conciencia de la madre de Antonia, señal de algo que para la dama poseía realidad a la vez que sufre una enfermedad que le traerá la muerte. Si bien esta exégesis del texto puede que resulte menos estimulante que la sobrenatural, es lógica, a la vez que se mantiene en mente el temperamento del niño-narrador, ser cuya sensibilidad ha coloreado excesivamente aspectos importantes del relato.[13]

II

Como ya he afirmado, a través del cuento el hermano de Antonia opera como narrador de cuanto se lee.[14] Dentro de su figura son detectables dos momentos cronológicos: primero, cuando implícitamente se dirige a un *narratee* (Rimmon-Kenan, pp. 87-88) desde un momento presente, instante que coincide con su existencia actual de adulto; y, segundo, cuando narra una acción pasada utilizando su perspectiva de entonces. En el primero de estos momentos, el narrador es extradiegético: él comienza el proceso narrativo, él inicia y, de hecho, narra todo lo incluido en el nivel diegético de la narración. La posición del narrador extradiegético es jerárquicamente superior a la de la historia que cuenta en el nivel diegético (Rimmon-Kenan, pp. 93-94). Lo que el narrador extradiegético relata en el nivel diegético es su problemática actual —cuando era niño— sobre sucesos que ocurrieron entonces. Estos hechos de su niñez los cuenta el hermano de Antonia valiéndose de sus antiguas creencias. Al hacerlo, se convierte en un narrador intradiegético al narrar su pasado, historia que ocurre en el nivel hipodiegético del texto y que constituye el segundo momento cronológico que se detecta en el hermano de Antonia. La historia del nivel hipodiegético facilita la comprensión del nivel diegético: tiene la función de explicar cómo eran las cosas percibidas por el narrador cuando él era niño, algo que facilita una comparación entre su circunstancia en el pasado y hoy (Rimmon-Kenan, p. 92). En ambos momentos —presente y pasado—, añádase, el narrador es uno, resultando ser además homodiegético al participar en las historias que narra y que aparecen en los niveles diegético e hipodiegético (Rimmon-Kenan, p. 95).[15]

La existencia en el hermano de Antonia de dos voces que operan en diversos momentos es de gran importancia, ya que como narrador extradiegético puede interpretar —focalizar externamente— lo que pasó antes desde un punto de vista actual, mientras que como un narrador intradiegético puede mantener esa ilusión de mímesis que le dará cierto aire de autenticidad a su narración a la vez que focaliza internamente, ajustándose todo a sus percepciones pretéritas (Rimmon-Kenan, pp. 71-76 y 86-94).

La identificación de las dos voces a que he aludido no es fácil si se busca aislarlas constantemente ya que las dos están muy mezcladas. Podemos asumir que en las secciones I y XXIII el narrador extradiegético nos da sus percepciones actuales sobre la realidad de Santiago de Galicia. Asimismo, en el primer párrafo de su relato (sección II, p. 65) este narrador deja sentado con su uso del pretérito imperfecto y el pretérito indefinido del modo indicativo que lo que cuenta es algo pasado, algo que sucedió cuando él era niño y que responde a sus recuerdos, mientras que en otras ocasiones nos da un fondo a la materia narrada o comenta sobre lo que sucedió desde una perspectiva actual. Escuchemos ejemplos de cómo opera el narrador adulto:

> Por la noche, acostado y a oscuras, esta semejanza se agrandó dentro de mí sin dejarme dormir, y volvió a turbarme otras muchas noches (p. 67).
>
> El padre Bernardo, que mi abuela diría un santo sobre la tierra, se distrajo saludando a la oveja de otro tiempo, y olvidó formular su bendición sobre mi cabeza [...]. Cabeza de niño sobre quien pesan las lúgubres cadenas de la infancia: El latín de día, y el miedo a los muertos, de noche (p. 71).

La perspectiva del narrador intradiegético, por su parte, es detectable por todo el texto cuando se dice lo que el hermano de Antonia creía cuando ella vivía con él. Es decir, en estos casos se pone énfasis en cómo este niño percibía la realidad entonces.

Un muy revelador ejemplo de la fusión de ambos momentos cronológicos en el narrador lo ofrece la tercera sección del relato:

> —Entramos en una capilla, donde algunas viejas rezaban las Cruces. Es una capilla grande y oscura, con su tarima llena de ruidos bajo la bóveda románica. Cuando yo era niño, aquella capilla tenía para mí una sensación de paz campesina [...]. Por las tardes siempre había corro de viejas rezando las Cruces. Las voces, fundidas en un murmullo de fervor, abríanse bajo las bóvedas y parecían iluminar las rosas de la vidriera como el sol poniente [...]. ¡Oh, Capilla de la Corticela, cuándo esta alma mía, tan vieja y tan cansada, volverá a sumergirse en tu sombra balsámica! (p. 66).

Aquí queda contrapuesto lo que hicieron el niño y Antonia (entrar en una capilla) con lo que según el narrador-niño provocaba en él un sitio específico (la «paz campesina» que deriva de la capilla) con lo que el narrador-adulto desearía poder volver a sentir hoy (una comunión espiritual con otros seres fervorosos).

Debido a que en «Mi hermana Antonia» hay un narrador-focalizador en primera persona, debemos ser muy cuidadosos al interpretar lo que esta voz sustenta, ya que su presentación e interpretación de hechos pretéritos puede que esté afectada por distorsiones inconscientes de la realidad descrita. Que ello suceda no debe sorprendernos, pues ninguna narración —y «Mi hermana Antonia» no es una excepción— presenta historias completas de una o más vidas: todas las narraciones son textos en los cuales ciertos sucesos son seleccionados y esta selectividad, sin lugar a dudas, es indicio de algo importante.

En «Mi hermana Antonia» aún más, el proceso de selección es todavía más problemático que lo normal dada la identidad del narrador-focalizador.[16] Y es que, como bien ha dicho Rimmon-Kenan, un narrador deja de ser digno de confianza cuando, entre otras cosas, él está directamente involucrado en lo que narra y cuando sus percepciones sobre lo que ocurre no compaginan con aquellas del «autor implícito» o conciencia que gobierna el texto, «fuente de las normas de la obra [...]. De esta manera [...] el autor implícito de una obra es concebido como una entidad estable, idealmente consistente consigo mismo dentro de la obra». Como en otras narraciones este autor implícito «no tiene voz, es silencioso [...], es algo inferido y construido por el lector a partir de los componentes del texto» (Rimmon-Kenan, pp. 86-87).

En «Mi hermana Antonia», nuevamente, no somos testigos de la vida de Antonia en su totalidad. El lector simplemente conoce ciertos sucesos y percepciones que el narrador-focalizador comparte con el «narratario» para que, implícitamente, esta entidad pueda percibir la realidad como la percibe (o como desea que la perciba) el narrador. Como narrador-focalizador, el hermano de Antonia puede que dé una visión verdadera de un fragmento de la realidad o puede que esté distorsionando la historia que narra para alcanzar sus propios objetivos. Es por ello que, después de leer el texto, cada lector deberá reflexionar minuciosamente si quiere llegar a conclusiones factibles sobre el relato. Al hacerlo, el lector tiene que considerar si el niño es consistente, si su lógica no resulta deficiente y si sus afirmaciones en el presente compaginan con lo que él le dice al «narratario» en sus supuestas digresiones. Las digresiones a que he hecho referencia son esos comentarios que hace el narrador y que están, aparentemente, poco vinculados con la historia que narra. Ejemplos de estas digresiones son las secciones I y XXIII, parte de la III y un breve fragmento en la X. Todas ellas, por su parte, están muy fusionadas en términos conceptuales y serán discutidas en el próximo segmento de este ensayo.

III

Al discutir la dinámica de la lectura, Rimmon-Kenan muestra cómo la naturaleza lineal de la narrativa se presta al uso de diversos efectos retóricos: «El texto puede dirigir y controlar la comprensión y actitud del lector situando ciertos elementos antes que otros» (p. 120). Es en este sentido que un texto es interpretado a la luz de lo que ha sido dicho antes en él y que todo lo que ha sido dicho con anterioridad obliga al lector a reconsiderar lo que ha ocurrido previamente. La localización de algo en un texto es muy importante para el lector, ya que esta entidad está intentando comprender el texto e integrar sus elementos (Rimmon-Kenan, p. 120). Por último, los textos tratan normalmente de posponer la comprensión del lector para garantizar su lectura: lo que se busca, por tanto, es el interés del lector (Rimmon-Kenan, pp. 122-23).

«Mi hermana Antonia» comienza con una sección (p. 65) que le atribuye a Santiago de Compostela tres características: 1. que «ha sido uno de los santuarios del mundo» (uno de los templos o lugares donde se siguen observando ciertas creencias); 2. que «las almas todavía guardan allí los ojos atentos para el milagro» (es decir que los seres humanos demuestran en este lugar cierta preocupación por detectar algo y ello, se sobreentiende, es indicio de cierta inclinación hacia una forma de interpretar la realidad); y 3. que, implícitamente, allí quizá ocurran milagros («sucesos inexplicables y que son interpretados como signo de los actos o voluntad de las deidades»[17]). Esta sección inicial constituye un ejemplo de demora narrativa, técnica que según Rimmon-Kenan consiste «en no ofrecer información cuando "debería" aparecer en el texto, sino en dejarla para un momento posterior» (p. 125). En «Mi hermana Antonia» la demora narrativa a que hace referencia Rimmon-Kenan se manifiesta a través de la falta de certidumbre que tiene el lector implícito (Rimmon-Kenan, pp. 87-88) cuando intenta comprender qué motivó al narrador-focalizador adulto en primera persona a expresarse como lo hace en la sección I (recuérdese la aparente poca vinculación entre lo que se expresa en esta sección y la historia que comienza en la segunda sección). Como resultado de esta técnica, el proceso de lectura se convierte en un tipo de adivinanza que necesita ser resuelta. Es extraordinariamente importante comprender qué impulsó al narrador-focalizador de «Mi hermana Antonia», ya que de esta forma se puede explicar por qué las cosas son presentadas como lo son y si el relato —o aspectos de él— puede ser visualizado como el narrador aparentemente desea que lo sea, dados los oscuros conceptos planteados en la primera sección del cuento y sobre los cuales el lector implícito carece de suficiente información para llegar a conclusiones válidas cuando los lee por primera vez. El código hermenéutico de «Mi hermana Antonia» está estructurado, por tanto, en unidades que contribuyen a la creación de sucesos enigmáticos (la aparente presencia de lo sobrenatural) que sugieren la existencia de un enigma referido a las fuerzas imperantes en el mundo del cuento y que, por ende, facilitan la especulación del «lector implícito» sobre la verdadera motivación del narrador. Indudablemente, las digresiones del narrador en esta primera sección y en otras partes del relato permitirán que el lector implícito llegue eventualmente a conclusiones sobre lo que acontece y sobre los objetivos del narrador-focalizador, entidad que tiene que ser comprendida si se quiere entender el texto. Hasta cierto punto estas digresiones se convierten en diversas hipótesis que, en conjunto, pasan a ser una hipótesis final a la que se llega cuando el texto es considerado retrospectivamente. En este sentido el proceso de lectura de «Mi hermana Antonia» se convierte, con mucho, en un intento de llenar una hondonada hermenéutica que confronta el lector implícito, abertura que obliga a este mismo lector a ser activo, a la vez que intenta que el texto adquiera sentido para él.[18]

A la luz de la dinámica de la lectura mencionada, es muy significativo que el cuento concluya con una sección muy parecida ideológicamente a la primera. La diferencia entre la sección I y la XXIII tiene que ver con el espíritu que las motiva. Mientras que en la primera se hace una afirmación general sobre Santiago y sus atributos, en la última la sintaxis cambia, convirtiéndose la frase «como ha sido uno de los santuarios del mundo» en una locución que explica el porqué de lo que se asevera sobre esta ciudad:

> XXIII.—En Santiago de Galicia, como ha sido uno de los santuarios del mundo, las almas todavía conservan los ojos abiertos para el milagro (p. 84).

Esta alteración al final del relato facilita la comprensión de su primera sección, a la vez que pone énfasis en la historia que es narrada entre las secciones II y XXII, asunto que, debido a sus características, justifica el juicio que podemos suponer el narrador tiene sobre Santiago.[19] Ahora bien, ¿a qué milagro hace referencia el narrador en la primera y última secciones del cuento? En mi opinión, no se refiere esta entidad al «hechizo» de Antonia por Máximo ni a la tortura que supuestamente el gato inflige a la madre de Antonia, algo lógico de aceptarse sin reservas lo sustentado por el narrador desde su perspectiva infantil (no se olvide que ni un «hechizo» ni un «acto diabólico» son iguales a un «milagro»). Para mí el milagro a que alude el narrador es el de las creencias sentidas, el de la fe colectiva que se manifiesta en «Mi hermana Antonia» a través de la sensibilidad imaginativa de un niño de pocos años y de gente cuya sencillez intelectual le lleva a aceptar ciertas leyendas vigentes en una Galicia milagrera.[20]

Lo que apunto es que en «Mi hermana Antonia» existe una contradicción entre el narrador extradiegético (el del presente adulto) y el narrador intradiegético (el del ayer infantil) que hace que la figura del narrador resulte indigna de confianza, percepción que cobra aún más vida cuando a lo que el narrador-niño afirma se le pueden contrastar otras explicaciones lógicas según las normas que imperan en el mundo descrito en este cuento.[21] En este sentido, el adjetivo posesivo en el título del relato no sólo enfatiza acerca de la relación entre el narrador y Antonia; además, indicio directo de que lo que aquí nos da el narrador es la historia de cómo fue su hermana para él a la luz de creencias imperantes cuando todo sucedió, opiniones que entonces tenían validez para el niño. En este sentido, la hermana Antonia es ese ser que para sí ha creado subjetivamente el narrador niño, sea o no plausible lo que él atribuye a ella y al mundo en que ambos se desenvolvieron.

Lo que acabo de afirmar lo encuentro bien documentado en la contraposición de la primera y última secciones del relato (según mis comentarios sobre ellas) y en otros dos pasajes. En todos ellos, lo que contiene el texto da la impresión de ser digresiones al no resultar indispensables a la historia del narrador-niño de ser ella aceptada literalmente.

En la sección III, el narrador-niño describe una capilla que visitó con Antonia. Y añade este narrador, valiéndose ahora, sin embargo, de su perspectiva de adulto, que «Cuando yo era niño, aquella capilla tenía para mí una sensación de paz campesina. Me daba un goce de sombra como la copa de un viejo castaño...» (p. 66). La distancia cronológica que he mencionado queda establecida con el uso del pretérito imperfecto de indicativo (en vocablos como «era», «tenía», «daba»). Y continúa el narrador de hoy en su recreación de una atmósfera en la que él ya no puede creer a pesar de desearlo:

> Por las tardes siempre había corro de viejas rezando las Cruces. Las voces, fundidas en un murmullo de fervor, abríanse bajo las bóvedas y parecían iluminar las rosas de la vidriera como el sol poniente. Sentíase un vuelo de oraciones glorioso y gangoso, y un sordo arrarstrarse sobre la tarima, y una campanilla de plata agitada por el niño acólito, mientras levanta su vela encendida sobre el hombro del capellán, que deletrea en su breviario la Pasión. ¡Oh, Capilla de la Corticela, cuándo esta alma mía, tan vieja y tan cansada, volverá a sumergirse en tu sombra balsámica! (p. 66).

Indudablemente, lo que le falta al narrador adulto es la habilidad de compartir con la colectividad («corro de viejas [...] fundidas en un murmullo de fervor»), creencias que si bien fueron de él ya no lo son,[22] voces que tienen el extraordinario poder de —en un tipo de sinestesia— «iluminar las rosas de la vidriera como el sol poniente». Dicho de otra forma, lo que preocupa al narrador adulto por el que, necesariamente, tiene que filtrarse el narrador niño, es esa sensibilidad que en su ayer le permitía dar crédito a las supersticiones que prevalecían colectivamente en Galicia. Por ello, este narrador adulto puede reflexionar en la sección X de la siguiente forma: «cabeza de niño sobre quien pesan las lúgubres cadenas de la infancia: El latín de día, y el miedo a los muertos, de noche» (p. 71). Y es que el narrador adulto detecta lo que le falta, a la vez que percibe la belleza de poder creer en algo que profesan también quienes le rodean, sin que importe mucho que dicho algo provocara horror en él.[23] De aquí que comience y concluya su relato con referencias a Santiago de Compostela, lugar en el que todavía pone sus esperanzas para poder alcanzar una perspectiva imaginativa que le resulte auténtica. Al hacerlo, el narrador deja de ser, por consiguiente, fidedigno: ni en el hoy ni en el ayer del narrador se puede confiar el lector implícito al estar el uno motivado por la añoranza de una percepción de la realidad y el otro por un deseo de vivificar aquello en que supuestamente creyó y que el narrador-niño mismo dice que se le ha esfumado como esas figuras que se desvanecen ante sus ojos,[24] o como el tiempo que transcurre y del que llega a perder toda noción en varios lugares del relato.[25]

Este deseo de expresar lo que ya no se posee puede hacer más comprensible el porqué el narrador-niño opta —supeditado como está el narrador extradiegético— por no explorar otros caminos que le expliquen lo que sucedió con su hermana y con su madre. Tampoco se puede ignorar al respecto que él es un niño:

> Me pareció oír gritos en el interior de la casa, y no osé moverme, con la vaga impresión de que eran aquellos gritos algo que yo debía ignorar por ser niño. Y no me movía del hueco del balcón, devanando un razonar medroso y pueril, todo confuso con aquel nebuloso recordar de reprensiones bruscas y de encierros en una sala oscura. Era como envoltura de mi alma, esa memoria dolorosa de los niños precoces, que con los ojos agrandados oyen las conversaciones de las viejas y dejan los juegos por oírlas. Poco a poco cesaron los gritos [...] (p. 75).

Es decir, la perspectiva infantil del narrador —el hecho de que es un niño— impide que adopte una posición diferente a la que debe poseer y va a ilustrar esa fusión con las creencias de la colectividad por la que siente tanta morriña el narrador adulto (obsérvese también que en esta cita hay un indicio sobre cómo el niño era castigado en forma tal que se despiertan sus aprensiones).

Lo ya dicho, la selectividad con que el narrador niño lo interpreta todo, queda documentado también cuando, curiosamente, ignora ciertas inconsistencias en lo que le rodea: por ejemplo, cuando Antonia es descrita en la p. 79 como «pálida y suplicante» (algo que demuestra preocupación por su madre) y «sin lágrimas» (o sea, todo lo opuesto), o cuando en la p. 81 se la presenta como sollozando y con una risa violenta ante la muerte de su madre (en el contexto de este segundo ejemplo, parece que la joven está poseída, cuando su actitud, muy probablemente respondiese a la gran tensión —quizá un estado de histeria— que sentía ante el fallecimiento de su progenitora [no se olvide que momentos antes ella había rescatado al niño de los brazos de la Galinda cuando ésta había querido que besase a su madre —algo que aterrorizó al niño—, demostrando así amor por él, para acto seguido, abusar de él retorciéndole una mano]), o cuando en la p. 65 el estudiante puede tomar agua bendita (algo ilógico si fuese una figura diabólica) para dársela a Antonia.[26]

Otro escritor hispánico de nuestro siglo, Ernesto Sábato, ha dicho que «la ficción es una indagación de la verdad de la condición humana»[27] y, de hecho, esto es lo que consigue «Mi hermana Antonia» a la vez que presenta cómo un hombre —el hermano de Antonia— visualiza aspectos deseables en la realidad según sus aspiraciones existenciales. La exploración del hombre que documenta este relato constituye en sí otro indicio directo de cómo la obra de Valle-Inclán evolucionó. Si bien la Galicia milagrera y rústica todavía aparece en este texto, lo importante aquí es el ser humano con sus creencias individuales que contrastan con las percepciones colectivas del pueblo gallego al no poder comulgar el hermano de Antonia —a pesar de quererlo— con aquellas supersticiones que de niño ejercieron tanta influencia sobre él.[28] En este sentido, «Mi hermana Antonia» es un punto extremo en el desarrollo de los escritos narrativos breves de don Ramón, al detectarse en este texto un avance de lo sobrenatural como algo verídico (como es el caso con «Rosarito») a un plano intermedio donde lo sobrenatural coexiste con deficiencias humanas en la definición de cómo es en verdad el cosmos (recuérdese «Beatriz»).[29] Esta evolución le es perceptible al lector cuando se vale de ciertos conceptos narratológicos que aquí se han discutido y que permiten la formulación de conclusiones sobre el enigma inenigmático del mundo de «Mi hermana Antonia».

NOTAS

1. «Opiniones», en *Julio Romero de Torres*, Madrid, Tipografía Artística, s.f., pp. 11-12.

2. Por ejemplo, la de Ernesto Da Cal, «Observaciones sobre "Mi herma-

na Antonia"», *Ramón del Valle-Inclán. An Appraisal of his Life and Works*, ed. por Anthony N. Zahareas, Rodolfo Cardona y Sumner Greenfield, Nueva York, Las Americas Publishing Co., 1968, p. 276, y la de William R. Risley, «Hacia el simbolismo en la prosa de Valle-Inclán», *Anales de la Narrativa Española Contemporánea,* 4, 1979, pp. 59-61.

3. Citas y referencias a «Mi hermana Antonia» provienen de *Jardín Umbrío*, 5.ª ed., Madrid, Espasa-Calpe, 1979. La versión original de «Mi hermana Antonia» es prácticamente idéntica a la que hoy es incluida en *Jardín Umbrío* (existen pequeños cambios en la colocación tipográfica de algunos textos, unas pocas alteraciones en la puntuación, y la sección XVII de la edición actual originalmente correspondía a las secciones XVII y XVIII en la impresión original). Véanse: *Cofre de sándalo*, Madrid, Librería General de Victoriano Suárez, 1909, pp. 93-141; *El cuento galante,* I, n.º 2 (17 de abril de 1913); *Los contemporáneos,* X, n.º 447 (21 de febrero de 1918); *Jardín Umbrío. Opera Omnia,* vol. XII, Madrid, Sociedad General de Librería Española, 1920, pp. 107-40; *Jardín Umbrío,* ed. por Paul Patrick Rogers, Nueva York, Henry Holt and Company, 1928, pp. 42-63; y *Flores de almendro,* Madrid, Librería Bergua, 1936, pp. 57-72.

4. De la relación entre los dos jóvenes sabemos poco, ya que todo proviene, en última instancia, de cómo el niño interpreta las cosas. Nada de lo que se dicen los dos enamorados puede ser concebido como algo tenebroso. Sólo en un sitio, el estudiante afirma querer el alma de Antonia y no su cuerpo (p. 69). Si bien esta aseveración puede ser interpretada de varias formas, en mi opinión se ajusta a una concepción romántica del cosmos y no a nada más.

5. Existe un tercer intento fallido (pp. 76-77) que será enfocado por separado más tarde.

6. Véanse J.C. Cooper, *An Illustrated Encyclopaedia of Traditional Symbols,* Londres, Thames and Hudson, 1978, p. 30; Juan-Eduardo Cirlot, *Diccionario de símbolos*, 4.ª ed., Barcelona, Labor, 1981, p. 214; José Antonio Pérez-Rioja, *Diccionario de símbolos y mitos*, 2.ª ed., Madrid, Tecnos, 1971, p. 221, y Rafael Medrano, *Diccionario de las ciencias ocultas*, Barcelona, De Vecchi, 1985, p. 68.

7. Justo Saco Alarcón, *Técnicas narrativas en «Jardín Umbrío»*, tesis doctoral, The University of Arizona, 1974, no se percata de la forma en que el niño describe a Máximo a finales del cuento.

8. Ya Claude Lévi-Strauss se ha expresado sobre cómo la vigencia de lo sobrenatural depende en parte de las creencias de la colectividad local (*Antropología estructural,* trad. por Eliseo Verón [Buenos Aires, Editorial Universitaria de Buenos Aires, 1968], p. 152).

9. Significativamente, en el velorio de su madre, el niño es testigo de «relatos de aparecidos y de personas enterradas vivas» (p. 82) que hacen las mujeres. Historias de este tipo ejercen sobre su imaginación gran influencia.

10. En lo que conocemos, la crítica es unánime en su aceptación implícita o explícita de lo que el niño sustenta cual algo documentable en el mundo de este cuento. Véanse, por ejemplo, Enrique Segura Covarsí, «La flora y la fauna en la obra de Valle-Inclán», *Revista de literatura,* 23-24, 1957, p. 52; Hebe Noemi Campanella, «Aproximación estilística a un cuento de Valle-Inclán», *Cuadernos Hispanoamericanos,* 199-200, 1966, pp. 374-5; Emma Susana Speratti-Piñero, «Los brujos de Valle-Inclán», *Nueva Revista de Filo-*

logía Hispánica, 21, 1971, p. 4 y pp. 48-49; Verity Smith, *Ramón del Valle-Inclán,* Nueva York, Twayne Publishers, 1973, p. 107; Alarcón, pp. 31 y 51; Ernest C. Rehder, «Concentric Patterns in Valle-Inclán's *Jardín Umbrío»*, *Romance Notes,* 18 (1977), 63, y Eliane Lavaud, *Valle-Inclán: du journal au roman (1888-1915),* [París], Klincksieck, 1979 [1980], pp. 206-207.

11. Indudablemente, en esta escena ocurren sucesos extraños (por ejemplo, el diálogo sobre el diablo y la salida del cura). Sin embargo, es plausible asumir que el sentido último de lo que pasa se nos escape debido a que quien lo interpreta todo es un niño, cuya capacidad intelectual no está todavía suficientemente desarrollada como para poder entender lo que acontece a su alrededor y quien, inconscientemente, se deja influir por quienes conviven con él. La figura del narrador será discutida más detalladamente después. Una interpretación diferente a la mía sobre el pasaje del Padre Bernardo la da Alarcón, pp. 32-33.

12. En la sección VI (pp. 67-68) se discute el origen del estudiante sin que quede aclarado qué justificaba la posición de ella. Esto es significativo a la luz de cómo la madre de Antonia es descrita. Por ejemplo, durante una de las escenas en que el gato la tortura (p. 79) se dice que es alguien que tenía «una mano negra y otra blanca». Con anterioridad el narrador-niño ya había dicho que ella era «piadosa» (p. 68). Y añade este mismo narrador que «Mi madre era muy bella, blanca y rubia, siempre vestida de seda, con guante negro en una mano, por la falta de dos dedos, y la otra, que era como una camelia, toda cubierta de sortijas. Esta fue siempre la mano que besamos nosotros y la mano con que ella nos acariciaba. La otra, la del guante negro, solía disimularla [...], y sólo al santiguarse la mostraba entera, tan triste y tan sombría» (pp. 69-70). En los fragmentos que he citado se detecta una preocupación por parte del niño por las manos de su madre, al quedar la que no está enguantada como algo hermoso que demuestra cariño por sus hijos mientras que en la otra él percibe tristeza y sombra (siendo esto último quizá indicio de algo tenebroso). Asimismo, la mano enguantada es negra, color que en el simbolismo cristiano recuerda al Príncipe de las Tinieblas al representar la maldad (Pérez-Rioja, p., 313), mientras que la otra mano es blanca, siendo este color símbolo de pureza (Pérez-Rioja, p. 97). Dicho de otra forma, a través de «Mi hermana Antonia» se tienen indicios simbólico-gráficos de la coexistencia del bien y del mal en la madre de Antonia, ser que en sus actos con sus hijos aparentemente demuestra bondad mientras que hace lo opuesto al oponerse a Máximo Bretal, sin que su conducta quede justificada en el texto.

Por su parte, para Alarcón (p. 32), la oposición de la dama respondía a que estos amores de su hija eran «no sólo ilícitos sino sacrílegos [...] por estar [Máximo] ordenado *in sacris*». De lo aseverado por Alarcón no hay elaboración en el texto (sólo en una ocasión se menciona que «ya tenía Ordenes Menores» [p. 68]).

13. Consideremos algunos ejemplos más. En dos ocasiones, el hermano de Antonia cree ver parecidos entre Basilisa y las gárgolas monstruosas de la Catedral (pp. 71 y 72), siendo esto indicio de su rica imaginación (véanse Harold Osborne, ed., *The Oxford Companion to Art,* Nueva York, Oxford University Press, 1970, p. 459, y *Enciclopedia Universal Ilustrada Europeo-Americana,* vol. 25, Madrid, Espasa-Calpe, 1924, p. 858; por todo el texto,

el niño demuestra temor y está predispuesto adversamente por Máximo Bretal (tenía para él «cara de muerte» [pp. 65 y 67], sabía que su madre «le odiaba» [p 65], vincula el amor de su hermana por él con el diablo cuando dice «[...] adiviné el secreto de mi hermana Antonia. Lo sentí pesar sobre mí como pecado mortal, al cruzar aquella antesala donde alumbraba un quinqué de petróleo [...] La llama hacía dos cuernos, y me recordaba al Diablo. Por la noche, acostado y a oscuras, esta semejanza se agrandó dentro de mí sin dejarme dormir, y volvió a turbarme otras muchas noches» [pp. 66-67]; cree que el gato al maullar «conformaba su maullido sobre el nombre del estudiante» [p. 67]).

14. Sobre la figura del narrador se ha expresado Shlomith Rimmon-Kenan, *Narrative Fiction: Contemporary Poetics,* Nueva York, Methuen, 1983, pp. 71-72.

15. Por supuesto, cualquier historia narrada en el nivel hipodiegético por un personaje ocurrirá en el nivel hipodiegético. Un breve ejemplo lo ofrece lo que Basilisa «vino contando» sobre el Padre Bernardo después de la entrevista del cura con la madre de Antonia (p. 74).

16. Esto hace más comprensible que Campanella (p. 374), no distinga entre las figuras del narrador y autor real de este cuento.

17. Medrano (p. 109). El mero hecho de que se esperen milagros es indicio de que pueden ocurrir.

18. El tipo de demora narrativa que se detecta en este cuento es aquel que Rimmon-Kenan denominó *past oriented* (pp. 125-7). En otro contexto, Campanella (p. 373) afirma que la primera sección se refiere a lo que acontecerá más tarde en el cuento.

19. Otra diferencia entre las dos secciones está en el uso de diferentes giros. En la primera, «las almas todavía *guardan* allí los ojos *atentos* para el milagro» (p. 65, énfasis mío). O sea, las almas mantienen fija la atención en expectativa del milagro (el verbo guardar implica aquí «preservar una cosa del daño que le puede sobrevenir»). Por su parte, en la última sección se dice que «las almas todavía *conservan* los ojos *abiertos* para el milagro» (p. 84, énfasis mío). En este caso, el verbo «conservar» junto con el adjetivo «abierto» pone énfasis en cómo la gente en Santiago, según se documenta en las secciones II y XII del relato, continúa con sus viejas costumbres y creencias. Dicho de otra forma, en el primer caso la gente está a la expectativa del milagro mientras que en el segundo aceptan sin duda su existencia, al ser permitido por su percepción de la realidad (no olvidemos que no es lo mismo decir «guardar atento» que «conservar abierto»: el uno demuestra preocupación —atención, expectativa, vigilancia— por algo, mientras que el otro implica libre acceso a algo). Sobre estas palabras véase el *Diccionario de la lengua española* de la Real Academia Española, 20.ª ed., 2 tomos, Madrid, Espasa-Calpe, 1984.

20. Véase, por sólo dar un ejemplo, lo que Jesús Rodríguez López dice sobre los maleficios. *Supersticiones de Galicia y preocupaciones vulgares*, 8.ª ed., Lugo, Celta, 1979, pp. 165-71.

21. Es decir, según el «autor implícito» (Rimmon-Kenan, pp. 86-88). Recuérdense mis interpretaciones de la conversación entre la madre de Antonia y el Padre Bernardo, del efecto de quienes rodean al narrador niño sobre sus percepciones, etc.

22. No se olvide cómo para Valle, Santiago de Compostela ejemplificaba

lo eterno, lo continuo e inmóvil en el tiempo. Esta percepción suya es vinculable a las antiguas convicciones de un pueblo fervoroso según se manifiestan en la Capilla de la Corticela. Véase *La lámpara maravillosa*, 3.ª ed. Madrid, Espasa-Calpe, 1974, pp. 103-105.

23. Obsérvese cómo hay un ser en el cuento que no comparte el temor por los muertos. Esta señora, la abuela del narrador, por sus años y aparente falta de ternura (p. 83) puede besar «a mi madre en los ojos mal cerrados, sin miedo al frío de la muerte y casi sin llorar» (p. 82).

24. Por ejemplo, su madre (pp. 66 y 69) y su hermana (p. 68). En este sentido ni aun en el ayer de la perspectiva infantil los seres humanos resultan muy concretos al tornarse invisibles ante el narrador.

25. En dos lugares se mencionan días muy largos (pp. 76 y 77); en otro se llega a admitir que no se sabe si pasó una o muchas noches. En este último ejemplo lo recordado es aún más impreciso al transpirarse todo por los sueños (p. 79). La desorientación del narrador niño es tal que cuando le conducen al lecho de muerte de su madre no sabe con certeza quién le lleva: «Me fueron empujando hacia adelante algunas manos que salían de los manteos oscuros, y volvían prestamente a juntarse sobre las cruces de los rosarios. Eran las manos sarmentosas de las viejas que rezaban en el corredor, alineadas a lo largo de la pared, con el perfil de la sombra pegado al cuerpo» (p. 80). En esta cita, el predominio de las manos anónimas recalca la imprecisión que caracteriza las percepciones del niño.

26. Dos hechos que quedan sin explicación completamente satisfactoria son cuando el fraile revela el secreto de confesión de Máximo, algo que no le está permitido (p. 72), y cuando la madre de Antonia se queja de que un gato araña bajo el canapé (nadie que no sea Antonia puede ver y escuchar a este gato y aun Antonia, extrañamente, deja de sentirlo a pesar de que su madre lo sigue escuchando [pp. 74-75]. Como ya he dicho, aun de aceptarse la presencia del gato en esta escena, hasta cierto punto podría ser interpretada como una manifestación del castigo de la madre de Antonia al haber demostrado tan poca caridad por Máximo).

Estos sucesos y la extraña salida del Padre Bernardo no tienen suficiente peso como para justificar que este cuento resulte ser «ambiguo» según este término es definido por Shlomith Rimmon, *The Concept of Ambiguity—The Example of James*, Chicago, The University of Chicago Press, 1977, pp. 9-25, 51-55. Todas estas incógnitas bien pueden ser explicadas por la perspectiva limitada del niño-narrador (algo claramente prevalente a través del texto) y otros factores ya aludidos.

27. *Páginas de Ernesto Sábato seleccionadas por el autor*, Buenos Aires, Celtia, 1983, p. 123.

28. Summer M. Greenfield ya se refirió a este desarrollo en el arte de Valle-Inclán al discutir *El embrujado* (1913). Léase *Ramón del Valle-Inclán: anatomía de un texto problemático*, Madrid, Fundamentos, 1972, pp. 134-5.

29. En términos cronológicos la evolución que he mencionado resulta lógica si se recuerda que las primeras versiones de «Rosarito», «Beatriz» y «Mi hermana Antonia» aparecieron, respectivamente, en 1895, 1900 y 1909. Nótese como entre ambos extremos han transcurrido catorce años. Sobre los restantes dos relatos me expreso en un libro que sobre la narrativa breve de Valle estoy terminando.

LA «BARBARIE» DE LAS «COMEDIAS BÁRBARAS»

Leda Schiavo
(University of Illinois at Chicago)

Un adjetivo con historia

Cuando Valle-Inclán calificó de *bárbaras* a sus comedias lo hizo siguiendo una tradición literaria. Leconte de Lisle había usado el adjetivo al publicar dos poemas en la *Revue Contemporaine* en octubre de 1858, poemas que luego incluiría en la primera edición de *Poésies barbares* (1862). Diez años después, con agregados y modificaciones, el libro se llamaría *Poèmes barbares*. Dejando aparte a Grecia y la India, Leconte agrupa bajo este título poemas que tratan sobre Egipto, Finlandia, Escandianvia, Polinesia, sobre los celtas, los árabes y los indios americanos, sobre el Cid y don Pedro *el Cruel*.

En principio, «el más griego de los artistas» despreció a los bárbaros, como despreció a la Edad Media y al cristianismo oficial. Lo expresó con claridad en su discurso de ingreso en la Academia (31 de marzo de 1887), donde usa la palabra barbarie con connotación negativa: «[…] les noires années du Moyen Âge, années d'abominable barbarie, qui avait amené l'anéantissement presque total des richesses intelectuelles héritées de l'antiquité».[1] Pero la elección de un tema implica una cierta fascinación por él, y parece evidente que el autor se sintió atraído por «les passions vigoureuses des races jeunes et naïves».[2] es como si, a pesar de sí mismo, Leconte de Lisle se convirtiera en el abanderado de quienes exaltan la fuerza redentora de la barbarie. Es la interpretación, creo, de Rubén Darío, quien en la semblanza de *Los raros* afirma:

> Como había en su reino poético, suprimido todo anhelo por un ideal de fe, la inmensa alma medieval no tenía para él ningún fulgor; y calificaba la Edad Media como una edad de abominable barbarie. Y he aquí que ninguno entre los poetas, después de Hugo, ha sabido poner delante de los ojos modernos, como Leconte de Lisle, la vida de los caballeros de hierro, las costumbres de aquellas épocas, los hechos y aventuras trágicas de aquellos combatientes y de aquellos tiranos; los sombríos cuadros monacales, los interiores de los claustros, los cismas, la supremacía de Roma, las musulmanas barbaries fastuosas, el ascetismo católico, y el temblor extranatural que pasó por el mundo en la edad que otro gran poeta ha llamado con razón, en una estrofa célebre, «enorme y delicada».[3]

Darío revaloriza la Edad Media y esta descripción concuerda con la que hará al referirse a las *Comedias bárbaras*, cuando intenta definir el adjetivo usado por Valle-Inclán. Veremos la cita más adelante.

Unos años después de Leconte de Lisle, Carducci calificó sus *Odas* de bárbaras, pensando no en el contenido sino en la forma. Él mismo lo afirma en el *Colofón* a la primera edición de 1877: «Queste odi le intitolai barbare, perché tali sonerebbero agli orecchi e al giudizio dei greci e dei romani, se bene volute comporre nelle forme metriche della loro lirica, e perché tali soneranno pur troppo a moltissimi italiani, se bene composte e armonizzate di versi e accenti italiani».[4]

También Eça de Queiroz usó el adjetivo *bárbaras* para sus *Prosas*, pero el título sólo apareció en la edición póstuma de 1903. Habían sido publicadas en la *Gaceta de Portugal* a partir de marzo de 1866 con el título de *Notas marginales*. Si hemos de creer las anécdotas, Eça usó el adjetivo por modestia con su tradicional connotación negativa: cuando en 1871, Jaime Batalha Reis le aconsejó que reuniese en un volumen los folletines, Eça le habría contestado: «Tal vez tengas razón. Tal vez debe publicarse esto en libro [...]. Pero bajo el subtítulo crítico y severo de *Prosas bárbaras*».[5]

Rubén Darío tiene un *Epitalamio bárbaro* en *Prosas profanas*, donde el bárbaro es Sagitario, «que ha robado una estrella». El adjetivo no parece tener un signo positivo en este título, como tampoco lo tiene en «Los bárbaros, Francia, los bárbaros, cara Lutecia», la famosa poesía fechada en 1893 e incluida en *El canto errante*; los bárbaros tampoco están idealizados en el primer poema de *Los cisnes:*

Brumas septentrionales nos llenan de tristeza
[...]
¿Seremos entregados a los bárbaros fieros?
¿Tantos millones de hombres hablaremos inglés?

En *El triunfo de Calibán,* escrito, como lo anterior, a raíz de la derrota española de 1898, vuelve a considerar bárbaros a los *yanquis:* «Son enemigos míos, son aborrecedores de la sangre latina, son los bárbaros».[6]

En 1897 aparece *Castalia bárbara* dc Ricardo Jaimes Freyre. El extraño y sonoro título concuerda con la serie de trece poemas, en los que el gran modernista boliviano expone su fascinación por una idealizada Edad Media nórdica. El autor lo explica prolijamente al justificar la elección del título:

> [...] una serie que he llamado *Castalia bárbara* porque mi pensamiento artístico se ha abrevado para su concepción en las nebulosas fuentes septentrionales, adonde no llegaron los fulgores del gran sol helénico. Allí donde el espíritu cree ver agitarse un extremo del manto de la divina Poesía, allí encontrará las aguas límpidas de Castalia. Yo las he buscado en la Edad Media, soñadora y heroica, porque he visto en ese mar inmenso las olas armoniosas de la leyenda y el ensueño, al mismo tiempo que el triunfo del valor, de la energía y de la fuerza.[7]

Valle-Inclán utilizó el título *Comedia bárbara* para un adelanto de *Águila de blasón* que publicó en *El Imparcial* el 18 de junio de 1906.[8] Quizás inspiró a Ortega y Gasset el título de una crónica de pocas semanas después, ya que el 6 de agosto aparece, también en *El Imparcial*, su *Crítica bárbara*, en la que Ortega elogia la barbarie, pero la opone a quienes hacen literatura de decadencia, es decir, a quienes «se desentienden de todos los intereses humanos y nacionales para cuidarse del virtuosismo» (y de Valle-Inclán había dicho que era un virtuoso poco antes) y agrega: «Para ese desdén hacia la calle, propio de la aristocracia femenina, sólo hay una respuesta: la crítica bárbara, la que no se deja llevar a discusiones sutilísimas de técnica ni a sensiblerías estéticas [...] sino que, como los bárbaros de Alarico entrando en Roma [...]».[9] Ortega y Gasset cree que la barbarie salva, que dio nuevas fuerzas al Imperio romano decadente, y no es extraño que extienda el concepto a la Generación del 98. En una carta dirigida a Unamuno, fechada el 6 de enero de 1904, expone esta idea: «Aquéllos traían algo de frescura y de vida antiliteraria, e hicieron una irrupción de bárbaros en estos campos de las ideas»,[10] y la hace más explícita en un artículo sobre Baroja inédito hasta 1964:

> Unamuno, Benavente, Valle-Inclán, Maeztu, Martínez Ruiz, Baroja... Fue una irrupción insospechada de bárbaros interiores. No vinieron de fuera, todo lo contrario. Vinieron del centro mismo de la mitología nacional [...].
>
> Todos poseían la conciencia de que una España fuerte no podía salir por evolución normal de la vieja España [...].
>
> Y los bárbaros aquellos, nuevos Hércules, se pusieron a limpiar los establos de Augias.[11]

Después de Valle-Inclán, un autor casi desconocido, Fernando López Martín, publicó sus *Sinfonías bárbaras* en 1915. Quizás no lo recordaríamos, si no hubieran provocado unas páginas críticas de Rafael Cansinos Assens, reveladoras de las asociaciones imaginativas que la palabra provocaba en la época. Cansinos se refiere a los poemas de Wagner «en que se canta la bárbara belleza de los combates» (p. 175), a los libros de Nietzsche, en especial *Los orígenes de la tragedia* y *Zaratustra*, donde se «fija el verdadero alcance del arte y el pensamiento bárbaro» (p. 176), a la obra de Darío, exaltadora de los mitos pánicos, y a las de Villaespesa, Valle-Inclán, Manuel Machado y Marquina, en las que «se ensalzan las infanzonas góticas y las libres alegrías paganas». «Este amor a la fuerza —dice Cansinos Assens— resucitó en el novecientos bajo las formas del arte llamado bárbaro, que simpatiza —y he aquí su sentido pánico— con todas las fuertes energías no academizadas.» Afirma luego (p. 178) que «Unamuno adopta el epíteto de bárbaras para un haz de poesías, a ejemplo de Carducci», pero no he podido confirmar este dato.[12]

Civilización vs. barbarie

Son extrañas las vicisitudes que han sufrido en castellano, a lo largo de la historia, estos conceptos. Como pareja bien avenida, se han intercambiado simbióticamente los significados. *Civil*, hasta el siglo XVII significó, por oposición a *militar*, «desestimable, mezquino, ruin y de baxa condición y procedere» y quería decir «cruel» cuando calificaba a «muerte» y «guerra». *Acivilar* está documentado en los siglos XVI y XVII con el significado de «envilecer».[13]

En el extremo opuesto tenemos el significado ponderativo de *bárbaro*, extendido en todo el ámbito hispánico, del que se duele María Moliner considerándolo «un neologismo usado por gente joven». Sus ejemplos son «hace un frío bárbaro», «tengo un plan bárbaro», «lo hemos pasado bárbaro».

La palabra *civilización* entró en España en el siglo XVIII importada, con la ideología correspondiente, desde Francia. Se han ocupado de su uso y de las polémicas que surgieron con el uso, W. Krauss, J.A. Maravall y J. Escobar.[14]

La ponderación de la barbarie tiene viejos antecedentes, aunque el *Diccionario Histórico* de la RAE de 1936 no trae ningún ejemplo en el que bárbaro sea usado con algún sentido positivo. Entre las papeletas compiladas para el próximo, que pude consultar en la Academia, figuran, sin embargo, ejemplos en los que *bárbaro/barbarie* no tienen un contenido negativo. Valgan los siguientes: «A este Don Luis, por su gran resolución en ejecutar, lo llamaron el bárbaro, más por honra que desprecio...» (Correas, *Vocabulario de refranes* (1631), Madrid, Tipografía de la Revista de Archivos, Bibliotecas y Museos, 1924, p. 330, c. 2.). «De nuestros bellos cantos populares, / y el lujo oriental de su riqueza, / considerada su bárbara grandeza» (Zorrilla, *Granada*, Madrid, Imprenta y Litografía de los Huérfanos, 1895, I, p. 199). «Puede haber un bárbaro muy sabio que almacene [...] complicados conocimientos» (Unamuno, *Por tierras de Portugal y España,* Buenos Aires, Austral, 1944, p. 160). «Un héroe tiene siempre algo de *bárbaro*, indudablemente» (Zorrilla San Martín, *La epopeya de Artigas*, Barcelona, L. Gili, 1916, I, p. 222). «La faz, bárbara e ingenua de Tigre Juan, guardaba cierta semejanza con la de Atila» (1926). (Pérez de Ayala, *Tigre Juan*, Buenos Aires, Austral, 1944, p. 11). «Te quiero precisamente por tu magnífica barbarie, contrapuesta al sentido burgués y artificial de la vida» (Ricardo León, *Cristo en los infiernos*, Madrid, V. Suárez, 1941, p. 202). «Era un arte, digamos [y digámoslo sin sentido peyorativo] bárbaro» (Dámaso Alonso, *Poesía española*, Madrid, Gredos, 1950, p. 132).

Este breve excurso en el léxico español refleja un aspecto de las conflictivas relaciones que a lo largo de la historia tuvieron los conceptos de civilización y barbarie. Saliendo del léxico español para llegar a la historia de las ideas, es sabido que la civilización ha sido considerada desde muy antiguo como corruptora y debilitadora. Basta recordar el conocido comienzo de *De Bello Gallico*, donde Julio César elogia a los belgas:

> Horum omnim fortissimi sunt Belgae, propterea quod a cultu atque humanitate provinciae longissime absunt, minimeque ad eos mercatores saepe commeant atque ea, quae ad effeminandos animos pertinent, important.

Los mitos de la Edad de Oro y el buen salvaje son testimonio de cómo el primitivismo ha excitado la imaginación del hombre más o menos civilizado. La maldad de la civilización y las virtudes de la naturaleza llegaron, a través de Rousseau, a ser parte de la sensibilidad romántica.

A medida que avanza el siglo XIX, la idea adquiere un *frisson nouveau*. No es sólo que la barbarie puede salvar a una civilización envilecida, es que se exalta la crueldad y el horror. Gautier lo hace en *Mademoiselle de Maupin* (especialmente en el cap. VIII), tras las huellas del divino Marqués, y vuelve sobre el tema en el conocido prólogo a *Las flores del mal*: «Mezclando en su caldero mágico toda clase de filtros envenenados, Baudelaire puede afirmar, como las Brujas de Macbeth, «Lo bello es horrible y lo horrible es bello».[15]

Estamos tratando, pues, una palabra con abolengo literario. Y hasta tenemos la suerte de que el mismo Darío nos haya dado su definición al referirse a las *Comedias bárbaras* y haya hecho una lista de las asociaciones imaginativas que le suscitaba:

> Bárbaro en esta extensión de la palabra es lo que en expresión, simbolismo o manera de ser, representa una mentalidad medieval, ásperamente expresiva, invasora y gótica; popular en lo del fondo del corazón del pueblo: feudal, caballeresca, burgrave, mística, llena de conocimientos o suposiciones milenarios, y al mismo tiempo ingenua, pagana en lo mucho que de paganismo tenía la Edad Media; con el sentido de fatalidad que había en tiempos de pestes extrañas y fulminantes que supiera comprender un Edgar Poe; y de peregrinos con sus conchas en las caperuzas; y de leprosos que, para atraer o alejar al viandante, tocaban sus esquilas en los caminos, mientras todo el orbe, desde el montículo papal, temblaba por el advenimiento de lo Extraordinario.[16]

Al acercarnos a fin de siglo, el movimiento decadentista contribuyó a propagar la idea de que era necesaria una inyección de sangre nueva para revitalizar un mundo demasiado viejo.[17] Los bárbaros, que habían visitado esporádicamente la imaginación europea desde el prerromanticismo, la invaden entonces. Son citas obligadas dc cualquicra quc trate este tema, el famoso *Plainte d'Automne* de Mallarmé:

> [...] la littérature à laquelle mon esprit demande une volupté sera la poésie agonisante des derniers moments de Rome, tant, cependant, qu'elle ne respire aucunement l'approche rajeunissante des Barbares et ne bégaie point le latin infantin des premières proses chrétiennes;[18]

el soneto *Langueur* de Verlaine (1883) y el famoso artículo de Paul Bourget sobre Charles Baudelaire en *Essais de psychologie contemporaine* (1881) en el que el crítico define el estilo de la decadencia.

Los bárbaros aparecen como salvadores en una curiosa asociación con los obreros en *Charles Demailly* de los hermanos Goncourt:

Quand une société était perdue, épuisée au point de vue physiologique, il lui transfusait le jeune sang d'Hercule. Qui sauvera le monde de l'anemie du XIXe. siècle? Sera-ce dans quelques centaines d'années une invasión d'ouvriers dans la société? [...][19]

Azorín repite la idea en *Anarquistas literarios*, pero cita el *Journal*. La cita es importante y ha merecido un comentario de Blanco Aguinaga en *Juventud del 98*. Escribe Azorín:

«El salvajismo es necesario cada cuatrocientos o quinientos años para revivificar el mundo», dicen los Goncourt en su *Journal*.

El mundo muere de civilización.

Antes, en Europa, cuando los viejos habitantes de una hermosa comarca sentíanse debilitados, caían sobre ellos, desde el Norte, bárbaros gigantescos, que vigorizaban la raza. Ahora que ya no hay salvajes en Europa, son los obreros quienes realizarán esta obra en una cincuentena de años.

Llamárase a esto la revolución social.[20]

Pero la barbarie, asociada con la aristocracia, tendría más poder de sugestión con la reelaboración literaria de la idea del superhombre nietzscheano. Es célebre el pasaje 1, 11, de *La genealogía de la moral*, donde Nietzsche se refiere a la «bestia rubia» y relaciona la barbarie con la verdadera nobleza y la aristocracia:

Son las razas nobles las que han dejado tras de sí el concepto «bárbaro» por todos los lugares por donde han pasado [...]. Esta «audacia» de las razas nobles, que se manifiesta de manera loca, absurda, repentina, este elemento imprevisible e incluso inverosímil de sus empresas [...] su indiferencia y su desprecio de la seguridad, del cuerpo, de la vida, del bienestar, su horrible jovialidad y el profundo placer que sienten en destruir, en todas las voluptuosidades del triunfo y de la crueldad [...].[21]

La descripción, qué duda cabe, se acomoda a Juan Manuel Montenegro y sus hijos. Lo vio perfectamente Gonzalo Sobejano, siguiendo a Cansinos Assens, en su *Nietzsche en España*.[22]

Pero la exaltación de la barbarie y de lo que podemos llamar «criminalidad heroica» es anterior a Nietzsche, como hemos visto, y pasa por la línea Sade-Gautier que, por los meandros Swinburne-D'Annunzio, llega a Valle-Inclán (no pretendo excluir a otros autores, pero me parece que nombro a los más importantes).

Es en este contexto donde hay que situar la exaltación del horror y la violencia en la *Sonata de invierno:*

> Yo sentí alzarse dentro de mí el ánimo guerrero, despótico y feudal, que haciéndome un hombre de otros tiempos, hizo en éstos mi desgracia [...]. Yo siento, también, que el horror es bello, y amo la púrpura gloriosa de la sangre, y el saqueo de los pueblos, y a los viejos soldados crueles, y a los que violan doncellas, y a los que incendian mieses, y a cuantos hacen desafueros al amparo del fuero militar.[23]

En las *Comedias bárbaras* se vuelve sobre estas ideas en la escena IV de la Jornada Segunda de *Águila de blasón* cuyo origen sadiano ha sido señalado hace muchos años. Don Pedrito viola a Liberata casi instrumentalizado por una tradición estético-literaria:

> Bajo la vid centenaria revive el encanto de las epopeyas primitivas, que cantan la sangre, la violación y la fuerza. Liberata la Blanca suplica y llora. El primogénito siente como un numen profético el alma de los viejos versos que oyeron los héroes en las viejas lenguas, y contiene a sus perros con grandes voces, y se acerca a la molinera, y le ciñe los brazos, y la derriba y la posee [...].[24]

No sólo el Marqués de Sade ha sido convocado: bajo la vid dionisíaca, los perros, la mujer desnuda y los «hilos de sangre roja» evocan la historia de Nastaggio degli Onesti reproducida por Boticelli. De haber sido juzgado por un tribunal, Don Pedrito hubiera podido aducir en su descargo que él también, y no sólo Liberata, era víctima de una tradición estética. Quizás por la misma razón debemos sobreseer a Alejandro Lerroux, ese azote de la burguesía catalana, quien en su célebre discurso de 1 de setiembre de 1906 —el mismo año en que *Águila de blasón* aparece en *El Imparcial*— incurre en un tópico decadentista:

Jóvenes bárbaros de hoy, entrad a saco en la civilización decadente y miserable de este país sin ventura, destruid sus templos, acabad con sus dioses, alzad el velo de las novicias y elevadlas a la categoría de madres para virilizar la especie, penetrad en los registros de propiedad y haced hogueras con sus papeles para que el fuego purifique la infame organización social, entrad en los hogares humildes y levantad legiones de proletarios, para que el mundo tiemble ante sus jueces despiertos.[25]

Podemos decir que no sólo la naturaleza, también los políticos imitan al arte. Pues *bien*, así como al marqués de Bradomín le parecía correcto en la *Sonata de invierno* que los soldados violaran doncellas y a Lerroux que los jóvenes bárbaros hicieran hijos a las novicias, muchos años antes, Algernon Swinburne, había conmovido el pudor británico con idéntica ideología. Cuando en 1876 Turquía sofocó una rebelión en Bulgaria, *The Times* publicaba con indignación las noticias de la masacre de mujeres y niños y de cómo un líder turco, llamado Sadick Bey, había violado y torturado a más de cien mujeres antes de asesinarlas. Swinburne defendió a Sadick Bey porque como su predecesor, el Marqués, había logrado la total liberación.[26]

Quizás tanto por influencia de Swinburne como de Nietzsche llega D'Annunzio al siguiente párrafo que citaré con el comentario de Emilio González Blanco, en un artículo aparecido en *La España Moderna* (mayo de 1903) con el título «D'annunzio y el anarquismo aristocrático»:

> D'Annunzio tampoco es socialista. ¿Ni cómo puede serlo desde que loa y canta con entusiasmo a sus aristócratas antepasados «por las bellas heridas que produjeron, por los bellos incendios que causaron, por las bellas copas que vaciaron, por los bellos palafrenes que blandieron, por las bellas ropas que vistieron, por las bellas mujeres que gozaron, por todos sus estragos, sus magnificencias, sus lujurias?».[27]

Es, en todo caso, la misma exaltación de la «audacia de las razas nobles» frente al «animal doméstico», «incurablemente mediocre y desagradable» de que habla Nietzsche en el párrafo citado.

En su referencia a lo bárbaro Rubén Darío había puesto el acento en lo imaginario medieval y su posible interpretación por una figura admirada a fin de siglo: Edgar Allan Poe. Pero su definición encuadra mejor con *Flor de santidad* que con las *Comedias bárbaras*. En las *Comedias* hay algo más, tal como lo vio R. Cansinos Assens al definir el arte bárbaro: Nietzsche, claro está, y su descripción de la aristocracia bárbara, que tan bien se acomoda a los Montenegro. Y Wagner, que pobló de bárbaros los escenarios del mundo y cuya influencia en las *Comedias bárbaras*, en lo que hace a la fascinación por la obra de arte total y al tono musical con que hablan los personajes, señaló Rivas Cherif y aceptó don Ramón («El vagnerismo *[sic]* que usted señala es indudable»).[28] Más la huella del Marqués de Sade y el prestigio de una palabra con tradición literaria, eufónica y llena de connotaciones.[29]

NOTAS

1. Cit. por Joseph Vianey, *Les «Poèmes barbares» de Leconte de Lisle,* París, E. Malfère, 1933, p. 94.

2. *Derniers poèmes.* Cit. por Alison Fairlie, *Leconte de Lisle's Poems on the Barbarian Races*, Cambridge, Cambridge University Press, 1947, p. 396. Interesante la interpretación de esta autora: «In his barbarians Leconte de Lisle is seeking the virility in his own age [...] is so lamentably lacking», *loc. cit.*

3. «Leconte de Lisle», en *Los raros, Obras completas,* XVIII, Madrid, Biblioteca Rubén Darío, 1929, p. 35.

4. Sobre la polémica desatada en torno a la métrica de las *Odas bárbaras,* véase Giorgio Santangelo, *Carducci*, 5.ª ed., Palermo, Palumbo, 1973, p. 25 ss.

5. Repite la anécdota Julio Gómez de la Serna en la «Acotación marginal» que precede a *Prosas bárbaras* en su traducción de las *Obras completas* de Eça de Queiroz, Madrid, Aguilar, 1948, II, pp. 1.189-1.190.

6. Son ecos de la polémica sobre la superioridad o no de la raza latina sobre la anglosajona que se produjo en Europa durante el siglo XIX. V. Lily Litvak, *Latinos y anglosajones. Orígenes de una polémica*, Barcelona, Puvill, 1980. L. Litvak trae otros ejemplos sobre el uso de la palabra «bárbaro».

7. «Castilla bárbara», en *El cojo ilustrado*, Caracas, año VI, 127, 1 de abril de 1897, p. 286. Cit. por Emilio Carilla, *Ricardo Jaimes Freyre*, Buenos

Aires, Ediciones Culturales Argentinas, Ministerio de Educación y Justicia, 1962, pp. 23-24.

8. Después de la publicación en forma de libro de *Águila de blasón* (1907) y *Romance de lobos* (1908) Valle-Inclán parece que pensó en calificar *El embrujado* de «nueva comedia bárbara». Así se anuncia el folletín en *El Mundo* el 6 de noviembre de 1912.

9. J. Ortega y Gasset, *Obras completas,* I, 4.ª ed., Madrid, Revista de Occidente, 1957, pp. 47 y 48. Agradezco este dato a Antonio Ramos Gascón.

10. La carta apareció en el ensayo «Almas de jóvenes», *Nuestro Tiempo*, año IV, 41, mayo 1904.

11. Ortega y Gasset, *Obras Completas*, IX, 2.ª ed., Madrid, Revista de Occidente, 1965, pp. 494, 495 y 496.

12. Véase R. Cansinos Assens, *Poetas y prosistas del 900,* Madrid, Editorial América, 1919, p. 177.

13. Véase María Rosa Lida, «Civil "cruel"», *Nueva Revista de Filología Hispánica*, 1, 1947, pp. 80-85 y Luis Jaime Cisneros, «Civil "cruel"», *Nueva Revista de Filología Hispánica*, 8, 1954, pp. 174-176 y también el *Diccionario crítico etimológico* de Corominas s.v. «civilización».

14. Véase José Escobar, «Civilizar», «civilizado» y «civilización», una polémica de 1763», en *Actas del VII Congreso de la Asociación Internacional de Hispanistas*, Venecia, 1980, Roma, Bulzoni, 1982, pp. 419-427 y «Más sobre los orígenes de "civilizar" y "civilización" en la España del siglo XVIII», en *Nueva Revista de Filología Hispánica*, 33, 1984, pp. 88-114.

15. *Baudelaire por Gautier / Gautier por Baudelaire,* Madrid, Nostromo, 1971, p. 41. Cfr. Baudelaire, «Hymne à la Beauté»: «Tu marches sur des morts, Beauté, dont tu te moques; / De tes bijoux l'Horreur n'est pas le moins charmant».

16. «Algunas notas sobre Valle-Inclán», *Obras completas*, II, Madrid, Afrodisio Aguado, 1950, p. 581.

17. Sobre este tema, véase Alfred E. Carter, *The Idea of Decadence in French Literature. 1830-1900*, Toronto, Toronto University Press, 1958, pp. 3 ss.

18. Stéphane Mallarmé, *Oeuvres complètes,* París, Gallimard, 1954, pp. 270-1. Este poema en prosa se tituló originariamente «L'Orgue de Barbarie».

19. París, G. Charpentier, 1877, p. 283.

20. Véase Carlos Blanco Aguinaga, *Juventud del 98*, Madrid, Siglo Veintiuno, 1970, p. 134.

21. Cito por la edición de la Editorial Alianza, Madrid, 1972, pp. 46-49. Introducción, traducción y notas de Andrés Sánchez Pascual.

22. Madrid, Gredos, 1967, pp. 213 ss.

23. Cito por la 1.ª edición, Madrid, Tipografía de la Revista de Archivos, Bibliotecas y Museos, 1905, p. 193.

24. Cito por la 1.ª edición, Barcelona, F. Granada, 1907.

25. Publicado en *De la lucha,* Barcelona, s.a.

26. Véase Donald Thomas, *Swinburne. The Poet of His World,* Nueva York, Oxford University Press, 1979.

27. Veamos la versión original: «"O molteplice Bellezza del Mondo"»,

io pregava allora "non a te soltanto sale la mia lode; non a te soltanto, ma anche ai miei maggiori, ma anche a quelli che seppero gioire di te nei secoli remoti e mi trasmisero il loro fervido e ricco sangue. Lodati sieno ora e sempre per la belle ferite che apersero, per i belli incendii che suscitarono, per le belle tazze che votarono, per la belle vesti che vestirono, per i bei palafreni che blandirono, per le belle femmine che godettero, per tutte le loro stragi, le loro ebrezze, le loro magnificenze e le loro lussurie sieno lodati; perché così mi formarono essi questi sensi in cui tu puoi vastamente e profondamente specchiarti, o Bellezza del Mondo, come in cinque vasti e profondi mari!"». *Le Vergini delle Rocce,* Milán, Arnoldo Mondadori, 1964, p. 419.

28. «La comedia bárbara de Valle-Inclán», en *España*, año X, 409, p. 104. Respuesta de Valle-Inclán en *España*, año X, 412, p. 150.

29. Terminado este artículo, pude consultar el *Diccionari etimològic i complementari de la llengua catalana,* de Joan Corominas, quien, *sub voce «bàrbar»,* reconoce que hacia 1900 los autores más representativos le otorgan un sentido ponderativo, y trae numerosos ejemplos. Cita también *Proses bàrbares* de P. Bertrana. Y quiero agregar aquí *Contes Barbares*, de Paul Gauguin, pintado en 1902.

A VUELTAS CON EL ESPERPENTO

Ángel G. Loureiro
(University of Massachusetts)

Todo texto es una pregunta. No un monumento que espera y acepta pasivamente la explicación que lo aclare y lo haga nuestro, ni tampoco un enigma que nos tienta inmóvil con un hermetismo que puede ser vencido si encontramos la clave secreta que lo alumbra. Nada hay de pasividad o de univocidad en la pregunta del texto: pregunta con que el autor nos desafía pero pregunta también con que nosotros respondemos a ese desafío, sin olvidar que también la obra contesta la pregunta que al autor plantea su mundo. Realidad, autor, obra y lector desaparecen así como entidades estables dejando paso a un diálogo múltiple en que cada respuesta adopta a su vez la forma de una nueva pregunta.

La historicidad

La interpretación comienza entonces con la formulación de unas preguntas que el texto aparentemente despierta en el lector, pero cuya intencionalidad viene dada por el contexto —ideología, prejuicios: historia en suma— desde el que se interpreta.[1] Viene esto a cuento porque la lectura de *Luces de Bohemia* y del esperpento en general disfruta ya de una larga tradición en la que lo que menos nos debe importar es la disparidad de las respuestas: conviene más plantear las preguntas que esas interrogaciones suscitan en sus lectores, lo cual nos llevará inevitablemente a descubrir y reformular las preguntas con que los intérpretes se acercaron a los textos de Valle-Inclán. Comencemos con uno de los libros más conocidos sobre el esperpento, el de Cardona y Zahareas: su «análisis sociopolítico» busca subrayar «el parentesco general entre la estructura de los esperpentos y la estructura de la sociedad española», para lo que parten de la idea de que lo grotesco en Valle (como técnica y como visión del mundo) debe explicarse por medio de los hechos históricos que determinan —y a los que apunta— la crítica social de Valle-Inclán.[2] Pero sucede que, si por una parte no resulta tarea fácil —ni clara— determinar en qué consisten esas estructuras de la sociedad y del esperpento —y mucho más espinoso el relacionarlas—, por la otra ese posible acuerdo entre estructuras y, de esta manera, el proyecto (pregunta) del que parten los críticos se ve minado por la misma respuesta que ofrecen en su libro.

A lo largo del libro queda en evidencia una tensión irresoluble entre un punto de vista mimético que se establece como premisa de partida y la presencia de una serie de rasgos en *Luces* que ellos mismos descubren pero que trascienden toda explicación mimética. De ahí el conflicto entre las páginas dedicadas a la «Elaboración esperpéntica de la historia» (pp. 88-99), en las que se postula que la deformación en los espejos cóncavos (ya se da aquí una contradicción entre mimetismo y deformación sobre la que se volverá más tarde) la efectúa Max «al analizar los sucesos contemporáneos de la inestabilidad política de 1919» (p. 90) y las páginas inmediatas, «Mito e historia en el esperpento» (pp. 99-115), en las que se señalan tres niveles en la narración, el circunstancial, el mítico y el existencial (p. 102). El nivel mítico lo alcanza *Luces* por medio de una red de símbolos —afirman—, de los cuales el más relevante es el del viaje a la oscuridad y posterior salida a la luz de Max —a la verdad de su condición—, conciencia de sí mismo de la que brotan la falta de autocompasión y la distancia artística con respecto a sí mismo. La «universalidad» de este nivel (se equipara a Max a Homero, Edipo y Belisario y al poeta romántico; se pone en relación el viaje a las tinieblas con el laberinto griego y el infierno cristiano) se encuentra en difícil equilibrio con la circunstancia española de la que, según los autores, *Luces* es reflejo, pues tal universalidad amenaza con trascender la supuesta realidad que le sirve de punto de partida. ¿Cómo puede seguir siendo válido el presupuesto inicial sobre el parentesco entre las estructuras de la historia española y del esperpento, si la primera se ve rebasada por el nivel mítico-simbólico con que los autores responden en su análisis? Igual conflicto irresoluble se desprende del estudio de lo grotesco, lo absurdo moderno, la sátira y la historia, especialmente en el apartado «Constantes del esperpento» (pp. 45-68) y en las pp. 88-89. Lo grotesco como tema o manera posee unas connotaciones filosóficas en la literatura moderna que los autores tienen muy presentes, pero también amenazan su proyecto original: de ahí que traten de dar respuesta al «problema de reconciliar lo grotesco como literatura con lo grotesco como realidad histórica» (p. 98) mediante un doble movimiento: afirmación repetida de las ataduras históricas del esperpento y diferenciación de Valle-Inclán con respecto a los autores del absurdo moderno: mientras las obras del teatro del absurdo (Ionesco, Becket) tienen una base «antihistórica y universal» (p. 98) y «constituyen juegos sutiles, abstracciones» (p. 99), «divagación metafísica» (p. 99), «soslayando la abstracción, la pura universalización y el puro esteticismo, Valle-Inclán logra en *Luces*, además de lo absurdo y la desvalorización de la tragedia, una posición comprometida y una autenticidad vital. La reconstrucción histórica y su fusión con lo grotesco circunstancial constituye, quizás, uno de los procedimientos más sutiles de la estética del esperpento» (p. 99). Las respuestas que ofrece *Luces* amenazan con arruinar la pregunta que pone en marcha el proceso interpretativo y por eso la necesidad de acallar, de puntualizar, de eliminar connotaciones universalistas indeseadas que darían al traste con lo que, desde el mismo comienzo del proceso hermenéutico, se quiere encontrar en el esperpento.

El conflicto irresoluble entre circunstancialidad histórica, por una parte, y simbolismo y «maneras» (lo grotesco, el absurdo) universales, por la otra, tiene su origen en el «prejuicio» estético por el que Cardona y Zahareas inscriben a

Luces en una concepción mimética de la literatura. Esta idea se asienta a su vez en otro presupuesto que, si en principio es elogiable, presenta graves riesgos cuando no se la asume con precauciones. Se trata de usar —sin cuestionarlas— las abundantes declaraciones sobre estética de Valle-Inclán —dentro y fuera de sus obras— como apoyo para la interpretación de su teatro y novelas. Dos opiniones de Valle-Inclán —sobre los espejos cóncavos (Escena XII de *Luces*) y sobre las tres formas en que se puede ver el mundo estéticamente (de rodillas, de pie, en el aire)— han causado un daño abrumador a la lectura de la obra esperpéntica. No reproduciré aquí esas ideas porque las hemos visto mencionadas hasta el aburrimiento, de una manera tan constante que su misma repetición las ha terminado por grabar con la letra intocable y profunda del dogma.[3] Cardona y Zahareas tratan de dar a la deformación ya existente en la realidad española y a la producida por los espejos cóncavos una coherencia imposible de conseguir (pp. 35-39) porque no podemos tomar literalmente las palabras de Max Estrella. Efectivamente, Valle-Inclán está intentando formular ahí una nueva estética pero la metáfora elegida (los espejos cóncavos) no podía ser más desafortunada. Al aceptarla sin percibir su naturaleza metafórica —se volverá sobre esto— se convierte al esperpento en un nuevo avatar de la literatura como «reflejo»: por esta razón califico de «mimético» el punto de partida de Cardona y Zahareas ya que privilegian la realidad histórica a la hora de explicar la génesis y características del esperpento, aunque no podía pasar desapercibido a su consideración el dilema entre «historicidad» y «esteticismo» que parecen plantear los esperpentos («esta íntima unión de dos preocupaciones aparentemente opuestas, lo puramente ficticio y lo histórico») (p. 44) y que ellos aceptan como constitutivo de esa nueva forma artística.[4] Sólo si se adopta una concepción estética que considera que el artista forma parte de una realidad que luego estiliza surge la necesidad de conciliar lo histórico y lo estético, dilema que ni se plantea si se interpreta adecuadamente lo que Valle-Inclán quería explicarse y explicarnos con sus espejos cóncavos y sus deformaciones grotescas. No han encontrado demasiado eco las sensatas observaciones que Rubia Barcia efectuó hace ya muchos años con respecto a la teoría de los espejos del callejón del Gato: «si la España moderna es de por sí una deformación está de más que el espejo sea cóncavo, bastaría con que lo fuera plano para obtener el mismo resultado». Una de las consecuencias que se imponen de manera natural es que «al esperpento no se le puede analizar, siguiendo el pensamiento inicial del autor, sino en sus resultados».[5] Se puede puntualizar que debemos desconfiar de las ideas explícitas de Valle-Inclán al respecto, pero necesitamos en cambio descubrir la visión implícita en los esperpentos, el fundamento tácito sobre el que se asienta su estética.

El esteticismo

Si Cardona y Zahareas parten de la realidad sociohistórica no sólo como material sino también como determinante formal de los esperpentos, otro destacado valleinclanista, Antonio Risco, establece como punto de enfoque inicial un esteticismo a ultranza en Valle-Inclán, cuyas «dos épocas fundamentales, la modernista y la esperpéntica», no serían más que «la cara y la cruz de la misma estética».[6] En la imposibilidad de compromiso ante un mundo que desprecia, se origina, en opinión de Risco, el arte por el arte y la distancia demiúrgica de Valle-Inclán ante sus criaturas. Esteticismo, distanciamiento y humorismo serían aspectos de esa misma actitud básica de rechazo de una realidad decepcionante en la que el escritor renuncia a instalarse.[7] Nos encontramos en las antípodas de la presuposición básica de Cardona y Zahareas: si para éstos la denuncia de la realidad constituye la razón última del arte esperpéntico de un Valle-Inclán que desprecia la realidad pero ante la cual no huye para refugiarse en el mundo altivo del arte por el arte, Risco entiende el esperpento desde una postura de rechazo y de distancia frente al mundo. Y si Cardona y Zahareas tenían que exorcizar el espectro del absurdo y lo grotesco que amenazaba con llevar a Valle-Inclán más allá de las estrechas coordenadas de la patria —arruinando así las premisas iniciales de la denuncia de la historia—, Risco despliega la estrategia exactamente opuesta: «Se equivocan [...] quienes pretenden restringir demasiado la significación del esperpento, considerándolo como una simple interpretación de la vida española».[8] El esperpento no responde a la circunstancia española, señala Risco, sino a un mundo occidental en el que el héroe individualista se ha visto convertido en mero engranaje y, como todas las manifestaciones artísticas modernas de lo grotesco, alcanza «una significación ontológica: la sistemática destrucción de la realidad que llega a poner en cuestión al ser».[9] No sorprende entonces que, si bien acepta las teorías de la deformación en los espejos cóncavos, puntualice que las manifestaciones sobre España («El sentido trágico de la vida española sólo puede darse con una estética sistemáticamente deformada») no son parte de la estética en sí, sino «una de sus posibles aplicaciones».[10] Inspiración en la realidad sí, señala, pero «para reestructurarla en un mundo estrictamente literario, que funciona autónomamente, con leyes propias».[11] De aquí que, de las teorías de Valle-Inclán, efectúe puntualizaciones con respecto a la de los espejos y privilegie la del distanciamiento demiúrgico.

Resulta evidente que el «prejuicio» esteticista de Risco encuentra dificultades ante la realidad evocada por el esperpento, ante la presencia inequívoca de una actitud moral, de un juego de simpatías y antipatías que no encajan en una presunta visión demiúrgica. Los juicios éticos y la voluntad estética no son necesariamente antagónicos, pues si los primeros resultan ineludibles a la segunda aspira todo artista verdadero: al no constituir una actitud artística especial queda desenmascarada la vaciedad explicativa del esteticismo.[12] Valle-Inclán poseía una voluntad superior de estilo —constante a lo largo de su obra—, y desde este punto de vista desaparece la falsa oposición entre un Valle-Inclán modernista y un Valle-Inclán esperpentista, pero su pasión y quehacer estéticos —su «esteticismo» si así queremos llamarle—, no pueden ser aclarados con cabalidad aceptando sin cuestionamientos sus postulados demiúrgicos. En cualquier caso nos encontramos de nuevo con una aceptación acrítica de unas manifestaciones de Valle-Inclán que se ven desmentidas por sus obras mismas. Buero Vallejo ha señalado acertadamente que numerosos personajes no responden a la visión «en el aire», demiúrgica, de Valle-Inclán: el anarquista preso, la mujer con el niño muerto, Max Estrella, su hija y su mujer, la daifa y el

Juanito Ventolera de *Las galas del difunto*, y hasta ve en don Friolera un hombre que inspira piedad.[13] Una prueba más de que debemos poner signos de interrogación a las declaraciones de Valle-Inclán, cuestionar unos principios estéticos que obedecen más a la lógica del deseo del autor de explicar una nueva estética que a la realidad de su práctica literaria. Al intentar leer el esperpento desde las teorías de Valle-Inclán mismo, Risco hace surgir la falsa dicotomía compromiso/esteticismo y se ve obligado a conjurar sin éxito al espectro de la realidad evocada por los esperpentos. Ni el mimetismo —distorsionante o no— ni el esteticismo a ultranza constituyen atalayas sólidas, prejuicios adecuados, para abarcar las manifestaciones artísticas del esperpento.

Necesidad del antirrealismo

Evidentemente —ahí están las obras— los materiales del esperpento se ciñen a la realidad de la sociedad y de la historia en medida que no admite comparación con la obra anterior de Valle-Inclán, pero eso no implica que nos encontremos con un reflejo —no olvidemos que la imagen stendhaliana del espejo no es más que una metáfora, peligrosa incluso para la lectura de la novela realista—, ya que lo que importa es la manipulación estética de esos materiales. Al mismo tiempo no podemos soslayar la importancia de la intensa presencia de temas sociales en la obra última de Valle-Inclán, hecho difícilmente explicable con la postulación de un «esteticismo» que se ve así acorralado y cuya ambigüedad e incapacidad explicativa quedan en evidencia manifiesta.

La letra no es sagrada y la razón es traicionera. A pesar de su vigor expresivo y de la firmeza con que Valle-Inclán postula sus teorías estéticas —minadas por sus creaciones—, éstas constituyen meros tanteos, incipientes balbuceos racionalistas que paralizan en mito —el reflejo en el espejo no cambia; la visión en el aire detiene el tiempo— la realidad viva de la obra, la cual adquiere configuraciones distintas según el horizonte desde el que se la observe. Al seguir sin disputa las direcciones de lectura del mismo autor, el «prejuicio» inevitable del que se parte al interpretar toda obra adquiere la fijeza lítica del dogma, para siempre intocable, incapaz de ser afectado por el proceso mismo de la interpretación, de entrar en la dialéctica que transforma el prejuicio y lo supera por medio de su fusión con el horizonte de la obra: y todo lo que pugne por salirse de la letra sagrada del autor debe ser censurado, contenido mal que pese en los límites estrechos que se asignan al comienzo.

Una premisa estética constante a lo largo de toda la obra de Valle-Inclán la constituye su rechazo del realismo pues, como ha mostrado Sobejano, tan idealista se muestra en las *Sonatas* como en los esperpentos. Sin embargo, no deben buscarse las raíces de tal idealismo en la evasión de la realidad, sino que proceden de su profunda y constante oposición al supuestamente típico realismo español («sólo ama realidades esta gente española») que él ve trascendido por los grandes artistas del pasado (El Greco, Velázquez, Goya). El problema del arte de Valle-Inclán se aclara si distinguimos entre actitud artística, formas que adopta esa actitud, y tipo de materiales presentes en sus obras, tres aspectos que a menudo no se distinguen con la claridad necesaria y que, si bien guardan relación entre sí, no coinciden. Valle-Inclán mantiene una actitud idealista de principio a fin de su obra y tal posición obedece a razones básicamente estéticas (que no deben confundirse con esteticismo), a su rechazo de un realismo mostrenco («la sensibilidad de los jayanes»).[14] Tal actitud se manifiesta en varias formas diferentes a lo largo de su vida, entre las que destacan las formas de las *Sonatas*, las comedias bárbaras, las farsas y los esperpentos. Estas formas sí mantienen una estrecha conexión con los materiales en los que se plasman, pero la actitud antirrealista (o idealista) no guarda relación con ellos. Sólo así podemos explicar que *Divinas palabras* y *Cara de plata* sean contemporáneas de las dos versiones de *Luces*: las formas varían en función de los materiales pero la actitud es la misma. La mayor o menor presencia de la realidad no explica a Valle-Inclán y el único compromiso que debemos exigirle lo cumplió en los altos ideales estéticos que de continuo se impuso.

La fuerte condena de toda la obra de Valle-Inclán como «evasión» efectuada por Montesinos proviene en parte de la confusión de razones estéticas con la naturaleza de los materiales, lo cual queda en evidencia cuando afirma que el esperpento no proviene de raíces éticas sino estéticas (Valle-Inclán juzgaría a don Friolera no desde un compromiso con la realidad sino desde su antipatía estética por el teatro de Calderón).[15] *Los cuernos* obedecen a razones más complicadas que el rechazo de Calderón, pero en lo que Montesinos acertó fue en atribuirle una genealogía estética —aunque esa visión la use en contra de Valle-Inclán—; y en lo que se equivocó fue en concluir que las raíces estéticas del esperpento denuncian su falta de compromiso con la realidad: en otras palabras, Montesinos confunde necesidad y razones estéticas con el fantasma del esteticismo.

El grado de presencia de la realidad en los esperpentos ha sido abordado por numerosos autores y las opiniones cubren todo el espectro que va desde la fidelidad a lo real (Cardona y Zahareas) hasta la evasión total (Montesinos). Entre ellos podemos situar una variedad de juicios: en los esperpentos la realidad española está apenas exagerada, pero todo el mundo contemporáneo podría verse bajo la misma luz (Rubia Barcia); el esperpento ofrece una copia fiel de modos de pensar del siglo XX y el tema central de *Luces* radica en la ambivalencia del arte —al crear un mundo de ilusión manifiesta su repudio de la sociedad burguesa pero al mismo tiempo evade cambiar ese mundo— (Weber); la deliberada «inobjetivación» de la «vaga realidad objetiva» de la segunda época de Valle-Inclán a través de la teatralización autoconsciente de ambientes y personajes resulta en un arte más convincente que la mayoría de las novelas realistas (Durán); «realismo superior» logrado por una estilización de la realidad que no la traiciona (Guillermo de Torre); la realidad como ocasión para una visión estética sin análisis social (García-Pelayo); inconsistencias ideológicas de Valle-Inclán y continuidad nihilista en toda su obra (Seco Serrano).[16] Merece especial atención la opinión de Alfonso Sastre quien, basándose en las declaraciones de Max («España es una deformación grotesca de la civilización occidental»; «Nuestra tragedia es el esperpento»), cree ver en Valle-Inclán un visión ciega «para la dialéctica del proceso real histórico» que, desde una posición nihilista, hace una autocrítica regional mientras que en la vanguardia europea la misma crisis se elabora como ontología. La visión de Sastre adolece de las mismas limitaciones que ya hemos visto en otros críticos: toma ciertas declaraciones como palabra final, sin darse cuenta de que —aun admitiendo que Valle-Inclán no fuese consciente de ello— un análisis de todos los elementos de las obras esperpénticas revela que los cuestionamientos y las propuestas de Valle-Inclán van mucho más allá de lo absurdo local.[17]

No resulta sorprendente que sean dos escritores quienes mejor hayan comprendido el problema. Buero Vallejo y Torrente Ballester consideran que el esperpento surge esencialmente de una necesidad personal, que Buero cifra en la incomprensión del teatro de Valle-Inclán por parte del público —que culmina en los problemas para estrenar *El embrujado*— (crisis externa) y en el percibir el autor sus insuficiencias teatrales (crisis interna). Buero no niega la posible influencia de los acontecimientos históricos en la génesis del esperpento pero la reduce a causa secundaria: el esperpento no representa una «necesidad objetiva» de un teatro socialmente responsable, sino que nace de una «necesidad subjetiva» de Valle-Inclán.[18] Por su parte, Torrente Ballester postula que el esperpento como «solución valleinclanesca a un problema estético-moral, obedece en buena parte a una evolución interior», aunque el presente histórico muestre también su influencia, pues no por casualidad la visión esperpéntica se aplica a la realidad nacional.[19]

Podemos afirmar, en conclusión, que el esperpento ni surge como respuesta especular a una realidad grotesca ni supone una evasión por su estilización deshumanizadora de los personajes. Nace por evolución interna de una actitud artística que se define como básicamente antirrealista en su forma de expresar literariamente los materiales de que se sirve, materiales que, a partir de 1920, provienen en medida cada vez mayor de la realidad reciente o de la historia, y cuya presencia indica la preocupación hondamente moral del arte de Valle-Inclán. Pero no debemos entender que ese compromiso implica o impone un tipo de estética determinada y, menos que nada, una estética que, por muy basada que pudiera estar en la distorsión sistemática, no dejaría de ser un nuevo avatar del realismo, ya que la mayor presencia de la realidad en la obra de Valle-Inclán no supone el abandono de su visión artística subjetiva.

El subjetivismo expresionista

La estética del esperpento se aclara en buena medida si prestamos atención a otra forma nueva de hacer teatro, el expresionismo alemán, que florece en los mismos años que el esperpento. Varios críticos han aludido a esa corriente artística pero —con contadas excepciones, como se verá— sin prestarle mayor atención y, en todos los casos, sin poner el debido énfasis en la premisa básica de la estética expresionista, su antirrealismo, en la cual, y no casualmente, coincide con Valle-Inclán. Corresponde a Emilio González López el mérito de haber sido el primero en situar y estudiar la obra de Valle-Inclán desde la *Farsa y licencia de la reina castiza* en el contexto del expresionismo, pero como todo estudio pionero desbroza y apunta más que analiza a fondo. Sus referencias al expresionismo alemán son vagas y los rasgos expresionistas que observa en Valle-Inclán —abultamiento humano, grotesco patético, tiempo no cronológico, deformación que busca valores eternos— muy limitados. Señala, sin embargo, un aspecto central que, sin embargo, luego no desarrolla: el esperpento es «una nueva visión de una realidad, y no una deformación de ella: de una realidad universal y no necesariamente española».[20]

El teatro expresionista alemán se caracteriza por los siguientes rasgos:

1) Subjetivismo: el dramaturgo expresa lo que siente, no lo que observa. Todo es «expresado», salido del interior del autor e impuesto sobre el mundo exterior.

2) Las obras se modulan a partir del tema más que de la trama o de la acción (estructura musical más que dramática).

3) Estructura «épica» o narrativa, no dramática. No hay conflicto dramático entre personajes, sino generalmente un personaje central (muchas veces ejemplar) y unos personajes secundarios que no son verdaderos antagonistas (personajes independientes con motivación propia), sino obstáculos, oportunidades, variaciones de la misión del protagonista. Por esta razón los personajes secundarios son tipos, muchas veces grotescos, con nombres genéricos («el padre», «el hijo», «el banquero»).

4) La falta de conflicto determina la estructura de viaje o peregrinación: la obra consiste en una serie de situaciones, no en una trama bien urdida, lo que implica la eliminación de la causalidad en la acción.

5) La obra como demostración más que como drama. La acción y el suspense carecen de importancia.

6) Falta de conflicto y ausencia de comunicación entre los personajes.

7) A la «misión» del personaje se contrapone su parodia o un mundo materialista sin sentido. La «misión» es la última barrera ante el absurdo.

8) Rebelión contra la autoridad, el sentido común y las convenciones en el arte y la vida. Rebelión no sólo estética sino también ética y social, especialmente contra la familia.

9) Distorsión, exageración, grotesco.

10) Lenguaje antiteatral, no conceptual, más con función expresiva que comunicativa: largos monólogos líricos o rápidos diálogos en estilo esticomítico o telegráfico, con repeticiones, variaciones y modulaciones, transmitiendo siempre un sentimiento intenso. Acumulación de exclamaciones e interrogaciones. El lenguaje como grito. Uso de la pausa y el silencio.

11) Uso del decorado, la iluminación, las máscaras, el canto y la actuación exagerada (el actor es cantor, mimo y actor a la vez) como elementos expresivos: se dirige al sentido visual del espectador, no al conceptual.

12) Representación de acontecimientos psíquicos, no imitación de hechos externos.

13) Proyección de situaciones psíquicas en imágenes simbólicas (expresión del inconsciente en el escenario).

14) Transformación de metáforas en imágenes escénicas (así podríamos ver las metáforas animalísticas en *Los cuernos* y *Tirano banderas*).

15) Retorno al teatro como magia, como pantomímica liberación del realismo y del decoro del teatro burgués. Reconexión con la *commedia dell'arte*, el circo, el cabaret, el *spectaculum mundi* barroco.

16) La visión subjetiva del autor o de un *alter ego* no busca una respuesta racional en el espectador, sino una respuesta emocional. El teatro expresionista no declara, emite un grito.[21]

No se trata de analizar en detalle cuáles de entre estas características aparecen también en el esperpento, pero aun a primera vista queda fuera de toda duda que las once primeras y la número dieciséis se dan en él (excepto la rebelión contra la familia, número ocho, aspecto importante del expresionismo). En todo caso, el objetivo principal de esta comparación reside en resaltar que expresionismo y esperpentismo —por encima de sus diferencias— brotan de una misma actitud artística antirrealista (aunque en ambos se dé el compromiso social), de un subjetivismo que constituye el suelo donde se erigen —y desde donde sólo se pueden entender— los rasgos que definen a ambas formas artísticas.[22] No debemos juzgar *Luces* por su presunta fidelidad a una supuesta realidad de partida, sino que debemos remitir sus técnicas a la imaginación del autor, reconstruyendo de alguna manera la lógica subjetiva de su creación. Y el único modelo que puede servir de baremo para apreciar las innovaciones y la naturaleza del esperpento lo constituye el teatro realista, la obra «bien hecha».

El diálogo imposible

Examinemos en particular cómo funciona el diálogo en *Luces*, por lo que tiene de revelador en cuanto al modo en que esa obra «produce» su realidad y en cuanto a las distancias que la separan del teatro anterior. Sigamos en particular a Max en su viaje circular desde que sale de su casa hasta que vuelve a ella para morirse a sus puertas. Antes de centrar nuestra atención en el diálogo, observemos que en *Luces* —al igual que en el teatro expresionista— la trama es meramente circunstancial, azarosa, articulada en escenas casi independientes entre las que, con desprecio de la causalidad, se pasa a saltos sin motivación dramática o necesidad de la trama. La multiplicación de espacios —caras de un poliedro que aspira a la perfección del círculo— se opone a las convenciones que informan el realismo, pero el verdadero escándalo lo constituye el manejo del tiempo, pues resulta incomprensible, desde presupuestos miméticos, que Max se muera en primavera (indicada por el olor de lilas en la noche) y sea enterrado en el otoño, que Galdós haya muerto pero que Darío esté vivo o que Bradomín sea por lo menos centenario. Max sale a la calle por una razón un tanto forzada, reclamarle a Zaratustra un dinero escamoteado a don Latino, quien no sólo está conchabado con el librero sino que no tiene necesidad de la inhabilidad para asuntos prácticos de Max con el fin de recuperar un dinero que, por supuesto, no va a recibir, pero que va a poner en marcha la trama. La detención y apaleamiento del poeta se producen por razones igualmente débiles y su muerte acontece de improviso, más como solución lógica de la obra que por pura y verosímil necesidad dramática dada la carencia de indicios de que tal muerte pueda ocurrir.

La confrontación entre los personajes, en unas escenas que se suceden unas a otras no por causalidad sino básicamente para permitir tales encuentros, constituye la base de la obra y la incomunicación, el diálogo de despropósitos resalta como característica más notable de todos los encuentros entre Max y el resto de los personajes. Sobejano ha señalado la diferencia entre el bohemio heroico (Max) y el bohemio golfante (don Latino),[23] y tal separación crea una de las urdimbres con que se trenza la obra: resultan innecesarios los ejemplos, pues toda la relación y el intercambio verbal entre Max y don Latino están marcados por sus profundas diferencias, las cuales se muestran en un auténtico diálogo de sordos. Max y la policía parecen hablar lenguas diferentes, resultando así la esperable incomunicación entre la autoridad y el artista; entre Max y el Ministro se da la falta de entendimiento que separa al renegado hombre de letras del que ha llevado la bohemia a sus últimas consecuencias. «¡Max, es preciso huir de la bohemia!», afirma Rubén (p. 86): «¡Eres un farsante, Rubén!», le increpa Max un poco más tarde cuando el poeta nicaragüense asegura que cree en Dios, en las llamas del infierno, «¡Y más todavía en las músicas del cielo!» (p. 88): hasta estas dos almas gemelas viven en mundos diferentes. La obra alcanza un punto dramático culminante en la conversación entre Max y el preso, pero la indignación que Max expresa y el *pathos* de la escena no deben cegarnos para observar las diferencias cruciales entre los dos hombres que señala el anarquista: «Usted lleva chalina»,

«Usted no es proletario» (p. 54), y ya al final de su diálogo: «señor poeta que tanto adivina, ¿no ha visto usted una mano levantada?» (p. 57). El diálogo de la escena XI entre el poeta y La Lunares —varios críticos han señalado con acierto su parecido con la escena entre don Quijote y Maritornes— se resuelve en una patética falta de entendimiento, ejemplar porque se enfrentan dos visiones completamente diferentes de una misma realidad debido a que las engendran intereses encontrados. De hecho ahí nos encontramos con una visión «realista» (La Lunares) y una visión que no se origina en el mundo sino en la interioridad del personaje (Max), consecuencia de una lógica del deseo subjetiva: tal escena podría servir como paradigma de la obra entera, al ser una dramatización de la oposición entre realismo e idealismo implícita en la obra de Valle-Inclán, como ya se ha señalado: frente al crudo realismo de La Lunares, Max idealiza; no refleja la realidad sino que la crea subjetivamente. En su recorrido por ese círculo infernal (p. 102), el último encuentro antes de su muerte —con la madre del niño muerto— transcurre ya sin diálogo entre los dos personajes centrales, alternándose simplemente las imprecaciones de la mujer con la manifestación en voz alta de los sentimientos de Max. Ante los gritos de la madre, Max acaba por confesar: «Latino, ya no puedo gritar... ¡Me muero de rabia!» (p. 102). He aquí la culminación del viaje de Max: su periplo se cierra con el grito, el grito del teatro expresionista alemán, el grito del famoso cuadro de Munch, esgrimido como estandarte por el expresionismo.

Mientras en el teatro tradicional el diálogo sirve para informar sobre lo sucedido fuera de escena o antes de que la obra haya comenzado, para caracterizar a los personajes, explicar motivaciones o acontecimientos, producir enfrentamientos dramáticos o avanzar la acción, en *Luces* predomina un diálogo en que los personajes hablan pero no se entienden, en que cada voz resuena en el silencio de su aislamiento al ser infranqueable la distancia que lo separa del otro. Observando desde sus diálogos, el viaje de Max ofrece una perspectiva sorprendente sobre dos de esas tres escenas intercaladas en la edición de 1924 de *Luces*. John Lyon ve en esas tres escenas una indicación del aumento de la preocupación social de Valle-Inclán pero, considerando la obra por la mediación de sus diálogos, la interpretación de las escenas VI y XI (la del preso y la de la madre) resulta problemática: a qué debemos dar más importancia en tales escenas: ¿al contenido en sí o a la perspectiva que nos muestra la imposibilidad de comunicación entre Max y esas víctimas del orden social?[24] John Lyon sostiene que *Luces* «funciona en un nivel básicamente realista al tiempo que evoca imágenes distantes y distorsionadas de una tradición clásica», pero ya ha quedado en evidencia —a través del análisis de numerosos rasgos de la obra— que *Luces* no se deja asimilar en absoluto al «nivel básicamente realista» en el que, al parecer de Lyon, funciona *Luces*. Tensiones similares aparecen en otros momentos de su lectura: señala acertadamente que Valle-Inclán nunca estuvo interesado en el teatro psicológico, pero ve una evolución de Max a lo largo de la obra, desde un comienzo como artista un tanto exhibicionista a un ser mucho más humano que ve su irrelevancia (con el preso) y su culpa (con la madre), para acabar siendo víctima de su ironía autodestructiva. Pero en la peregrinación de Max no hay progresión lineal a lo largo del tiempo sino que debemos verla como periplo que nos muestra diversas caras de un prisma; no hay evolución psicológica sino modulaciones y matices. Y cuando en otro momento Lyon afirma que la caracterización y la trama están subordinadas al impacto emotivo, en realidad está manifestando el carácter expresionista de *Luces*.[25]

Enterremos el Gato y rompamos los espejos

Reducidos a un elemento más de la obra, los espejos del callejón del Gato ya no reflejan para nosotros ninguna realidad, pero en ellos se dibuja la pregunta que nos lleva a cuestionar los motivos que impulsaron a Valle-Inclán a usar esa metáfora. Valle-Inclán estaba abriendo nuevos caminos, buscando formas nuevas: su tendencia autocrítica y la presión del ambiente ante la novedad podrían explicar su constante teorización dentro y fuera de los esperpentos en la época en que los escribió. Podemos entender su famosa teoría sobre las visiones del personaje en el contexto del desarrollo teórico del concepto del punto de vista que tanto preocupó a un

Henry James pocos años antes. Valle-Inclán ofrece una explicación simplificada —en la que imagina sólo tres puntos de vista posibles—, lo cual podría explicarse por el carácter innovativo de su proyecto y por tratarse de un medio, el teatro, donde esa técnica resulta más difícil de plantear que en la novela. Y esa obsesión con el punto de vista que muestra el autor, ¿no podría brotar de un nuevo concepto del arte en el que no se quiere ofrecer una supuesta copia fiel de la realidad sino una visión subjetiva, antimimética, que ya no observa la realidad desde una posición neutral y objetiva?[26] De la misma manera, la metáfora de los espejos cóncavos se puede entender como un intento —confuso— de explicar esa nueva estética subjetivista que Valle-Inclán estaría practicando sin percibir con claridad sus fundamentos: si el realismo descansa en el fetichismo del espejo, la nueva actitud, a falta de mejor imagen, adopta como metáfora originaria el espejo cóncavo. De esta manera el mismo subjetivismo explica las disquisiciones teóricas de Max y don Estrafalario, balbuccos más que verdades sagradas, que tratan de justificar los criterios en que se asienta una nueva manera artística que se ocupa de temas de actualidad o de la historia pero desde presupuestos antimiméticos. El arte realista parte de la dicotomía sujeto-objeto y quiere recrear el mundo ante nosotros: los elementos del arte mimético aspiran a la suscitación perfecta de los objetos, a la restitución total del mundo a través de un lenguaje que alcanza su mayor perfección cuanto menos llame la atención sobre sí mismo, cuanto más sea capaz de hacernos creer que no tenemos palabras ante nosotros sino el mundo en su verdad objetiva. En el arte simbolista del primer Valle-Inclán el lenguaje quiere restituirnos las cosas no por medio del valor objetivo de las palabras, por su capacidad de sustituir a los objetos, sino por su poder evocativo: las palabras ya no son las cosas sino sus ecos. El esperpento se aparta del simbolismo pero no simplemente por su mayor atención a la realidad, sino por basarse en una concepción artística que difiere tanto del simbolismo como del realismo, pues en el expresionismo esperpéntico, los elementos de la obra (tiempo, espacio, personajes, temas, escenografía, lenguaje, etc.) no buscan recrear un mundo que funciona como referente, sino que pretenden crearlo. El expresionismo rechaza la dicotomía sujeto/objeto como supuesto epistemológico básico, cierra la fisura entre ambos y de ahí que la relación que trata de establecer con el espectador sea la «emoción» ante la obra: ya no pretende ofrecernos una copia exacta del mundo, sino crearlo dentro de nosotros, a través de una emoción que, a diferencia de la del simbolismo, no trata de evocar un mundo soñado por su creador, sino de erigir en nuestro interior una realidad engendrada en la verdad interior del autor siguiendo una concepción en que ya no hay sujetos y objetos sino solamente una subjetividad fuera de la cual nada tiene realidad.[27]

Valle-Inclán aspira a que nuestra emoción sea despertada por el espectáculo como un todo, no por un momento especialmente cargado de dramatismo o por un personaje con cuyos avatares nos identificamos: recordemos su deseo de que el teatro español estuviera cargado del «temblor», de la «violencia estética» de la corrida de toros, levantada por el espectáculo, durante el cual el espectador no debe dejarse arrastrar a compartir el sufrimiento de los caballos destripados. En otras palabras, el distanciamiento sentimental que Valle-Inclán desea para su teatro no implica la «frialdad» estética del espectador ante la obra.[28] Por esta razón, el distanciamiento del esperpento y el de Brecht difieren tanto en su naturaleza como en su función: el dramaturgo alemán busca ante todo eliminar una emoción que pueda impedir la reflexión del espectador y por esta razón el autor se distancia de su obra y de sus personajes y aspira a duplicar esa distancia en el espectador; Valle-Inclán se despega de sus personajes y los aleja del espectador pero no para forzar una toma de conciencia sino para lograr una identificación de intensa emoción estética con la totalidad del espectáculo.[29] Por otra parte, Brecht establece una relación intelectual, didáctica, con su espectador, mientras que Valle-Inclán, como el titiritero que nos guiña el ojo a espaldas de sus muñecos, busca la alianza solapada del lector en contra de sus personajes, e incluso en algunos casos —Bradomín y Max Estrella, por ejemplo—, al dotarlos de una prodigiosa autoironía, hace partícipes del complot estético de autor y lector a algunas de sus criaturas.

Las comparaciones fáciles, el apego a ciertas etiquetas y

a peligrosas divisiones en épocas, y el excesivo respeto a la palabra teórica de Valle-Inclán han limitado las preguntas de la crítica y así reducido el alcance y riqueza de sus respuestas. Qué duda cabe que Valle-Inclán se inserta en la tradición hispánica pero eso no debe impedirnos ver lo mucho que difiere de un Goya y un Quevedo; a pesar de sus peculiaridades está anclado en su época pero no se deja explicar por noventaiochos testimoniales ni por dudosos esteticismos modernistas: debemos prestar atención a sus declaraciones sobre estética pero entendiéndolas como aproximaciones —muchas veces erróneas o insuficientes— y no como la explicación definitiva. Ampliemos nuestros prejuicios, acerquémonos a Valle-Inclán desde coordenadas europeas, trascendamos —pero, hegelianos, reteniéndolas— las limitadas coordenadas de lo hispánico: sólo así podremos entender de verdad y a la vez su universalismo y sus raíces, el peso de la historia y su despego del mundo, su preocupación moral y su compromiso estético, el estilo como verdad:[30] su profunda originalidad, en suma.

NOTAS

1. Uso aquí «prejuicio» en el sentido que le da Gadamer cuando señala que nuestro ser está tan constituido por nuestros juicios como por nuestros prejuicios. Según esta especial derivación del círculo hermenéutico, los prejuicios son las condiciones mediante las cuales tenemos experiencia del mundo: sólo a partir de nuestros prejuicios podemos tener acceso a lo nuevo y a la verdad. Véase Hans-Georg Gadamer, *Philosophical Hermeneutics*, Berkeley, University of California Press, 1977 y *Verdad y método*, Salamanca, Sígueme, 1977.

2. Rodolfo Cardona y Anthony Zahareas, *Visión del esperpento*, 2.ª ed., corregida y aumentada, Madrid, Castalia, 1982, p. 16.

3. Las formulaciones estéticas a las que aquí se alude pueden verse en *Luces de Bohemia*, Colección Austral, 4.ª ed., Madrid, Espasa-Calpe, 1973, escena XII y en su entrevista con Martínez Sierra, reproducida en la valiosa recopilación de Dru Dougherty, *Un Valle-Inclán olvidado. Entrevistas y conferencias*, Madrid, Fundamentos, 1982, pp. 173-9.

4. La perspectiva mimética de Cardona y Zahareas se deduce de su interpretación en general pero también se encuentra explícitamente en su texto en numerosas ocasiones: «*Luces* puede considerarse un documental bastante exacto» (p. 89); en esa obra «la historia entonces no está sólo defor-

mada sino también "confirmada": nos hallamos ante un mundo familiar sistemáticamente deformado, y de pronto advertimos que sin perder la apariencia enajenada, paradójicamente, nos brinda una réplica de ese mundo tal y como es» (pp. 93-94); «Se trata de deformar en arte para no deformar en la historia» (p. 95).

5. José Rubia Barcia, *Mascarón de proa. Aportaciones al estudio de la vida y de la obra de Don Ramón María del Valle Inclán y Montenegro*, Sada, La Coruña, Ediciós do Castro, 1983, p. 251. Esta obra es una recopilación de trabajos de Rubia Barcia sobre Valle-Inclán. El artículo de donde está tomada la cita se publicó originalmente en 1950 en la *Revista de la Universidad de La Habana* con el título de «España y Valle-Inclán». La teoría de los espejos la aceptan sin discusión buena parte de los más conocidos críticos de Valle-Inclán, entre ellos: Jean Paul Borel, *Théatre de l'imposible*, Neuchâtel, Editions de la Baconnière, 1963, p. 144; Guillermo Díaz-Plaja, *Las estéticas de Valle-Inclán*, Madrid, Gredos, 1965, p. 138; J. L. Brooks, «Valle-Inclán and the "esperpento"», *Bulletin of Hispanic Studies*, 33, 1966, pp. 155-7; Emilio González López, *El arte dramático de Valle-Inclán. Del decadentismo al expresionismo*, Nueva York, Las Américas, 1967, p. 183; José Luis Varela, «El mundo de lo grotesco en Valle-Inclán», en su *La transfiguración literaria*, Madrid, Prensa Española, 1970, p. 239; Gwynne Edwards, *Dramatists in Perspective: Spanish Theatre of the Twentieth Century*, Nueva York, St. Martin's Press, 1985, p. 55. Varios críticos han puesto objeciones a la definición del esperpento que formula Max Estrella, pero los reparos están hechos con timidez y sin sacar las importantes consecuencias que se derivan de esa contradictoria y confusa definición: Andrés Amorós, «Leyendo *Luces de Bohemia*», *Cuadernos Hispanoamericanos*, 199-200, 1966, se limita a decir que «quizá se ha dado demasiada importancia» a tal formulación (p. 285); Sumner Greenfield, *Ramón María del Valle-Inclán. Anatomía de un teatro problemático*, Madrid, Fundamentos, 1972, la califica de «un poco incoherente», pero sin explicar en qué consiste la incoherencia (p. 222); Benito Varela Jácome, «El vigoroso expresionismo de Valle-Inclán», en su *Renovación de la novela en el siglo XX*, Barcelona, Destino, 1966, denuncia que los críticos han exagerado el papel de los espejos del callejón del Gato para concluir acertadamente, pero sin sacar más conclusiones, que «el esperpento es un procedimiento más complejo que la visión especular cóncava o convexa» (p. 271); Ricardo Domenech, «Para una visión actual del teatro de los esperpentos», *Cuadernos Hispanoamericanos*, 199-200, 1966, la encuentra «poco sistemática», «incompleta» y «en algunos aspectos contradictoria», pero no va más allá (p. 461); Joaquín Casalduero, «Observaciones sobre el arte de Valle-Inclán», en A. Zahareas y otros, eds., *Ramón del Valle-Inclán. An Appraisal of his Life and Works*, Nueva York, Las Américas, 1968, ve la teoría de los espejos como una necesidad de Valle-Inclán de justificarse ante sí mismo o de explicar su nueva manera y propone que nos olvidemos de ella (p. 153); John Lyon, *The Theatre of Valle-Inclán*, Cambridge, Cambridge University Press, 1983, la considera culpable de que la crítica se haya concentrado en mostrar las similitudes entre los esperpentos en lugar de poner de relieve sus características individuales (p. 106).

6. Vicente Risco, *La estética de Valle-Inclán*, 2ª ed. Madrid, Gredos, 1975: 1966[1], p. 15. Se han elegido las obras de Cardona y Zahareas y de

Risco como punto de partida por ser dos de los más conocidos e importantes libros sobre Valle-Inclán y si bien el diálogo que con ellos establezco es de naturaleza crítica, al estímulo de su lectura debe su existencia.

7. «El humorismo de Valle está íntimamente ligado a su esteticismo. Ambos están determinados por la misma causa, nacen de idéntica actitud ante la vida», afirma Risco, (p. 17). Frente a un Quevedo «satírico» y «moralista intransigente» se sitúa el humor de Valle, «enteramente amoral, aunque, como ocurre en todos los esteticistas pretendidamente puros, con frecuencia la risa se articula "humanamente", a pesar suyo —no consigue superar la influencia de sus simpatías y antipatías—, y adquiere ante el lector una intención concreta» (p. 20). Para Risco la perspectiva demiúrgica constituye «el principio generador del esperpento» (p. 80) y la «deshumanización del personaje es consecuencia del alejamiento esteticista» (p. 243).

8. *Ibíd.*, p. 99.

9. *Ibíd.*, p. 106. En opinión de este autor la estilización de Valle-Inclán destruye el perfil de las cosas, el espejo cóncavo anula el mundo, abole la realidad (p. 268).

10. *Ibíd.*, p. 99. En la p. 25 acepta la teoría de los espejos como premisa básica del humor esperpéntico.

11. *Ibíd.*, p. 32. «Valle pretendía también arremeter contra ese mundo que detestaba pero [...] partiendo de un principio rigurosamente estético, porque lo que él deseaba en primer lugar era hacer arte» (p. 31).

12. Tal constante y extremada voluntad estética plantea serias cuestiones acerca de la presunta oposición entre un Valle-Inclán modernista (desligado de la realidad) y un Valle-Inclán esperpentista (y comprometido), pues esa división suele hacerse a partir de criterios temáticos, como es el caso de Pedro Salinas, «Significación del esperpento o Valle-Inclán, hijo pródigo del 98», en *Literatura española del siglo XX,* 2.ª ed., Madrid, Alianza, 1972, pp. 86-114. Un análisis formal de toda la obra de Valle-Inclán mostraría diferencias en el tiempo pero también unas características permanentes que hacen problemática una clara división. En *El demiurgo y su mundo: hacia un nuevo enfoque de la obra de Valle-Inclán*, Madrid, Gredos, 1977, Antonio Risco confirma su interpretación anterior: necesidad de situar a Valle-Inclán en coordenadas europeas, continuidad estética entre modernismo y esperpentismo, desprecio y huida de la realidad para refugiarse en la religión del arte, en el esteticismo (véanse especialmente las pp. 252-5). Según Torrente Ballester, «Los cuernos de Don Friolera y dilucidación del esperpento», en *Ensayos críticos*, Barcelona, Destino, 1982, pp. 194-243, el esperpento «tiene, en la raíz y en la sustancia, un origen moral, una implacable e insaciable necesidad de juzgar» (p. 215); el problema sería que Valle-Inclán juzgaba a sus personajes con una perspectiva sobrehumana, lo cual produce una inevitable deshumanización (p. 201), percibible en las acotaciones que despojan toda posibilidad de reacción sentimental frente al personaje. Torrente Ballester se basa en la teoría de los espejos y, en particular, en la frase «los héroes clásicos, reflejados en el espejo cóncavo, dan el esperpento», para desarrollar la idea —centro de su lectura— de que el esperpento no opera (y así no refleja) directamente la realidad, sino que el material de partida para su deformación es el personaje (héroe) literario (pp. 222-232).

13. Antonio Buero Vallejo, «De rodillas, de pie, en el aire», *Revista de*

Occidente, 44-45, 1966, pp. 132-145, especialmente pp. 136-8. Reimpreso en *Tres maestros ante el público*, Madrid, Alianza, 1973, pp. 29-54. Ya Torrente Ballester, en «Historia y actualidad en dos piezas de Valle-Inclán», *Insula*, 176-177, julio-agosto 1961, p. 6, había manifestado que en los espejos cóncavos no tienen cabida la madre con el niño muerto ni el indio Zacarías en *Tirano Banderas*. Desde una actitud totalmente opuesta, José F. Montesinos también rechaza la estética de la «superación del dolor y de la risa», en «Modernismo, esperpentismo o las dos evasiones», en A. Zahareas y otras, eds., pp. 131-150, al ver los esperpentos como obras cómicas surgidas del rencor: visión no «desde al aire», sino desde fuera. El artículo de Montesinos había aparecido originalmente en *Revista de Occidente*, 44-45, 1966, número dedicado a Valle-Inclán.

14. Gonzalo Sobejano, «Valle-Inclán frente al realismo español», en A. Zahareas y otros, eds., pp. 159-171. Véanse especialmente las páginas 159 y 167-8. Sobejano se sirve de numerosas manifestaciones sobre estética de Valle-Inclán, pero sin seguirlas acríticamente, sino interpretándolas e integrándolas de tal manera que su análisis nos restituye la «visión» artística de Valle-Inclán.

15. Montesinos, *op. cit.* Galdós y el realismo decimonónico constituyen los modelos tácitos desde los que Montesinos rechaza la obra entera de Valle-Inclán. Por otra parte, llama la atención el que en ese artículo no se haga referencia alguna a *Luces de Bohemia* y que Montesinos se valga —un caso más— de las ideas estéticas de Valle-Inclán —sobre el ideal estético de la superación del dolor y de la risa— tomándolas literalmente. La gran intuición de Montesinos no podía dejar de notar que la perspectiva de ultratumba es «muy problemática, por cierto», pero no va más allá y ese atisbo no obsta para que use las declaraciones de Valle-Inclán como arma para demoler el esperpento. Esa visión de ultratumba, según Montesinos, causaría una deshumanización que explicaría el gusto por muñecos y marionetas de Valle-Inclán.

16. Rubia Barcia, *op. cit.*, pp. 275-6 y 334-5; Frances Wyers Weber, «*Luces de Bohemia* and the Impossibility of Art», *Modern Language Notes*, 82, 1967, pp. 575-89; Manuel Durán, «Valle-Inclán o la animación de lo real», *Insula* 176-177, julio-agosto 1961, p. 11; Guillermo de Torre, «Valle-Inclán o el rostro y la máscara», en *La difícil universalidad española*, Madrid, Gredos, 1965, pp. 113-162 (en la p. 141 incluye una carta dirigida al autor por Azorín, en la que éste afirma que los personajes de *Luces* no responden a la realidad histórica pues no están deformados sino transformados). Los artículos de Manuel García-Pelayo, «Sobre el mundo social de la literatura de Valle-Inclán», y de Carlos Seco Serrano, «Valle-Inclán y la España oficial», se encuentran en *Revista de Occidente*, 44-45, 1966, pp. 257-287 y 203-224.

17. Alfonso Sastre, «Tragedia y esperpento», en *Anatomía del realismo*, 2.ª ed., Barcelona, Seix-Barral, 1974, pp. 70-82 (antes de proceder a su crítica Sastre señala su admiración por las cualidades artísticas del teatro de Valle-Inclán). Véase también Emilio Miró, «Realidad y arte en *Luces de Bohemia*», *Cuadernos Hispanoamericanos*, 199-200, julio-agosto 1966, pp. 247-270.

18. Antonio Buero Vallejo, «García Lorca ante el esperpento», en *Tres maestros ante el público*, pp. 122-3.

19. Gonzalo Torrente Ballester, «Historia y actualidad en dos piezas de Valle-Inclán», p. 6. Véase sin embargo una opinión diferente del mismo crítico en nota 12.

20. Emilio González López, *El arte dramático de Valle-Inclán. Del decadentismo al expresionismo, op. cit.* (la cita está en la p. 187). Este rasgo esencial —el expresionismo como visión nueva y no como deformación de una realidad previa— no figura entre las doce características del expresionismo alemán que Alfredo Matilla Rivas enumera y estudia en *Las «Comedias bárbaras»: historicismo y expresionismo dramático*, Nueva York, Anaya, 1972. Entre los autores que aluden al expresionismo en Valle-Inclán se cuentan Joaquín Casalduero, «Observaciones sobre el arte de Valle-Inclán», en Zahareas y otros, eds., quien ve el expresionismo de Valle-Inclán en su dolor ante el sufrimiento humano y en su anhelo de justicia, p. 154 y Gwynne Edwards, *op. cit.*, pp. 56-64, quien lo percibe en el carácter místico y redentor del personaje (equipara en particular a Max Estrella con los héroes de Georg Kayser), en su predilección por escenarios antinaturalistas, en el uso de la iluminación y en el estilo declamatorio —discursos oratorios de los personajes y gestos antinaturalistas— de la actuación en oposición al estilo psicológico preconizado por un Stanislawsky. Para la indispensable contextualización de Valle-Inclán en el teatro europeo —tan tímidamente intentada todavía— véase también su «Valle-Inclán and the New Art of the Theatre», *Neophilologus*, 68, 1984, pp. 48-62 y también Juan Guerrero Zamora, *Historia del teatro contemporáneo*, vol. 1, Barcelona, Juan Flors, 1961, pp. 153-206; María Eugenia March, *Forma e idea de los esperpentos de Valle-Inclán*, Estudios de Hispanófila, Chapel Hill, University of North Carolina, 1969 y Roberto Sánchez, «Gordon Craig y Valle-Inclán», *Revista de Occidente,* febrero 1976, pp. 27-37. Aluden también —de pasada— al expresionismo alemán Guillermo de Torre, *op. cit.*, p. 142 y Andrés Amoros, *op. cit.,* p. 281, quienes niegan la relación —directa, histórica— entre ese movimiento y Valle-Inclán. A pesar del título de su artículo, «El vigoroso expresionismo de Valle-Inclán», *op. cit.,* Varela Jácome no menciona el movimiento alemán ni aclara en qué consiste el expresionismo de Valle-Inclán.

21. Véase Walter H. Sokel, *The Writer in Extremis. Expressionism in Twentieth-Century German Literature*, Stanford, Stanford University Press, 1959 y, del mismo autor, la «Introduction» a su *Anthology of German Expressionist Drama*, Ithaca, Cornell University Press, 1984; J.L. Styan, *Modern Drama in Theory and Practice. vol. 3. Expressionism and Epic Theatre,* Cambridge Cambridge University Press, 1985. Para una historia y una visión del expresionismo como movimiento en todas las artes véase John Willet, *Expressionism*, Londres, Weidenfeld and Nicolson, 1970. Como ocurre en todo movimiento artístico, las obras del teatro expresionista no presentan necesariamente todas las características señaladas. En particular, las número 12 y 13 se dan en una corriente del expresionismo que continúa rigurosamente el ejemplo de Strindberg en obras como «A Dream Play», y no aparecen en el esperpento.

22. Francisco Fernández Turienzo, en el «Estudio preliminar» a su edición de *San Manuel Bueno, mártir*, Madrid, Alhambra, 1985, muestra convincentemente el carácter expresionista de la estética unamuniana, partiendo también —como aquí se hace con respecto a Valle-Inclán— del antirrealismo

de Unamuno. En su tesis doctoral «El expresionismo en Valle-Inclán», University of Massachusetts, 1987, Carlos Jerez Farrán aborda el tema, no a partir de características generales como aquí se hace, sino mediante un análisis de ciertas técnicas (primitivismo, animalización, fantoches, máscaras, escenografía, etc.), de temas histórico-sociales (militares, burguesía, clero, etc.) y de las aportaciones del entonces novedoso cinematógrafo, en las que coincidirían expresionismo y esperpento.

23. Gonzalo Sobejano, «*Luces de Bohemia,* elegía y sátira», *Papeles de Son Armadans*, 43, octubre 1966, pp. 89-106, señala que el primero «posee genialidad de artista sin talento para vivir, mientras el bohemio golfante no posee genialidad de artista pero sí cierta maña para vivir a la sombra del artista genial» (p. 90).

24. John Lyon, *op. cit.*, se ocupa de la importancia de las escenas añadidas en la segunda versión de *Luces* en «A Note on the Two Versions of *Luces de Bohemia*», *Bulletin of Hispanic Studies*, 47, 1970, pp. 52-56, artículo que luego incorpora a su libro, *op. cit.*, pp. 111 ss.

25. Véase su lectura de *Luces* en *The Theatre of Valle-Inclán*, pp. 107-124. Lyon ve el interés dramático de *Luces* centrado en la tensión entre un contexto grotesco y un héroe anacrónico que se da cuenta progresiva de su carácter antitrágico alcanzando así mayor autenticidad humana. Consúltese, del mismo autor, su excelente artículo «Valle-Inclán and the Art of the Theatre», *Bulletin of Hispanic Studies*, 46, 1969, pp. 132-52, en donde se ocupa de varias técnicas del teatro de Valle-Inclán, de cuyo análisis podrían sacarse consecuencias probablemente más iluminadoras que del diferente enfoque con que Lyon aborda el teatro de Valle-Inclán en su libro.

26. Un testigo de excepción, Corpus Barga, nos ofrece el valioso testimonio de la obsesión de Valle-Inclán por la multiplicidad de tiempos y espacios y por el punto de vista: «El problema del punto de vista que modernamente ha sido tan planificado en la novela norteamericana y tan agudo en la francesa, era ya un tópico de las disertaciones de Valle-Inclán». En «Valle-Inclán en la más alta ocasión», *Revista de Occidente*, 44-45, 1966, pp. 296-7.

27. Una afirmación indirecta de esta característica expresionista nos la ofrece Torrente Ballester, «Los cuernos de Don Friolera», p. 224: «Las lapidarias frases de Valle-Inclán, lo que modifican o pretenden modificar no es la realidad, sino la imagen real, directa que nosostros podemos o pudiéramos haber [...] »; el suyo es «un modo de hablar que opera *sobre el sujeto a quien va destinado y no sobre el objeto a que se refiere*» (en mayúsculas en el original). Evidentemente, la «emoción» expresionista difiere de la emoción mimética y de la simbolista en su función —como se explica aquí— pero también en su naturaleza.

28. Sobre la «sensibilidad equina» de ciertos espectadores y la emoción estética de la corrida de toros diserta don Estrafalario en *Martes de carnaval*, colección Austral, Madrid, Espasa-Calpe, 1964, pp. 69 y 75.

29. Resulta sorprendente la unanimidad de la crítica en considerar que los distanciamientos de Valle-Inclán y Brecht son idénticos: así lo sostienen Ricardo Domenech, *op. cit.*, p. 464-5; Buero Vallejo, *Tres maestros,* p. 117; Weber, p. 587; José María de Quinto, «Un teatro desconocido: el de Valle-Inclán», *Insula*, 236-237, julio-agosto 1966, p. 24; Alfonso Sastre, *op. cit.*,

p. 176; Matilla, *op. cit.*, pp. 97-99. La relación entre la tradición española y Valle-Inclán es otro aspecto que necesita una seria revisión; en particular, buena parte de la crítica acepta sin discusión a Goya y Quevedo como antecedentes del esperpento, simplemente porque así lo dice el autor. Para una correcta evaluación de este problema habría que tener en cuenta las diferencias en intención y presupuestos estéticos de Valle-Inclán con respecto a sus posibles predecesores. No se puede comparar lo grotesco en esos autores sin atender no sólo a las formas de conseguirlo sino también a su función en las obras respectivas. Comparar manifestaciones del grotesco medieval o barroco con las del esperpento sin tener en cuenta estos factores —de lo que puede servir como ejemplo César Oliva, *Antecedentes estéticos del esperpento,* Cuadernos de la Cátedra de Teatro de la Universidad de Murcia, Murcia, Ediciones 23-27, 1978— no hace más que dificultar una verdadera comprensión de la estética valleinclaniana.

30. «En Valle-Inclán el estilo no es superior ni inferior a la más alta verdad, pues, ambas instancias se confunden en él y lo conforman [...] Estilo, para don Ramón, es una totalidad existencial», afirma con acierto Domingo García Sabell, «Valle-Inclán y las anécdotas», *Revista de Occidente*, 44-45, noviembre-diciembre 1966, p. 327.

III

GARCÍA LORCA

GARCÍA LORCA: HISTORIA DE UNA EVALUACIÓN, EVALUACIÓN DE UNA HISTORIA*

Luis Fernández-Cifuentes
(Princeton University)

«¿Es bueno de verdad García Lorca?» Por supuesto, ni voy a plantear ni voy a responder esta pregunta. Es la pregunta en sí la que ha sido el objeto de mi investigación y la que será el tema de esta ponencia. En primer lugar, porque la pregunta tiene una historia: de un modo o de otro ha sido formulada una y otra vez durante los últimos cincuenta años y se ha convertido en una preguna crucial, un hilo significativo que puede seguirse a través de los acontecimientos más relevantes de la historia literaria española desde la Guerra Civil. En segundo lugar, por las mismas características de la pregunta, la cual genera el tipo de cuestionario interminable cuyo propósito no es tanto pedir una respuesta como expresar una duda o un conjunto de dudas. Cada vez que, implícita o explícitamente, la pregunta sale a relucir, se tiende a dividirla en preguntas parciales (¿Es Lorca tan buen autor teatral como poeta? ¿Es el Lorca popular del *Romancero gitano* mejor que el Lorca difícil de *Poeta en Nueva York?*, etc., etc.). Cada vez que se la plantea, la pregunta implica o expone uno de los problemas más importunos de las humanidades: el problema del valor de una obra y la relación del valor

* Traducido por Ángel G. Loureiro.

con su popularidad, su prestigio académico y su influencia: ¿Cómo probar —rigurosamente— el valor indiscutible de una obra literaria? ¿Puede una obra teatral ser popular y ser enseñada en la universidad y no ser buena? ¿Puede ser buena y no ser influyente? Además, en una reconstrucción diacrónica, la pregunta «¿Es bueno de verdad García Lorca?» parece correcta en un momento e irreverente en otro; la misma persona puede considerarla crucial hoy e innecesaria mañana; puede parecer obvia un día y desconcertante el próximo; en un corto período de tiempo puede pasar de ser planteada abiertamente —y todo el mundo puede sentirse con libertad para planteársela— a ser relegada de modo que nadie se atreve a tocarla. Así, lo que a mí me gustaría reconstruir es no sólo un fragmento de historia literaria —concretamente, la historia de una pregunta— sino también la cuestión de la historia, los avatares de la historia literaria como pregunta, como forma de duda o indefinición.

Antes de comenzar a ofrecer fechas y datos concretos me gustaría establecer la configuración general de este fragmento particular: por una parte, su pertinencia, es decir, la intensidad y la posición que ha adquirido en el contexto de la historia literaria de la España contemporánea; por otra, los límites —principalmente los cronológicos— del fragmento y la justificación de esos límites.

Muchos de los críticos que hayan escrito sobre García Lorca en 1986, con toda probabilidad habrán comenzado sus comentarios o sus análisis con observaciones como la siguiente: «Después de Cervantes, Lorca es el escritor español más universal, más difundido y más conocido en el mundo».[1] Tras la mera e incesante repetición de tal afirmación se esconde, obviamente, una sospecha, una inseguridad. No pocos escritores han denunciado también esa percepción de la fama de Lorca como una forma de intimidación, como un obstáculo para una evaluación y análisis claros de su obra.[2] Pero si uno se detiene a analizar la fama en sí, se pueden reconocer las ambigüedades y complejidades provocadas por esa re-afirmación infinita del mismo hecho. Para comenzar, el prestigio de García Lorca no es igual dentro y fuera de España; no es el mismo para el lector común que para los intelectuales. Tenemos, por una parte, una imagen inmediata, enteriza y brillante a la que no se pone en tela de juicio; la popularidad de la obra de García Lorca o de la *persona* de García Lorca está basada, la mayor parte de las veces, en un impacto inmediato —el impacto de su poesía, así como el impacto de su encanto personal o el de su asesinato— que desafía el análisis o lo hace parecer una operación superflua o vergonzante. De este modo, e incluso para algunos intelectuales, el intento de analizar la vida de García Lorca parece sacrílego, y cuando se les pide que justifiquen su estima por la obra de García Lorca solamente pueden responder con un «porque sí» («Me gusta. Punto») o con una serie de opiniones entusiastas, igualmente alejadas del análisis real.[3] Por otra parte, principalmente en España y entre los intelectuales, la inmediatez del poder seductor de García Lorca y su bella imagen resultan sospechosas. La tendencia, aquí, es *separar* y *cuestionar: separar* meticulosamente la vida y el asesinato de Lorca, de su obra, para impedir cualquier confusión de valores, cualquier proyección de sentimientos; *cuestionar*, precisamente, la confianza que puede inspirar ese público extranjero o popular que se presta a ser víctima de un impacto inmediato. Esta diferencia crucial entre el acercamiento intelectual y el popular se encuentra, sin lugar a dudas, en el origen mismo de la pregunta, «¿Es bueno de verdad García Lorca?».

Pero hay un segundo elemento, igualmente problemático, en la configuración de este fragmento de la historia literaria. Me refiero a la presencia o la influencia de la obra de García Lorca en la escena literaria española desde la Guerra Civil. A este respecto, el enorme prestigio de García Lorca parece haber crecido enteramente contra corriente. Como mostraré enseguida, los críticos, poetas y autores teatrales españoles han tenido conciencia en todo momento, incluso dolorosamente, de la casi imposible influencia de García Lorca sobre las principales corrientes literarias de su tiempo y su país. Es este contraste entre gran prestigio e insignificante influencia lo que da urgencia e intensidad especiales a la pregunta acerca del valor de García Lorca.

Por una parte, el problema de su influencia aparece planteado explícitamente en las encuestas sobre su obra: me pregunto si hay algún escritor español que haya sido objeto de tales encuestas tan a menudo como García Lorca. Por supuesto, la cuestión de la influencia sale a relucir en todas ellas y la respuesta es casi idéntica en todos los casos. Por otra parte, esa cuestión se plantea implícitamente en la mayor parte de las encuestas generales y mesas redondas sobre literatura española contemporánea: aquí nos encontramos con una ausencia abrumadora del nombre de García Lorca, desplazado o relegado por los nombres de un buen número de contemporáneos suyos que jamás alcanzaron su fama. La pregunta original «¿Es bueno de verdad García Lorca?» queda así reducida en ocasiones a un inquietante «¿Dónde está?», y las respuestas tienden a hacerse cada vez más difíciles y evasivas.

En estas mismas encuestas, así como en otros documentos, podemos reconocer todavía un tercer conflicto relacionado con las cuestiones de la fama y valor de García Lorca. Puede parecer este un conflicto de poca monta o más limitado que los anteriores, pero, sin embargo, creo que es importante en el diseño general de este fragmento de historia literaria. Tiene que ver con esos nombres que, por una parte, desplazan a García Lorca en la lista de autores influyentes, pero que, por otra parte, son desplazados por el nombre de Lorca en la galería de famosos. La importancia de este hecho se debe en buena medida a razones comerciales: ¿A quién se publica, con qué frecuencia, y en qué tipo de edición? ¿De quiénes son las obras que se representan con más frecuencia, quién las representa, y para quién? El problema ha sido considerado especialmente agudo en el caso de la relación entre Valle-Inclán y García Lorca. Los cuestionamientos del valor e influencia de las obras teatrales de Valle-Inclán no han sido nunca muy serios o muy intensos, y en absoluto comparables a las preguntas sobre el teatro de García Lorca. Ni se plantean tampoco dudas importantes sobre la influencia de Valle-Inclán en García Lorca. Por esto, resulta desconcertante y molesto para muchos críticos el ver que las obras de Lorca son representadas constantemente en España y en el extranjero, en teatros comerciales y experimentales, mientras que Valle-Inclán se queda, en gran parte, en favorito de pequeñas compañías y públicos marginales.

En su conjunto, estos tres conflictos revelan —creo— la

centralidad e incluso la capacidad de centralización de *la cuestión*, así como sus numerosas implicaciones en todos los niveles de la historia literaria. Sin embargo, me temo que los textos que voy a citar para construir esta parcela de historia literaria revelan, con abrumadora frecuencia, la mediocridad insoslayable de buena parte de los críticos españoles, intelectuales o no. Es sólo su valor como síntomas, y no su calidad o falta de tal como críticos, lo que los hace indispensables para mi argumentación. Pero tal vez la pregunta sobre el valor de García Lorca solamente oculta otra preguna más intimidante que afecta a los mismos interrogadores: ¿Son buenos de verdad los intelectuales españoles, en este fragmento de su historia?

En todo caso, establezcamos los límites —cronológicos— del fragmento. Por supuesto, la pregunta fue formulada antes de 1936, y la mayor parte de sus matices e implicaciones ya estaban presentes en ese momento, pero el asesinato de García Lorca no sólo añade una nueva máscara a su *persona* —la máscara que muchos consideran la más intensa, y, por lo tanto, la que con más probabilidad va a afectar la evaluación de su obra— sino que proporciona además una nueva perspectiva desde la que examinar su arte: hasta 1936 cundieron las más grandes expectativas acerca del futuro de García Lorca, pues era considerado el más prometedor de todos los nuevos autores teatrales españoles y uno de los poetas más prometedores.[4] Desde 1936, esa condición de «promesa» es raramente recordada. La noción de lo «definitivo» reemplaza a la noción de lo «provisional», y la imagen popular, a la vez literaria y humana, de García Lorca, adquiere esos bordes nítidos que a él tanto le disgustaban. Comenzaré en 1936, por lo tanto, con la historia cronológica de la pregunta. El otro extremo del fragmento tendrá que ser 1986. No es ésta, sin embargo, una mera imposición del tiempo y las conmemoraciones. Por una parte, podemos decir que en 1986 la popularidad de Lorca y el cuestionamiento de su valor han alcanzado o están alcanzando una especie de cima. Pero, por otra parte, intentaré mostrar que la pregunta «¿Es bueno de verdad García Lorca?» ha sido desplazada, en verdad reemplazada, gracias a un acercamiento diferente a sus obras teatrales y a un nuevo tipo de investigación. En todas estas conmemoraciones lorquianas, sin importar las intenciones que nosotros creamos servir con ellas, se da una sensación de clausura y por lo tanto, naturalmente, también una sensación de apertura.

Por razones prácticas dividiré estos cincuenta años en fragmentos más pequeños y me detendré especialmente en las fechas que considero cruciales. Estas divisiones no serán arbitrarias pero tampoco delimitarán fragmentos temporales separados, autodeterminados. No sólo se da la superposición con más frecuencia en esta historia que en la mayoría, sino que constituye además la clave para entender su desarrollo. Tal superposición no será en este caso un obstáculo para el historiador, sino precisamente su interés principal: una historia de superposiciones.

El primer período, y el más largo, se extiende desde 1936 hasta los primeros años cincuenta. Según la versión convencional de la historia de ese período, mientras hubo un gobierno republicano en España y los intelectuales republicanos tuvieron algún medio de expresión, la figura de García Lorca se convirtió en una especie de emblema público de la causa, desde los sellos de correos hasta las páginas de *Hora de España*. Pero, acabada la guerra, comenzaron la represión y la censura, y García Lorca se convirtió de nuevo en una de las primeras víctimas del nuevo gobierno. José Luis Cano describe las consecuencias en una de las encuestas sobre García Lorca: «Pienso que en la primera posguerra las generaciones jóvenes no pudieron ser influidas por la obra de Lorca ya que en aquellos años de casi desierto cultural no era fácil encontrar los libros de Federico, como tampoco los de otros poetas de su generación, por la sencilla razón de que estaban agotados o prohibidos» (*Trece de nieve*, p. 228). Pero esta imagen convencional ya no nos parece completamente justa o exacta, especialmente con relación a los primeros años de la posguerra. Bien al contrario, la figura de García Lorca resulta extraordinariamente ubicua en esos momentos. Buero Vallejo, testigo de excepción, recuerda que «durante los quince años siguientes al asesinato de que fue víctima el poeta, su obra se sacraliza y apenas se oyen voces discordantes».[5] Sus obras no eran accesibles al gran público en la medida en que lo fueron más tarde, pero eran leídas y releídas con devoción, al menos por otros poetas. Víctor García de la Concha ha comprobado que, entre los poetas y críticos de la revista *Espadaña*, «de uno a otro van pasando los libros, muchas veces copiados a mano, de Aleixandres *[sic]*, Guillén, Lorca y Miguel Hernández».[6] La poesía de Lorca había sido publicada en España en numerosas ediciones antes de la guerra, pero incluso los volúmenes de las obras completas que Losada comenzó a publicar en Buenos Aires en 1938 y las primeras ediciones de *Poeta en Nueva York* —más limitadas y exquisitas—, publicadas simultáneamente en México y Nueva York, circularon en España poco tiempo después, según el testimonio de Félix Grande.[7] La prohibición y la censura no eran medios muy eficaces para impedir la influencia o incluso la difusión de las obras de un escritor. A la importancia e influencia de García Lorca no le hicieron sombra precisamente los poetas y dramaturgos oficialmente autorizados, sino la más difícil y casi inaccesible poesía de César Vallejo. Félix Grande ha contado la historia con cierto detalle: «Quiero recordar que la primera edición de los libros *Poemas humanos* y *España, aparta de mi este cáliz*, de Vallejo, se hizo en 1939. Fue una edición limitada —250 ejemplares—, publicada en París. Tal vez no pasaron a España más allá de diez ejemplares o, es lo mismo, cincuenta; mas para aquellos de nosotros que hemos descubierto a Vallejo recitado de memoria por algún amigo —en otra ocasión he escrito que Vallejo fue en mi tiempo un poeta de tradición oral— esta limitación no es determinante. Juan Luis Panero me dice que su padre debió de recibir esa edición hacia 1941 o 1942. Me dice también que ese ejemplar no se detenía jamás» (p. 51).

Pero incluso en esos primeros años de prestigio casi sagrado, la influencia de Lorca fue evidente sólo en ciertas áreas y no fue el tipo de influencia que uno esperaría de una figura tan aclamada: García de la Concha ha reconocido el «paradigma» de «Alberti, y, sobre todo, Lorca» en la «muestra neopopulista» de poetas falangistas muy menores, cuyos poemas fueron publicados en la revista *Garcilaso*.[8] Me pregunto si sería injusto incluir esta poesía en la categoría que Carlos Barral denominó, unos años después, «infraliteratura», cuando contestó en una encuesta que «la influencia de Lorca ha sido inmensa, sobre todo al nivel de la infraliteratura».[9]

Es hacia el final de los años cuarenta cuando el nombre

de García Lorca comienza a desaparecer de la lista de favoritos, reemplazado no solamente por Vallejo sino también por Machado y Neruda. Lorca era querido y reverenciado, pero al mismo tiempo se convertía en una figura cada vez más marginal con respecto a la evolución literaria de su país. La coincidencia de su intensa presencia con su notoria ausencia empezaba a desdibujar la imagen sagrada del poeta. El comienzo del denominado «retorno a Machado» ha sido fechado por García de la Concha alrededor de 1949, y ha sido localizado entre aquellos poetas que, dirigidos por Luis Rosales, promovieron un movimiento llamado «Poesía Total».[10] Aún más importante: desde 1945 los poetas de *Espadaña* habían adoptado «una postura anti-formalista que preconizaba una rehumanización de la poesía y se ponía, de hecho, frente a la postura "garcilasista" de "Juventud creadora"».[11] Este nuevo movimiento conduciría con el tiempo a la extendida «poesía social», abiertamente comprometida con la denuncia de ciertas realidades humanas. En 1952, cuando este compromiso estaba ya decididamente en marcha, una antología ahora famosa, la *Antología consultada de la joven poesía española*, satisfizo cierta necesidad de establecer jerarquías y posiciones entre los poetas españoles. El editor pidió a sesenta personalidades que respondieran a la siguiente pregunta: «¿Quiénes son, en opinión suya, los diez mejores poetas, vivos, dados a conocer en la última década?». El grupo de *Espadaña* dominaba en la lista final y uno de ellos, Eugenio de Nora, contestó la encuesta del editor con manifestaciones tal vez más sintomáticas que correctas: «Nos educamos y vivimos en una cultura lánguida, apocada, medio muerta de desnutrición y asfixia. No pienso en España sino en Europa entera [...]. Nuestros maestros, los míos, han sido "poetas puros", versificadores de cuarto cerrado, de temas "asépticos" y de inmensa minoría. Poetas personalmente anacrónicos y socialmente nulos, que no encarnan ni representan a nadie. (Ni Federico es una excepción, contra las apariencias. Y Miguel Hernández, precipitado en la poesía española con la guerra misma, era una fuerza sin dominio que se apagó antes de madurar)».[12]

Poco a poco, pero sin duda alguna, Lorca comienza a aparecer como una figura entre otras, y ya no es el gigante aislado e intocable que se creía. Una «revisión» más rigurosa de su teatro había tenido lugar el año anterior —1951— en un folleto en el que Eusebio García Luengo trataba de combatir las «inhibiciones críticas» ocasionadas por las circunstancias de su muerte. Este folleto ha sido siempre considerado como una anomalía, un panfleto aislado y escandalizador contra García Lorca, pero obviamente su propósito no es tanto empequeñecer la figura de García Lorca como colocarla en perspectiva. No se encontrarán en sus páginas muchas conclusiones definitivas ni afirmaciones ásperas, sino las mismas preguntas, dudas e incertidumbres que muy pronto preocuparían a muchos poetas y dramaturgos españoles: «¿Aportó García Lorca algo realmente nuevo? ¿Es justo descalificar su teatro cuando resulta tan obviamente superior al teatro de sus contemporáneos?». La única aseveración de García Luengo es en última instancia bastante similar a la de Eugenio de Nora: junto a una comprensión estrecha y superficial de los problemas de la vida, García Lorca nos ofrece «un acusado artificio estético», el cual «no llega a conmovernos». A pesar de esto, García Luengo se declara todavía seducido por «el fabuloso encanto lorquiano».[13]

En 1952, en aquella atmósfera cambiante, la Editorial Aguilar publicó una edición de 548 páginas de las «obras escogidas» de Miguel Hernández. Ese mismo año se produciría un giro decisivo en la recepción de García Lorca en España: el 19 de mayo, José Aguilar firmó un contrato que le otorgaba el derecho a publicar las obras completas de García Lorca. Aparecieron finalmente en el verano de 1954, y fueron recibidas y recomendadas con entusiasmo por periódicos como *ABC*. El mismo Franco había autorizado su publicación.[14] En el contexto que se acaba de describir tal vez el acontecimiento no fue tanto un síntoma de la importancia de Lorca como de su «inofensividad». La vida literaria española marchaba en otra dirección: ahora que la mayor parte de los intelectuales estaban distanciándose de García Lorca, sus obras podían hacerse asequibles al gran público.

El año 1960 es la siguiente fecha importante en este itinerario. Por primera vez desde su asesinato, una obra de García Lorca es representada por profesionales en un teatro comercial de Madrid. Sucedió el 21 de octubre y la obra fue

Yerma, dirigida por Luis Escobar, con Aurora Bautista como Yerma y decorados de José Caballero. A comienzos del verano la obra había sido representada en Italia, en el Festival de Spoleto. Por supuesto, igual que la publicación de las obras completas de Lorca, fue este también un gesto del gobierno de Franco para aparecer más liberal a los ojos de las naciones extranjeras y de los intelectuales españoles. El prestigio de Lorca era más fuerte que nunca fuera de España y la obra tuvo un enorme éxito en Spoleto. En 1951, García Luengo consideraba perfectamente comprensible que las obras de Lorca tuvieran un éxito total en países extranjeros «pues en sus obras más conocidas se ofrece a los ojos exóticos como una especie de óptima españolada» (p. 18). José Luis Alonso, corresponsal de *Primer Acto* en Spoleto, describió el éxito de Lorca con estas palabras: «El público, y por añadidura un público extranjero, encontró precisamente todo lo que esperaba en una obra de Lorca hecha por españoles: mujeres enlutadas, tan típicas en el teatro del poeta granadino [...], tipismo popular [...], folklore». El reportaje de José Luis Alonso está también lleno de preguntas acerca de la nueva presencia del teatro de García Lorca en España. Hombre de teatro él mismo y escritor de plantilla de *Primer Acto*, José Luis Alonso debe haber sido muy consciente de las tendencias europeas que eran seguidas o promovidas en España: Brecht, Beckett, Ionesco y Genet eran en ese momento dramaturgos de primera fila que la élite española —especialmente la élite intelectual— quería ver y leer, y sobre los que quería informarse. En ese contexto, José Luis Alonso se pregunta: «¿Qué clase de interés despertará [*Yerma*]? ¿Habrán dañado a Lorca sus propios imitadores? [...] Yo a lo único que me atrevo es a vaticinar el éxito del teatro de Federico García Lorca, pero jamás del teatro escrito "a la manera lorquiana"».[15] Esta mezcla de grandes expectativas y miedo a la desilusión refleja bastante adecuadamente el deterioro de la imagen de García Lorca en su propio país. El siguiente número de *Primer Acto* (n.º 16, sept-oct. de 1960) incluía una nota de Domingo Pérez Minik advirtiendo al público sobre la nueva recuperación: «El dramaturgo español de hoy ha tenido que hacerlo todo, porque hay que reconocer que ni García Lorca le servía, salvo *La casa de Bernarda Alba* y los *Esperpentos* de Valle-Inclán» (p. 5).

Yerma fue finalmente presentada en Madrid y su moderado éxito no dejó mucha huella. La mayor parte de los periódicos y revistas no la consideraron un estreno y por lo tanto no la reseñaron, ni siquiera como acontecimiento inusual o anhelado. En cuanto a la inquietud de los intelectuales, no disminuyó. Rafael Vázquez Zamora escribió en *Insula* (n.º 168, nov. de 1960) que Lorca ya era un clásico, y que, por lo tanto, su teatro nunca envejecería, como algunos habían predicho. Su teatro da una lección de pureza y simplicidad a los dramaturgos actuales —escribe— «pero apresurémonos a reconocer que si todo el teatro fuese como el de Federico García Lorca, no habría teatro como género, sino tan sólo una altísima poesía teatral de la que no se podría beber demasiado sin aniquilarse». El número de noviembre de *Primer Acto* (n.º 17) incluía solamente una nota de 150 palabras, de José Monleón, en la que planteaba una serie de preguntas a las que no podía ofrecer respuesta, y concluía: «Difícil hacer cualquier comentario. Desde luego, una crítica desapasionada me parece imposible. Tiempo habrá de futuras representaciones lorquianas para hacerla» (p. 48). Monleón, y muchos otros, pensaban tal vez que un rechazo muy explícito de García Lorca habría sido una manera de seguirle el juego al gobierno. De todos modos, creo que fueron también sus mismas opiniones y pareceres ambivalentes lo que les impidió escribir más extensamente o más críticamente sobre *Yerma*. Incluso sus expectativas podrían haber influido también en este asunto: después de todo, *La casa de Bernarda Alba*, considerada por muchos de ellos la mejor obra de Lorca y una de las mejores de todos los tiempos, no había sido estrenada oficialmente en España.

Para el objetivo de este trabajo, el resultado más significativo de la vuelta de Lorca a los escenarios españoles fue la encuesta que *Insula* envió ese mismo mes (n.º 168, nov. 1960, p. 8) a varios poetas, críticos y dramaturgos de las viejas y de las nuevas generaciones, tanto de derechas como de izquierdas. Las preguntas eran las siguientes: «1. ¿Qué situación y vigencia cree que posee el teatro de Lorca en nuestra escena? 2. La representación del teatro lorquiano, hasta ahora sólo conocido de los jóvenes por la lectura, ¿puede aportar enseñanzas e influir en las nuevas promociones de autores?». Las respuestas constituyen un documento más de la ambivalencia e incertidumbre que rodeaba a la figura de Lorca entre los intelectuales españoles. Buero Vallejo fue, como era de esperar, el más entusiasta, convencido como estaba de que García Lorca podía y debía mostrar a los jóvenes dramaturgos la dirección a seguir. Pero se vio obligado a distinguir entre influencia e imitación para concluir que con Lorca sucede como con todos los grandes creadores, entre los cuales «es más positivo el poderoso influjo que ejercen sobre quienes no los siguen». También era de prever que Alfonso Sastre fuera el más desdeñoso: «Nada de lo que se hace o se intenta hacer en "nuestra escena actual" tiene alguna relación con "el teatro" de Federico García Lorca». Pero incluso Sastre reconocía que los jóvenes dramaturgos compartían con García Lorca una serie de actitudes saludables: «Negación de la validez de lo que hay, ferviente deseo de romper con la comedia burguesa, anhelo de un teatro popular». Entre esos dos extremos se dieron solamente variaciones sobre la misma combinación de respeto y rechazo: «Lorca es ya un clásico del teatro universal y se le representa en ese sentido [...] no como autor en cuyas obras se encuentra el reflejo de la sensibilidad y de los problemas del mundo contemporáneo», «su temática [...] no responde a las preocupaciones actuales»; su teatro deja «bastante que desear por cuanto parece más atento a unas exigencias estéticas que existenciales».

Esta encuesta fue seguida, aproximadamente un año más tarde, por otra, más corta y más general, en *Primer Acto* (n.os 28-29, dic. 1961-ene. 1962). Se les pidió a una serie de dramaturgos que dieran los nombres de autores contemporáneos que habían influido en ellos. Previsiblemente, la mayor parte de los nombres eran extranjeros, pero sorprende que sea Benavente el autor español más mencionado (3 veces), con Galdós, Muñoz Seca y otros, mientras que ni García Lorca ni Valle-Inclán aparecen en absoluto. Sólo unos meses más tarde, el 10 de octubre de 1962, y bajo la dirección de José Tamayo, le llegó la oportunidad a *Bodas de sangre*. Alcanzó 116 representaciones, lo que indica cierto éxito de taquilla, pero los críticos fueron unánimes en su decepción, debida principalmente a la puesta en escena, pero también a un texto que encontraron «lleno de defectos teatrales».[16] José Monleón fue más específico y atribuyó el fracaso a dos circunstancias. Por una parte, los actores y el director habían sido incapaces de superar las estrechas convenciones del teatro burgués. Por otra, el teatro de Lorca se encontraba demasiado protegido, en opinión de Monleón, por «un incontrolado y dudoso clima reverencial, [...] [que] ha venido a envolver un teatro que necesita ser reconsiderado —como todo el teatro— críticamente». Fue precisamente en relación con este fracaso cuando Monleón sugirió —creo que por vez primera— un modo de abandonar a la vez la referencia acrítica y el interminable cuestionamiento del trabajo de Lorca: se trata de un tipo de teatro que «sólo cabe juzgar a medias en los textos», porque esos textos admiten «innumerables formas de desarrollo». Años más tarde, cuando los intelectuales se dieron cuenta de que el teatro de Lorca, a diferencia de muchos otros, se presta a esta pluralidad de *interpretaciones*, las preguntas acerca de su valor perdieron poco a poco su sentido. Entretanto, Monleón (y probablemente la mayor parte de los intelectuales) prefería «estas *Bodas de sangre* a la mayor parte del teatro que exhiben los escenarios madrileños».[17]

En 1964, finalmente, *La casa de Bernarda Alba* fue estrenada en España, bajo dirección de Juan Antonio Bardem —el director cinematográfico español más prestigioso, miembro, además, del Partido Comunista—, con decorados de Antonio Saura, pintor de renombre internacional, a la cabeza de un grupo de expresionistas abstractos españoles. Fue, sin embargo, una representación bastante convencional. Bardem declaró por aquellas fechas: «Yo concibo la función del director teatral como de servidumbre y humildad».[18] Lorca y sus textos conservaban todavía buena parte de su autoridad sobre el escenario. Por supuesto, este estreno fue considerado «el gran acontecimiento de la temporada»,[19] pero apenas alcanzó 150 representaciones es una época en que una obra menor de Alejandro Casona o de Miguel Mihura alcanzaba las 500 e incluso a veces sobrepasaba las 1.000. «Pasó sin pena ni gloria», recordaba un espectador años más tarde.[20] Más desconcertante todavía es el hecho de que la mayor parte de las críticas de la obra estuvieran plenamente de acuerdo: por una parte, todas señalan que esta es, sin duda alguna, la mejor obra de Lorca, superior por supuesto a cualquiera de Benavente, Arniches o los hermanos Quintero (*La malquerida* de Benavente había sido representada en el mismo teatro inmediatamente antes que *La casa de Bernarda Alba* y las comparaciones parecían inevitables en aquel momento). Por otra parte, todos consideraban que la obra estaba anticuada. Aquí, tras la cauta retórica y el rechazo discreto, pueden reconocerse fácilmente las tendencias de la época: en un momento en que la escena literaria estaba dominada por la idea sartreana del compromiso ideológico de la literatura, *La casa de Bernarda Alba* decepcionó a muchos espectadores como obra inocua o socialmente insignificante. «El tema y el ambiente están como desplazados del mundo que conocemos»; «la angustia trágica de la vida aldeana tal vez sea hoy otra angustia distinta a la de esas obras benaventinas y lorquianas, pero sus valores teatrales permanecen».[21] En *Primer Acto* (n.º 50, feb. 1964, p. 16), Ricardo Doménech observó también que el teatro europeo había tomado rumbos diferentes desde la guerra, pero trató de salvar la obra diciendo que era todavía moderna porque hablaba de la libertad. *Primer Acto* dedicó buena parte de su número de febrero a García Lorca, y reimprimió en sus páginas un fragmento del famoso folleto de García Luengo: era más que un simple gesto democrático; las opiniones de García Luengo habían sido repetidas, y serían aún repetidas, por muchos de los redactores de *Primer Acto*.[22]

Se diría que esta recepción de *La casa de Bernarda Alba*, bien definida y casi unánime, cierra el debate sobre García Lorca y contesta, de alguna manera, todas las preguntas sobre su teatro. Pero dista mucho de ser así. Otro testigo de esa recepción —Ángel Fernández Santos— observa ciertas contradicciones desconcertantes. Recuerda cómo, tiempo atrás, una minoría sofisticada había sido seducida por la fama desproporcionada que Lorca había alcanzado en Francia, Inglaterra e Italia, y ansiaba el retorno de las obras de Lorca a los escenarios españoles con «un deseo apasionado en tal grado que, en ciertos momentos, tomó todas las características de una veneración religiosa». Pero entonces «ocurrió algo no previsto por la pasión mitológica: que Lorca gustó y se hizo un autor taquillero, que no escandalizó ni revolucionó a nadie, sino que complació a gente que se complace habitualmente con obras tan poco revolucionarias como las de Pemán o Paso». Los fanáticos de ayer se convirtieron en los disidentes de hoy, y ahora, mientras que por una parte Lorca es mayor negocio que nunca, por otra, «no hay que andar mucho para oír cosas como estas: el teatro de Lorca es reaccionario; su lenguaje, retórico y vacío; su visión del pueblo es pura mixtificación, muy apropiada para franceses, ingleses y, en general, para todo tipo de turistas». La conclusión final de Fernández Santos consiste una vez más en una reformulación de la vieja pregunta (¿Es bueno de verdad García Lorca?): «La verdadera magnitud de la obra dramática de Lorca sigue, en cambio, siendo oscura, y el que se aclare o no es sólo una cuestión de decisión en los críticos o, tal vez, de tiempo».[23]

Pero el tiempo y los críticos no serán los únicos en aclarar el problema. En ese mismo número de *Primer Acto*, Ricardo Doménech proponía para el problema, aunque sólo indirectamente, la misma solución que Monleón había sugerido dos años antes. Puede parecer ahora una perogrullada, pero en aquel momento fue seguramente una propuesta atrevida: «De muchas maneras puede montarse *La casa de Bernarda Alba*» (p. 16). Seis meses más tarde, con ocasión del estreno en Barcelona de *Amor de don Perlimplín* y *Los títeres de cachiporra*, Julio Acerete expresa una vez más las viejas dudas y se pregunta, como Monleón y Doménech, si «la suerte del teatro de Lorca, en lo que se refiere a una justa y racional valoración, no estará por entero en manos de los directores de escena».[24] Probablemente el mismo Lorca estaría de acuerdo con eso. Al menos en una ocasión se refirió a la pluralidad de interpretaciones que de una obra —una *buena* obra, podemos suponer— se deberían ofrecer: «Si tuviera dinero, me gustaría hacer varias versiones de la misma obra: una antigua; otra moderna; una fastuosa; otra, muy simplificada».[25] De esta manera, las preguntas acerca de los textos van siendo desplazadas poco o poco por preguntas acerca de la representación y la máscara del director comienza a reemplazar la máscara sagrada del autor. Y esto sucede también con el mismo García Lorca. En 1966, dos años antes del estreno de *La casa de Bernarda Alba*, en un número especial que *Cuadernos para el Diálogo* —la revista más importante de la «intelligentzia» española— dedicó al teatro, destaca notablemente la ausencia del nombre de García Lorca como autor, mientras que Valle-Inclán es proclamado una y otra vez el dramaturgo español más importante del siglo veinte. Sin embargo, en ese número hay referencias frecuentes a La Barraca y al prestigio de García Lorca como director. Nadie parece cuestionar esto: la renovación del teatro español contemporáneo por medio del director y de la representación «comienza con García Lorca».[26] De este modo, se va preparando el ambiente para el cambio más radical de perspectiva sobre el teatro de Lorca desde la Guerra Civil, cambio que tuvo lugar en 1971 a manos de Víctor García y Núria Espert.

Pero, ¿qué pasa entretanto con la poesía de Lorca? En 1966, 30.º aniversario de su asesinato, *ABC* dedicó a García Lorca un número de su revista dominical (6 de noviembre). A diferencia del número especial de 1986, éste no incluye ningún artículo erudito: sólo reminiscencias de la vida y del encanto de Lorca por algunos de sus amigos señalados. Como años más tarde recordaría Stephen Spender, Lorca «estaba más allá de la crítica» entre los poetas que lo habían conocido, y «no haber conocido a Lorca significaba haber perdido una experiencia mágica».[27] Esta atmósfera acrítica fue todavía el objetivo de la recuperación efectuada por *ABC*, con énfasis en dos aspectos particulares y de algún modo contradictorios: uno, situar a Lorca por encima de toda controversia política; el otro, contrarrestar el desdén general que la «poesía social» había proyectado sobre la poesía de Lorca desde los primeros cincuenta. Así, la «Biografía acelerada de Federico», de José Luis Cano, aparecía encabezada por este epígrafe: «Ningún artista verdadero —decía— cree ya en esa zarandaja del arte puro».

Pero 1966 fue también el año de *Un cuarto de siglo de poesía española*, segunda versión, ampliada, de la influyente antología de Castellet. En su larga introducción, Antonio Machado es el protagonista absoluto, porque es «más actual incluso que muchos de los grandes poetas de la generación "del 27"». García Lorca —mencionado de pasada sólo dos veces— es uno de esos poetas; no lo es Cernuda, y el mismo Cernuda escribió que «los jóvenes, y aun los que ya han dejado de serlo, encuentran ahora en la obra de Machado un eco de las preocupaciones del mundo que viven».[28] García Lorca no aparecía tampoco dos años después en las respuestas a la encuesta que José Batlló envió a los poetas de su antología, *Antología de la nueva poesía española*. La tercera pregunta era la siguiente: «A partir de la llamada generación del 98, ¿cuáles crees que han sido los escritores que más han influido en el actual panorama de la poesía española? ¿Cuáles son los que personalmente más te interesan a ti?». Los nombres de Machado y Cernuda son los citados con más frecuencia, seguidos de cerca por Vallejo, Aleixandre y Neruda. Sólo Pere Gimferrer se reconoce influido por Lorca; José Agustín Goytisolo y Carlos Barral sólo mencionan su nombre para negar su influencia o para situarlo «al nivel de la infraliteratura».[29]

Un silencio semejante rodea el nombre de Lorca en dos números especiales de *Cuadernos para el Diálogo*. En «Treinta años de literatura», aparecido en mayo de 1969, solamente Félix Grande se atreve a declarar que Lorca es uno de los tres poetas más grandes de su generación, con Alberti y Cernuda. Pero en la previsible encuesta incluida en ese número, cuando se les pide a los contribuyentes que señalen tres libros destacados en el contexto general de la literatura española desde la guerra, sólo Rafael Soto Vergés menciona *Poeta en Nueva York*; ni Félix Grande, ni Gimferrer, ni ningún otro escritor recuerda a García Lorca. «Literatura española a treinta años del siglo XXI», el segundo número especial de *Cuadernos para el Diálogo*, apareció en 1970. Tiene una ventaja sobre el especial anterior: expone las contradicciones tradicionales acerca del tema de García Lorca. Ignorado de nuevo por la élite, aparece en varias encuestas sobre el gusto popular como el poeta español más leído después de Antonio Machado (pp. 86-87). En la mesa redonda de los poetas se proclamó: «Los últimos poetas populares, en el sentido de conocidos de grandes sectores, no en la universidad, no en los círculos iniciados, mejor dicho, el último, fue Lorca» (p. 56). En el mismo año de 1970, otra antología famosa, con su indispensable encuesta, espesaría aún más el silencio de la élite —en esta ocasión la élite joven— sobre la poesía de García Lorca: para los *Nueve novísimos* [30] seleccionados por Castellet, T.S. Eliot, Ezra Pound, Saint-John Perse eran los padres aceptados; a su lado, sólo poetas como Cernuda, Lezama Lima, Vallejo y Octavio Paz parecen despertar algún interés verdadero. En cuanto a García Lorca, no es ni siquiera objeto de rechazo.

Este tipo de silencio sobre su poesía fue apenas perturbado por el número especial que *Trece de Nieve* le dedicó en 1976. Una nueva encuesta preguntaba explícitamente a unos cuantos poetas acerca de la influencia de García Lorca desde la guerra, y acerca de las razones de su popularidad. Hay un esfuerzo obvio por parte de los poetas por mostrarse favorables y generosos con respecto a la obra de García Lorca, pero sus conclusiones son las mismas en última instancia. Las palabras «imitación» e «influencia» son injustamente enfrentadas entre sí con el propósito de salvar al poeta o de velar el deterioro de su imagen: Lorca es «inimitable» y su «influencia» sobre los poetas de verdad ha sido mínima; las últimas generaciones parecen haber descubierto al Lorca surrealista, pero incluso en ese sentido su «influencia» es limitada y su «imitación» peligrosa. Guillermo Carnero, tratando de explicar la popularidad de Lorca, ofrece el siguiente modelo de ambivalencia, esta mezcla elaborada de elogio y rechazo: «dos circunstancias han ayudado a crear en el gran público un asentimiento previo, que en el caso de existir de cara a otro poeta lo hubiera hecho igualmente difundible. Una es la musicalidad magistral de la parte menos interesante de su obra. La otra es la circunstancia de su asesinato».[31]

A diferencia de su poesía, el teatro de Lorca atrajo gran atención hacia finales de 1971, precisamente cuando Lorca mismo y sus textos comenzaban a perder buena parte de la prominencia que habían tenido. En el número de octubre de *Primer Acto*, Víctor García, que estaba ensayando *Yerma*, es ya introducido como protagonista principal de la cercana representación. En una larga y fascinante entrevista con José Monleón, Víctor García ofreció una respuesta no tanto a la cuestión general del valor de Lorca como a la actitud común subyacente al continuo cuestionamiento. Para Víctor García lo primero a tener en cuenta es que el teatro está muerto, es algo del pasado. No puede ser resucitado, pero tal vez se pueden ofrecer todavía sus últimos destellos, sus «fuegos fatuos». Víctor García encuentra en las obras de Lorca ese destello último que emite el teatro muerto. Esto es lo que él llama «magia», en unas declaraciones muy justas que cambian el enfoque de las interpretaciones vigentes sobre la popularidad de Lorca: «Si tuvo algo de mítico García Lorca es porque tuvo algo de magia; no se mitifica no importa qué». En varios momentos, Víctor García es presionado por Monleón para que dé «precisiones de orden social que ayuden a comprender el alcance político de la historia». Pero esta forma de acercarse a la vieja pregunta estaba quedándose rápidamente anticuada y Víctor García ni siquiera parece entender a lo que se refiere Monleón. Él quiere simplemente revelar la magia que sobrevive en la obra (y sus elementos oníricos y poéticos) tras eliminar todo detalle naturalista, pasado, cualquier semejanza con «la realidad física normal».[32] «Magia» es así la palabra que atraerá todo el interés que lo «social» y lo «político» estaban perdiendo en aquel momento, al menos en la esfera de la literatura y las artes. «Magia» no podía ser definida fácilmente; de hecho, evocaba lo indefinido, lo impreciso, lo difuminado, lo irreducible, lo que se esconde detrás de lo inmediato. La atención a la «magia» no suponía un cambio reaccionario de la moda, sino una comprensión más profunda de la función de la literatura.

Buero Vallejo abordó este tema unos meses más tarde, en su discurso de recepción en la Real Academia, al tratar de aclarar la confusión de valores y criterios que dominaban los acercamientos vigentes a la obra de García Lorca y de Valle-Inclán, así como la relación entre ellos. Hay que señalar que Buero es consciente de que en 1972 «el análisis literario no puede dar todavía soluciones concluyentes al problema de los juicios de valor». Pero si la vieja pregunta no puede ser contestada adecuadamente, al menos puede ser centrada con justeza. Para Buero Vallejo, Valle-Inclán puede ser definido por un sentido de lo grotesco y Lorca por un sentido de lo mágico. «Ganadora la fórmula esperpéntica de nuestra adhesión intelectual durante los años últimos, el desvío ante la magia lorquiana era inevitable. Mas he aquí que, en la literatura más reciente, se ha recrudecido una magia suprarrealista que Federico habría aprobado. Sospechosa de irracionalidad, hállanla también no pocos socialmente regresiva pero, en su ruptura de fórmas lógicas, advierten otros una crítica social más explosiva que ninguna otra.»[33]

Esto fue sólo parte de la gran polémica —«La más apasionada polémica que recordamos»—[34] originada por la versión de *Yerma* de Víctor García, desde la noche del estreno el 29 de noviembre de 1971 hasta la última de las más de 350 representaciones. Es sorprendente observar que la línea de separación entre los que están a favor y los que están en contra de la nueva versión ya no coincide con la línea de separación entre derechas e izquierdas, como ocurría antes de la guerra. *El Alcázar*, *Arriba* y *Ya* están con *Triunfo* y *Primer Acto* en contra de *Pueblo*, *ABC*, y la *Hoja del Lunes*. Todos coinciden en un punto: esta *Yerma* está totalmente desprovista de folklorismos, de cualquier referencia de tiempo o espacio. Los puntos de desacuerdo se refieren principalmente a un único dilema: ¿es esta todavía una obra de Lorca o ya no? Para el crítico de *ABC*, Lorca está totalmente ausente de esta adulteración de su texto. Según *El Alcázar*, «Víctor García ha roto decididamente con el tópico —hasta que se demuestre lo contrario— asfixiante. Y ha pensado, sin salirse de lo lorquiano, más que en el *Romancero*, en *Poeta en Nueva York*». El crítico de *Arriba* escribió: «Sin duda alguna, en el fondo de *Yerma* existía este montaje». La vieja pregunta, «¿Es bueno de verdad García Lorca?» vuelve ahora a la superficie de la mano de una nueva preocupación: se piense lo que se piense de esta versión, hay que aceptar que es tan inusual y atractiva como para mantener *Yerma* en el escenario del Teatro de la Comedia más tiempo que ninguna de sus otras obras; «de otra forma, no sabemos hasta qué punto hubiera podido sostenerse con tal brío».[35] A pesar de la controversia, Víctor García ganó el Premio de la Crítica a la mejor reepresentación del año.

La *Yerma* de Víctor García no fue un hito aislado: por una parte, puso en tela de juicio todos los criterios convencionales con que se evaluaba el teatro de García Lorca. El público y los críticos se dieron cuenta de que, a diferencia de Benavente, los Quintero, e incluso otros dramaturgos contemporáneos, Lorca había escrito algunas obras que se prestaban a interpretaciones variadas, obras abiertas a lo inusual, lo experimental, lo nuevo. De este modo, lo que había parecido un defecto importante —la carencia de teatralidad de Lorca— se convirtió en su última virtud, en el último destello de un teatro moribundo: una puerta hacia otro tipo de teatralidades. Por otra parte, Víctor García abrió un camino que sería recordado y seguido en años futuros. Así, precozmente, García Lorca se convirtió para el teatro español en lo que Shakespeare era para el inglés y Lope había sido para La Barraca: un autor de repertorio cuyas obras permitían todo tipo de experimentos e innovaciones. Ya en abril de 1972, se tuvo noticia de una versión bastante sorprendente de *La casa de Bernarda Alba*, representada en Portugal bajo la dirección de Ángel Facio. El punto de vista de Facio permitió que los críticos se dieran cuenta de que la obra de Lorca tenía algo en común con *Les bonnes* de Genet —tal vez la obra más respetada en aquel momento, representada con gran éxito por Víctor García—: «¿no hay entre el suicidio de Adela y la ceremonia epilogal de *Las criadas*, de Genet, una serie de puntos de contacto?».[36] Cuando se estrenó finalmente en Madrid, el 17 de septiembre de 1976, los críticos la describieron con expresiones similares a las que habían usado para juzgar la *Yerma* de Víctor García: todo detalle folklórico ha sido eliminado, en el escenario no hay referencia alguna a Andalucía o a lo andaluz: «Facio ha prescindido de todo localismo, para centrarse en signos de alcance más amplio». Por ejemplo: la decoración apenas tiene relación con la representación de una casa o de una habitación; logra transmitir otra serie de significados al espectador: útero, prisión, burdel... Varios críticos (en *Pueblo, ABC, Blanco y Negro, La Estafeta Literaria,* e incluso *El País*) consideraron que esos significados, así como los «evidentes» tonos ideológicos y políticos de esta versión, asfixiaban el original y habían sido impuestos al texto de Lorca por un director «que quiere competir con Víctor García devorando sin contemplaciones a Federico García Lorca» (Enrique Llovet, en *El País*). Pero hubo otros que no lo vieron como una traición: «Es "otro Lorca", pero ahí está» (*La Actualidad Española*). El crítico de *El Alcázar* no solamente opinó que «todo se ha desprendido del texto lorquiano», sino que además justificó su opinión con una apropiada cita del mismo Lorca: «"algún día los críticos verán en mis obras cosas que yo todavía no puedo adivinar"».[37]

Pero a estas alturas hay otro aspecto más desconcertante en relación con este acontecimiento polémico, la reacción del gran público. Francisco Álvaro añade esta variante a la vieja pregunta: «¿Cómo explicar este fenómeno de que el estreno de *La casa de Bernarda Alba* de 1964, realizado con absoluta fidelidad al texto lorquiano, apenas trascendiera y éste que tanto se distancia y hasta, en opinión de algunos, le contradice, se convierta en éxito clamoroso?».[38] Parece que la nueva actitud hacia García Lorca ha tenido este efecto secundario: la vieja contradicción entre el juicio popular y el intelectual está a punto de desaparecer. Los intelectuales ya no pueden buscar la culpa de la popularidad de Lorca en la persistencia de una imagen convencional mantenida por medio de lugares comunes tradicionales. Y tampoco el público de otros países es todavía el responsable de una sacralización cursi de Lorca: la *Yerma* de Víctor García tuvo tanto éxito en el extranjero como en Madrid, y la *Bernarda Alba* de Facio fue concebida primero en Portugal y sólo mucho después fue permitida en España. La pregunta dominante puede que no sea ya «¿Es bueno de verdad García Lorca?» sino, «¿En estos momentos, cuál es el modo más enriquecedor y significativo de acercarse a sus obras?». Esta pregunta tendría una ventaja sobre la otra: no pide ni una respuesta única ni una respuesta final; transforma una pregunta reductora en un tema abierto.

Mientras duró el éxito de la nueva versión de *La casa de Bernarda Alba*, Ángel Facio y García Lorca compartieron el centro de atención. Algo muy similar ocurre el 12 de septiembre de 1980, en la noche del estreno de *Doña Rosita la soltera* bajo la dirección de Jorge Lavelli. Muchos críticos prestaron más atención al trabajo de Lavelli que al texto de Lorca, e incluso el director es visto como el salvador de una obra con defectos que «requería un tratamiento excepcional».[39] A diferencia de las representaciones dirigidas por Facio y Víctor García, la de Lavelli no fue recibida como un experimento escandaloso. Pero las tres direcciones tenían aspectos importantes en común: primero, un sentido de la pluralidad («cada vez tendrá una reinterpretación distinta», declaró Lavelli [p. 44]); segundo, la magia: «necesita del misterio, del mito, de lo inaccesible, de lo indefinible», concluye de nuevo Lavelli (p. 90); tercero, una poda cuidadosa, sobre el escenario, no del texto sino de los detalles convencionales, naturalistas y cotidianos. De este modo, lo que se conoce generalmente como «poner en escena» es denominado por Lavelli «oponer en escena» (pp. 100 y 116). Los críticos y reseñadores aceptan esta vez las novedades sin grandes reservas. El nuevo punto de vista se ha impuesto y aunque no prevalece en todas las representaciones de obras de Lorca se ha convertido ahora más en un hábito que en una sorpresa.[40]

Al lado de este proceso, que adquirió su primer ímpetu en 1971 y se mantiene todavía con bastante fuerza, se da otro fenómeno que se superpone al primero y que difumina considerablemente esa evolución innovadora y más intelectual. La obra de Lorca, y especialmente su teatro, puede haber perdido, en parte o en todo, aquella aura popular y sagrada que lo hizo intocable pero, al mismo tiempo, su vida se ha convertido en objeto de un culto privilegiado, principalmente por parte de biógrafos e historiadores extranjeros. Así, mientras por una parte la obra de Lorca ha ganado alguna independencia con respecto a constricciones biográficas, por la otra, su vida ha monopolizado el interés general en Lorca y, todavía más importante, ha proyectado una estrecha luz biográfica sobre muchos de sus escritos.

Ya antes de 1971 se había escrito más sobre la vida de García Lorca que sobre la vida de ningún otro escritor español. Pero en 1971 tuvo lugar la publicación del *best-seller* de Ian Gibson, *La represión nacionalista de Granada en 1936 y la muerte de Federico García Lorca*. No deja de ser sorprendente que, tras la enorme difusión de la obra de Lorca, de todos los libros, artículos y tesis eruditas que tratan de analizarla, todavía el mejor libro sobre García Lorca, el más famoso y el más leído sea el que describe minuciosamente las circunstancias de su muerte. Ganó el Premio Internacional de la Prensa en 1972, y fue traducido inmediatamente a siete lenguas por lo menos. La edición inglesa fue reseñada por V.S. Pritchett en *The New York Review of books* (29 de noviembre de 1973) y por Stephen Spender en *The New York Times Book Review* (9 de septiembre de 1973). Que yo sepa, ninguna de esas revistas literarias ha prestado jamás atención alguna a otros libros de o sobre García Lorca (excepto cuando Michael Wood criticó con dureza *García Lorca: Playwright and Poet*, de Mildred Adams, en el *New York Times Book Review* del 24 de noviembre de 1977, o en el caso de la reciente reseña, en la misma revista, de la traducción por Christopher Maurer de *Federico y su mundo*, de Francisco García Lorca). Al mismo tiempo, el libro de Gibson no parece reclamar referencia alguna a la obra literaria de Lorca: V. S. Pritchett atiende exclusivamente a la historia española; Stephen Spender —quien ha traducido la poesía de Lorca— dedica su párrafo introductorio a la magia que la vida y personalidad de Lorca imprimen a sus poemas, a los cuales, por otra parte, no juzga extraordinarios. Los dos reseñadores elogian el libro como «un ejercicio de detectives» (Pritchett) o «un maravilloso trabajo detectivesco» (Spender).

En general, la actitud de Gibson apoya y subraya esa distancia: por una parte, Gibson abandona en cierto momento su trabajo académico y lo que él considera el decepcionante mundo del análisis literario para dedicarse a la investigación de la vida de Lorca y de otros acontecimientos importantes de la historia contemporánea; por otra parte, todos sus libros —serios y concienzudos— se acercan más a la investigación policial que al análisis intelectual.[41] Sólo se ocupa de literatura cuando puede traerla al servicio del proyecto biográfico. Esto deviene particularmente inquietante en el primer volumen de su gigantesca biografía de García Lorca: Gibson no sólo declara que es imposible separar vida y literatura, sino que concluye además que ese es el principio fundamental en la vida y la obra de Lorca. De este modo, en la biografía raramente considera la poesía de Lorca como un fenómeno literario —es decir, como un objeto textual más o menos independiente o como el resultado de asimilaciones y rechazos de tradiciones literarias—, sino que insiste en considerarla como «poesía radicalmente autobiográfica [...], "imagen exacta" del alma del poeta adolescente».[42] De esta manera, el punto de vista de Gibson revitaliza la vieja pregunta con nuevas variaciones: ¿Son la fascinación y el éxito de la vida de Lorca (como acontecimiento y biografía a la vez) los responsables de la evaluación —revaluación, devaluación— de su obra, o sucede al revés, como en el caso de Cervantes? ¿Es tan válida la pregunta en España como en el extranjero?

En este estado de confusión y cuestionamiento interminable llegamos a las populosas celebraciones de 1986, incluida mi participación en ellas con este trabajo. En 1972, incluso despues de que Lorca se convirtiera en una figura controvertida por medio de la *Yerma* de Víctor García, estuvo representado en los *Festivales de España* sólo con una obra, mientras que Valle-Inclán y Pemán tuvieron seis obras cada uno.[43] En 1986, Lorca es, con mucho, el dramaturgo español que se representa con más frecuencia, al menos en España: 36 representaciones de sus obras, desde los *Títeres* hasta *La casa de Bernarda Alba*; Fernando Arrabal viene en segundo lugar con sólo 15. Los directores de Lorca siguen ahora todo tipo de tradiciones: hay una representación naturalista de *La casa de Bernarda Alba* en Madrid, mientras que Núria Espert sigue los pasos de Víctor García con una versión inglesa de la misma obra, de la que se excluyen los «tópicos lorquianos [...]; quiero dejar claro que yo no intento subrayar los aspectos españoles»;[44] y —de modo muy similar al estilo de Ángel Facio— un grupo andaluz la representa con sólo actores masculinos, los cuales son también presos de la cárcel local.

Se da también un *rechazo*, tal vez más intenso y más convencional, además, que nunca. Un reportero de *Cambio 16* cree que con ello «parece volver una dc las modas dc la década de los setenta, cuando hacía furor la literatura social y entre los medios poéticos se minimizaba la obra de García Lorca» (25 de agosto de 1986, p. 98). Juan Cruz lo atribuye a una nueva ola de esnobismo: «Un fantasma recorre España [...]: es el fantasma de la descalificación» para el que «lo próximo es lo bueno, lo pasado es una barbaridad. Nadie desconoce que Lorca era un mal poeta, perseguido y enriquecido por la muerte» (*El País*, 24 de agosto de 1986). Más peligroso y al mismo tiempo más significativo es el hecho de que la descalificación de Lorca parece haberse convertido en tema popular. Una novela de detectives de Manuel Vázquez Montalbán, de la cual se publicaron 50.000 ejemplares el pasado verano en Madrid, incluye este párrafo: «Qué paciencia hay que tener con estos artistas, piensa Carvalho, mientras el director escénico sigue evocando la noche más larga y hermosa de su vida. Un ciudadano normal me lo habría resumido en veinte palabras y éste, éste necesita un monólogo de García Lorca o de alguien por el estilo. Pero Carvalho estaba en el buen camino. El director estaba profundamente agradecido de que le dejara interpretar su monólogo de malquerido».[45]

Por supuesto, Vázquez Montalbán es un conocido periodista que, de modo muy consciente, juega al esnob que mete en el mismo saco a García Lorca y Benavente como dos autores insufribles del pasado. Pero para la mayor parte de sus más de 50.000 lectores esta afirmación sobre García Lorca no puede menos de aparecer como la opinión aceptable de un detective sincero y sin prejuicios. Terenci Moix, también catalán y amigo de Vázquez Montalbán, expresó unos días más tarde, de un modo más sutil, un desdeño similar hacia García Lorca: en su largo y detallado reportaje desde Londres sobre la versión de Núria Espert de *La casa de Bernanda Alba*, con Glenda Jackson como Bernarda, Terenci Moix no muestra interés alguno por Lorca o por su obra; centra toda su atención en Núria Espert, Glenda Jackson y algunas de las otras actrices famosas que aparecen en la obra (*El País*, 7 de septiembre de 1986, pp. 22-26).

Entre estos extremos de popularidad y rechazo se dan repeticiones inacabables de lugares comunes. Hay que señalar que la mayor parte de estas celebraciones fueron concebidas teniendo presentes la vida y la obra, sin poder decidir todavía cuál ha hecho a Lorca más famoso o más digno de que se le celebre. Por otra parte, los poetas, los críticos y los dramaturgos, jóvenes y viejos —desde Alberti a Julio Llamazares, desde Francisco Rico a Antonio Gala— repiten de nuevo a la prensa que «Lorca no puede influir a nadie sin destruirlo» o que «se ha abusado del mito de García Lorca».[46] Pero se da al mismo tiempo cierto sentido de clausura, se tiene la impresión de que se ha vuelto una página y que ha comenzado un nuevo período en la apreciación compleja de García Lorca. El poeta y crítico Luis Antonio de Villena escribe en *Diario 16* (17 de agosto de 1986, p. 25) que «a estas alturas nadie puede dudar que García Lorca fue un gran poeta»; pero toda veneración acrítica y total de su persona está fuera de lugar; «basta de "piropos", pues. Y honremos al alto poeta, y al hombre respetado, entrando sin miedo en su laberinto». El mismo día, Andrés Amorós observa que las obras de Lorca están siendo ahora publicadas de una manera más completa y erudita que nunca; hay un «nuevo Lorca», más serio y digno, y claramente «mucho más interesante que la imagen tópica y limitada que se nos había dado» (p. 27). De un modo bastante explícito, estos criterios consideran a García Lorca o positivamente bueno o más allá de cualquier cuestión de valor. Creen que, en cualquier caso, la pregunta «¿Es bueno de verdad García Lorca?» ha quedado atrás, reemplazada por otra más urgente e interesante: ¿Cómo funcionan las obras teatrales y los poemas de Lorca? ¿Cómo son realmente? ¿Se puede encontrar el diseño de su laberinto?

Así, sería justo concluir que García Lorca está comenzando a tener dos pasados: el primero duró tanto como su vida y, durante los cincuenta años siguientes, fue lo que preocupó a sus admiradores; el segundo, más largo, ha sido definido por esa preocupación: consiste en la acumulación de todas las opiniones, fascinaciones, dudas, rechazos y veneraciones implicados en la construcción de esa figura controvertida que ha sido nuestro García Lorca desde la guerra civil española. He tratado de describir sus complicados itinerarios. Espero también haber contribuido a la sensación de cierre y apertura que parece dominar todas estas celebraciones de la vida y la obra de García Lorca.*

NOTAS

1. J.J. Navarro Arisa, «Una voz hispana que perdura en el mundo», *El País* (19 de agosto de 1986), p. II. Eutimio Martín ha reunido una considerable cantidad de ejemplos de este tipo de afirmación en la introducción a su libro *Federico García Lorca, heterodoxo y mártir,* Madrid, Siglo XXI, 1986, p. 7 y *passim.*

2. Algunos ejemplos: Luis Antonio de Villena, «El mito abusado», *Diario 16* (17 de agosto de 1986), p. 25. Julio Llamazares, citado por Pedro Sorella en «Quien le recuerde arriesga el plagio», *El País* (19 de agosto de 1986), p. IX. Rafael Alberti, citado por Mikel Muez, «Alberti: "soy el superviviente más vivo"», *El País* (20 de agosto de 1986), p. 20.

---

* Agradezco a Edmund L. King, Agustín Sánchez Vidal y James Irby sus excelentes sugerencias y su meticulosa lectura de mi manuscrito.

3. Cfr. Eutimio Martín, *op. cit.*, p. 8 y *Trece de Nieve*, «Preguntas sobre Federico García Lorca», n.ºs 1-2, segunda época (diciembre 1976), pp. 222-232, *passim*.

4. Enrique Díez Canedo, «Panorama del teatro español desde 1914 a 1936», *Hora de España*, 16, 1938, p. 45: «Es el autor que, con resistencia y fortuna, pudiera marcar la nueva época en el teatro de España». (Escrito antes de 1937.)

5. Antonio Buero Vallejo, *Tres maestros ante el público*, Madrid, Alianza, 1973, p. 107.

6. Víctor García de la Concha, *La poesía española de posguerra*, Madrid, Prensa Española, 1973, p. 308.

7. Félix Grande, «Poesía en castellano, 1939-1969», *Cuadernos para el Diálogo*, XIV, 1969, p. 51.

8. García de la Concha, *op. cit.*, pp. 225-226 y 258-259. El autor cree que se da también alguna influencia del teatro de García Lorca en la poesía de Victoriano Crémer (pp. 413 y 420).

9. José Batlló, *Antología de la nueva poesía española,* tercera edición, Barcelona, Lumen, 1977, p. 309. La primera edición fue publicada por El Bardo en Barcelona, en 1968.

10. García de la Concha, *op. cit.*, p. 344. No es este el único «retorno» de Machado, cuyo valor como escritor nunca ha sido realmente puesto en cuestión: es la manipulación de su valor como emblema lo que ha creado tantas subidas y bajadas. En 1985, tal vez como preparación para la conmemoración de la guerra civil en 1986, Antonio Machado, García Lorca y Miguel Hernández fueron homenajeados juntos como «Tres poetas del Sacrificio» en un complicado y laborioso acontecimiento al que contribuyeron numerosas personas, del rey abajo.

11. José María Castellet, *Un cuarto de siglo de poesía española,* Barcelona, Seix Barral, 1966, p. 80.

12. Francisco Ribes, ed. *Antología consultada de la nueva poesía española,* Valencia, s.e., 1952, pp. 153-154. El profesor Sánchez Vidal me cuenta que fue precisamente con la publicación de «Nanas de la cebolla» en *Espadaña* cuando Miguel Hernández comenzó a adquirir la enorme popularidad de que disfrutaría en las décadas siguientes. Cfr. Víctor García de la Concha, *op. cit.*, p. 351.

13. Eusebio García Luengo, *Revisión del teatro de García Lorca*, Madrid, Cuadernos de Política y Literatura, 1951, pp. 11, 15, 16, 20 y 23.

14. Arturo del Hoyo, «Un poeta reunido», *ABC Dominical* (17 de agosto de 1986), p. 45.

15. José Luis Alonso, *«Yerma», Primer Acto,* n.º 15 (julio-agosto 1960), p. 53. En 1960 hubo en España un «Premio de teatro Valle-Inclán», pero no sucedió nada similar con el nombre de García Lorca.

16. Francisco Álvaro, *El espectador y la crítica. El teatro en España en 1962,* Valladolid, edición del autor, 1963, pp. 124-126.

17. José Monleón, en *Primer Acto*, n.º 37 (nov. 1962), pp. 59-60. 1962 fue también el año en que un grupo profesional de Montevideo presentó en Madrid *La zapatera prodigiosa*. La obra fue una de las favoritas entre los grupos de cámara y universitarios (parece que fue la primera obra de García Lorca representada públicamente en Madrid desde la guerra civil: tuvo lugar

en el Teatro Eslava, el 23 de marzo de 1960, a cargo del Teatro Universitario de Zaragoza bajo la dirección de Alberto Castilla), pero en 1962 no tuvo el éxito comercial que disfrutaría en 1965, cuando alcanzó más de 200 representaciones. Cfr. Francisco Álvaro, *El espectador y la crítica. El teatro en España en 1965,* Valladolid, edición del autor, 1966, pp. 180-183.

18. *Primer Acto*, n.º 50 (febr. 1964), p. 9.

19. *Ibíd.*, p. 16.

20. Francisco Álvaro, *El espectador y la crítica. El teatro en España en 1964,* Valladolid, edición del autor, 1965, p. 5.

21. Las citas son de *Madrid* y *Pueblo*, y están tomadas de Francisco Álvaro, *El espectador y la crítica. El teatro en España en 1964,* p. 5.

22. Además de las coincidencias mencionadas, véase, por ejemplo, José María de Quinto, «Radiografía breve de los últimos 30 años de teatro», *Cuadernos para el Diálogo*, junio 1966, pp. 26-27. R. Salvat señaló de nuevo las deficiencias del teatro de Lorca —sobre todo *Yerma*— en *Primer Acto*, n.º 55 (agosto 1964), p. 61.

23. Ángel Fernández Santos, «La vuelta de García Lorca», *Primer Acto,* n.º 50, febrero 1964, pp. 17-19.

24. Julio A. Acerete, «Homenaje a García Lorca», *Primer Acto*, n.º 55, agosto 1964, p. 59.

25. Federico García Lorca, *Obras completas,* 19.ª ed., Madrid, Aguilar, 1974, vol. II, p. 922.

26. *Encuesta* con directores teatrales españoles: «El teatro español visto por sus protagonistas», *Cuadernos para el Diálogo,* «Extraordinario», junio 1966, p. 53. Sobre la preponderancia de Valle-Inclán en España después de la guerra civil, véase María Pilar Pérez-Stansfield, *Direcciones del teatro español de posguerra,* Madrid, Porrúa Turanzas, 1983, p. 28. Sobre García Lorca y el TEU (Teatro Español Universitario), véase Luciano García Lorenzo, *Documentos sobre el teatro español contemporáneo*, Madrid, Sociedad General Española de Librería, 1981, p. 340.

27. Stephen Spender, reseña de *The Death of Lorca*, de Ian Gibson, *New York Times Book Review*, 9 sept. 1973, p. 43.

28. J.M. Castellet, *op. cit.*, pp. 63-64.

29. José Batlló, *op. cit., passim.*

30. J.M. Castellet, *Nueve novísimos*, Barcelona, Barral, 1970. Gimferrer se refiere en general a los poetas de la generación del 27, «a quienes debo mucho». Dos años más tarde le manifestó a Ana María Foix en una entrevista que Lorca era un poeta «muy bueno», *24×24*, Barcelona, Lumen, 1972, p. 210. Otro poeta de la misma antología reconocía un poco después que en su propia poesía se podrían encontrar «Unas gotas de Cernuda. Una sola gota de García Lorca. Muy poco». Federico Campbell, *Infame Turba*, Barcelona, Lumen, 1971, p. 93.

31. *Trece de Nieve*, pp. 222-232.

32. *Primer Acto*, n.º 137, oct. 1971, pp. 10-20. Véase también la reseña que hizo Pérez Coterillo de la representación en *Primer Acto*, n.º 143, abril 1972, pp. 72-73.

33. Buero Vallejo, *Tres maestros ante el público*, pp. 132 y 158-159.

34. Francisco Álvaro, *El espectador y la crítica. El teatro en España en 1971,* Madrid, Prensa Española, 1972, p. 123.

35. *Ibíd..*, p. 135. Al mismo tiempo que *Yerma, Luces de Bohemia* estaba teniendo un éxito más callado pero mayor en otro teatro de Madrid, donde alcanzó las 400 representaciones.

36. José Monleón, en *Primer Acto*, n.º 143, abril 1972, p. 72.

37. Francisco Álvaro, *El espectador y la crítica. El teatro en España en 1976,* pp. 77-81. Véase también la entrevista de M. Pérez Coterillo con Ángel Facio en *Primer Acto*, n.º 152, enero 1973, pp. 13-16.

38. Francisco Álvaro, *ibíd.*, p. 75.

39. Cfr. el «libro-documento» sobre *Doña Rosita la soltera o el lenguaje de las flores*, preparado por José Monleón con ocasión de su representación, Madrid, Centro Dramático Nacional, 1981, pp. 44-45 y 57-58.

40. Tal vez esto pueda explicar el que el estreno en 1978 de *Así que pasen cinco años*, dirigido por Miguel Narros, no tuviera tanto éxito como se esperaba. Narros trató de «potenciar el valor de las imágenes poéticas y surrealistas del texto», pero su interpretación de esas imágenes fue estrecha y reductiva hasta extremos ridículos: «los gritos son angustia existencial, la *gata* apedreada, la condición de la mujer; la *novia*, el ideal poético o político que defrauda», *El País* (20 de septiembre de 1978). Así, mientras la obra en sí fue considerada interesante e incluso excelente por muchos críticos, la representación fue, en general, una decepción. Cfr. *Triunfo* (19-25 oct. 1978), *El País* (21 sept. 1978), *Cuadernos para el Diálogo* (7 oct. 1978) y *Cambio 16* (20 sept. 1978),

41. Cfr. Ian Gibson, *Un irlandés en España,* Barcelona, Planeta, 1981, pp. 50-52 y *passim*, y mi artículo-reseña de su biografía de García Lorca en *Nueva Revista de Filología Hispánica*, 34, n.º 1, 1985-1986.

42. Ian Gibson, *Federico García Lorca. I. De Fuente Vaqueros a Nueva York, 1898-1929,* Barcelona, Grijalbo, 1985, pp. 196 y 291.

43. Alejandro Casona con cuatro; los Quintero con tres; Benavente, Unamuno, Muñoz Seca, Marquina y Buero Vallejo con dos. *Panorámica del teatro en España* (folleto anónimo) Madrid, Editora Nacional, 1973.

44. Cfr. *Cambio 16* (25 agosto 1986), p. 97, y *ABC* (30 agosto 1986), p. VIII.

45. Manuel Vázquez Montalbán, *Jordi Anfruns, sociólogo*, Madrid, *Cambio 16,* 1986, p. 41.

46. *El País* (28 agosto 1986), p. 4; (20 agosto 1986), p. 20; (19 agosto 1986), p. 9.

LOS CÓDIGOS GENÉRICOS SEXUALES Y LA PRESENTACIÓN DE LA MUJER EN EL TEATRO DE GARCÍA LORCA*

Linda Materna
(Trenton State University)

Con la caída del régimen franquista en España y la liberalización de su gobierno, la insistencia en la naturaleza apolítica del teatro de García Lorca ha sido virtualmente reemplazada por declaraciones acerca de su significación política e incluso revolucionaria.[1] Tal replanteamiento subraya la mutabilidad interpretativa del texto literario, suposición fundamental para la teoría crítica del lector contemporáneo que mantiene que el texto no es un objeto fijo interpretado por un sujeto fijo —esto es, por el lector—, sino que su significado es un producto de la interacción dinámica entre ambos. Como resultado, este «significado» cambia diacrónicamente a través del tiempo, y sincrónicamente de lector a lector.[2] El mismo Lorca postula una producción del significado similar para el teatro en *El público*, para el que supone una audiencia viva —equivalente al lector del texto— no meramente central sino determinante del significado de su obra.

La crítica feminista ha apoyado con vehemencia esta aserción de la mutabilidad del texto, y la ha usado para defender sus re-interpretaciones de obras literarias contemporáneas y del pasado.[3] A pesar de la proliferación de este movimiento re-interpretativo, puede parecer, sin embargo, casi superfluo

* Traducido por Asunción Horno-Delgado.

el hacer una re-evaluación feminista de la presentación de las mujeres en el teatro de Lorca, pues la comprensión y la defensa de la mujer por arte del dramaturgo han sido ensalzadas repetidamente en escritos que van desde los extensos análisis de las mujeres en Lorca de Francesca Colecchia y Brenda Frazier[4] hasta los numerosos artículos en que se resalta sus personajes femeninos. Paul Binding explica esta comprensión por la homosexualidad de Lorca.[5] Las mujeres son más importantes que los hombres en la obra de Lorca, señala Miguel García-Posada, debido a que el poeta se ha puesto de parte de los oprimidos.[6] Un crítico no menos conocido, Rafael Martínez Nadal, caracteriza al dramaturgo como «un supremo conocedor de la psicología femenina».[7] Incluso la crítica feminista Julianne Burton presupone un realismo psicológico en la exploración que Lorca hace de «las complejidades de la política del sexo», y recalca su compromiso sociopolítico.[8]

Aunque no niego la protesta sociopolítica de obras como *El público*, *La casa de Bernarda Alba* y, en menor grado, de *Doña Rosita la soltera* y *Yerma*, y aunque estoy de acuerdo con que muchas de sus protagonistas femeninas están oprimidas por su sociedad, sostengo que su difícil condición como mujeres no es sólo un producto de la identidad social tradicional que les es impuesta y que Lorca critica, sino también de unas premisas tradicionales originadas en un punto de vista masculino, que conciernen a su naturaleza fundamental —su identidad ontológica— que Lorca acepta o al menos incorpora en su caracterización. Cuando sugiere que las mujeres deberían ser libres para ser quienes son, «quienes son» significa esencialmente mujeres tradicionales. Del mismo modo, Lorca nunca crea en su teatro una visión de lo que podría ser una identidad social de la mujer, sino que sólo se lamenta de la que ya existe. A pesar de algunas innovaciones, sus presupuestos tradicionales acerca de la mujer —manifiestos en la caracterización y en la codificación lingüística de los géneros sexuales— dificultan este salto conceptual. Así, por ejemplo, Adela es más instintiva y apasionada que racional, y Mariana Pineda y la Novia de *Bodas de Sangre*, voluntariamente o por impulso natural, definen su propio ser a través de otro, esto es, a través del hombre. Un examen cronológico del teatro lorquiano centrado en la mujer revela la presencia de algunos de los principales mitos colectivos que han moldeado la identidad de la mujer en la vida y en la literatura.

El teatro temprano de Lorca tiene, como concuerdan la mayor parte de los críticos, un enfoque predominantemente ontológico, ya que explora la naturaleza individual de las protagonistas más que su ser social.[9] No es entonces sorprendente encontrar el predominio de una codificación genérica femenina tradicional en el caso de las protagonistas de *Mariana Pineda* y *La zapatera prodigiosa*, el cual se ve complementado por la inicial aproximación estética y apolítica del dramaturgo al teatro. Mariana Pineda, por ejemplo, es idealizada por Lorca como lo fueron las protagonistas románticas y del Siglo de Oro de donde ella sale.[10] Su ser psicológico es tradicionalmente femenino y por tanto inmanente. Es apasionada y sentimental, definiendo y sacrificando su ser para otro (Pedro) a través del amor.[11] De hecho, Mariana quiere conformarse con la inmanencia y la restricción encarnadas en el símbolo femenino de la casa, pero su pasión por Pedro paraliza su deseo. Su vida, esto es, su ser, se identifica con la de Pedro, es decir, con otro: «está fuera, / por el aire, por la mar, / por donde yo no quisiera» (*OC*, p. 149). El amor hacia Pedro le lleva a rechazar la vida doméstica femenina tradicional, pero eso mismo la aprisiona en otra trampa para mujeres, la del amor, trampa que Lorca, en su idealización del sacrificio de Mariana, no llega a denunciar.

La receptividad femenina convencional de Mariana se repite tanto a través de su dominación por Pedro como de su identificación con él y con la misma libertad (*OC*, p. 170). De esta manera, en términos simbólicos, espera la libertad para «tener abiertos mis balcones al sol / para que llene el suelo de flores amarillas / y quererte, seguro de tu amor, sin que nadie / me aceche» (*OC*, p. 171). Física y psicológicamente recibe a Pedro —y por lo tanto a la libertad— en su recinto amoroso interior («tener abiertos mis balcones»). La desesperación final de Mariana, su locura y su muerte autosacrificial añaden un acento romántico y tradicional a su caracterización. Se convierte en la quintaesencia de las mártires por amor.[12]

Si bien la identidad de las mujeres en *Mariana Pineda* es fundamentalmente tradicional, el desafío de Mariana a Pedrosa presagia la autoafirmación y agresividad de futuras protagonistas lorquianas, incluyendo a la Zapatera. De hecho, de todos los mitos colectivos sobre las mujeres, es el mito de la pasividad el que Lorca desenmascara y destruye frecuentemente, y es en la fuerza y determinación de estos personajes en donde reside el valor feminista y político de su caracterización.[13] Sin embargo, esta misma autoafirmación se expresa repetidamente en términos tradicionales. La Zapatera, por ejemplo, se afirma a sí misma a través de una defensa del código del honor originariamente masculino. Mientras que declara «quiero hacer siempre mi santa voluntad», lo que la Zapatera hace en última instancia es mantener su honor, una identidad impuesta a las mujeres en una sociedad patriarcal (*OC*, p. 267). Cuando el alcalde intenta hacerla caer en la infidelidad, ella responde enérgicamente que vivirá como si su marido estuviera con ella (*OC*, p. 293). Rechaza y se rebela contra la vertiente social del honor, es decir, «el qué dirán», pero, sin embargo, mantiene con gusto su vertiente personal en nombre del amor: «Nunca se rinde la que, como yo, está sostenida por el amor y la honradez» (*OC*, p. 316). En su caracterización se perpetúan así dos piedras de toque del código genérico femenino convencional: la representación de la mujer como encarnación del amor y del honor.

De manera interesante, y típico de las protagonistas de obras subsiguientes, la autoafirmación de la Zapatera se comunica a nivel lingüístico agregando varios signos genéricos masculinos a los signos femeninos que la definen. Así, en las acotaciones escénicas del comienzo es descrita como «agreste» además de «dulce» (*OC*, p. 257). Ella declara más tarde que tiene la sangre de su abuelo, un domador de caballos (dominador simbólico de los signos masculinos) y «lo que se dice un hombre» (*OC*, p. 286). Enojada por los chismes engendrados por las mujeres en el pueblo, considera la compra de una pistola (signo fálico, masculino) para hacerles callar (*OC*, p. 191). Su ruptura más significativa con el código femenino de la pasividad es su rechazo a callarse, rechazo del que más tarde se harán eco Yerma y Adela.

Esta codificación genérica masculina, que rompe el código femenino de la pasividad al nivel del lenguaje, queda sin embargo contrarrestada por signos femeninos convencionales. La Zapatera lleva así un vestido verde en el Acto I (símbolo tradicional de la mujer como naturaleza fértil) y rosas (símbolo tradicional de la mujer como objeto, como un otro hermoso). De manera similar se la asocia con la mariposa del poema del Niño, símbolo de lo ideal y lo efímero, los cuales, a su vez, son asociados tradicionalmente con las mujeres en las literaturas romántica y modernista. Es de notar que esta caracterización idealizada de la mujer es uno de los dos puntos de vista (siendo el otro la misoginia) adoptados típicamente en la literatura escrita por hombres,[14] y está presente no sólo en *Mariana Pineda* y en *La zapatera prodigiosa*, sino también en *Doña Rosita*, una obra de tibia protesta social.[15] Tal idealización, aunque aparentemente adulatoria, es todavía otra forma de entrampamiento femenino, ya que, al idealizar a la mujer, los escritores masculinos necesariamente la identifican como otro, como la encarnación externa de sus ideas. De esta manera no logran ofrecer, ni a sus heroínas ni a sus lectoras, una oportunidad para definirse a sí mismas como sujetos por derecho propio.[16] Aunque se vea contrarrestada por un realismo de corte popular en *La zapatera prodigiosa*, esta idealización predomina a su vez en *Mariana Pineda* y, más tarde, en *Doña Rosita*.

Tras haber mostrado el tradicionalismo de la codificación genérica en *Mariana Pineda* y en *La zapatera prodigiosa* volvamos a la trilogía rural de Lorca, en la cual se ha señalado numerosas veces una crítica cada vez mayor contra la opresión de la mujer. La crítica feminista anteriormente citada, Julianne Burton, insiste, por ejemplo, en que la Novia, Yerma y Adela son víctimas de la sociedad y de la herencia.[17] Pero, ¿cuál es la identidad psicológica de estas mujeres y hasta qué punto su autodefinición las hace víctimas? Además, ¿hasta qué punto la herencia biológica que se les atribuye es convencional e incorrecta? A pesar de su autoafirmación esos personajes encarnan imágenes de mujeres definidas y autodefinidas convencionalmente y que reaccionan a menudo de forma convencional. Aunque se eliminara la opresión externa de la sociedad, y se obedecieran las órdenes internas de la biología, la heroína lorquiana que emergiera de ahí seguiría exhibiendo algunas codificaciones genéricas tradicionales y una conciencia limitada de lo femenino como sujeto, como ser propio. No hay presente dialéctico porque Lorca opone un tradicionalismo psicológico y biológico a un tradicionalismo social. Ambos son represivos y por eso la tragedia es inevitable. Los personajes no pueden escapar a la opresión de la sociedad debido a limitaciones tanto externas como internas. Aunque esta inevitabilidad, esta predestinación vital expresada por Lorca con respecto a la situación femenina, ocupa una situación central en su visión del mundo, no es necesariamente fundamental para las circunstancias vitales de la mujer. Al crear una mujer que corresponde más a sus ideas sobre la realidad que a las realidades de las mujeres, Lorca limita necesariamente la significación política y psicológica de sus personajes femeninos.[18] Desenmascara la sociedad pero no expone sus imágenes femeninas de origen masculino.[19]

En *Bodas de sangre*, por ejemplo, está claro que la misma Novia no es una víctima de la sociedad. Por esto declara que ama al Novio («lo quiero»); no se le impone el matrimonio con él (*OC,* p. 601). De hecho, ella apoya voluntariamente y conscientemente el lazo social entre la posición económica y un matrimonio ventajoso, ya que la pobreza de Leonardo, como tan amargamente le recuerda él, es lo que la lleva a rechazarle por el Novio: «¿Quién he sido yo para ti? Abre y refresca tu recuerdo. Pero dos bueyes y una mala choza son casi nada. Esa es la espina» (*OC*, p. 605). Leonardo es quien es la víctima de la sociedad y de la Novia, la cual, por otra parte, asume el código femenino convencional de las seductora. Por esto Leonardo le recuerda: «¿Quién bajó / primero las escaleras? [...] ¿Quién le puso / al caballo bridas nuevas?» (*OC*, p. 647-8).

Como la Zapatera, la Novia apoya voluntariamente el código del honor de origen masculino, diciéndole a Leonardo en forma desafiante: «Un hombre con su caballo sabe mucho y puede mucho para poder estrujar a una muchacha metida en un desierto. Pero yo tengo orgullo. Por eso me caso» (*OC*, p. 607). Sólo cuando se ve llevada por la pasión —su ser biológico— rechaza el honor y el estatus socioeconómico y se fuga con Leonardo. Mientras que su apetito sexual y los términos eróticos con que ella lo describe rompen con el código femenino tradicional de pasividad y represión sexual, esta rebelión no es deseada: «¡Ay qué sinrazón! No quiero / contigo cama ni cena, / y no hay minuto del día / que estar contigo no quiera, / porque me arrastras y voy [...]» (*OC*, p. 649). Ella —el signo femenino— acepta entonces en última instancia el dominio sexual de Leonardo —el signo masculino—.

Ontológicamente tradicional, la Novia quiere ajustarse a la sociedad, y al final de la obra, en su ruego desesperado a la Madre para que reconozca su virginidad intacta y su honor, da un giro en redondo para volver a esta conformidad inicial y fundamental: «quiero que sepa que soy limpia», «Honrada, como una niña recién nacida» (*OC*, pp. 659 y 660). A pesar de las limitaciones que la sociedad patriarcal le impone en cuanto al hogar, al esposo y a los hijos, la Novia no se rebela contra ellos, y su tragedia es más mítica y biológica que social.[20]

La esterilidad de Yerma es la expresión dramática por excelencia del tema lorquiano de la frustración del deseo como una condición humana fundamental, y por eso tiene una función tanto literal como simbólica dentro del texto. Aunque la crítica feminista no debe exigir ingenuamente que los rasgos de la identidad y esterilidad de Yerma estén conformes con la realidad, [21] está claro que cuando los presupuestos psicológicos de la representación de un personaje han sido rechazados por el lector (en este caso la definición de la identidad psicológica y biológica de la mujer por la maternidad), la dimensión realista del personaje queda reducida de modo considerable y la mujer funciona entonces principalmente como símbolo y, en términos extraliterarios, como una proyección de la psique del escritor que la creó. Tal es el caso de Yerma cuya identidad psicológica está asociada en su totalidad con su anatomía, con su capacidad reproductiva, en términos freudianos tradicionales. Este determinismo anatómico, reforzado por su comparación convencional con la tierra y la naturaleza, sirve a la intención simbólica de Lorca, pero también constituye un presupuesto ideológicamente limitado acerca de la identidad de la mujer.

De hecho, la idea de que la infertilidad de una mujer es a veces producto de una falta de deseo por su compañero ha sido tradicional y erróneamente usada para explicar la incapacidad de la mujer para concebir.[22] Tales presupuestos han conducido al sentimiento de culpa, depresión, ansiedad, subvaloración de una misma y locura que Lorca atribuye a Yerma. De nuevo, mientras que esta correlación entre la falta de deseo y la incapacidad reproductora es útil a su tema de la equivalencia entre autenticidad y creatividad, la asunción aparente de que esta equivalencia se encarna en la mujer estéril es incorrecta desde un punto de vista feminista.

La presentación lorquiana de la maternidad como imperativo biológico y psicológico se hace eco del tradicional juicio patriarcal acerca del destino femenino.[23] Mientras que la sociedad, en términos lorquianos, ha contribuido a la esterilidad de Yerma subyugándola a un matrimonio arreglado, lo que determina su destino es en última instancia su identidad biológica —tal como Lorca la concibe— junto con un deseo similar al de la Zapatera y al de la Novia de mantener el código del honor —de origen masculino— de la fidelidad matrimonial. La imagen de locura y pérdida de sí —comunicada a través de la apropiación de signos de género masculino que Yerma efectúa («mis pasos me suenan a pasos de hombre») y de su androginia final —al convertirse tanto en padre como en madre de su hijo— es, en parte, una continuación de la imagen convencional de la mujer como único camino para recuperar su propio deseo.[24] Más sugestiva todavía resulta la imagen tradicional, relacionada con la anterior, de la mujer histérica como «un arma potencialmente dañina [...] capaz de mutilar y matar» y, por eso, expresión del miedo del autor-hombre hacia la mujer.[25] El estrangulamiento final de Juan por Yerma —castración simbólica— sugiere esta lectura negativa de su acción. Resumiendo, Lorca perpetúa en *Yerma* ciertos mitos biopsicológicos acerca de las mujeres.

La casa de Bernarda Alba es la obra que, para la mayor parte de los críticos, anuncia un compromiso por parte de Lorca de presentar temas sociopolíticos en su teatro.[26] En esa obra el destino externo ya no es una fuerza cósmica natural sino una fuerza social que se caracteriza por una extrema restricción física y psicológica de la mujer, encarnada en la casa, símbolo femenino de domesticidad y seguridad, cuyo carácter de prisión Lorca subvierte y desenmascara.[27] De entre las mujeres individuales atrapadas en esta prisión es Adela quien se rebela, y la acción de la obra se desarrolla alrededor de esta rebelión. Como otras heroínas lorquianas anteriores, ella también rompe con el código genérico femenino de la pasividad. Sin embargo, el modo cómo Lorca define su carácter y la forma que toma su rebelión continúan revelando cierta codificación tradicional. Aquí, como en todas sus obras, Lorca configura a la mujer como símbolo de la fertilidad. De este modo, Adela da a Bernarda en el primer acto un abanico con flores rojas y verdes y más tarde viste un traje verde. Los colores simbolizan la pasión (el rojo) y la fertilidad (el verde), y las flores —presentes en todas las obras lorquianas— representan la feminidad. Que Lorca continúa asociando con las mujeres la tradicional belleza y fragilidad de las flores se demuestra más tarde en la figura de María Josefa —feminidad llevada a la locura—, la cual aparece por primera vez en la obra «ataviada con flores, en la cabeza y en el pecho» (*OC*, p. 867). La identidad «natural» de la mujer es asociada también con una irracionalidad tradicional. La rebelión de Adela no está motivada por la razón ni está bajo su control consciente ya que, como ocurre repetidamente en el teatro lorquiano, el deseo erótico no sólo motiva sino que además exige sus acciones. Así, mientras que el destino «externo» está configurado por la sociedad, la motivación interna es básicamente irracional y también está regida por el destino. Adela no es sólo conducida a rebelarse por un deseo erótico (un destino expresado por la metáfora omnipresente de la sed), sino que reemplaza una forma de dominación —Bernarda y su sociedad— por otra: los hombres. «Esto hago yo con la vara de la dominadora», afirma ella. «No dé usted un paso más. En mí no manda nadie más que Pepe» (*OC*, p. 927). «Él me lleva a los juncos de la orilla» (*OC*, p. 925). Como las mujeres convencionalmente codificadas, sigue definiendo su yo a través de otro.[28]

La crítica feminista Shulamith Firestone ha encontrado que incluso en los artistas masculinos más afines a lo feminista, aquellos que poseen una «mentalidad andrógina», como el director cinematográfico Ingmar Bergman, «las descripciones de sexualidad liberada todavía muestran un conflicto sin resolver entre la identidad sexual y la humana». Por esta razón, concluye, incluso estos autores masculinos son incapaces de ofrecer soluciones realistas a problemas femeninos comunes, y sus personajes o bien llevan vidas acabadas —recordándonos a Doña Rosita— o son empujados al suicidio —como en el caso de Adela.[29] Claramente, este conflicto sin resolver entre el yo humano y el sexual define a Adela, ya que su deseo humano de liberarse de la represión social entra en conflicto con su voluntaria y aparentemente inescapable dependencia sexual de los hombres y con su autodefinición a través de los mismos.

El tradicionalismo psicológico de Adela podría tratar de explicarse como un producto de su existencia en una sociedad rural, pero una ojeada a *Doña Rosita la soltera* muestra que incluso cuando se configura en un escenario más moderno, la codificación genérica femenina lorquiana es todavía un tanto convencional. La misma Doña Rosita, por ejemplo, no rompe el código femenino de la pasividad. Se la define con la métafora de la rosa, símbolo tradicional de la fragilidad femenina, de la belleza y de la objetificación de la mujer como objeto más que como sujeto. Incluso en su protesta final, «lo que me ha pasado le ha pasado a mil mujeres», revela la mentalidad femenina autolimitante de que las cosas les suceden necesariamente *a* las mujeres («me ha pasado») e irónicamente, el estoicismo final que le confiere dignidad lo logra precisamente por medio de su aceptación implícita del papel de víctima (*OC*, p. 827). La sociedad no la ha llevado ni siquiera a permanecer atada al Primo. La Tía afirma que por mucho tiempo ella había animado a Rosita a salir con otros hombres y, más tarde, a romper con el Primo, pero que Rosita se aferró obstinadamente a su idea, a su fantasía de un amor ideal, romántico (*OC*, p. 826). No es principalmente la sociedad sino su insistente idealización de la realidad lo que determina el destino de Rosita.

El punto de vista idealizado y restrospectivo desde el que Lorca recrea la «esencia» de la España del cambio de siglo refuerza la ahistoricidad fundamental de la obra. Según Lorca afirma, en ese punto de vista quedarán «diluidas las gracias y las delicadezas de tiempos pasados y de distintas épocas» (*OC*, p. 1.070). La nostalgia y la poetización dominan la verosimilitud histórica. Esta ahistoricidad subyacente une la obra con la estructura mítica de la trilogía rural. La unidad artística creada por su adaptación de la historia a la poesía en *Doña Rosita* es análoga a la solidaridad del hombre, el mundo y la comunidad que el mito confiere al mundo rural de la trilogía. El crítico José Ortega ha identificado agudamente las limitaciones que esta visión mítica impone a los personajes lorquianos. Si bien el mito crea un sentimiento de solidaridad, Ortega señala que esta estabilidad es ilusoria porque en ella la dialéctica de la libertad no existe ni tampoco las leyes de la contradicción. Por lo tanto, concluye, la esperanza en la historia es una perspectiva mejor para criticar el presente y configura el futuro.[30]

La falta de libertad para las mujeres en el teatro lorquiano es, por lo tanto, no sólo atribuible a la sociedad y a la biología, sino también a la psicología que el autor crea para ellas y a la estructura del texto en el que están configuradas. Su comprensión y su simpatía por las mujeres, aunque mayor que las de muchos escritores masculinos contemporáneos, están, por supuesto, amortiguadas por su visión del mundo. El que ciertos elementos de la codificación genérica femenina tradicional no sean examinados por él puede ser, de esta manera, el resultado de la adaptación de estos elementos a su propia visión del mundo. Y, por otra parte, en los cincuenta años transcurridos desde que Lorca escribió por última vez, la vida real y las imágenes literarias de las mujeres han cambiado. El aspecto que me interesa subrayar es precisamente este: la presentación de las mujeres en Lorca, aunque sea loable en algunos aspectos, revela ciertas limitaciones. Aunque haya podido ser un fuerte defensor de las mujeres Lorca no es, como han concluido algunos críticos, su supremo intérprete. ¿Tenía Lorca la capacidad de percibir o podría haber expresado ideas nuevas y avanzadas sobre la identidad de la mujer, similares a las que configuró para el hombre en sus obras experimentales —masculinamente centradas— *Así que pasen cinco años* y especialmente *El público*? He aquí una pregunta a la que, trágicamente, no tenemos posibilidad de responder.

NOTAS

1. En *Federico García Lorca*, Nueva York, Grove Press, Inc., 1984, pp. 131-2, Reed Anderson observa que la frecuente afirmación de la naturaleza apolítica de los escritos de Lorca hecha durante el régimen franquista constituía algunas veces un «esfuerzo bien intencionado para "rehabilitar" a Lorca "neutralizándolo" de tal manera que no pudiera continuar siendo atacado ni censurado por razones políticas por la dictadura». Este esfuerzo, desafortunadamente, oscurecía un «aspecto extremadamente importante de la expresión y actividades de Lorca durante la segunda República Española». El giro de la valoración crítica hacia la percepción de un compromiso político en Lorca puede observarse incluso comparando obras de un mismo crítico separadas cronológicamente. Por ejemplo, Roberto G. Sánchez señaló en 1950, en *García Lorca. Estudio sobre su teatro*, Madrid, Jura, 1950, p. 67, que «no hay nada de crítica social en su obra. Lorca no protestaba; encontraba una poesía infinita en esta trágica sumisión [de las mujeres españolas]». Por esta razón, insiste que *La casa de Bernarda Alba* «a pesar de su ambiente severo, es una obra esencialmente poética también». Pero más tarde, en 1970, parece haber abandonado esta posición y defiende la significación sociopolítica del teatro lorquiano en contra de las críticas hechas a Lorca por los dramaturgos españoles de posguerra («Lorca, The Post-War Theater and The Conflict of Generations», *Kentucky Romance Quarterely*, 19, 1972, pp. 17-29).

Entre los primeros críticos que sostuvieron que el teatro de Lorca es apolítico se incluyen: Chiristoph Eich, *Federico García Lorca: Poeta de la intensidad*, Madrid, Gredos, 1970, p. 152; Fernando Lázaro Carreter, «Apuntes sobre el teatro de García Lorca», en *Federico García Lorca*, ed. Ildefonso-Manuel Gil, Madrid, Taurus, 1973 (previamente publicado como artículo en 1960 en *Papeles de Son Armadans*), e incluso antes, Ángel del Río, *Vida y obras de Federico García Lorca.* Estudios Literarios, vol. III, Zaragoza, Heraldo de Aragón, 1952, p. 117 (apareció antes en 1941 en la *Revista de Estudios Hispánicos*). Para una expresión más reciente de este punto de vista véase Sumner Greenfield («Lorca's Theater: A Synthetic Reexamination», *Journal of Spanish Studies: 20th Century*, 5, n.º 1 (Spring 1977), pp. 34-37.

Para una interpretación sociopolítica de su teatro véase el estudio de Reed Anderson mencionado anteriormente. Margarita Caffarena González en «La puesta en escena», en *Hommage a Federico García Lorca,* Université de Toulouse-Le-Mirail, Services des Publications, 1982, pp. 33-37, califica su teatro de «revolucionario» (p. 37). Véase también José Ortega, «Conciencia social en los tres dramas rurales de García Lorca», *García Lorca Review*, 9, n.º 1 (Spring 1981), pp. 64-90; Frank P. Casa, «Theatre After Franco: The First Reacction», *Hispanófila*, 6, mayo 1979, pp. 109-22; y Miguel García-Posada, *García Lorca*, Madrid, Edaf, 1970.

2. Para una introducción general a la teoría crítica del lector [reader-response critcism] véase Wolfgang Iser, *The Act of Reading. A Theory of Aesthetic Response*, Baltimore, Johns Hopkins University Press, 1978 y Jane P. Tompkins, ed., *Reader-Response Criticism: From Formalism to Post-Structuralism*, Baltimore, Johns Hopkins University Press, 1980.

3. Véase *Gender and Reading. Essays on Readers, Texts, and Contexts*,

ed. Elizabeth A. Flynn y Patrocinio P. Schweickert, Baltimore, Johns Hopkins University Press, 1986, especialmente la introducción, pp. IX-XXX. Para una visión general de la crítica feminista véase el libro de Toril Moi, *Sexual / Textual Politics: Feminist Literary Theory*, Nueva York, Methuen & Co., 1985.

4. Francesca Colecchia, «The Treatment of Women in the Theater of Federico García Lorca», tesis doctoral, University de Pittsburg, 1954 y Brenda Frazier, *La mujer en el teatro de García Lorca*, Madrid, Plyor, 1973.

5. Paul Binding, *Lorca. The Gay Imagination*, Londres, GMP Publishers, 1985, pp. 171 y 174.

6. García-Posada, *García Lorca*, p. 32.

7. Rafael Martínez Nadal y Marie Laffranque, *Federico García Lorca: «El público» y «Comedia sin título», dos obras póstumas*, Barcelona, Seix Barral, 1978, p. 210.

8. Julianne Burton, en «The Greatest Punishment: Female and Male in Lorca's Tragedies», en *Women in Hispanic Literature: Icons and Fallen Idols,* ed. Beth Miller, Berkeley, University of California Press, 1983, pp. 259-79, señala por eso «que la profundidad y el alcance de la dimensión social de Lorca sugieren un intento concertado de exponer y denunciar el sistema social en el que se originan semejantes conflictos irreconciliables y contradicciones insostenibles» (p. 260).

9. Véase, por ejemplo, André Belamich, *Lorca*, París, Gallimard, 1962, p. 88.

10. Francisco Ruiz Ramón, *Historia del teatro español, 2. Siglo XX*, Madrid, Alianza, 1971, p. 194.

11. Lorca expresa esta motivación de Mariana en una carta a Melchor Fernández Almagro. Mariana, escribe, «se entrega al amor por el amor, mientras los demás están obsesionados por la libertad. Ella resulta mártir de la libertad, siendo en realidad [...] víctima de su propio corazón enamorado y enloquecido». En Federico García Lorca, *Obras completas*, vol. II, Madrid, Aguilar, 1980, p. 1.173. Las referencias posteriores a las páginas de esta obra aparecen en el texto con el título abreviado *OC*.

Los mitos colectivos con el título relacionados con su necesaria inmanencia y con su autodefinición a través del otro son mencionados por Simone de Beauvoir en su monumental obra *The Second Sex*, Nueva York, Alfred A. Knopf, 1968, p. 248. La crítica feminista francesa Luce Irigaray afirma que la mujer no sólo es tradicionalmente el «otro», sino que es específicamente el «otro» del hombre, su negativo o imagen especular (citado en Moi, *Sexual/ Textual Politics*, p. 133). Simone de Beauvoir (p. 248) observa que debido a su supuesta identidad «natural», la mujer encarna tradicionalmente a la naturaleza y es vista como fundamentalmente irracional e instintiva. «Valle de sangre, rosa abierta, sirena, la curva de una colina», escribe de Beauvoir, «la mujer representa para el hombre la tierra fértil, la savia, la belleza natural y el alma del mundo» (p. 248). La mujer también ha sido considerada como superior al hombre en la esfera del sentimiento y de la intuición. Carl Jung afirma de este modo que la mente de una mujer, al ser regulada por el principio femenino, sólo puede encontrar su realización en el amor. Véase Ann Belford Ulanov, *The Feminine in Jungian Psychology and in Christian Theology*, Evanston, Northwestern University Press, 1971, p. 261.

12. Erik Erikson se basa en las teorías freudianas y propone la identificación simbólica de la mujer con el espacio interior en «Inner and Outer Space: Reflections on Womanhood», *Daedalus*, Spring 1964, pp. 582-606.

13. El mito de la pasividad femenina es mencionado por de Beauvoir, *The Second Sex*, p. 248.

14. *Ibíd.*, p. 248.

15. Roberto Sánchez escribe en «conflict of Generations» :«no nos dejemos engañar, en *Doña Rosita* las voces se oyen con sordina pero la protesta está allí» (p. 25).

16. Barbara Warren, en *The Feminine Image in Literature*, Nueva Jersey, Hayden Book Co., 1973, escribe que las mujeres tratan de satisfacer el ideal artístico y romántico renunciando de este modo a la realidad de su propia identidad y creándose a sí mismas un vacío interior (p. 9).

17. Burton, «Greatest Punishment», p. 261.

18. Brenda Frazier, *La mujer en Federico García Lorca*, también señala que en el teatro de Lorca «la mentalidad femenina está puesta de relieve de manera sobresaliente pero es una mentalidad más fiel a las ideas lorquianas que a la realidad misma. Los tipos son bastante variados para organizar un curso de psicología elemental para principiantes [algo que Grace Alvarez-Altman parece haber hecho con algunas distorsiones en "The Empty Nest Syndrome in García Lorca's Major Dramas", *García Lorca Review*, 11, n.º 2, 1983, pp. 149-59] pero singularmente les falta algo». A veces, escribe Frazier, son bastante estilizadas y unidimensionales «con el propósito de [...] enfatizar (*sic*) una premisa fundamental lorquiana, en general producto de su imaginación» (p. 22). Desafortunadamente, Frazier asume más tarde como válidas (en un capítulo titulado «La psiquis femenina») muchas premisas periclitadas y de origen masculino concernientes a la psicología de la mujer, tales como: 1) una intuición superior similar a la fe cristiana (p. 50); 2) una mayor sensibilidad natural (p. 51); 3) inconstancia y versatilidad ya que la mujer se guía por los instintos, impulsos y emociones del momento (p. 51); 4) un casi misterioso altruismo (p. 52); 5) una necesidad espiritual de amor tal, que ser una mujer sin amor o sin maternidad es llevar una vida sin sentido (p. 53); 6) un entusiasmo por el autosacrificio (p. 54); 7) un descubrimiento del significado de su propio cuerpo a través del sexo y del parto (p. 54); 8) una carencia de sentido en la vida de la mujer soltera o estéril (p. 55); 9) una identidad «natural» asociada con el mundo de la naturaleza (p. 56). El descubrimiento, por parte de Frazier, de estas premisas en el teatro lorquiano ofrece evidencia complementaria del tradicionalismo de la interpretación y presentación que Lorca hace de las mujeres.

19. Gerda Lerner en *The Female Experience* (citado en Janet Brown, *Feminist Drama. Definition and Critical Analysis*, Metuchen, The Scarecrow Press, 1979, p. 14) menciona cuatro etapas en el desarrollo de una conciencia feminista, es decir, en la adopción de un punto de vista de una misma que sea nuevo y autogenerado. La primera etapa consiste en un acceso a la autoconciencia y en una concienciación de la distorsión de lo erróneo en el estatus social de una misma como mujer. Las protagonistas de Lorca en la trilogía rural alcanzan esta etapa de desarrollo pero son incapaces de llegar a las etapas segunda, tercera y cuarta en las que la mujer cuestiona primero

la tradición y tantea nuevas direcciones; a continuación se abre a «otros» femeninos y, finalmente, va en busca de nuevas formas de autonomía.

20. Carlos Feal Deibe, *Eros y Lorca*, Barcelona, Edhasa, 1973, señala el papel de la mujer como seductora en las obras de Lorca, afirmando que el hombre, «el conquistador» (en este sentido, Leonardo) sólo la sigue a ella. Esta seducción, continúa diciendo, presenta la amenaza de matar al hombre (p. 251).

21. Moi, *Sexual/Textual Politics*, p. 46.

22. Rupert Allen, *Psyche and Symbol in the Theater of Federico García Lorca. Don Perlimplín, Yerma, Blood Wedding*, Austin, University of Texas Press, 1974, acepta esta teoría basada en Freud y propone que Yerma no tiene hijos por razones psicosomáticas: su actitud negativa hacia la sexualidad impide la concepción (p. 143). La correlación que establece Allen entre la simbología y los temas de Lorca y los símbolos y teorías de Freud refuerza la idea de que la identidad de la mujer en el teatro lorquiano está basada en mitos de origen masculino, en este caso los generados y formalizados por el psicoanálisis freudiano.

23. Sara E. Schyfter, «La Loca, La Tonta, La Liberata: Woman's Destiny in Clarín's *La Regenta*», en *Theory and Practice of Feminist Literary Criticism*, eds. Gabriela Mora y Karen Van Hooft, Ypsilanti, Michigan, Bilingual Press, 1982, p. 237.

24. Luce Irigaray, citada por Moi en *Sexual/Textual Politics*, p. 135.

25. Bridget Aldaraca, «"El ángel del hogar": The Cult of Domesticity in Nineteenth-Century Spain», en *Theory and Practice*, p. 78.

26. Véase, por ejemplo, Anderson, *Federico García Lorca*, p. 131.

27. Este enmascaramiento de los códigos genéricos es identificado como una subversión del espacio convencional y de las formas de realismo dramático por Luis Fernández-Cifuentes en «García Lorca y el teatro convencional», *Iberoromania*, n.º 17, 1983, pp. 66-99.

28. Burton («Greatest Punishment», pp. 277-8) advierte este tradicionalismo y, en consecuencia, la rebelión de Adela le parece irónica. Burton admite incluso que las heroínas de Lorca «atrapadas y maltratadas por los constreñimientos sociales, nunca rechazan la sociedad misma sino que se rebelan contra manifestaciones aisladas de sus injusticias». Sin embargo, en lugar de cuestionar si esta limitación pudiera estar incorporada a la caracterización de estos personajes por medio de una codificación genérica convencional, Burton parece adscribirla a su sociedad: están demasiado oprimidas para rebelarse completamente. Pero debe recordarse que la identidad de estas heroínas no es sólo definida y creada para ellas por una sociedad real, referente de la sociedad ficcionalizada, sino también por su autor-creador real, quien define tanto a estos personajes como a su mundo. La trampa para las mujeres, en resumen, está montada en la estructura del texto.

29. Shulamith Firestone, *The Dialectic of Sex: the Case for Feminist Revolution*, edición revisada, Nueva York, Bantam, 1971, pp. 167-9.

30. Ortega, «Conciencia social», p. 81.

LAS MUJERES EN EL TEATRO DE LORCA*

John Walsh
(University of California, Berkeley)

Las mujeres a las que hace referencia el título no son primordialmente las mujeres perennes que conocemos por los textos dramáticos de Lorca, sino las que los representaron; las actrices que encarnaron los papeles y para quienes fueron creados posiblemente gran parte de éstos. Todas las obras más importantes de Lorca giran en torno a temas de mujeres: *Bodas de sangre*, *Yerma*, *La casa de Bernarda Alba* (las tres tragedias rurales); *Doña Rosita la soltera*, la inacabada *Los sueños de mi prima Aurelia* (las piezas de provincias). Esta obsesión jamás abandona a Lorca: dos de las obras —*Bernarda Alba* y *Prima Aurelia*—[1] fueron creadas en los meses anteriores al viaje final a Granada, en medio incluso del maremágnum político que lo paralizó todo, y Lorca parecía animado por la idea de que serían montadas en el otoño.

Mientras tanto, por supuesto, Lorca comenzó a escribir o anunció una docena de dramas acerca de otras obsesiones suyas.[2] Pero a pesar de toda al excitación y el revuelo abandonó todas estas empresas; algunas de estas obras eran tan sólo títulos ingeniosos con unas cuantas escenas apenas esbozadas; otras, nunca se llegaron a poner a punto para su representación o fueron consideradas imposibles de poner en esce-

* Traducido por Reyes Lázaro.

na por el momento.[3] Tal vez la razón por la que permanecieron en el vasto limbo de la obra inacabada de Lorca —aparte de lo intrincado de su argumento e ideología o de ser obras de un tipo demasiado retorcido y fuerte para la escena— fue que carecían de grandes papeles femeninos o del tipo de obsesión teatral arrolladora que Lorca podía encarnar en la figura de una mujer.

El problema es sencillo si consideramos los pasos de Lorca para llevar sus «irrepresentables» dramas a escena: en 1930 Lorca vuelve de Nueva York y Cuba con la convicción, un tanto arrogante, de que será dramaturgo (aunque hasta el momento nada le ha ido bien e incluso Dámaso Alonso había echado por tierra su teatro en Nueva York ese mismo año). Tiene el comienzo de una obra, *El público*, y continúa escribiéndola en Granada y reinventando sexualidades para su propia fantasía. En otoño va a Madrid, con la infundada idea de que *El público* le agradará a Margarita Xirgu, la mejor actriz de la época; Lorca la acompaña en su paseo diario al campo, en coche con chófer, donde ella acude a devorar nubes enteras de aire de montaña a fin de preparar sus pulmones para las representaciones de la tarde. Tras la lectura de la primera escena de *El público*, la Xirgu entiende cada vez menos, hasta que pronto se niega a seguir escuchando a Lorca.[4] Aparte de las interrogaciones que suscitan los diversos tipos sexuales, la ausencia de un papel siquiera mediano para una mujer disminuía su interés en la obra: ¿acaso esperaba él que ella representase a esa Elena tan etérea que casi ni está presente? (Para quedar bien, Margarita Xirgu accede al día siguiente a representar *La zapatera prodigiosa* esa temporada, en plan de prueba.) Un año después, probablemente en una peregrinación similar, Lorca muestra a la Xirgu *Así que pasen cinco años* y otra vez deja desconcertada a la actriz.[5]

Es sin duda relevante que nos encontremos ante un teatro de mujeres, escrito por un hombre (y probablemente tiene importancia el hecho de que sea homosexual) que posee la peculiaridad de que sólo puede concentrarse en una obra y terminarla, cuando ésta gira alrededor de fijaciones femeninas. Los críticos que han examinado cómo funcionan los géneros sexuales en estas obras, encuentran síntomas de percepciones excéntricas: Alberich, por ejemplo, ve que todos los hombres relacionados con las mujeres de las obras de madurez de Lorca o bien mueren al final o ya han muerto antes de ese momento;[6] Burton descubre un sistema genérico-sexual «no cohesivo» en el cual «el foco de la atención femenina está siempre en el campo masculino»;[7] Fernández-Cifuentes descifra en *Bernarda Alba* una confusión de los códigos masculinos y femeninos (en actitudes e imágenes), incluso respecto a la sexualidad de Bernarda;[8] Feal habla de la hombría que exhiben las mujeres de *Bodas de sangre*.[9] En los textos queda el rescoldo de un código privado de géneros y roles sociales, y las obras tomadas independientemente pueden ser las primeras piezas de una tesis, una gama completa de mujeres (con conjuntos de aposiciones) cada una encerrada en una ansiedad primaria que Lorca es capaz de presentar como mito primordial femenino (en los dramas rurales) o como la realidad prosaica de la feminidad (en las piezas de provincias).

Sin duda, podemos aducir algunas razones estéticas y sociológicas que llevaron a Lorca a crear estos dramas de mujeres y a prometernos más. Incluso se ha especulado que son una respuesta a su comparación entre la mujer norteamericana, que él consideraba frígida, y la española, cuya fuerza y ardor le proporcionaron las formas y ritmos de sus obras teatrales; o se afirma (en palabras de Julianne Burton, p. 260) que el conjunto de las obras define «el código genérico-sexual de la sociedad del sur español». (La cuestión de la geografía y de la antropología regional tal vez no se salde tan fácilmente. Es posible que los crímenes y personajes de las tragedias rurales sean andaluces, pero la imaginería y el lenguaje parco que los define y fija a un lugar están extraídos, en mi opinión, de la Castilla de la *Tierra de Alvargonzález* de Machado.)

Sin embargo, aparte de todo lo que los críticos hagamos para buscar en la realidad los modelos femeninos para su teatro último, el impulso de Lorca debe asociarse también con un fin práctico. Se calcula que en España la audiencia que llenaba el teatro donde se representaba una obra de Lorca no era el público usual sino que él atrajo a un nuevo tipo de audiencia.[10] Pero también es obvio que a partir de *Bodas de sangre* las obras de Lorca tienen un enorme éxito económico. Hablando claramente, podemos decir que sus grandes obras trataban de mujeres porque Lorca aprendió a escribir papeles para grandes actrices, pues el teatro en 1930 se concebía en términos del papel central de las mujeres.

Lorca no constituye una excepción ni en la preeminencia que concede a las mujeres, ni a la hora de escribir los mejores papeles para ellas y hacer que la obra irradie a partir del eje de la actriz central. Estos tipos de papeles se dan por todas partes en el teatro de los años veinte y treinta: *Teresa de Jesús* de Marquina, *La Lola se va a los puertos* de los hermanos Machado, las reposiciones de *La malquerida* y de *Señora ama* de Benavente y de la *Electra* de Galdós.[11] Los papeles correspondían al sistema: los dramaturgos (hombres, en su mayoría)[12] escriben para las mujeres, las cuales representan los papeles más importantes y marcan el rumbo a la economía del teatro. Se sugiere que Lorca se apartó del patrón de Benavente, los Quintero, Martínez Sierra y otros que escribían obras con una gran actriz en mente y con un guión que realzara el aura que constituía el capital de tales actrices. En vez de hacer esto Lorca creó «seres elementales», por lo que una actriz en una obra de Lorca debía ofrecer un tipo de actuación completamente nuevo que anulase su manera típica de estar en escena, así como la gracia y la voz que la identificaban ante el público.[13] Es decir la creación de Lorca está por encima del culto a una actriz: la actriz ideal en una obra de Lorca sería una desconocida sin un estilo que predeterminara la ejecución de su papel, sin un público que esperase reconocer la presencia familiar y previsible detrás del papel representado.

Pero, por supuesto, las actrices de Lorca no eran ningunas desconocidas. Desde el principio representaron sus obras las más célebres actrices de la escena española: Margarita Xirgu, Lola Membrives, Josefina Díaz de Artigas, Eva Franco, Carmen Díaz. Y si escribir para ellas era un compromiso, tal compromiso iba a dar impulso al teatro comercial de Lorca, incluso en lo que se refiere a la génesis de los papeles y el tema. ¿Habría creado *Yerma* sin el incentivo del sistema? ¿O habría planteado el problema de esta obra (que, clínicamente hablando, trata de un espermatozoide nadando hacia un óvulo) de modo similar a sus otros experimentos y no como la tragedia de una voz monumental que cuestiona la esterilidad en cierto planeta muerto y agreste?

En los años treinta, la economía del teatro en España (y en Argentina) continuaba bajo el control de las mujeres. La actriz principal normalmente seleccionaba las obras, estructuraba la temporada teatral y alquilaba los teatros para las representaciones en las ciudades, en el circuito de provincias y en las giras por el extranjero. Es un sistema de compañía: cada una de las grandes actrices tiene su propio grupo permanente, con un director y una gama de actores de reparto (jóvenes y viejos, el protagonista, uno o dos tipos rollizos para hacer de paletos, etc.).[14]

La obra ideal para esas compañías es la que da trabajo a un reparto bastante numeroso, y hasta cierto punto todas las obras de madurez de Lorca tienen al menos un papelito para cada miembro. Su base era el mismo reparto, con las mismas costumbres y papeles acostumbrados del grupo.[15] Pero —como muestra Fernández-Cifuentes («Teatro convencional», p. 99)— Lorca adaptará los papeles típicos del teatro de clase media. Por ejemplo, en el papel de la criada, Lorca deja suficientes clichés como para que se pueda reconocer a la típica criada del teatro (de Benavente y los hermanos Quintero), pero al mismo tiempo introduce cambios en ese modelo tan sobado, «desfamiliarizando» el estereotipo como parte de su sistema. Y en *Doña Rosita* el proceso es doblemente hábil: un tema de importancia, cargado con todas las amarguras de una vida angustiada, es representado en medio de la parodia de una serie de voces y tipos que han cambiado bajo el influjo de las corrientes del tiempo y del gusto literarios.

La figura de la primera actriz era la atracción principal de cada montaje y los papeles debían estar lo suficientemente acabados para captar la atención de la audiencia. Trabajando bajo este sistema, el mero esfuerzo físico de estas mujeres —con papeles largos y dos representaciones diarias (tres en sábados y festivos) (McGaha, p. 9)— era brutal. Ya hemos aludido a Margarita Xirgu y a la monstruosa rutina de su diaria excursión al monte para llenar sus pulmones con aire puro suficiente como para llenar el teatro durante las representaciones. También ella notaría la sobrecarga de trabajo que exigía representar la obra de Lorca: durante la temporada de otoño de 1935 en Barcelona, se quejó del esfuerzo que exigía representar *Yerma* y tener además que concentrarse para el otro drama de la tarde (Rodrigo, *Margarita Xirgu*, pp. 223-4).

En el teatro maduro de Lorca toda la intensidad y el drama descansan generalmente en una mujer. Una posible excepción es *Bodas de sangre*, su primera obra, donde el peso se divide entre dos (la Madre y la Novia). (De hecho, en las primeras representaciones se hizo patente que la Madre era la que más destacaba aunque la actriz principal —Josefina Díaz— hacía el papel de la Novia.[16] En montajes posteriores la actriz principal —Lola Membrives o Margarita Xirgu— escogió el papel de la Madre.) Pero en *Yerma*, *Rosita*, *Bernarda Alba* y en lo que tenemos de *Prima Aurelia*, todo lo que ocurre en el escenario converge en la presencia o el problema de una mujer. Por un lado, la misma fama de las actrices —su independencia y poder como dirigentes de su propia compañía, el deseo natural de hacer destacar en escena lo que más les favorecía- parecía ir en contra del impulso motriz del teatro de Lorca. De hecho hay constancia de que Lorca —el Lorca amable y retozón de La Barraca— se volvió casi un salvaje cuando preparaba a Josefina Díaz para su papel en *Bodas de sangre*, insultándola para que perdiera los malos hábitos adquiridos con el tiempo, para que separara el papel de su renombre como actriz y (parafraseando a Eugene O'Neill) para que recuperara el talento perdido en años de repetición facilona.[17] Hasta el final Lorca fue siempre, al menos de forma no oficial, director de sus propias obras (al igual que de sus revisiones «republicanistas» de obras de Lope y Tirso)[18] y llevó a cabo sus funciones con una profesionalidad sin tacha. Estaba presente en todos los ensayos; iba a las representaciones casi todas las noches, escondiéndose en la oscuridad para apreciar la respuesta de su audiencia; arreglaba y componía la música, e incluso entrenaba al coro y hacía de apuntador para las bailarinas.[19]

En los pocos años que duró su preeminencia en el teatro comercial, entre 1932 y 1936, Lorca participó en la reforma de la escena española. No es exagerado afirmar que antes de

Bodas de sangre el teatro español era generalmente chapucero: el montaje típico estaba poco ensayado y se contaba habitualmente con los apuntadores para sacar adelante a la actriz y al reparto a lo largo de toda la obra. Probablemente la propia conversión de Lorca a una nueva disciplina e idea del teatro le vino después de presenciar en Madrid, en el primer año de la República, las actuaciones del Teatro del Arte de Moscú.[20] Y la etapa esencial de su aprendizaje fue la dirección de La Barraca. (Incluso aquí la disciplina era mucho más fuerte que la que se practicaba en el teatro comercial: la regla que se estableció para algunos montajes era que cada uno de los miembros del reparto debía aprender *todos* los papeles de una obra.) Cuando *Bodas* comenzó a ensayarse Lorca invocó una «matemática» de la escena o de la colocación (véase Francisco García Lorca, *Federico*, p. 335), un sistema de puntos de apoyo y equilibrios que podía ajustarse al ritmo fluido de Bach (*Bodas*) o (más tarde) a los vertiginosos plañidos de las melodías de salón o de la *zarzuela* (*Rosita*).

Desde los ensayos de *Bodas* y hasta los proyectos que lo ocupaban en el verano del 36, la biografía de Lorca es la de un dramaturgo de actrices, por acompañarse de ellas y por usar grandes actrices para sus obras, principalmente Margarita Xirgu. Y de manera creciente, en mi opinión, las mujeres que representaban los papeles van siendo incorporadas a sus guiones. En junio de 1936, en el salón del Teatro Español, Lorca se refirió a dos obras nuevas (*Bernarda* y *Prima Aurelia*) no por el título sino por el nombre de la actriz para la que habían sido creadas: «la comedia de Margarita Xirgu» y «la comedia de Carmen Díaz».[21]

He aquí, cronológicamente, una relación de las mujeres que eligió al crear sus obras principales: aparentemente, su plan inicial era que Lola Membrives y su *troupe* representaran *Bodas de sangre* y sólo por un compromiso de última hora le ofreció la obra a Josefina Díaz.[22] (Más tarde dirigiría a Lola Membrives y a Margarita Xirgu en *Bodas*; el montaje de la Xirgu en Barcelona sería considerado el definitivo.) Después de *Bodas* se puso a trabajar en *Yerma*, pieza prometida a Margarita Xirgu pero que Lola Membrives trató de apropiarse en Buenos Aires, lo que sumió a Lorca en dudas y dilaciones.[23] Durante los meses que pasó en Buenos Aires

(1933-1934) sus obras cubrieron toda una temporada de la Membrives; después de la representación de *Bodas*, Lorca amplió la gama de la *Zapatera* para adecuarla al talento (en la *zarzuela*) de la Membrives e intentó insuflar algo de vida en su inerme *Mariana Pineda*. Hacia el final de su estancia adaptó *La dama boba* de Lope para Eva Franco (más tarde dirigió la misma obra para Margarita Xirgu).[24] Terminó *Yerma* en España en 1934 para Margarita Xirgu: y a principios de 1935 dirigió a la despótica Membrives durante su actuación en Madrid. Pasó toda la temporada de otoño en Barcelona dirigiendo a la Xirgu y le prometió acompañarla en su gira por América en 1936. Y aunque su asociación creativa con Margarita Xirgu es primordial, concibió *Prima Aurelia* para que la representara la andaluza Carmen Díaz; en 1936 fue a Zaragoza a encontrarse con ella, con fragmentos de su nuevo guión.[25] *Prima Aurelia* se parece a *Rosita* en el modo en que está diseñada: en vez de la cruda antropología de las tragedias rurales evoca costumbres y castas sociales para enmarcar y desarrollar el drama. Lorca imaginó un tipo de mujer andaluza más atrevida y mundana, con una voz sensual apta para las canciones canallas del café cantante y Carmen Díaz era la elección obvia.

Sin duda alguna, la asociación pública de Lorca con Margarita Xirgu tuvo algo que ver con la absurda acusación que llevó a su asesinato. La actriz había alardeado de su republicanismo de izquierdas, apareciendo en recitales (a veces acompañada de Lorca) vestida con una túnica con los colores de la bandera republicana; su categoría y renombre —tal vez más que la asociación del escritor con Fernando de los Ríos y con La Barraca— probablemente atrajo la atención de los fascistas locales hacia Lorca y canalizó sus iras.

Se acerca el momento de establecer la conexión, la prueba de que Lorca, en un teatro comercial dominado por mujeres, pensaba en determinadas actrices al diseñar sus obras. La evidencia histórica mínima, desde luego, es que a veces Lorca negociaba y llegaba a un acuerdo con las actrices mismas (en el caso de *Yerma* y *Prima Aurelia*) antes de crear el papel. Pero la huella real de una actriz en un papel no es fácil de discernir, especialmente cuando tantas actrices se los han apropiado posteriormente. Nuestro único ejemplo

—*Doña Rosita* para Margarita Xirgu— es provisional y un tanto caprichoso.

Doña Rosita fue escrita entre las dos tragedias rurales *(Yerma* y *Bernarda Alba)*[26] que escribió para Margarita Xirgu y en su esquema general —antes de fijarnos en el texto— se parece a ellas: una obra sobre la frustración femenina, sobre una mujer que está sumida en una espera intolerable y eterna hasta que es plantada y se queda encasillada en el epíteto: *la soltera*. Podríamos imaginarla al estilo de la antropología causal de los dramas rurales y prever un suicidio final.[27]

Pero casi todo en *Rosita* es idiosincrásico. Incluso el proceso de redacción del guión se efectuó a un paso diferente: las tragedias rurales de Lorca vieron la luz en la intensidad creativa de una o dos semanas;[28] *Rosita* adquirió forma tras largas semanas de mimar detalles e idear parodias suaves; de este modo Lorca situó la desesperación en medio de ese montón abigarrado de cachivaches y objetos chabacanos que se van amontonando a lo largo de los años. Incluso durante el período de ensayos Lorca se dedicó a buscar muebles y se ocupó de asuntos de vestuario. *Doña Rosita* resultó una obra con toda la vulgaridad cursi de una tarjeta de san Valentín (de hecho se representó como una pieza para el día de san Valentín: cuando Margarita Xirgu llevó su compañía a Cuba en 1936 hizo que *Rosita* se estrenara el 14 de febrero).[29] Se dice que *Doña Rosita* trata de tal o cual prima o amiga solterona de Granada y es probablemente cierto en parte.[30] Durante la Semana Santa de 1935 Lorca se fue a Sevilla, casi de incógnito, para pasar una semana con Joaquín Romero Murube.[31] Murube tenía dos tías solteronas y quisquillosas que fueron una bendición para el proyecto de Lorca y éste se pasó el tiempo aprendiendo su lenguaje sobre flores y ganchillo y descubriendo los temas intocables y las mil naderías que llenan la vida de la solterona. (Lorca incluso se les unía para rezar el rosario por las tardes.)

La realidad que Lorca crea para *Doña Rosita* no es la realidad rígida e inalterable de las tragedias rurales; su lenguaje no es el lenguaje austero y elíptico, a lo Machado, de *Bodas de sangre* o *Bernarda Alba*, donde cada línea rezuma tragedia. En *Rosita* se representa un espacio anclado en un lenguaje y unas modas que van cambiando con el tiempo y que poco a poco van dejando atrás a Rosita hasta que al final se desvanece en la distancia.

En algún momento de la creación de *Doña Rosita*, Lorca decidió entremezclar todos los detalles sociológicos externos (dominados por la metáfora recurrente de la *rosa mutabilis*) con un experimento literario interesante. Decidió ligar cada uno de los tres períodos o fases de la vida de Rosita con un período literario (y con el «grave» parloteo de su cultura de medio pelo) que hallaría su eco en la forma de hablar y en los gestos. Lo que dicen Doña Rosita y los otros y la forma como lo dicen (o lo recitan o cantan) obedece a los estados de ánimo literarios dominantes en cada época o acto de la obra. La estratagema recuerda un poco a la del *Orlando* de Virginia Woolf en que los personajes se sitúan en el género literario del momento en que transcurre la acción; como sesión teatral también el encanto de *Die Fledermaus*, con su serie de recitales en medio de una historia de la que casi nos llegamos a olvidar.

Las huellas de la literatura y la poesía de salón (básicamente de ese tipo que se supone debemos superar, o del tipo que creíamos relegado al género burlesco) son obvias a propósito en *Rosita*. El acto I comienza con baladas de alegres *manolas*; a continuación, se pasa bruscamente a la escena del adiós, con el fogoso abrazo y las *décimas* en el más puro estilo de Zorrilla. El acto II (la celebración del santo de Rosita, diez años más tarde) se abre con un realismo sentimental a la manera de Galdós, con algo de Arniches y un toque de Bécquer; se convierte después en pieza de repertorio de salón con la visita de las *solteronas* y el recitamiento del empalagoso «Lo que dicen las flores» (siguiendo ese desafortunado género en el que se otorga vida y cualidades a los objetos naturales). Finalmente, en el acto III, se sigue el modelo de *El jardín de los cerezos* de Chekhov.[32] Los críticos Sánchez y Daniel Devoto[33] han descifrado todas las claves en la obra que Lorca quería que reconociéramos. (Tal vez sea este el único plano de la obra que pierde significación con los años: las primeras audiencias de Lorca podían captar la literatura que se evocaba y las piezas de salón o casino que estaban todavía en el aire; una audiencia moderna, en su mayoría, se da cuenta de que hay una parodia de los distintos períodos, pero la mayor parte de las referencias y tal vez algo de la afectuosa hilaridad se han perdido.) Las imágenes cambian con cada escena, desde las olas románticas, el fuego y la música de laúd del primer acto hasta la melancólica llovizna y la oscuridad del último. (En esto *Rosita* es lo opuesto de las tragedias rurales, con su insistente despliegue de imágenes constantes; el agua y la tierra reseca de *Yerma*.)

En mi opinión, el experimento literario es sagazmente incompleto o asimétrico. En los actos I y II los personajes están atrapados por las parodias; representan y transforman sus papeles a partir de su familiaridad con diversos tipos de literatura populares, o se representan a sí mismos como habrían sido creados en la literatura que les es conocida. Pero en el tercer acto no se aplica esta fórmula: los personajes no recrean su realidad imitando la literatura que conocen, sino que son moldeados a gusto del dramaturgo. (Hay una falla en el ámbito cultural de la literatura que se toma como referencia: los primeros actos se mantienen en una vena estrictamente hispánica; el último acto abandona ese experimento y sigue a Chekhov.)

Lorca llevó el guión de *Rosita*, recién escrito, a Margarita Xirgu en 1935, al parador de Gredos, donde ella residió en aquella época para tomar un mes de aire de la sierra (Rodrigo, *Cataluña*, p. 357). Al principio la actriz pensó que la obra era un fallo total: rondaba los cincuenta y Doña Rosita en el primer acto era una niña cursilona de veinte años; no podía imaginarse el papel más que como una torpe charada. Pero Lorca siguió leyendo y la convenció de que la obra podía funcionar.

Sin duda alguna, el diseño de la obra estaba destinado en parte a mantener la verosimilitud (y a exhibir el virtuosismo) de Margarita Xirgu. En los dos primeros actos, Rosita apenas tiene un par de frases de diálogo relevante. (Los únicos comentarios pertinentes que ella hace en el acto I se refieren a la pérdida de su sombrero o al extravío del parasol que iba a usar para su paseo con las *manolas*; en el acto II se limita a preguntar si ha venido el cartero.) Cuando Rosita habla en esos actos generalmente está disfrazada y recita de modo caricaturesco contribuyendo de esta manera a las frivolidades literarias y a las arias ordinarias que se antologizan en la obra. Representa pequeños papeles que cambian para adaptarse a las diferentes situaciones en que se va encontrando. La fórmula teatral de los primeros actos es poco común: Rosita no llama la atención en absoluto y debe confundirse y actuar en equipo con los que la rodean; no debe ser superior a los demás (ni más sensible ni más inteligente); ni condena la frivolidad que la rodea ni se eleva sobre ella. (Sólo una vez se entrega a una risita tonta con las Ayola a costa de las *solteronas*; pero incluso esto acentúa lo convencional del personaje.) Una vez que Lorca metió a su personaje dentro del mecanismo literario, Rosita debía estar al mismo nivel que los que la rodeaban, debía participar del mismo cliché rígido y de la misma artificialidad que define el ser de los otros personajes.

Pero en el acto III, Rosita, cuando alcanza una edad similar a la de la actriz y la obra se entrega al influjo de Chekhov, mantiene el rico diálogo que la convierte en símbolo y en toda integridad; lo que dice es meditado y profundo y se eleva al fin por encima de la sociedad que ha colmado su vida hasta entonces. He aquí un ejemplo del cambio de su mentalidad: «Ya soy vieja. Ayer le oí decir al Ama que todavía podía yo casarme. De ningún modo. No lo pienses. Ya perdí la esperanza de hacerlo con quien quise con toda mi sangre, con quien quise y [...] con quien quiero. Todo está acabado [...] y, sin embargo, con toda la ilusión perdida, me acuesto y me levanto con el más terrible de los sentimientos, que es el sentimiento de tener la esperanza muerta. Quiero huir, quiero no ver, quiero quedarme serena, vacía [...] Y sin embargo la esperanza me persigue, me ronda, me muerde; como un lobo moribundo que apretara sus dientes por última vez».

Y con el cambio que ocasiona en Rosita el marco literario del acto final, Lorca pone en funcionamiento un sistema de conexiones que alcanza en retrospectiva a todo lo antes parodiado y que redime lo que sólo se había tocado por encima. Los últimos dos visitantes a la casa medio vacía son el chico de dieciocho años que viene a llevarse los muebles y una de las *solteronas* que pasa a decir adiós. En el primer acto, donde todo tenía tonos luminosos y románticos, se nos hace ver a las *manolas* como poco más que decorado, apenas con vida bajo la crinolina. Sin embargo, en el marco realista del último acto, Lorca les da una historia completa en retrospectiva: una *manola* ha dado a luz a un hijo alegre y hermoso —el mismo chico crecido que viene a por los muebles— y ha muerto; otra manola se ha mudado a Barcelona. Y la solterona ahora se gana la vida dando lecciones de piano; no atrapada en la superficial existencia de salón que exigía el estado de ánimo literario del acto II. Así, en los últimos momentos de la obra, Rosita ve una imagen de lo que podría haber sido (en el joven hijo de su antigua amiga) y de lo que será (en la vieja solterona que ha encontrado su lugar en la sociedad provinciana de Granada).

Desde luego, además de las capas de parodia y metáfora con que elaboró el papel de Rosita, Lorca podía ofrecer con Margarita Xirgu el detalle adicional de una actriz actuando en el tiempo. ¿Cómo podía una actriz en la cima de su madurez, al pasar a través de tres décadas de teatro en el curso de la representación de *Doña Rosita*, no sentir el cosquilleo de la tierna autoparodia al rememorar tantos papeles que habían pavimentado el camino de su propia leyenda?[34]

NOTAS

1. Mario Hernández, en la introducción a su edición de *Bernarda Alba,* Madrid, Alianza, 1981, *Obras de Federico García Lorca. 4,* p. 20, relaciona a *Bernarda* con el pueblo de Valderrubio y a *Prima Aurelia* con Fuente Vaqueros. Francisco García Lorca, *Federico y su mundo,* ed. Mario Hernández, 2.ª ed., Madrid, Alianza, 1981, p. 20, ve a *Bernarda* como la proyección literaria de Valderrubio y a *La Zapatera prodigiosa* como la de Fuente Vaqueros.

2. Los títulos de las obras que Lorca se proponía escribir o a las que sólo dio título son estudiados por Mario Hernández (introducción a su edición de *Bernarda Alba*). Los títulos son los siguientes (con variaciones indicadas en paréntesis): *Caín y Abel (Carne de cañón), La bola negra (La piedra oscura), La destrucción de Sodoma (Las hijas de Loth), El hombre y la jaca (La bestia hermosa),* etc.

3. Véase Andrew A. Anderson, «The Strategy of García Lorca's Dramatic Composition 1930-1936», *Romance Quarterly*, 33, 1986, pp. 211-29, quien afirma que la intención de Lorca era volver a las obras de vanguardia «y a otras que planeaba escribir seguidamente y a las que quería ser capaz de dictar sus propias normas teatrales, tanto a los empresarios como a la au-

diencia» (p. 217) después del éxito de su primer teatro «maduro». Véase también Marie Laffranque, «Lorca, théatre impossible», *Organon*, Université Lyon II, 1978 (número especial), pp. 20-35.

4. Según los recuerdos de Margarita Xirgu, Lorca le trajo *Así que pasen cinco años* en el otoño de 1930; su memoria no es correcta, ya que *Así que pasen cinco años* no fue escrita hasta el verano de 1931. Véanse los recuerdos de la Xirgu en Valentín de Pedro, en *Aquí está*, Buenos Aires, 19 de mayo de 1949, citado por Antonina Rodrigo, *Margarita Xirgu y su teatro*, Barcelona, Planeta, 1974, p. 168; esta información es abordada también por Rodrigo en *García Lorca, el amigo de Cataluña*, Barcelona, Edhasa, 1984, p. 216, y Eulalia-Dolores de la Higuera Rojas, *Mujeres en la vida de García Lorca,* Granada, Editora Nacional, 1980, pp. 114-5.

5. Lorca terminó *Así que pasen* el 21 de agosto de 1931; el 4 de octubre se lo leyó a un grupo reunido en casa de Carlos Morla Lynch. Véase Morla Lynch, *En España con Federico García Lorca,* Madrid, Aguilar, 1958, pp. 105 ss.

6. José Alberich, «El erotismo femenino en el teatro de García Lorca», *Papeles de Son Armadans,* 39, 1965, reimpreso en *La popularidad de Don Juan Tenorio y otros estudios de literatura española moderna*, Zaragoza, colección Aubí, 1982, pp. 186-207.

7. Julianne Burton, «The Greatest Punishment: Female and Male in Lorca's Tragedies», en *Women in Hispanic Literature: Icons and Fallen Idols,* ed. Beth Miller, Berkeley, University of California Press, 1983, pp. 259-79; (la cita se encuentra en la p. 278).

8. Luis Fernández-Cifuentes, «García Lorca y el teatro convencional», *Iberoromania*, 17, 1983, pp. 66-99.

9. Carlos Feal, «El sacrificio de la hombría en *Bodas de sangre*», *Modern Language Notes,* 99, 1984, pp. 270-87.

10. Fernández-Cifuentes, «*Yerma:* Anatomía de una transgresión», *Modern Language Notes*, 99, 1984, pp. 288-307 (la cita, en la p. 306). Cuando se estrenó *Yerma* una reseña del *Diario de Madrid* mencionaba lo especial de la audiencia: «Nuestros magnates intelectuales, las personas que habían dejado de ir a los estrenos, los jóvenes, todos estaban allí».

11. Para una lista de las obras representadas en Madrid (con los nombres de las compañías o de las actrices principales) véase Michael D. McGaha, *The Theatre in Madrid during the Second Republic,* Londres, Grant & Cutler, 1979 (Research Bibliographies and Checklists 29).

12. La extraña excepción serían las obras de Gregorio Martínez Sierra, inmensamente populares: aunque puestas en escena y publicadas bajo su nombre, en realidad fueron escritas por su esposa María.

13. El comentario proviene de una reseña de *Bodas de sangre* por Enrique Díez-Canedo, citada en Fernández-Cifuentes, «Teatro convencional», p. 92. (Acerca del juicio general de Díez-Canedo sobre la caracterización femenina en el teatro de los años treinta, véase Fernández-Cifuentes, p. 70.)

14. Las compañías incluían parejas de actores y actrices, cuyos hijos frecuentemente representaban papeles. Por ejemplo, en la *troupe* de Margarita Xirgu, José Cañizares y Eloísa Vigo, cuya hija Eloísa actuaba con regularidad. Véase Eloísa Cañizares, *Federico García Lorca y [...] yo,* folleto que acompañaba su respresentación de obras escogidas de García Lorca, Buenos Aires, 1979.

15. Francisco García Lorca, *Federico y su mundo*, p. 335, comenta sobre los ensayos de *Bodas:* «Había de luchar con actores no habituados a un tipo de actuación que comportaba una total rectificación del teatro al uso, enfrentados a una obra en la que el movimiento escénico y el lenguaje tienen un fondo musical, acentuado muchas veces por el verso. Así, el actor que encarnaba al Novio ofrecía un obstáculo casi invencible. Se trataba de un excelente actor, pero había hecho su reputación en la comedia ligera y apenas podía vencer en los ensayos la imagen cómica que el público y él mismo se habían formado de su talante interpretativo [...] Es la única vez que vi a mi hermano impacientarse en la dirección [...]».

16. El papel de la Madre había sido asignado a Josefina Tapias, de más edad, quien, aunque no fuera primera actriz, era una conocida actriz catalana.

17. Véase Luis Sáenz de la Calzada, *«La Barraca»: Teatro Universitario,* Madrid, Revista de Occidente, 1976, p. 110. Más tarde, en entrevista con Josber, en 1971, reimpresa en la introducción de José Monleón a su edición de *Bodas de sangre,* Barcelona, Aymá, 1971, pp. 65-66, Josefina Díaz habló con orgullo de los ensayos, como si aquellos momentos hubieran constituido el apogeo de una importante revolución de la escena española.

18. Véase Suzanne W. Byrd, *La «Fuente Ovejuna» de Federico García Lorca,* Madrid, Pliegos, 1984, pp. 13-17; el mismo tipo de cortes (del material que relacionaba el problema local con la monarquía) se hicieron en las versiones de *El caballero de Olmedo* y *El burlador de Sevilla* que Lorca preparó para La Barraca, y en la versión del *Peribáñez* de Lope que arregló y supervisó para un montaje del grupo amateur (pero muy bien considerado) «Anfistora» de Pura Maortua de Ucelay, Madrid, cine Capitol, 25 de enero de 1935.

19. Para descripciones de Lorca como director, véase el artículo publicado en Buenos Aires, 28 de noviembre de 1933, sobre Lorca dirigiendo los ensayos de las bailarinas de *La zapatera prodigiosa*, en la edición de esta obra preparada por Mario Hernández, Madrid, Alianza, 1982, p. 148 ss. y Rodrigo, *García Lorca en Cataluña*, pp. 380-382. Gabriel Celaya ha descrito la costumbre de Lorca de aparecer por el teatro (acompañado de Rapún o del mismo Celaya) para ver una parte de *Yerma* casi cada noche, concentrando su atención en un miembro de la audiencia: le molestaba visiblemente que la persona observada mostrara signos de indiferencia o escepticismo, o que hiciera gestos de desagrado.

Neruda recuerda la asombrosa seriedad que le sobrevino a Lorca cuando lo llamaron a dirigir: durante la presentación de Lola Membrives en Madrid en enero del 35, Lorca dio claras instrucciones de que no le pasaran llamadas durante los ensayos a menos que fuera de su propia madre. Neruda llamó, disimulando su voz para fingirse doña Vicenta; Lorca le colgó el teléfono con furia (después, por supuesto se encontró con Neruda en un café, extendió su pañuelo en el suelo y le pidió perdón de rodillas, en un efusivo *mea culpa*).

20. Véase Rodrigo, *Margarita Xirgu,* pp. 183-184; Morla Lynch, *En España*, pp. 199-200.

21. Véase *La Voz,* Madrid, 8 de octubre de 1936, estudiado en Hernández, introducción a *Bernarda*, p. 18.

22. La información se encuentra en una nota a un amigo de la familia, Antonio Rodríguez Espinosa, en la que le pide un adelanto de 100 pesetas para viajar a Valladolid, para leer *Bodas* a Membrives, en *Epistolario. 2,* ed. Christopher Maurer, Madrid, Alianza, 1983, p. 154. Para el recuerdo de Josefina Díaz de la llamada de García Lorca a media noche para preguntarle si quería presentar *Bodas*, véase la entrevista en *Crítica*, Madrid, 9 de abril de 1933, pp. 12-13 y también en *Bulletin Hispanique*, 58, 1956, pp. 312 ss.

23. El recuento de la promesa de Lorca de darle *Yerma* a Xirgu antes del viaje a Buenos Aires está en Rodrigo, *García Lorca, el amigo,* pp. 251-25, y Mario Hernández, «Cronología y estreno de *Yerma, poema trágico*, de García Lorca», *RABM*, 83, 1979, pp. 289-315. Sobre los intentos de Membrives de conseguir *Yerma* para sí, véase Walsh y B. Bussell Thompson, «García Lorca en Buenos Aires: entrevista con D. Edmundo Guibourg», *García Lorca Review*, 12, 1983, pp. 211-30, especialmente pp. 213-4.

24. Calderón de la Barca, el director de la compañía que Eva Franco dirigió con su padre, le había pedido a Lorca una obra que ellos pudieran representar. Lorca prometió encontrar una pieza adecuada al final de la temporada con Membrives y más tarde lo cumplió, con una versión acortada de *La dama boba* de Lope. Asistió a los ensayos y pronto empezó a hacer de director, con la idea de transformar el teatro en un *corral* del siglo XVII. Véase el testimonio de Eva Franco en *La Nación*, 10 de agosto de 1986, sec. 4, p. 1. Una evaluación de los efectos de la recreación de Lorca la da Amado Alonso en *Materia y forma en poesía*, Madrid, Gredos, 1969, p. 140.

25. Véase Hernández, introducción a *Bernarda,* p. 16; Rodrigo, *García Lorca en Cataluña,* p. 397.

26. La cronología completa, incluyendo trabajos *comenzados* por Lorca, alteraría ligeramente esta secuencia: *Prima Aurelia* la comenzó alrededor de enero del 36 pero (como *Rosita*) se desarrolló despacio y Lorca la dejó de lado momentáneamente cuando tuvo una idea para *Bernarda* en junio; pero en el verano del 36 aún estaba debatiendo si representar *Aurelia* en el otoño.

27. Una carta de Miguel Hernández (en Orihuela) a Lorca, del 1 de febrero del 35, menciona su conversación sobre *Rosita* cuando estaba todavía en sus comienzos; sugiere que quizás Lorca imaginó la obra en términos más sencillos, más similares a las tragedias rurales. Hernández escribe: «Sé que piensas ocuparte de la soltera eterna y española. ¡Cuántas trato y veo yo aquí, Federico, y qué trágicas! Una de ellas me dijo el otro día que ella no se casó porque cuando se le arrimaba un hombre lo abofeteaba. ¿Qué te parece? Quisiera tener, Federico, un miembro para cada una de estas mujeres que se consumen como velas detrás de las rejas y los templos, con los ojos y las bocas redondeados por el deseo. Es un tema digno de tu misericordia de poeta inmenso». (En María de Gracia Ifach, *Miguel Hernández, rayo que no cesa*, Barcelona, Plaza & Janes, 1975, pp. 126-127.)

28. La excepción es *Yerma*, escrita en dos ráfagas separadas de inspiración, con un largo interludio causado por el trabajo de Lorca con La Barraca y su viaje a Buenos Aires.

29. La información sobre la gira con la Xirgu proviene de Eloísa Cañizares (véase arriba, nota 14).

30. Antonia Rodrigo opina que el personaje está basado en su prima carnal Clotilde García Picossi (*Memoria de Granada*, Barcelona, Plaza & Janes,

1984, pp. 63-4); véase también de la Higuera Rojas, *Mujeres*, p. 97-107. También se han visto en ella a menudo ecos de Emiliana Llanos Medina, la granadina solterona amiga de Lorca. Al parecer Llanos proporcionó a Lorca la lista de «cualidades botánicas» que constituirían la base de su parodia del «lenguaje de las flores». Rodrigo, *Memoria de Granada*, p. 113, sugiere que las tres «Emilias» de Granada (tres bellezas locales llamadas «las musas» por miembros del *Rinconcillo*) fueron los modelos para las *manolas* de *Rosita*.

31. Véase Trinidad Durán Medina, *Federico García Lorca y Sevilla*, Sevilla, Diputación Provincial de Sevilla, 1975, pp. 44-47.

32. *El jardín de los cerezos* fue una de las obras presentadas por el Teatro de Arte de Moscú durante su visita a Madrid a comienzos de 1932. Véase Rodrigo, *Margarita Xirgu*, p. 183 y Morla Lynch, *op. cit.*, pp. 199-200 (quien no especifica qué producciones pudo haber visto Lorca). Los paralelos con la trama y los personajes de *El jardín de los cerezos* son señalados por Ángel del Río, *Vida y Obras de Federico García Lorca*, Zaragoza, Heraldo de Aragón, 1952, p. 127, y Virginia Higginbotham, *The Comic Spirit of Federico García Lorca,* Austin, University of Texas Press, 1976, pp. 109-111. Al final de la obra de Chekhov, Madame Ranevsky debe vender su casa y su querido huerto de cerezos, al igual que la tía y Rosita deben abandonar la casa que ya no pueden mantener; Chekhov mete en su obra a un amigo intelectual fracasado y semicómico y Lorca nos ofrece la visita del desafortunado don Martín, el profesor víctima de los hijos de papá a los que enseña, quien fantasea que es un dramaturgo.

33. Daniel Devoto, «*Doña Rosita la soltera:* estructura y fuentes», *Bulletin Hispanique*, 69, 1967, pp. 407-35; Roberto Sánchez, «García Lorca y la literatura del siglo XIX: Apuntes sobre *Doña Rosita la soltera*», originalmente publicado en *Insula* y reimpreso en *Federico García Lorca*, ed. Ildefonso Manuel Gil, 3.ª ed., Madrid, Taurus, 1980, pp. 405-18.

A la lista de fuentes recogidas por Devoto y Sánchez queremos añadir el «Canto V» de *El diablo mundo* de Espronceda, Madrid, Boix, 1841, pp. 5-19. Tiene el tipo de suspiros rítmicos y románticos de los grupos de *manolas* que Lorca usa para acompasar partes del primer acto (pp. 5-6):

Primera manola: —Que seria está Saladilla
Segunda manola: —Chica por poco se apura
Primera manola: [Al cura] —Diga Ud., cara de fuelle, ¿No canta Ud.?

[*N. del T.:* en la cita de Espronceda se ha respetado la puntuación del original de la primera edición.]

34. Una edición especial de *Doña Rosita* editada por José Monleón, Madrid, Centro Dramático Nacional, 1981, colección Libro-Documento, 3, se imprimió para acompañar a la reposición de la obra de 1980 con Núria Espert como primera actriz y Jorge Lavelli como director.

SOBRE «JOVEN LITERATURA» Y POLÍTICA: CARTAS DE PEDRO SALINAS Y DE FEDERICO GARCÍA LORCA (1930-1935)

Christopher Maurer
(Harvard University)

Una mañana del verano de 1931, meses después del advenimiento de la segunda República, un colaborador de *La Gaceta Literaria* llega, en busca de Pedro Salinas, a la puerta del Centro de Estudios Históricos.

«[...] Veo un coche, que tenía su cochero. Y el cochero unos galones. Y además del cochero con galones, un habitante dentro. El habitante del vehículo se marchaba, en aquel instante, con el vehículo del cochero de galones y levantaba la mano en un saludo formular y gentil.

»—*¡Ah!*

»—*Sí* —me [dice] Salinas—; *Pepe Bergamín, director de Acción social agraria e inspector general de Seguros.»*

Maravillado, el reportero visita a Bergamín en su despacho, «un nuevo despacho de muebles racionalistas: níquel, lona, madera burilada», donde le aguarda otra sorpresa. El mundo de las letras se ha transformado. «¡Qué nueva emoción [más] grande...! El secretario del director de Acción Social Agraria es nada menos que Juan Guerrero.» Bergamín aparece en la puerta, llama al de la *Gaceta* con la mano, y se niega «oficialmente» a hacer declaraciones. Después de un rato afirma: «La poesía es una sustancia vital que puede aplicarse y se aplica automáticamente, a las formas en que opere con ella su posesor. Creo que el mal de la Administración pública en España es haber operado sin sentido poético en las realidades antipoéticas de la cosa administrada».

La entrevista de la que cito se titula en *La Gaceta* «La literatura en la política»,[1] y es a este tema al que se dedican las páginas siguientes. Los estudios que conozco sobre los intelectuales y la segunda República se centran, en su mayor parte, en la generación anterior a la de Bergamín y de Salinas: la de Azaña, Ortega y Gasset, y Marañón.[2] Se posee menos información sobre lo que supuso el advenimiento de la República para el grupo de escritores que se denominaba en aquel momento «La joven literatura»,[3] y menos información todavía sobre los poetas de dicho grupo. Una de las fuentes documentales menos exploradas ha sido la de la correspondencia personal de la década de los 30. Parece oportuna, pues, la publicación de estas cartas, en que dos poetas, Salinas y Federico García Lorca, describen el ambiente político que les rodea entre 1930 y 1935. Se presentan las cartas en la mayor extensión posible, con un mínimo de comentario: nos limitamos a poner unos documentos nuevos, de gran interés, a la disposición de los que estudian la relación de política y literatura durante los años de la segunda República.

Pedro Salinas (1930-1931)

La primera mención de la repercusión de la política sobre la «gente joven» ocurre en una carta del 11 de abril de 1930.[4] Salinas mantiene una abundante correspondencia con Jorge Guillén, quien está de «lector de español» en Oxford. Alude Salinas, con cierto cansancio, a su trabajo en el Patronato Nacional de Turismo y en el Centro de Estudios Históricos (Junta para Ampliación de Estudios), donde colabora en su nueva historia de la literatura española que publicará Espasa-Calpe. En los Cursos para Extranjeros, que dirige, ha enseñado una clase sobre la historia de la literatura desde el romanticismo hasta nuestros días. Acaba de dar en la Residencia de Señoritas una conferencia sobre «Mundo real y mundo poético».[5]

Como ves, muy mal. Conferencista, profesor, todas esas cosas que uno no querría ser. Hace dos meses, tengo perfectamente planeado mi primer proyecto de teatro, una hermosa obra en tres actos titulada «La cama del matrimonio» (título inevitable, creo). Y casi lo necesario para dar otro pequeño tomo de poesías si tuviese tiempo de encerrarme quince días y corregir unas cuantas cosas. Me lo editaría Plutarco, sería un poco más breve que los otros, y su título (allá va) «Fábula y signo».[6]

Vuelve Salinas de un viaje a Barcelona patrocinado por *La Gaceta Literaria* («expedición pintoresca en la que íbamos desde D. Ramón [Gómez de la Serna] y Ortega hasta [Eugenio] Montes y Ledesma Miranda»). Al llegar a Madrid encuentra una situación política poco estable.

Confusión, desorientación. Recién caído el Dictador, se pensó por un momento en la inminencia de una república. Era explicable: los republicanos habían estado callados mucho tiempo, parecían casi inexistentes. De manera que no había obstáculo para pensar en el advenimiento de una república. Eran los momentos de una república en abstracto, de una república pura. Pero en cuanto comenzaron a resurgir heroicamente Lerroux y Marcelino, Albornoz y Eduardo Ortega, su trabajo ha sido tan eficaz que la esperanza republicana ha perdido en un mes mucho terreno. Estamos en la paradójica situación de no saber quién tendrá más fuerza: si los republicanos para alejar indefinidamente por asco de la gente a su poquedad intelectual y personal, la república, o si el rey para acabar con la monarquía, a fuerza de felonías y torpezas. De la gente joven, sólo el susodicho [Antonio] Espina se ha pasado a la política activa y figura dignamente en el partido de Marcelino Domingo. Nosotros queremos hacer política y ya te contaré de palabra los trabajos para constituir no un partido, sino una partida, como dice Bergamín. Yo por el momento creo que, si el gobierno este y sobre todo el rey tienen correa y dejan hablar, se llegará a las elecciones y no pasará nada. En cambio, si se sienten susceptibles y ahogan las opiniones, no habrá más salida que otra dictadura.

Dos meses después, el 6 de junio de 1930, describe así la «vida en Madrid... la vidita de Madrid»:

Pequeñez, agitación, malas pasiones, envidiejas. Esos canallistas de Espina y compañía envidiándonos porque ganamos noventa duros al mes. Otros, literatos, porque no tenemos que hacer dos novelas al trimestre. Y tantos más. Eso es sin duda el principio de la posición y la gloria. No las quiero. Y luego la desolación del panorama colectivo español. La política. Formidable concentración de asnería, de bajeza, de cuquería, de estupideces y mala entraña. Un tejer y destejer disparatado de razones y sinrazones. El que se gana la razón ayer se la quita mañana. Los republicanos, grotescos, encerrados en el Ateneo y forjándose una república del salón y de los pasillos.[7] Morente y los de la *Revista*[8] sirviendo a una situación tan dictatorial como la anterior. Los políticos antiguos columpiándose y distinguiendo. De Alba ¿qué te voy a decir?[9] Y la gente totalmente al margen, en la más absoluta indiferencia, sin importarles nada que haya actos políticos o no, libertades o no, Constitución o no. Te aseguro que no veo absolutamente un solo resquicio posible. Sobre todo lo que más contrista es que en un lado como en otro lo más patente es la baja calidad moral del español. Sólo es posible la política pura. Pero la base real de la política española, es decir, el pueblo español, enfría todo propósito de acción. Resumen: energumenismo, es decir, primoverismo, a ratos upetista, a ratos radical socialista a un lado, y al otro el «¿a mí qué?», el «que se cree V. eso», el «a mí no me la dan de primo», la listeza española en la terraza del café con vermú y gambas. Eso es lo que los políticos llaman el noble sueño español. Tú, claro, desde lejos te interesarás por estas cosas. A mí me producen un asco imponderable. Y sobre todo un asco de resultados inhibitorios inmediatos. Felizmente. Dan ganas de hacer una declaración de principios de republicanismo unipersonal y no volver a hablar luego. Hacerla para que no crean que se reserva uno. Y recién hecha, declararse incompatible con el republicanismo español. En fin, chico, esto de la política es uno de los elementos de perturbación y de incoherencia que es menester rechazar para que la vida espiritual no sea un caos completo. ¡Ya están muriendo tantos y tantos por esa herida! Unamuno, totalmente enfeudado a la preocupación política del día, sin pensar ya en otra cosa.[10] Ortega, en su sinaí de Pi y Margall 7, desdeñando los temas *menores*, para ocuparse de lo que dijo Romanones y de lo que piensa Villanueva. Hasta la misma Filología llegan salpicaduras. No. Ya sabes que siempre compartí tu punto de vista de que no se puede hacer una política elegante y selecta, more orteguico, ni una política de señoritos. Pero es que la política que España impone es de tan baja y zafia condición que arrastra detrás de su ejercicio todas las virtudes espirituales. Cuestión de salvación, apartarse. Instinto de conservación. No tener tu bienestar espiritual sujeto al artículo del *ABC* o al decreto de Tormo.[11] ¡No faltaría más! Esa es la tesis del sinvergüenza de Espina (ese sí que ha nacido para revolcarse voluptuosamente en la porquería de la política española, llamando a ese gusto «deber»), de que hay la obligación estricta para todo escritor de ponerse el yugo de un partidito y llamar jefe a Marcelino Domingo o a otro majadero por el estilo. Te digo todo esto para que no me creas atascado de aristocracia política. Sé que desde Inglaterra se ven las cosas de otro modo, que aquí en medio de este hervidero de disparates y desorientaciones.

El 11 de enero de 1931, Salinas informa a Guillén que «se da por seguro que para muy pronto se prepara un nuevo golpe»; el ambiente de Madrid es «absolutamente pre-revolucionario». Circulan «hojas clandestinas, instrucciones revolucionarias, sin hablar de los noticiones estupendos».

Actitud nuestra ante esto («nuestra» en el sentido de clase, claro, los intelectuales): Ortega francamente republicano, después de sus dos artículos famosos.[12] Está al habla con Pérez de Ayala, Marañón, Sánchez Román (que es la vedette de 1930 político), Asúa, y no sé quién más. Estos días están fraguando un manifiesto del que ya se habla mucho y que firmarán todos ellos, y en que expresan su decisión de ponerse al servicio de la república. No sé qué extensión de adhesiones darán al manifiesto. Por una parte dicen que será selecto, more orteguico, por otra que pedirán la firma a todos los universitarios e intelectuales. Veremos. En nuestro grupo, Bergamín metido hasta el cuello en la política. En íntima relación con Sánchez Román y a punto de ser detenido cuando el movimiento,[13] en el que dicen tomó parte. Melchor terminando su libro.[14] Mar de confusiones y un poco vacilante, no claro en ideas ni en pensamiento, pero sí en actitud por la imposibilidad de unirse a un grupo cualquiera, y por falta de confianza en la presunta y deseada república. Yo por mi parte cada día vacilo menos. Creo que se debe ser antimonárquico por una razón simple de justicia, de decencia. La monarquía actual debe responder de sus actos, el último de los cuales se llama dictadura Berenguer como el otro dictadura Primo. Además, nadie puede oponerse legítimamente a que un pueblo de 22 millones de hombres pruebe, en vista del desastroso estado público, a cambiar de forma de gobierno. A mí lo que más me saca de quicio es la posición de la jauría monárquica en que se desconoce el derecho a ser republicano y a desear la república. Han llegado las cosas a tal extremo que el famoso «liberalismo es pecado» que antes se quedaba a los predicadores rabiosos de pueblo es hoy la doctrina oficial de la monarquía. Estas son las razones que me hacen vacilar. Estoy pues resuelto no a hacer política, eso nunca, pero sí a declararme republicano en cuanto haya un grupo, acaso éste de Ortega, Ayala, al que pueda uno sumarse dignamente. Lo triste es que eso no implicará la menor fe ni esperanza en la república, sino simplemente una insolidaridad explícita y pública con el estado actual de cosas. La neutralidad no es ya posible. Dime en caso de que eso del manifiesto se formalice, si quieres tú firmar también. Si no cuaja ya buscaremos una fórmula cualquiera para declararnos.

En febrero de 1931 Salinas vuelve de un breve viaje a Ginebra, donde ha sido entrevistado para un puesto recién creado en la Sociedad de Naciones. Hace ya varios meses que Ortega ha publicado su célebre artículo sobre «El error Berenguer» *(«Delenda est Monarchia»)* y, junto con Marañón y Pérez de Ayala, sigue planeando las actividades de la Agrupación al Servicio de la República. Después de la sublevación de Fermín Galán, se comenta en Madrid la posible abdicación del Rey. No faltan las noticias literarias: Juan Ramón le ha propuesto a Salinas que organicen, los dos, una revista [15] en que colaborarán «Unamuno, Ortega, Azorín, nosotros [Guillén y Salinas] y quizá Cernuda y su grupo (¡vaya grupo!) como contera y *finibus terrae* de la literatura de hoy». Salinas ha dicho que no, «por una elemental cordura, sensatez, *seny, sagesse, common sense* o sinónimos: imposibilidad absoluta para mí de codirigir una revista con J.R». De las noticias literarias, pasa Salinas a las políticas.

Malos días, chico, malísimos. Yo ya tenía que hacer varias cosas en este mundo. Ir viviendo, sacar adelante a los chavales (Arniches *inspiravit*), secretariar la Historia Literaria, dar clase en la Escuela de Idiomas, dirigir los Cursos, ir al cine y esperar la gloria. Pues bien, ahora resulta que voy a tener que encargarme también de estructurar la España futura. Sí, hijo, sí, al servicio de la república. Inscrito en el grupo de Ortega, en el que te he apuntado también, ya que me decías que en absoluta conformidad conmigo. No hay más remedio. Estoy hace diez días presa de sagrada indignación civil. No puedes figurarte lo que te ahorras desde ahí. El espectáculo vilipendioso de la política de la semana pasada,[16] la estupidez del comentario, los rumores, las conversaciones apasionadas, las réplicas, el infierno obligatorio. Porque es obligatorio, y aquí está la gravedad. Yo ni por temperamento ni por conciencia puedo quedarme a un lado. Y preveo que, además, sería imposible. Lo que viene nos alcanzará a todos, y vale más prepararse. Por lo pronto este simple tomar posiciones: al servicio de la república. Como siempre mi propósito es político latente, y si acaso levemente activo pero jamás militante. Sin embargo, estoy sintiendo que España llega a un punto en que todos los propósitos personales van a ser superados, lo mismo los del rey que los míos. Y eso es lo que me indigna por dentro. Yo que siempre he estado suspirando por poder disponer de mí un poco más, me encuentro con que voy a estar a la disposición de esta cosa absurda, turbia y fea llamada política, en que sólo cerdos como Díaz Fernández[17] o Espina pueden hozar a gusto, que sólo se puede tomar como un dolorosísimo deber. Ese es hoy mi ánimo. He entrado en la república con firmeza y resolución, convencido del todo, pero tristísimo. Veremos dónde vamos. He pasado una semana fatal: todos estamos nerviosísimos. Melchor ruge y se agita como el león en su jaula hispánica. Bergamín conspira y suspira, desdeña el aforismo y se prepara a la proclama, la arenga y el libelo clandestino. Marichalar traiciona a su clase y se une a Ortega. Sólo los *niños* Alberti y Lorca siguen preocupados única y exclusivamente cada uno de ellos con los otros dos.[18] Azaña emigrado u oculto. Amos preso, liberado y ya republicano. Leerías el acto de Segovia[19] transido de *esencias del 98*. Ya te habrás figurado cómo está España cuando se junta Ortega con los otros dos.[20] En suma, chico, esto es todo confusión, incertidumbres, nerviosidad y asco. Feliz tú, a pesar de los españoles de Oxford. Puedes figurarte lo mal que me habrá caído todo esto en un momento para mí tan feliz psicológicamente como era la liberación de Ginebra. Entreví uno de esos espacios libres, un hueco por donde me iba a lanzar más animado que nunca: poesías, comedia, no sé. Y de pronto, el terrible jaleo político. Adiós. Me quedan muchas cosas. Seguiré mañana. Tuyo PEDRO.

Meses después (2 de abril, 1931) vuelve a describir la politización del mundo de las letras. No hace mucho, Ortega y Gasset ha publicado en *El Sol* un artículo en que se cita una frase lapidaria de Napoleón: «Hoy el destino es política».[21]

Querido Jorge:

¿Cómo es posible que en plenas vacaciones, con tiempo y reposo libre, continúes cultivando como un verdadero virtuoso —*musicien du silence*— el difícil arte de no escribir? *Toleré* tu silencio en época de curso, pero ahora ya se me hace insoportable. Y la única manera de romperlo es escribir yo.

No quería, sin embargo, ser yo ahora el que escribiera. Las cosas gratas de escribir son en estos momentos cosa de importación. Pero lo que nosotros exportemos de España ahora difícilmente puede ser agradable. Y entonces, ¿para qué escribirte cartas desagradables? Viene a ser la carta confesión, la carta desahogo, la carta de tendencia lírica, en vez de la otra, la carta clásica, la narrativa, la simplemente comunicativa. Pero los tiempos no dan para más.

Todos estos meses han sido muy fastidiosos. Causa: L A P O L Í T I C A. Así, con todas las mayúsculas y espacios posibles. No se puede vivir. Tú, que ya me conoces, sabes muy bien que yo estaba también incurso en esta manía, la política. Pero siempre que se considerara semejante actividad como voluntaria y de libre elección, como transitoria imposición del momento, pasajera como es natural, y desde luego, en el lugar totalmente secundario en que su baja calidad la coloca para toda persona. Pues resulta que no es eso. Resulta que por Real Decreto de Don José Ortega y Gasset, publicado en la Gaceta solar de Madrid, «el destino es política». Y el deber de todo hombre que no sea un señorito o un frívolo es aceptar su destino y ser político.[22] A partir de ese día todo el papanatismo pseudo literario español ha dado media vuelta. Se acabó ya todo el interés por las actividades espirituales que no desemboquen de un modo inmediato en lo que ellos llaman política. (Tú ya sabes que el español llama política a una vacación total de la inteligencia y del libre juicio combinada con una libertad absoluta de los humores.) Ya *Nueva España*, autorizado órgano de la alcantarilla como siempre declara ayer que los escritores españoles no admiten más distinción que ésta: los que están con la reacción y los que están con la revolución. La política es el verdadero gas asfixiante de nuestros días. Y hay que hacerse perdonar como un delito de deserción, como una incalificable cobardía el escribir versos, o el comentar a Dante, por ejemplo. «El destino es política», dijo el papa. Total, la vida imposible. Porque ese terrorismo de la política, ese pistolerismo social llega a todas partes, lo invade todo. Tú ya sabes mi tesis: poco importa lo demás con tal que no me toquen poesía y amistad. Pero también ahí llega. Desprecio total del ejercicio poético o simplemente literario. «Hoy no interesan esas cosas», dirán los editores. Y división de las gentes en derechas e izquierdas con el peor espíritu de partido y de banda. También los amigos están *tocados*. Pepe Bergamín lanzado por la vía revolucionaria, sin pensar más que en política, dando conferencias políticas, desconectado por completo con Santo Tomás y Max Jacob. Siempre persona, claro, pero hablando de *lo otro*. Melchor ha pasado días malísimos con el famoso pleito de *El Sol*.[23] Urgoiti, Ortega y comparsas le han tratado con desconsideración evidente al no requerirle para el nuevo periódico.[24] Sospecho en el fondo maniobra turbia del Espina y el Díaz Fernández, en contra suya. Causa probable: la independencia salvaje y arisca de Melchor, su negativa a engancharse en un séquito cualquiera. Imperdonable eso, para Ortega. Ha pasado días de una nerviosidad enorme, sin saber qué hacer, esperando el llamamiento de Urgoiti (que se lo ha hecho a todo el mundo) sin que llegara. Y por fin se ha quedado en *La Voz*. Delito imperdonable según los definidores de la pureza política y moral de última hora, por el que le llenan de insultos en el último número de la mentada *Nueva España*. Así que mis conversaciones con Melchor giran todas sobre el mismo eje. Dámaso, igual, sólo que todo lo contrario. Ferozmente antirrepublicano, defendiendo tesis absurdas, hasta tal punto que no se puede hablar con él de política y ya hemos convenido en hablar de lo inactual. Ése es el panorama.

Como tú comprenderás, mi posición no ha cambiado nada. Sigo sintiendo la política, dispuesto (mal necesario) a intervenir en ella con mi nombre y situación definidas (republicano sin fe, antimonárquico convencido),[25] pero sin que dentro de mi valoración interna de las cosas de este mundo haya ascendido la política ni un grado en mi estimación. Sigue pareciéndome, tal y como hoy se exige en España, una cosa inferior, propia de gente de baja calidad espiritual [...] Yo no digo que la política no sea a veces sacrificio, abnegación. Pero otras muchas es pereza, facilidad, abandono a lo más tópico y vulgar de todo. Diga el Papa lo que quiera, siempre será más fácil escribir un artículo sobre Cambó que sobre Kant. Siempre será más cómodo insultar a Alberti, pongo por caso, como hace Espina,[26] que escribir veinte poemas. [...] Para mí Ortega, desde que se ha lanzado al artículo de fondo, ha perdido casi todo su fondo. Cómo contrasta con la actitud, por ejemplo, de Don Ramón, interviniendo a su hora, en su momento, como hizo, volviéndose después a lo suyo, a su verdadero imperativo interno y humano, a su verdadera humanidad. Estamos hoy en España en un estado espiritual de guerra civil. Y creo que pronto se llegará al estado real. La crisis de autoridad es absoluta. Preveo para antes de tres meses la república, traída, como desde el primer momento, por la contumacia del monarquismo. Pero entonces es cuando la situación se hará más grave. Esa república no tiene viabilidad, ni por sus amigos ni por sus enemigos. Días de lucha menuda y continua, de zancadilleo, de restauración amenazante, de inestabilidad en todos los sentidos, de aspereza y amargura en el ambiente. ¿Y hay que resignarse a todo eso? No, yo digo que no. Resignarse de ninguna manera. O lanzarse en ello, de cabeza a modificarlo, a hundirse hasta el cuello, es decir a desaparecer (y yo no tengo ganas de desaparecer) o salvarse, huir, superarlo. De cualquier modo. Luchando si es menester más que aquí, pero por otra cosa, por algo en que uno tenga fe y esperanza. Tal es hoy mi ánimo.

El 2 de julio de 1931 vuelve a recordar la frase de Ortega:

«El destino es política». Eso es lo que se respira, se ve, se oye, se siente por todas partes. Política en formas nobles e inmundas, en extractos exquisitos o en dosis y proporciones nauseabundas. Me es igual; no la quiero en ninguna de sus formas. Me repugna cada vez más y sobre todo cuando se quiere imponer con carácter ineludible y obligatorio por los santones. ¡Qué gran momento para los idiotas! Discursos, declaraciones, pronósticos, augurios. Todas las gentes que no tienen nada que decir hablan por los codos y las multitudes se reúnen a escucharlos. Yo encantado porque así mi desprecio por la política crece cada día y se fortifica en el ejercicio diario. Y sobre todo porque eso crea una facilidad de división clarísima entre las gentes. Caen en el garlito todos los que debían caer: los Ortegas, los P. de Ayala, los Azorines, es decir, los que ya estaban. Por quien lo siento más es por Azorín, en estado de verdadera chochez republicana-federal, con altarcito laico a Pi y Margall. Y en cambio quedan intactos los míos, los Falla, los Juan Ramón, los Menéndez Pidal. También Unamuno está muy bien, mandando a paseo a toda esa gentecilla de Lerroux o Albornoz que creían que iban a entrar en un partido.[27] Ni que decir tiene que (lo diré con palabras de Ors pronunciadas hace dos días) «las letras españolas están postradas». A mí eso me encanta. Situación excelente de intimidad, de amigos, de correspondencia particular, de limpieza general. Todos los falsos adheridos a la literatura por falta de política se han huido ahora y nos dejan en una situación admirable. Ya creo que anuncia Ortega que la *Revista* va a intensificar lo sociológico y lo económico.[28] ¡Bravo! ¡Abajo caretas! Jarnés debelado y Vela tendiendo su apellido a los robustos vientos de la teoría política alemana. La única víctima de todo esto es Pepe Bergamín. Ahí todas las excepciones a lo anterior. Sigue tan simpático y tan bien como siempre y su adhesión a la política es en él una debilidad y no una fuerza. Por consiguiente digna de la mejor simpatía. [...] Alberti revolucionario *ful*, se ha ido a Alemania a estudiar el teatro social. ¿Piscator? El verdadero piscator es este niño del puerto. Federico, invisible.[29] Veo sólo a Bergamín, a Dámaso y Melchor.

Para el otoño (6 de septiembre, 1931) han «caído» otros, y Salinas se queja nuevamente del «ambiente de energumenismo y de pedantería politicista que está en el aire» y que toma por bandera la frase de Ortega: Hoy el destino es política.

Pocos somos ya los infieles. Dámaso, tú y yo. Alberti, ángel, sí, pero caído. Bergamín, social y agrario. [...]. Yo no piso la *Revista de Occidente* hace ya tres meses, ni pienso ir. De la Metafísica (Ortega, Zubiri) a la Física (Cabrera) y de la Física a la Política (Ortega, siempre alfa y Ortega). ¿Adónde iremos desde ahí?[30]

Dada la historia de la España de la década de los 20, y la marginación de los intelectuales, como clase, durante la dictadura,[31] no debe sorprender a nadie la aversión que sentían Salinas y otros escritores «jóvenes» por la política de partido, «cosa innoble, inferior, humillante y envilecedora».[32] Lo que sí llama la atención, en su correspondencia con Guillén, es la vehemencia con que insiste en el derecho del escritor de seguir su propio «imperativo interno» artístico y ético. Con la misma energía e independencia con que resiste la trivialización del «arte social» (lo «social» no tiene por qué reducirse a lo «político»),[33] rechaza cierta visión, excesivamente estrecha, de la política. En una conferencia sobre teatro (leída en la Universidad de Madrid), Salinas distingue cuidadosamente entre la «política de personas» y la que pretenda contribuir a la reforma cultural de la sociedad. Todo el mundo (arguye) debe «hacer política, pero política en su sentido más amplio, política de educación, política de capacitación, no política estricta de carácter administrativo, ni política de personas... Todos debemos aportar toda nuestra fuerza para renovar radicalmente el nivel de la vida en España».[34] La misma nota de optimismo aparece un año más tarde en una hermosa carta a Amado Alonso:

> ¡Sí, en efecto triunfamos, ciudadano en ultramar! Yo no sé si lo hemos hecho nosotros o quién pero el caso es que por artes de birlibirloque somos República [...] Ya sabe usted que yo no soy fanático de la República, pero de todos modos creo que España tiene ahora una amplitud de programa y una flexibilidad de movimiento verdaderamente sin igual. Claro es, que esto aumenta nuestras responsabilidades pero hay que aceptarlas alegre y valerosamente.[35]

En septiembre de 1931, momento en que ha sido nombrado vocal de las Misioneras Pedagógicas y de la Biblioteca Nacional, Salinas volverá a insistir en su rechazo a la política de partido, y su apoyo a la reforma cultural. Seguirá colaborando (confiesa a Guillén) «en lo que no es mera política despreciable sino actividad concreta, definida y privada, para un beneficio general». Actividad *privada*. Firme rechazo de la coerción ideológica, de doctrinas impuestas. La política sería, para Salinas, una labor casi silenciosa, callada. Su colaboración en ciertos proyectos culturales de la República puede rastrearse con mayor facilidad en su epistolario, en las cartas que dirige a su amigo más íntimo, que en la prensa de la época. Si no fuera por las cartas a Guillén, apenas quedaría testimonio escrito de su trabajo como fundador de la Universidad Internacional de Santander. En un momento de mal humor (se está decidiendo quién va a formar parte del patronato de dicho organismo) Salinas escribe a Guillén: «Me parece una desconsideración palmaria que yo, padre único de la criatura, no sea más que un caballero que estaba tranquilamente en su casa sin comerlo ni beberlo».[36] El mismo silencio rodea a su proyecto de editar, en edición triple, a los autores clásicos. El día 24 de abril de 1936, se anuncia en *El Sol* que Azaña ha creado la «Biblioteca de Clásicos Españoles». Se publicarán, con una subvención del Estado, tres ediciones de cada obra: una edición de biblioteca «que deberá incluir, siempre que sea posible, la obra completa de cada uno de los autores»; una «colección antológica de autores o género»; y «una o varias series de cuadernos clásicos para las escuelas y difusión popular».[37] La escueta noticia publicada en *El Sol* no menciona a Salinas. Pero éste escribe a Guillén (23 de abril, 1936): «Ya has visto que acabo de triunfar. Mi proyecto de clásicos va a realizarse».

Salinas es, sin duda, uno de los poetas españoles que han reflexionado con mayor claridad sobre la relación entre la poesía y la «realidad», el choque de la realidad «psicológica» del poeta con la realidad del mundo exterior. Esta última es la que da al individuo «la medida —trágica y magnífica a la vez— de su propia soledad y de su capacidad de creación».[38] Aunque no es este el momento de abordar un tema tan complejo, parece obvio que los comentarios de Salinas sobre vida política y vida literaria durante la República no son nada ajenos a estas reflexiones. En el ambiente político que describe, Salinas encuentra, en efecto, la medida de su propia soledad como creador. Al rechazar la imposición de la política como «destino» o «deber» y la llamada a un arte que parta de los temas políticos y sociales del momento, Salinas defiende no sólo su propio mundo poético, sino también la libertad del escritor —de cualquier escritor— de llegar a su propio acuerdo con el mundo que le rodea. Tan repugnantes le resultan los partidos literarios como los políticos. Escribe a Guillén, en enero de 1931, al hablar de Juan Ramón Jiménez: «Mi lema, querido Jorge, es el andaluz: "Cá uno es cá uno". Y yo más a gusto cada día dentro de mi modestísimo cada uno». Si la vida literaria se olvida de él, tanto mejor:

> Porque es paz, tranquilidad exterior, es casa en sitio retirado donde se puede trabajar bien sin que vengan los niños a pedirte que salgas al balcón y que saludes; es seguridad de que la obra propia saldrá en unas condiciones de absoluta fidelidad a la soledad poblada a nuestro gusto.[39]

El deseo de mantenerse lejos de la «política literaria» se manifiesta con gran frecuencia en las cartas a Guillén.

> Cada día y con mayor satisfacción creo una distancia más grande entre la Poesía, o mi poesía y la vida literaria. No me importan esas cosas, no me interesan [...]. Y es sencillamente porque tengo una absoluta y segura conciencia de que cuando yo escribo algo, sea lo que sea, estoy en un mundo que no tiene tangencia alguna con el de estas cosas. Eso es la *banlieu*, suburbios, los Fuencarrales, los Vallecas de la literatura. La *zone*. «Papá, ¿es aquí donde meriendan los borrachos?»[40]

Volverá al mismo tema en una entrevista de diciembre de 1932.

> [...] creo que [la] desnudez, [la] aridez de la vida literaria, despojando al escritor de toda promesa de halago, de provecho por el ejercicio de su literatura, le encara violentamente con su vocación, y nada más. No creo, con Larra, que en España escribir sea llorar. Escribir en España no es llorar, ni ganar, ni perder: es, simplemente, escribir, con la alegría de lo que se hace por su propio motivo.[41]

Tal es la visión de Pedro Salinas de la politización del mundo literario de los primeros años de la República, y el acceso de los «intelectuales» al poder. El 8 de junio de 1931 recuerda con humor aquel coche oficial que tanto extrañó al autor de la entrevista de *La Gaceta Literaria*, y observa, con regocijo, que «los amigos que no han sido nombrados directores generales o consejeros de Estado [...] son embajadores»:

En fin, estamos en la deliciosa situación de amigos íntimos del Poder, sin responsabilidades. Yo cada vez que me paseo en el coche oficial de Bergamín creo que la República ha hecho ya por mí todo lo que ansiaba. Claro es que eso de la literatura pasó ya a la historia. Yo encantado. He mandado mi libro *[Fábula y signo]* a cien personas. Me han acusado recibo cinco. La [palabra ilegible] clandestina, el tono masónico y de entendidos, la aproximación a la teoría de Einstein, privilegio de cien personas en el mundo, son las condiciones actuales de la poesía en España. Pero si a mí me encanta eso, los hay que no se resignan a desaparecer de la cartelera y estrenan *Fermín Galán*.

No escasean en la correspondencia de Salinas comentarios sobre el arte «comprometido» de Alberti, García Lorca y otros escritores «jóvenes».[42] Dejando el tema para otra ocasión, veamos cómo Lorca mismo define su postura política en 1935, poco después del estreno de *Yerma* en Barcelona.

García Lorca (1935)

Las creencias políticas de García Lorca son más difíciles de estudiar que las de Salinas, no por falta de documentos, sino porque siempre han sido examinadas en relación con su muerte. Durante medio siglo, se ha intentado no sólo aclarar (u ocultar) las circunstancias de esa muerte sino también descubrir su *sentido:* la muerte podía adquirir sentido a la luz de las creencias políticas, y viceversa. Así un párrafo de Juan Larrea, redactado sólo cuatro años después del asesinato, insiste en los «sentimientos democráticos» del poeta:

> *Federico García Lorca*, el poeta más popular de España, el que por serlo, por encarnar materialmente al pueblo de que era genio y figura, compartió su misma suerte en Granada, y fue como él asesinado. Su sangre, puesta también en libertad más allá de sus naturales fronteras, clama y da testimonio, *revelando el sentido de los acontecimientos a que se ha visto mezclada. Ese clamor es corroborado por los sentimientos popularmente democráticos, de sobra conocidos, que animaban en vida a Federico*. [...]. Voz del pueblo, sólo a los enemigos del pueblo, a sus monstruosos verdugos, podía ser dado sofocarla.[43]

La muerte de Lorca ha sido interpretada de otras maneras, que reduzco aquí a simples esquemas, llegando casi a la caricatura. 1) Fue un simple accidente: no tiene *ningún* sentido, resultó de la confusión que reinaba en Granada en julio de 1936; 2) fue la muerte de un indeseable, muerte atribuible a motivos personales no directamente relacionados con la política; 3) fue un horroroso *malentendido*: asesinato, por razones políticas, de un hombre que siempre se había *apartado* intencionadamente de la política; 5) fue la consecuencia lógica de las ideas políticas del poeta: muerte de un «agitador rojo», que había hecho «más daño con la pluma que otros con la pistola», o, por lo menos, de un hombre que no había ocultado su simpatía por las fuerzas izquierdistas durante los últimos años de su vida. 6) Muerte «inevitable», no a consecuencia de la guerra, sino a consecuencia de la literatura: el escritor predijo su propia muerte en innumerables textos literarios; su muerte tiene «sentido» porque demostró que esos textos eran, y son, auténticos. Sería imposible dar un ejemplo de cada una de estas versiones de la muerte de Lorca, pues no se dan casi nunca en aislamiento, ni corresponden con exactitud a la versión de ningún escritor en particular. Son los lugares comunes con que tropieza cualquier persona que se acerca al tema, y que hacen casi imposible una discusión desapasionada en torno a sus ideas políticas. Escribía el historiador Ian Gibson en 1979: «Durante cuarenta años los propagandistas de Franco insistieron en que García Lorca era apolítico y que su muerte había sido o bien un accidente o el resultado de alguna enemistad personal».[44] En años más recientes, debido, sobre todo, a los trabajos del mismo Gibson, ha predominado la opinión contraria: lejos de ser un escritor «apolítico», Lorca sería, desde 1929, por lo menos, un colaborador activo en el nacimiento de una España nueva. Sin inscribirse jamás en ningún partido político, deja constancia en manifiestos, entrevistas y otras declaraciones públicas, de su fe en la República, su antifascismo, y su solidaridad con las masas obreras. Cabría, sin embargo, matizar la observación de Gibson: la imagen de un Lorca «apolítico» no fue creada exclusivamente por «los propagandistas de Franco», sino que fue propagada también, tanto en España como en el extranjero, por los amigos del poeta: por los que esperaban recalcar la vileza del crimen demostrando que la víctima era políticamente «inocente». Basten, como ejemplo, estas palabras de Guillermo de Torre, citadas por el mismo Gibson:

> Federico no había tenido jamás la menor relación activa con la política. Incluso —podemos afirmarlo— era perfectamente ajeno a la utilización que de su nombre y de su obra hubieran hecho las banderías políticas en ciertas ocasiones; por ejemplo, cuando el estreno de *Yerma*. Rehuía igualmente participar en actos de sentido político, aunque tuviesen matiz literario [...]. Jamás había pensado en inscribirse en un partido, ni en suscribir ningún programa político.[45]

La carta siguiente demuestra cuán erróneas eran las palabras de Torre que acabamos de citar. En ella, García Lorca describe a sus padres un recital de poesías organizado por la sección de Literatura y Bellas Artes del Ateneo Enciclopédico Popular de Barcelona, el 6 de octubre de 1935, para conmemorar el primer aniversario de la revolución de Asturias.[46] Ofrece especial interés la reacción de los obreros al «Romance de la guardia civil española». Debe recordarse que en la supresión de aquella revuelta había desempeñado un papel particularmente cruel la Guardia Civil y que, un año después, cuando Lorca dio el recital, se seguía comentando ese tema en la prensa.[47] La carta dice así:[48]

[7 u 8 de octubre 1935][49]

Queridísimos padres:

Recibí vuestra carta, que me produjo mucha alegría. Margarita [Xirgu] ya no va a Italia por causa de la guerra, y yo me iré dentro de tres o cuatro días para estar con vosotros y después ir dos días a Valencia al estreno de *Yerma* y de *Bodas de sangre*, que ya estamos ensayando. Margarita luego volverá otra vez a Barcelona, para poner *Bodas de sangre* y estrenar *Rosita la soltera*, cuyo estreno será en Barcelona, y vendrán invitados por la Xirgu todos los escritores de Madrid para que en la prensa sea como si se hubiera estrenado ahí. A fin de enero ella se marchará a Méjico.

El éxito de *Yerma* en Barcelona ha sido *único*.[50] Yo no recuerdo entusiasmo igual ni en Buenos Aires. El teatro está de bote en bote y la butaca cuesta seis pesetas, precio insólito en estos tiempos. Yo gano, como es natural,[51] y no gasto, puesto que vivo con Margarita. Ayer di una lectura de versos para todos los ateneos obreros de Cataluña y se celebró en el teatro Barcelona. Había un público inmenso que llenaba el teatro y luego toda la Rambla de Cataluña estaba llena de público que oía por altavoces, pues el acto se radió. Fue una cosa emocionante el recogimiento de los obreros: el entusiasmo, la buena fe y el cariño enorme que me demostraron. Fue una cosa tan verdadera este contacto mío con el pueblo auténtico que me emocioné hasta el punto que me costó mucho trabajo empezar a hablar, pues tenía un nudo en la garganta. Con una intuición magnífica subrayaron los poemas pero cuando leí el «Romance de la guardia civil» se puso de pie todo el teatro gritando «¡Viva el poeta del pueblo!». Después tuve que resistir más de hora y media un desfile de gentes dándome la mano: viejos obreros, mecánicos, niños, estudiantes, menestrales. Es el acto más hermoso que yo he tenido en mi vida. Cada día se me hace más imposible [palabra ilegible] a la gente fría que ni pincha ni corta y ha resistido el odioso teatro actual, y cierra con cierto cansancio las portezuelas de los automóviles. Estoy contento y quisiera que vosotros hubiérais visto aquello. Mañana doy una lectura comentada del *Romancero* en la Universidad, organizada por los estudiantes.[52] Ya no queda ni una invitación. El separatismo de Cataluña es un mito y una demostración de que son auténticos españoles son estas pruebas grandes de españolismo que me dan, ya que yo soy tan representativo de España.

Claro es que las derechas tomarán todas estas cosas para seguir en su campaña contra mí y contra Margarita,[53] pero no importa. Es casi conveniente que lo hagan, y que se sepan [de] una vez los campos que pisamos. Desde luego, hoy en España no se puede ser *neutral*. Muchos abrazos a todos. Besos y ya sabéis cómo os quiere vuestro hijo FEDERICO.

La importancia biográfica de este documento parece innegable. Es esta la carta en la que García Lorca habla, de forma más explícita, de su posición política, y de la imposibilidad de quedarse al margen de los conflictos sociales que llevaban a la guerra civil.

NOTAS

1. Anón., «La literatura en la política. José Bergamín, Director de Acción Social Agraria e Inspector general de Seguros y Ahorros», *La Gaceta Literaria*, 15 de agosto 1931, p. 3. Agradezco a Nigel Dennis el haberme llamado la atención sobre esta entrevista, y a Andrew Anderson sus valiosas sugerencias con respecto a este trabajo.

2. Véase, por ejemplo, J. Bécarud y E. López Campillo, *Los intelectuales españoles durante la II República*, Madrid, Siglo Veintiuno, 1978; M. Tuñón de Lara, *Medio siglo de cultura española (1885-1936)*, Madrid, Tecnos, 1970; M. Pérez Galán, *La enseñanza en la Segunda República española*, Madrid, Cuadernos para el Diálogo, colección ITS, 1975; Juan Marichal, «Los intelectuales y la guerra», *El País*, revista dominical, 479 (15 junio 1986), pp. 241-256; y Víctor Manuel Arbeloa y Miguel de Santiago, eds., *Intelectuales ante la Segunda República Española*, Salamanca, Almar, 1981. Entre las numerosas obras de propaganda franquista, véase Constancio Eguía Ruiz, *Los causantes de la tragedia hispana: Un gran crimen de los intelectuales españoles*, Buenos Aires, Difusión, 1938, y Enrique Suñer, *Los intelectuales y la tragedia española*, San Sebastián, Editorial Española, 1938.

3. Sobre este término, que Salinas emplea con frecuencia, y cada vez con mayor ironía, véase José Bergamín, «Literatura y brújula», en *Prólogos Epilogales*, ed. de Nigel Dennis, Valencia, Pre-Textos, 1985, p. 9.

4. Todas las cartas citadas, con la excepción de la carta a Amado Alonso, proceden de la colección denominada *Papers of Pedro Salinas*, Ms. Span. 100, Houghton Library, Harvard University, donada a Harvard en 1975 por Jaime Salinas y Solita Salinas de Marichal. Agradezco a ellos, y a la Houghton Library, el permiso para citar. Las cartas de Guillén a Salinas mientras éste estaba todavía en España se han perdido.

5. Primer esbozo de un ciclo de conferencias («La realidad y el poeta en la poesía española») que Salinas daría en Johns Hopkins University, Baltimore, en la primavera de 1937; véase Solita Salinas de Marichal, ed., Pedro Salinas, *Ensayos completos*, t. I, Madrid, Taurus, 1983, pp. 189-290.

6. Se publicó en 1931, Madrid, Plutarco.

7. Véase Bécarud, p. 14 ss. y bibliografía allí citada. Tras la suspensión de los actos en el Ateneo por indicación del gobierno (16 junio 1930), Salinas firma un documento que propone a los ateneístas una junta rebelde presidida por Azaña.

8. Manuel García Morente (1886-1942), colaborador frecuente en la *Revista de Occidente*.

9. Sobre las gestiones políticas de Santiago Alba (ex-ministro liberal) en junio de 1930, véase Eduardo de Guzmán, *1930. Historia política de un año decisivo*, Madrid, Tebas, 1973, pp. 289-294.

10. Sus artículos de prensa han sido recogidos por Vicente González Martín, ed., Miguel de Unamuno y Jugo, *República española y España republicana (1931-1936)*, Salamanca, Almar, 1979. Véase también Victor Ouimette, ed., Unamuno, *Ensueño de una patria. Periodismo republicano 1931-1936*, Valencia, Pre-Textos, 1984.

11. Se refiere a Elías Tormo y Mono (1869-1957), ministro de Instrucción Pública en el gobierno de Berenguer.

12. Se refiere, probablemente a «El error Berenguer» y a «Un proyecto», publicados en *El Sol* el 15 de noviembre y el 6 de diciembre, respectivamente.

13. El movimiento de Fermín Galán, el cual hizo sublevar a la guarnición de Jaca el 12 de diciembre de 1930.

14. Melchor Fernández Almagro trabajaba, junto con Salinas, en el Patronato Nacional de Turismo. El libro que se menciona aquí es, probablemente, *Catalanismo y república española*, Madrid, Espasa-Calpe, 1932.

15. Sobre este proyecto de revista, ver Juan Guerrero Ruiz, *Juan Ramón de viva voz,* Madrid, Insula, 1961, p. 83.

16. El día 9 de febrero quedan restablecidas las garantías constitucionales y se levanta la censura de Prensa; entre el día 10 y el 20 (fecha de la carta de Salinas) se publica el manifiesto republicano de Ortega y Gasset, Gregorio Marañón, y Pérez de Ayala; dimite el gobierno de Berenguer, y se instala un nuevo gobierno monárquico presidido por el almirante Juan Bautista Aznar.

17. José Díaz Fernández, novelista, crítico literario y fundador de la revista *Nueva España* (de la que habla Salinas más abajo).

18. Cf. la carta a Guillén del 12 de noviembre de 1930: «Los niños andaluces tan Belmonte y Joselito como siempre. A ver quien da el bajo a quien».

19. Se refiere al primer acto público de la *Agrupación al Servicio de la República*, celebrado en Segovia el 14 de febrero. Para el texto véase José Ortega y Gasset, *Obras completas, t. XI, Escritos políticos-II (1922-1933),* Madrid, Revista de Occidente, 1969, pp. 131-136.

20. Es decir, con Marañón y Pérez de Ayala.

21. «Uno de los diálogos más ilustres de la historia humana fue aquel que mantuvieron en Erfurto el 1 de octubre de 1808 Napoleón y Goethe. Se hablaba del teatro antiguo y Napoleón censuraba que se quisiese interesar al hombre actual con la imagen mitológica del Destino que manejan las tragedias clásicas. Entonces el rayo de la guerra pronunció una palabra formidable, cuya tremenda verdad revive ahora Europa: *¡El Destino es hoy la política!*». Artículo de *El Sol*, 14 marzo 1931, reimpreso en *Obras completas*, ed. cit., p. 152.

22. Cf. Ortega, *ibíd:* «"El Destino es la política". Y viceversa. Política es el conjunto de problemas que es preciso aceptar. Los "concretos" y los inconcretos —los que haya. No es cuestión de albedrío. Pretender escoger unos y eludir otros equivale a ignorar que la vida no tolera el capricho, que es una cosa muy dura, muy seria, con la que es forzoso apencar. Lo demás es *señoritismo*».

23. En marzo de 1931, Nicolás M. de Urgoiti, fundador y presidente de *El Sol* vendió sus acciones en *El Sol* y *La Voz* a un grupo de accionistas monarquistas. Presentaron sus dimisiones los colaboradores más distinguidos: Ortega y Gasset, *Azorín*, Espina, Pérez de Ayala, F. de los Ríos, Gómez de la Serna, Benjamín Jarnés, Moreno Villa, Américo Castro, Bagaría, etc. Véase Gonzalo Redondo, *Las empresas políticas de José Ortega y Gasset. «El Sol», «Crisol», «Luz» (1917-1934),* t. II, Madrid, Rialp, 1970, pp. 246-247.

24. *Crisol.*

25. Cf. la carta de 1 de febrero de 1931, en que Salinas comenta el manifiesto de Ortega, «Agrupación al Servicio de la República», que piensa firmar. «Sin entusiasmo, sin fe, pero por puritanismo, según tú. Me parece admirable, insuperable, tu calificación: post-monárquicos. Eso y nada más que eso. En ese calificativo está todo, situación y pronóstico. Mi impresión ahora es que esa gente va a toda costa a las elecciones, a pesar de los anuncios diarios de crisis y sin hacer caso mayor de las abstenciones, ya que cuentan con Romanones, García Prieto, Cambó y los conservadores. Su empeño es sacar a todo precio un Parlamento aparentemente legal, resignar allí sus poderes y forjar en ese Parlamento un Gobierno que sería ya plenamente constitucional y parlamentario. Así el rey se encontraría con la pesadilla de los siete años terminada. A saber si la gente se tragará ese anzuelo. Creo que sí.»

26. Se refiere a «Literatura indigente: El hombre que se alquila», *Nueva España*, 4 marzo 1931, reimpreso en Christopher Cobb, *La cultura y el pueblo. España, 1930-1935*, Barcelona, Laia, 1981, pp. 394-395.

27. Véase la convocatoria (¿redactada por Salinas y Guillén?) del 22 de julio en que se propone que el gobierno de la República publique las obras completas de Unamuno, y se le rinda homenaje como «presidente» de la «España republicana» (reimpresa en Emilio Salcedo, *Vida de don Miguel*, Salamanca, Anaya, 1964, pp. 345-346.

28. Véase, sobre «La excepcional politización de la *Revista de Occidente* en mayo-junio de 1931» el valioso comentario de Bécarud, obra citada, pp. 56-58.

29. García Lorca pasó gran parte del verano de 1931 en Granada, terminando *Así que pasen cinco años* y trabajando en el *Diván del Tamarit*.

30. Salinas vislumbra ya el libro que publicaría en el exilio, *Literatura española siglo XX* (Ed. Séneca, 1940): «[...] hay una posibilidad de que el Centro haga algo de literatura moderna, y eso caiga sobre mí, y por culpa mía. En suma, el peligro ese se llama que yo me ponga a escribir una Hist. de la Lit. esp. en el sig. XX. Y poco a poco, que es lo mas terrible. No de un tirón, como me gustan a mí las cosas, sino trepando por una terrible cuesta de papeletas. Y sabes, es que siento que el hacer eso, aunque no me desagradaría, como no me desagradan tantas y tantas cosas menores, sería más que una forma de vida una justificación de vida. Justificarme, sí, de todo lo demás: del capricho, de la rebeldía, de la poesía. De todo lo que no hay que justificar. Y luego, por encima de estos peligros profesionales, el gran peligro difuso, el gran morbo nacional, la p o l í t i c a». (Carta de 6 septiembre 1931.)

31. En una carta abierta a José Ortega y Gasset, que firman García Lorca, Salinas y otros escritores en abril de 1929, se habla de la «necesidad de que los intelectuales españoles, muy particularmente los intelectuales jóvenes, definan sus diversas actitudes políticas *y salgan de ese apoliticismo, de ese apartamiento —no pocas veces reprochable— que les ha llevado a desentenderse de los más hondos problemas de la vida española»*. Cito por Ian Gibson, *Granada, 1936. El asesinato de García Lorca*, Barcelona, Grijalbo, 1979, p. 289. Subrayado mío.

32. Carta de 6 de septiembre 1931. Cf. la interesante «Acotación» de W. Fernández Flórez (13 diciembre 1930) citada por Bécarud, obra citada,

p. 24: durantre los años de la dictadura, según Fernández Flórez, «Todo lo que en España valía verdaderamente se apartó asqueado de la política y se dedicó a otras actividades. Entre los hombres que comienzan a asomarse a la madurez [en 1930] tenemos grandes médicos, grandes ingenieros, grandes escritores [...] Ni un solo gran político».

33. Compárese la visión del arte «social» expuesta en *La poesía de Rubén Darío*, por ejemplo, y el comentario de Díaz Fernández al reseñar dos obras de Sender: «[...] creo que toda la literatura social de nuestro tiempo avanza sobre carriles de movimientos políticos» («Libros nuevos: Literatura de Masas», *El Sol*, 5 septiembre, 1931, p. 2). Sobre la relación del arte con las «inquietudes sociales» véase también la respuesta de Salinas a una encuesta de 1935, en G. de Torre, M. Pérez Ferrero, y E. Salazar y Chapela, *Almanaque Literario*, Madrid, Plutarco, 1935, pp. 38 y 87.

34. «Conferencia de D. Pedro Salinas sobre el teatro», *El Sol*. Recorte sin fecha (¿1930?) guardado en Houghton entre los papeles de Salinas.

35. Jean Cross Newman, *Pedro Salinas and His Circumstance*, San Juan, Inter American University Press, 1983, p. 112.

36. Carta fechada en Altet, 3 septiembre 1932.

37. «La popularización de los clásicos españoles», *El Sol*, 24 abril 1936. Se proyectaba que esta colección, con título de «Biblioteca de Escritores Clásicos Españoles», sustituyera a la antigua Biblioteca de Autores Españoles.

38. Salinas, *Ensayos completos*, edición citada, t. I, p. 90.

39. Carta de 11 de enero 1931.

40. Carta de 1 febrero 1931. Salinas repite, al final de la cita, unas palabras de Claudio Guillén, de las que se hace eco Lorca en *Poeta en Nueva York*; véase Jorge Guillén, *Federico en persona,* en FGL, *Obras completas*, Madrid, Aguilar, 1986, t. I, p. IXXXI.

41. «Nuestras encuestas. ¿Cómo veía usted la vida literaria cuando empezó a escribir y cómo la ve ahora?», *Heraldo de Madrid*, 1 diciembre 1932.

42. Véase, por ejemplo, su reacción a la noticia de que Lorca ha escrito su *Drama sin título*, en C. Maurer, «Epistolarios», *El País*, Madrid, 20 julio 1985, p. 9.

43. Juan Larrea, «Como un solo poeta», *España Peregrina*, Año primero, n.º 2 (marzo de 1940), p. 80. [Subrayado mío.]

44. Gibson, *Granada, 1936. El asesinato de García Lorca, op. cit.*, p. 15.

45. Gibson, *Granada, 1936*, p. 34. Véase también la reacción de Dionisio Ridruejo a las investigaciones de J.L. Schoenberg, citada por el mismo Gibson (p. 273): «De lo que el mundo ha hablado siempre es precisamente de lo que allí [en la obra de Schoenberg] queda en pie: una máquina política de terror ha matado a un hombre que, aun desde el punto de vista más fanático, debía ser considerado como inocente».

46. Sobre el recital, véase Antonina Rodrigo, *García Lorca en Cataluña*, Barcelona, Planeta, 1975, p. 338, ss.

47. Es verdad, por otra parte, que aun *antes* de los acontecimientos de Asturias, el *Romancero gitano* resonaba en los poemas de protesta de otros escritores. Al reseñar en 1933 *Consignas* de Rafael Alberti («un fascículo muy breve donde se agrupan diez poemas»), Juan José Domenchina copia con desaprobación versos como estos: «Con tres civiles Juan Gómez / llegó

a las dos de la tarde. / Un tiro arrancó tres ayes; / A un obrero malherido / se lo llevan por las calles. / Todas las puertas se abren». Véase «Lecturas. Poesía y crítica», *El Sol*, 21 mayo 1933, p. 2.

48. Transcribo esta carta, inédita, del original en el Archivo de la Fundación Federico García Lorca, Madrid. Se normaliza la puntuación y ortografía del original.

49. Lorca afirma que el recital en el teatro Barcelona (6 de octubre) fue «ayer»; y que el recital «organizado por los estudiantes» (10 de octubre) será «mañana».

50. Se había estrenado el 17 de septiembre.

51. Se conserva en el archivo de la Fundación García Lorca, Madrid, el estado de cuenta enviado a Lorca con fecha de 7 diciembre 1935 por la Sociedad General de Autores de España. Aunque el documento pretende detallar la «recaudación obtenida a su favor durante el mes de noviembre 1935», parece incluir también la recaudación obtenida anteriormente. Lorca tiene un saldo de 4.831 pesetas. Ha ganado 1.507 pesetas por *Bodas de sangre*, 2.577 por *Yerma* y 560 pesetas por su adaptación de *La dama boba*. Entre el 15 y el 24 de noviembre de 1935 percibió 423 pesetas por las representaciones de *Yerma* en Pueblo Nuevo, Sabadell, San Cugat, Reus y Tarragona.

52. Para el texto de la conferencia-recital, véase Mario Hernández, ed., *Primer romancero gitano, 1924-1927. Otros romances del teatro 1924-1925*, Madrid, Alianza, 1981, p. 141 ss. Este segundo recital estaba organizado por la Escuela de Enfermeras de la Generalitat de Catalunya y apoyado por el Instituto de Acción Social Universitaria, Rodrigo, *op. cit.*, p. 347.

53. Sobre la politización de *Yerma*, véase Mario Hernández, «Cronología y estreno de *Yerma, poema trágico*, de García Lorca», *Revista de Archivos, Bibliotecas y Museos*, LXXXII, n.º 2, abril-junio, 1979, pp. 289-315.

GARCÍA LORCA Y EL FLAMENCO

Félix Grande
(Instituto de Cooperación Ibero-Americana)

Mediante nuestras numerosas visitas a su múltiple obra poética hemos averiguado con un asombro que no excluye a la certidumbre, que Federico García Lorca fue esa clase de artista a que llamamos genio. No disponemos de una definición precisa de la palabra genio. Ante la genialidad de algunos seres excepcionales de nuestra enigmática especie, los diccionarios son prudentes, casi lacónicos, y quizá prescindibles: nos aclaran muy poca cosa. En uno de ellos he encontrado esta mesurada ignorancia: genio es «El grado más alto a que llegan las facultades intelectuales de un hombre». Si esta frase, tan bien intencionada, tan servicial, fuese una unidad de medida, ¿cuántas veces tendríamos que usarla para abarcar las páginas más extraordinarias de Federico García Lorca? Ustedes pensarán quizá que estoy desestimando la labor de los académicos. No es así; no soy tan conformista como para caer en esa tentación a la vez tan vieja y tan cursi. No se trata de rechazar la generosidad de los diccionarios, que están compuestos casi siempre por hombres de sabiduría. Se trata de algo más humilde: proclamar que ni siquiera a la sabiduría le es dado establecer una cabal definición de esa trabazón de opulencia emocional, de exactitud técnica, de facultad de iluminación y de revelación, y de abundancia comunicatoria que, en misteriosas proporciones, se contiene en la genialidad. En ocasiones, sólo saber no basta. Y, en las aventuras del arte, saber no es suficiente. En la obra poética verdaderamente genial, el saber puede servir para empezar, pero nunca llega hasta el fin. De hecho, las grandes obras de arte alcanzan a menudo el poderío y la modestia de preguntas inmensas. Preguntas iluminadoras que nos van enseñando a preguntar. En la pregunta caben la angustia y el asombro, caben la necesidad y el candor, caben el júbilo, el dolor, la inocencia, el espanto. Todas estas facultades emocionales habitan en todos los seres. Cuando uno de ellos las combina precisamente de manera genial, la pobreza de los humanos se ve de pronto mitigada por dádivas que hace pocas décadas no existían sobre la Tierra, que hoy forman parte ya del genio del idioma español, y cuyos nombres son *Romancero gitano*, *Llanto por Ignacio Sánchez Mejías*, *Poeta en Nueva York*, *Sonetos del amor oscuro*...

Federico era un genio. Y lo era de un modo tan profundo que a veces consiguió llegar a la genialidad poética más allá de su sabiduría, e incluso apartando el estorbo de ignorancias ocasionales. Esto, sus ignorancias veniales, y casi diría fortuitas (más adelante las mencionaremos al visitar su relación con el cante flamenco), son una prueba más del tumultuoso y delicado enigma de su genio. Es con este tumulto y con esa delicadeza, ambos dones provistos de una temperatura verbal a cuya maestría y adecuación no es aquí impertinente denominar inexplicable, como Federico escribió sus páginas sobre flamenco. Por sí mismo, el *Poema del cante jondo* es un libro asombroso. Pero sabiendo (y lo sabemos, y no debemos ocultarlo) que Federico no era de ningún modo un especialista en la historia de esta música impar, su libro alcanza a ser algo más que asombro y exige que le llamemos un prodigio. Antes dije: saber no es suficiente. En su primera juventud, cuando escribió ese libro, García Lorca no sabía la historia del flamenco ni lo que sabía Manuel de Falla, ni, como es natural, lo que podían saber y recordar los mejores cantaores y guitarristas de la época. Incluso es posible pensar que un buen aficionado al flamenco, contemporáneo del poeta, tenía sobre la historia y la genealogía de los cantes conocimientos más acertados que los de Federico. Y sin embargo, aquel muchacho, casi un adolescente todavía, escribió sobre los aspectos más brillantes y tenebrosos de esta terrible, maravillosa y acongojante música algunas de las páginas más esenciales, recónditas, certeras y reveladoras de cuantas han reunido el fervor y la gratitud. Saber no es suficiente. A Federico ni siquiera le estorbaron las ignorancias que llamé veniales para dejarnos algo que está más allá del saber: el conocimiento poético. Más tarde escribiría algunas obras completamente memorables. Pero ya entonces, en 1922, disponía del secreto de la genialidad, y con ella acertó a confiarnos algunos de los secretos más impenetrables de la tensión flamenca. Contemplando su *Poema del cante jondo* es evidente —consiéntaseme vaticinar en el pasado— que Federico García Lorca estaba destinado a redactar obras maestras, pues ya había comenzado. En un acto cultural previo a la celebración del Concurso de Cante Jondo que tuvo lugar en Granada en 1922, Federico leyó una página de su libro sobre el flamenco; en un diario del día siguiente, el cronista vaticinó en el porvenir: «Granada cuenta con un poeta —escribió—. Este chico [...] mañana será una gloria». Acertó. Federico García Lorca alcanzaría a ser un avaricioso instante de deslumbramiento y de iluminación en la historia de la expresión poética en idioma español. Y tengo además la confianza de que el anónimo periodista que arriesgó su capacidad de vaticinio en el verano de 1922, al escribir la palabra «mañana» no pensaba en un tiempo en que el poeta acaso podría haber cumplido ochenta y ocho de su edad —si no hubiera obstruido esa fluidez la petrificadora diligencia del crimen—, sino en un mañana más modesto, lo cual daba a ese vaticinio más lucidez y más fervor. En efecto, «mañana», tan sólo dieciséis años después de aquel aún casi juvenil recital flamenco en Granada, y con tan sólo treinta y ocho años de su edad vividos y transformados en conocimiento poético, Federico era justamente famoso y extraordinariamente querido. Para algunos seres extraños, inexplicables e ininteligibles (delatores, calumniadores, criminales: tres dimensiones de un homogéneo horror) era también extraordinariamente odiado. Ese odio y la ambición política más espantosamente estúpida motivaron el secuestro de Federico (a la detención del poeta en la casa de los Rosales es pertinente llamarlo secuestro), motivaron sus horas de desamparo, primero en el Gobierno Civil de Granada y más tarde en «La Colonia», junto a la Fuente de las Lágrimas, y motivaron, finalmente, que unas balas le segaran la vida.

El desamparo, uno de los estados de ánimo más puntuales de cuantos articulan la etapa originaria del cancionero anónimo flamenco, un desamparo muy a menudo desdoblado en desesperación y abatimiento, motivó en algún pliegue del siglo XIX unos versos diminutivos y estremecedores que aún se cantan por soleá: «Con las fatiguitas de la muerte / a un laíto yo m'arrimé; / con los deítos de la mano / arañaba la paré». Allí, en las horas (tal vez los días: la historiografía aún no ha logrado establecer el tiempo exacto) en que Federico estuvo alimentado por su angustia en una habitación del Gobierno Civil de Granada, ¿recordó esos versos que contaban su situación con laboriosa exactitud? ¿Recordó a don Manuel de Falla, junto a cuyo magisterio aprendió todo lo que entonces podía saberse sobre el origen musical del flamenco? ¿Recordó los días felices, las semanas dichosas, los meses jubilosos y entusiasmados en que ambos trabajaron para abochornar a la fatuidad y la sordera del «antiflamenquismo» que era entonces una moda, y casi una cruzada, en vastas capas del poder cultural de la época? ¿Qué recordaría Federico en aquellas vertiginosas horas inacabables que precedieron a su muerte? ¿Logró siquiera unos instantes de sosiego rememorando algunas de las muchas alegrías que vivió durante la preparación de aquel Concurso de Cante Jondo celebrado en Granada? Posiblemente no logró distraerse en aquel cuarto, imantado ya por la muerte. Manuel de Falla tampoco se distrajo: cuando supo que el poeta había sido injuriado por la prisión se apresuró a acudir al Gobierno Civil dispuesto a interceder por él. No sabemos si en el momento de esa gestión, tan valiente en aquel instante, Federico aún vivía, o si ya había sido exterminado por el fusilamiento. Sí sabemos que don Manuel de Falla corrió peligro durante esa gestión y a causa de ella, que fue amenazado y vejado. Y sospechamos que esa sería una de las causas por las que, poco tiempo después, abochornado y ofendido por aquella fiesta de Caín que fue la guerra civil española, se fue de España para no volver más que muerto.

Sabemos igualmente que cuando don Manuel de Falla cerró los ojos para siempre, allá en su casa de Altagracia, en la hospitalaria Argentina, entre torres de partituras y las escasas pertenencias del más flamenco de los músicos españoles, los deudos encontraron un viejo objeto que don Manuel había conservado en su exilio: era una placa de pizarra en donde permanecía la voz de un ya extinguido cantaor: Diego Bermúdez, apodado El Tenazas. Diego Bermúdez fue, junto al entonces un chiquillo Manolo Caracol, el triunfador de aquel *Concurso* de Granada, en el que, dieciséis años antes, Federico García Lorca había sido feliz. Había sido feliz porque colaboraba con su maestro Manuel de Falla; feliz, porque contribuía a arrinconar el desdén, el desconocimiento y en ocasiones el desprecio que abundantes miembros de los mandarinatos del poder cultural expresaban contra el flamenco; feliz, porque acababa de escribir sobre el flamenco una investigación y unos poemas (aquélla, muy deudora a Manuel de Falla; éstos, deudores a su propio genio y al genio del flamenco) que estrenaban a un Federico para quien ya era vaticinada la fama; feliz, porque en estas músicas maravillosas y terribles el poeta escuchaba sonidos calenturientos y veraces, rumores de corazones asombrosamente desnudos, maquinaciones de la desgracia y bellísimos resuellos del desconsuelo, que no había encontrado nunca en otras músicas y de los que sin duda se apropió para almacenarlos en el abrevadero de su genio y hacerlos emerger más tarde entre los callejones más tumultuosos de sus obras poéticas. En el lenguaje del flamenco no hallaremos jamás ni una palabra, ni una nota, en donde se escuche mentira, ni en grande ni en pequeño grado. Al recorrer ese lenguaje, Federico conoció, en fin, la felicidad del artista al hallarse ante unas formas expresivas que sólo dicen la verdad. Y se aprestó, a su vez, a decir su verdad sobre la música flamenca. Y la dijo en tal grado que ha podido escribirse lo siguiente: «[...] puede afirmarse, sin temor a yerro, que ni antes ni después de él hubo poeta que más profundamente haya captado el mundo y el espíritu de lo flamenco». Quienes escriben esas palabras contundentes no son advenedizos: son los autores del estudio *Mundo y fomas del cante flamenco*, un libro al que los estudiosos, casi sin excepción, consideramos no ya sólo importante, sino fundacional. Y esos autores son el poeta cordobés y laborioso investigador del flamenco Ricardo Molina y el enciclopédico cantaor gitano Antonio Mairena, quien ha sido, sin ninguna duda, además de un intérprete total de los cantes flamencos, el investigador que más y mejor trabajó en el rescate, clasificación y asentamiento de esos cantes, desde que nacieran a finales del siglo XVIII junto a una turbulenta y prodigiosa placenta musical, hasta avanzando el último tercio de nuestro siglo XX. ¿Encubre el entusiasmo de esa frase, redactada por tan privilegiados valedores, la disculpa por lo que antes he llamado las ignorancias veniales de Federico García Lorca? Creo que sí, y que al mismo tiempo acentúa lo que hemos de llamar capitales aciertos. Federico no sufrió confusiones al celebrar lo esencial del flamenco. Federico —y ahora habremos de enumerarlas— padeció ciertas confusiones que prueban poca frecuentación del mundo del flamenco, mucha improvisación y abundante candor en la acumulación de datos, y ello al lado de indudable olfato musical, poético y dramático para conocer lo esencial, incluso a través de una información incompleta o desacertada.

Son desaciertos que a veces pertenecen a su época, que es el momento en que puede fecharse el origen de la investigación sobre el flamenco —excepción hecha de una publicación fundamental aparecida en 1881 y firmada por don Antonio Machado y Álvarez, «Demófilo», libro al que, por cierto, ni García Lorca ni Manuel de Falla citarán en sus textos, y que presumiblemente desconocen—, y desaciertos que a veces obedecen tan sólo a la capacidad de descuido de Federico. Debemos calificar como un descuido el hecho de que en su texto «El cante jondo (primitivo canto andaluz)», tras dos líneas bellísimas sobre la siguiriya, a las que precede una excelente definición de este cante fundamental (leamos la frase: «En la "siguiriya" gitana, perfecto poema de las lágrimas, llora la melodía como lloran los versos. Hay campanas perdidas en los fondos y ventanas abiertas al amanecer»), precisamente tras ese elogio y esa definición tan acertados, Federico coloca como ejemplos cuatro coplas cuya estructura literaria y rítmica no es la estructura de la siguiriya: es la estructura de la soleá. Un descuido más significativo es el de llamar (lo hará más de una vez) Manuel Torres al siguiriyero gitano Manuel Torre. El legendario jerezano —y ya era legendario en vida— no se llamaba Torres de apellido: Torre era un apodo, y aludía a su estatura y su prestancia. El descuido aquí es grueso: prueba que Federico tenía poco contacto con el mundo humano flamenco; quizá prueba también la ya entonces habitual mezcla de exceso de respeto y de exceso de guasa del gitano para con el payo que se acerca al flamenco: Torre podía haber rectificado a Federico, y desde luego no lo hizo. En todo caso, cabe pensar que pocas noches debió de vivir Federico entre flamencos para acabar poniendo ingenuamente *Torres* precisamente en la dedicatoria de tres de las mejores páginas de su libro *Poema del cante jondo*, en una de las cuales se elogia memorablemente al cantaor Silverio Franconetti (y es oportuno señalar el acierto de Federico al dedicar al más famoso de los siguiriyeros gitanos un homenaje al más famoso de los payos siguiriyeros) y en donde queda escrita la semblanza más bella y acertada que conocemos sobre la forma de cantar y transmitir por siguiriya: «Su grito fue terrible. / Los viejos / dicen que se erizaban / los cabellos, / y se abría el azogue / de los espejos». Como se ve, las distracciones, las ignorancias o los desaciertos de García Lorca no obstruyen la velocidad de su conocimiento poético del cante flamenco. Pero a veces la ignorancia se presenta como muy ostensible: «El "cante jondo" —escribe— se ha venido cultivando desde tiempo inmemorial...»: no es verdad; los orígenes musicales de donde nacerá el flamenco se remontan hasta la formación de la herencia musical oriental asentada en Andalucía, hasta la adopción de la liturgia bizantina por parte de la Iglesia española y hasta el siglo XV, en que llegan los gitanos a España: y esto lo establece Manuel de Falla en su investigación; pero el cante flamenco propiamente dicho no presenta sus aurorales criaturas (las tonás) sino en el último tercio del siglo XVIII, y esto quedaba establecido en la investigación de «Demófilo», aparecida cuarenta años antes de que Federico escribiera esa frase entusiasta, pero indocumentada.

De responsabilidad más generalizada en su época es el descuido, que repite con elocuente obstinación, de calificar al flamenco como «una de las creaciones artísticas populares más fuertes del mundo»: todo es verdad en esa frase, excepto la palabra *populares*. La complejidad estructural y la extraordinaria complejidad interpretativa de los cantes (y de las músicas flamencas que ya entonces privilegiaban a la guitarra andaluza) no consienten, ni entonces consentían, extraviar la grandeza de unos protagonistas concretos: los guitarristas y los cantaores. Es cierto que algunos cantes flamencos, antes de que sobre ellos se completase un laborioso proceso de gitanización, o por lo menos de revisión formal y de intensificación expresiva, fueron canciones populares (cantos moriscos, por ejemplo), pero es cierto también que, una vez gitanizados o aflamencados, ya no pueden serlo; quiero decir: ya no es posible que los cante sino un maestro de la energía comunicativa, y dueño de una instrumentación gutural y respiratoria a que debemos llamar profesional, cuando no excepcional. Como se dice en una copla: «Voz del pueblo, voz de Dios»; pero al César lo que es del César. Hay en Federico (pero esa es la lectura más habitual que del flamenco se efectúa en la época, y el poeta no estaba obligado a traspasar, también en esto, al horizonte cultural de su tiempo), por un lado, esa deificación de lo popular y esa injusta tendencia a atribuir al pueblo, en su totalidad y en abstracto, ciertas creaciones de individuos concretos o de grupos determinados (en este caso, los artistas flamencos uno por uno, y la sentimentalidad extraordinaria de las familias gitanas, portadoras de una memoria perpetuamente sobresaltada por la imaginación y la pobreza), y, de otro lado, cierta propensión a hurtarle a los ambientes de la marginación ocasionales energías creadoras. Federico, quien, de la mano de Falla, en prosa, y de la mano de su propio genio, en partes de su prosa y en sus poemas, tanto y tan bien luchara contra el «antiflamenquismo» generalizado en su tiempo, no logrará evitar ciertas recaídas precisamente «antiflamenquistas». Son quizá tales recaídas (¿o simulaciones, como en seguida podremos deducir?) en el «antiflamenquismo» ambiente dentro del mundo culto de su época lo que explicaría en el poeta alguna ostensible contradicción en la celebración de la paternidad de los rasgos más emocionales del flamenco; en efecto: en un lugar de su texto divulgativo atribuye, como hemos visto, la procedencia del flamenco al pueblo andaluz en general, y afirma que esos cantos habrían existido desde tiempos inmemoriales; pues bien, en otro instante de ese mismo trabajo escribirá, con mayor compromiso, lo siguiente: «Y estas gentes [los gitanos], llegadas a nuestra Andalucía unieron los viejísimos elementos nativos con el viejísimo que ellos traían y dieron las definitivas formas a lo que hoy llamamos *cante jondo*. A ellos debemos, pues, la creación de estos cantos, alma de nuestra alma; a ellos debemos la construcción de estos cauces líricos por donde se escapan todos los dolores, y los gestos riturarios de la raza». ¿Una de cal y otra de arena? Prosigue Federico: «Todos habéis oído hablar del *cante jondo*, y seguramente tenéis una idea más o menos exacta de él..., pero es casi seguro que a todos los no iniciados en su trascendencia histórica y artística os evoca cosas inmorales: la taberna, juerga, el tablao del café, el ridículo jipío, ¡la españolada, en suma! [...]. No es posible que las canciones más emocionantes y profundas de nuestra misteriosa alma, estén tachadas de tabernarias y sucias; no es posible que el hilo que nos une con el Oriente impenetrable quieran amarrarlo en el mástil de la guitarra juerguista...» ¿Hablaba Federico de este modo inmisericorde —y desinformado— precisamente para ser atendido por el antiflamenquismo de su tiempo? ¿Usaba esos estereotipos para halagar a su público, seducirlo y conducirlo finalmente a una reconsideración, ya positiva, del flamenco? Tratándose de Federico, todo es posible; incluso, y con propósito de defensa, esa bajada a los infiernos de la impiedad con que entonces solía ser castigado —¿pero de qué?— el flamenco. Mas si Federico García Lorca creía en ese instante en lo que estaba pronunciando, y antes había escrito, y luego publicó, nos encontraremos entonces, no ante una investigación, ni ante un razonamiento, y ni siquiera ante una digresión, sino ante un exabrupto. En el contexto de la historia de la formación y desarrollo de los cantes flamencos, llamar inmorales a la taberna, la juerga y el tablao de café revela no únicamente una posición impiadosa (que por cierto corrige apasionadamente en sus poemas): es también, desde el punto de vista historiográfico, un soberano disparate: en la taberna y en la juerga flamenca se fueron asentando formal y emocionalmente algunos de los más estremecedores cantes flamencos; en la taberna y en la reunión flamenca (juerguística o respetuosa) se reunieron la herencia musical, la genialidad creadora, la clandestinidad y la disciplina, la penuria y la pena, la soledad y la pobreza, la memoria y el vino que a menudo la estimula y la exalta... y todo ello contribuyó a la grandeza del cante flamenco y de la guitarra flamenca. Y en cuanto al, en este texto denostado, «tablao del café», ¿qué responder a Federico, sin sentir un poco de congoja por tan exuberante ignorancia? El tablao del café, o lo que en términos historiográficos conocemos como *café-cantante*, es el lugar en donde, a lo largo de más de medio siglo, además de abundantes y ocasionales trivializaciones, el flamenco conocerá un enorme esplendor que precisamente esa institución, el café-cantante, habrá contribuido a que alcance. Baste aquí una aclaración telegráfica: en el café-cantante se desarrolla notablemente el flamenco (tanto por lo que respecta al cante, como al baile y a la guitarra); en el café-cantante nacen algunos cantes que se incorporan a la nómina de formas flamencas; en el café-cantante dignifican socialmente su arte unos artistas que hasta entonces vivían prácticamente de limosna; en el café-cantante se reúnen de un modo insuperable la voz del cantaor, la expresividad misteriosa del baile y la infinitamente delicada y enérgica guitarra; y finalmente, en el café-cantante el flamenco se obstina —y muchas veces lo consigue— en narrar a la multitud toda la historia de dolor y de belleza incomparables, todo un recado de la pena y la genialidad, todo un testimonio de una parte de la historia social de Andalucía y de las obsesiones esenciales del hombre, y, en fin, toda una épica del sufrimiento y de la resistencia por medio de la creación artística: es decir en el café-cantante se desarrolla una moral. Lo que para Federico, en esa línea desafortunada, y yo creo que más influida por la poderosa inercia del antiflamenquismo de su época que de la insolidaridad del poeta (prácticamente siempre solidario del sufrimiento), es poco menos que un tugurio, para el especialista de la historia del flamenco Anselmo González Climent es «un tremendo confesionario profano». En suma, la cuantía de ese descuido de Federico es tan abundante que induce a sospechar si no sería también deliberada: no es imposible que el poeta adoptase dos o tres de los habituales tics antiflamenquistas precisamente para apaciguar a quienes tan fieramente arremetían contra su maestro Manuel de Falla y contra la realización del Concurso de Cante Jondo. ¿Estamos ante un muchacho víctima parcial del antiflamenquismo de su época o ante un finísimo estratega? Quizá no lo sabremos nunca.

El día 2 de agosto de 1921 el poeta escribe a Adolfo Salazar una carta que, al ser privada, no nos consiente interpretaciones de doble sentido. Transcribo de ella un párrafo plagado de candor: « [...] Además, ¿no sabes?, estoy aprendiendo a tocar la guitarra. Me parece que lo flamenco es una de las creaciones más gigantescas del pueblo español. Acompaño ya fandangos, peteneras y *er cante de los gitanos*: tarantas, bulerías, romeras. Todas las tardes viene a enseñarme el Lombardo (un gitano maravilloso) y Frasquito *er de la Fuente* (otro gitano espléndido). Ambos tocan y cantan de una manera genial, llegando hasta lo más hondo del sentimiento popular». Con tan pocas palabras Federico comete varios errores de gran bulto. Primero, la identificación entre la creación flamenca y «el pueblo español». Ya hemos dedicado a este tema unas frases. No las repetiremos. Segundo: en la nómina de *er* cante de los gitanos debemos contemplar las bulerías, *podemos* incluir las tarantas (pero forzando mucho la paternidad de los cantes mineros en general: pueden contener rasgos de la sentimentalidad gitana en la interpretación, pero proceden de fandangos moriscos y andaluces) y es muy forzado incluir las romeras (un cante de origen flolklórico y de notable liviandad melódica) entre los cantes gitanos, que hoy llamamos los cantes básicos. Y tercero: Federico asegura que sus dos profesores de guitarra «cantan y tocan de una manera genial». Quizás hicieran genialmente una de las dos cosas. Las dos a la vez, de ninguna manera. Uno de los elementos fundamentales de la naturaleza misma del flamenco, su tremendo ensimismamiento, convierte en práctica imposible que un artista pueda tocar y cantar a la vez de manera correcta. Genialmente, jamás. Cantar con ensimismamiento, arrancando cada sílaba y cada sonido del fondo mismo de la memoria general del cante, y acompañar al cante con puntualidad, casi diríamos con complicidad, para reunir un todo expresivo, son esfuerzos sencillamente imposibles a una sola persona en un mismo momento. Esto es una ley. Y en esa carta a Salazar, Federico la desconoce.

Se podría preguntar: ¿pretende el autor en esta conferencia hacernos creer que García Lorca era un ignorante en lo que respecta al flamenco? Anticipadamente he contestado más atrás: a pesar de algunas ignorancias (de las que a veces se podría responsabilizar al estado de opinión de la época y a la confusión de un proceso investigativo que se encontraba prácticamente en sus preliminares), Federico es, y repito las palabras de dos maestros del conocimiento flamenco, el «poeta que más profundamente haya captado el mundo y el espíritu de lo flamenco». A pesar de sus ignorancias ocasionales, volando sobre ellas, corrigiéndose a sí mismo y, en una palabra, conduciendo al conocimiento poético hasta mucho más allá de su propio saber de intelectual interesado por un fenómeno expresivo, García Lorca nos dejó algunas iluminaciones inéditas e irrepetibles. Si miramos con atención, y hasta diría con inocencia, este desfase entre el Federico flamencólogo —que no lo era— y el Federico poeta, advertimos que lo que lleva a cabo García Lorca ante el arte flamenco es, pura y sencillamente, una proeza. Como investigador, e inclusive como entusiasta, comete errores que, en tanto que poeta, se transforman en intuiciones poderosas, en imágenes ajustadas y reveladoras. Como aficionado al flamenco es, en ocasiones, un ingenuo. Como poeta del flamenco, llega a ser un espeleólogo. Una parte de Federico escucha cantos de sirena, y hasta cree que le suenan bien; pero, otra parte de él (ese territorio de su alma en donde se acumula y se elabora el conocimiento poético) redacta versos asombrosos que parecen asegurarnos que García Lorca, antes, mucho antes, que un entusiasta frecuentemente equivocado, ha sido una especie de sombra centenaria: esa sombra que está sentada, en silencio, en el lugar equidistante del cante, del baile y de la guitarra, desde finales del siglo XVIII, escuchando con suprema atención, esa sombra, en silencio, absorta y muy atenta, por cuya cara en sombra ruedan dos lágrimas de sombra. Es el ánima de Federico —que, repito, parece centenaria— quien escribe unas cuantas páginas, verdaderamente escalofriantes sobre ese escalofrío que es el arte flamenco. El niño que siempre hubo en Federico García Lorca podrá hacerle cometer los descuidos del niño: prisas improcedentes, entusiasmos disparatados, vanidades de autoafirmación, deslumbramientos candorosos. Pero es también ese candor, ese formidable volumen de infancia que siempre habitan en Federico, lo que acaso ha conducido al poeta García Lorca hasta la misma infancia del flamenco, ese lujo del universo artístico gitanoespañol en donde todo es terriblemente verdadero, desconsoladamente verdadero, y en donde sin embargo esa verdad se transfigura en unas músicas que nos ofrecen un consuelo verdadero también, terriblemente verdadero. Federico, maestro del desconsuelo desde su misma infancia, busca consuelo eternamente (entre otras formas, haciéndose a sí mismo uno de los poetas más geniales de la historia del idioma español). No es fortuito que este gran portador de desconsuelo, mago del arte y perseguidor del consuelo se asomase a las entrañas del flamenco y acertase después a contarnos, en versos luminosos y a veces tenebrosos, toda la sombra, toda la luz que el flamenco nos entrega como limosna, con sus claros sonidos negros.

Hasta aquí, nuestra aproximación al Federico García Lorca vinculado al flamenco habrá podido parecer hostil. Algunas de mis frases anteriores, sin llegar a sonar con la dureza de un fiscal, parecían proceder de un testigo de cargo. No era así, desde luego. Sencillamente, un escritor que renuncia a expresar lo que él supone que es verdad, es un escritor acabado. Y yo me he visto en el trance difícil de elegir entre expresar ante ustedes lo que yo entiendo que es lo cierto en lo que atañe a algunas mal ajustadas opiniones flamencológicas de Federico, o bien, asestar sobre el poeta un elogio totalitario que ni él mismo me hubiera perdonado, ni a ustedes les habría servido absolutamente de nada, ni hubiera sido decente para con el arte flamenco, ni a mí me habría proporcionado otra cosa que el desconsuelo de escucharme mintiendo. Pero además, mientras que redactaba, y espero que se haya advertido que lo hice con todo mi respeto y sin disminuir mi admiración, las puntualizaciones que, lo creo de buena fe, era preciso hacer a algunos desaciertos del Federico flamencófilo, yo ya sabía que algo más adelante me aguardaba la fiesta de ocuparme de sus aciertos. Esa fiesta comienza ahora, y les convido a ustedes a que la vivan con el asombro y con el entusiasmo que suelen ser cosa usual tratándose de Federico García Lorca.

Empecemos reproduciendo algunas de sus opiniones. En su texto ya citado «El cante jondo (primitivo canto andaluz)» encontramos los párrafos siguientes: «No hay duda de que la guitarra ha dado forma a muchas de las canciones andaluzas, porque éstas han tenido que ceñirse a su constitución tonal, y una prueba de esto es que con las canciones que se cantan sin ella, como los martinetes y las jelianas, la forma melódica cambia completamente y adquieren como una mayor libertad y un ímpetu, si bien más directo, menos construido [...]. Como la personalidad del guitarrista es tan acusada como la del cantaor, éste ha de cantar también y nace la falseta, que es comentario de las cuerdas, a veces de una extremada belleza cuando es sincero, pero en muchas ocasiones es falso, tonto y lleno de italianismos sin sentido cuando está expresado por uno de esos "virtuosos" que acompañan a los fandanguillos en estos espectáculos lamentables que se llaman ópera flamenca [...]. He hablado de "la voz de su buena sangre" porque lo primero que se necesita para el canto y el toque es esa capacidad de transformación y depuración de melodía y ritmo que posee el andaluz, especialmente el gitano. Una sagacidad para eliminar lo nuevo y accesorio, para que resalte lo esencial; un poder mágico para saber dibujar o medir una "siguiriya" con acento absolutamente milenario. La guitarra comenta, pero también crea, y éste es uno de los mayores peligros que tiene el cante. Hay veces en que un guitarrista que quiere lucirse estropea en absoluto la emoción de un tercio o el arranque de un final [...].

»Lo que no cabe duda es que la guitarra ha construido el "cante jondo". Ha labrado, profundizado, la oscura musa oriental judía y árabe antiquísima, pero por eso balbuciente. La guitarra ha occidentalizado el cante, y ha hecho belleza sin par, y belleza positiva, del drama andaluz, Oriente y Occidente en pugna [...]».

En estos párrafos, el número de frases casi equivale al número de aciertos. Y hay que agregar que alguna de esas opiniones no sólo tuvieron novedad e intensidad cuando fueron escritas, sino que, como veremos en seguida, las conservan en nuestros días. Enumero algunos de los aciertos más significativos de entre los contenidos en tan escasas líneas: Es un acierto otorgarle a la falseta rango de canto; es un acierto advertir que la falseta es el «comentario de las cuerdas» al tercio que elabora el cantaor, y es un acierto fundamental proclamar la «extremada belleza» de este comentario única y preponderantemente «cuando es sincero». Adviértase que García Lorca no dice «cuando se supedita al cantaor»; dice «cuando es sincero». Entendemos que ese «comentario de las cuerdas», la falseta, se produce de modo armoniosamente integrado a la totalidad del hecho expresivo de un cante, pero que a la vez es creador, revelatorio, iluminador. Y todo ello lo resume el poeta llamándolo «sincero». En ese contexto, el adjetivo usado es de una precisión admirable. Añade García Lorca una descalificación de la falseta insincera, esto es, del comentario de las cuerdas al que denomina «falso, tonto y lleno de italianismos sin sentido»: hace aquí, pues, la crítica de una concepción de la guitarra flamenca (como dialogadora con el cante) que ya era decepcionante, e incluso enojosa, en su época, y que continúa siendo enojosa y decepcionante en nuestros días: aquella concepción del flamenco que tiene el guitarrista que renuncia o no alcanza a colaborar en la enraizada y a la vez súbita creación de un clima dramático totalizador, y se distrae (y distrae al cantaor, y distrae al oyente) abusando de su posible virtuosismo, «luciéndose». La actitud, muy antigua ya, continúa todavía, al menos en ocasiones, obstruyendo el fluir de la comunicación musical y dramática entre los intérpretes flamencos y los aficionados. Es un pleito muy viejo que aún está, desdichadamente, lleno de una vigencia tanto más desoladora cuanto que en la actualidad el nivel técnico de la guitarra flamenca, y por lo tanto su complejidad expresiva, han aumentado de un modo excepcional, y esto a menudo contribuye a que un guitarrista se desprenda frecuentemente del clima del diálogo cante-guitarra para perseguir un protagonismo virtuosístico que suele erosionar el nivel de intensidad creada y de comunicación conseguida. Pero también en esto hemos de andar con pies de plomo, como lo hizo el mismo García Lorca: el poeta en ningún caso propone que la guitarra se subordine al cantaor y enajene su propia autoridad dramática, sino que le reclama un co-protagonismo «con sentido», es decir, con *sinceridad:* la palabra es gravísima; el poeta pide que el guitarrista se entregue totalmente al diálogo entre su arte y el del cantaor, al diálogo entre ambos y la intimidad, y al diálogo de esa reunión con el oyente. Esto es: le exige que comprenda la preponderancia del momento creador flamenco sobre su intrusa tentación de lucimiento solitario. Pero *no* le pide que renuncie a su saber artístico, a su caudal de emoción ni a su complejidad técnica. Lo que le pide es «sentido» (por cierto, una palabra ilustre y de gran ambición expresiva en el lenguaje de los artistas flamencos), lo que le pide es sinceridad: una palabra esencial en la historia del arte. De aquí se sigue que un guitarrista puede «comentar», dialogar con el cantaor, entre uno y otro cante, e incluso y en ocasiones entre uno y otro tercio, y puede hacerlo con «una extraordinaria belleza» (sin ser, naturalmente, un anodino fabricante de *compás,* un manufacturador de ritmo, sino, por el contrario, desplegando toda su sabiduría técnica y expresiva), a condición de no perder de vista lo esencial del instante de un cante: su múltiple diálogo, su sentido, su autenticidad. La polémica, ya lo hemos dicho, es vieja, tiene plena vigencia en nuestros días, y permanece, por añadidura, sumamente enconada. Lo habitual suele ser la descalificación, por parte de muchos aficionados, de casi todo guitarrista que se permite intervenir con energía y con esplendor en el proceso de la elaboración de un cante. Pero García Lorca no es tan autoritario, ni tan sordo. Para él, por poner un ejemplo conocido de todos, los comentarios vivísimos de la guitarra de Paco de Lucía a los cantes de Camarón o Fosforito, posiblemente estarían llenos de sentido y llenos de sinceridad (como lo están para el autor de este trabajo). En suma: somos víctimas todavía de viejos vicios del protagonismo virtuosístico y, en consecuencia, somos víctimas de una polémica enconada; y a todo ello Federico García Lorca, hace sesenta y cinco años, había dado ya solución.

Pero aún más nos importa señalar que sobre la guitarra flamenca dijo algo que era nuevo en 1922 y que continúa siendo nuevo, sospecho que por falta de decisión intelectual de los tratadistas. Federico confiere a la guitarra una presencia decididamente protagonista, y casi provindencial, en la historia del flamenco, y la considera también como bienhechora en la historia de la creación flamenca misma. La opinión —no faltará quien la discuta, incluso con enojo— puede ser un puro acierto histórico, pero es en todo caso una prueba de coraje intelectual. Piensen ustedes que en la época en que Federico expresa esa opinión, el guitarrista, que es, sin ninguna duda, esencial en la construcción del clímax dramático del flamenco y en la oferta de comunicación de la intimidad, esto es, en el esfuerzo de contagio del ensimismamiento flamenco, era sin embargo considerado un elemento prácticamente secundario. El aficionado le exigía que se limitase a servir compás al cantaor (esto es: a llevar el control de la osamenta rítmica de la copla); todo lo más, se le consentía una falseta entre una y otra copla, o un «solo» de guitarra entre dos sesiones de cante. Se le condena, en suma, a un papel de subordinado. La injusticia no acaba ahí. El guitarrista cobraba siempre menos que el cantaor, y su capacidad de decisión a lo largo de una ceremonia flamenca era, en líneas generales, y con muy pocas excepciones, menor que la del cantaor. Aún ahora, más de medio siglo después de la fecha en que Federico redacta esa reivindicación formidable del guitarrista, grandes artistas de la guitarra suelen cobrar menos por su trabajo que los grandes artistas del cante (las excepciones son muy pocas y aquí sí confirman la regla). Pero esta cuestión económica, con ser muy significativa, no es la más importante. Lo importante es que aún hoy habrá muy pocos aficionados al flamenco, y, que yo sepa, absolutamente ningún historiador, que se consientan a sí mismos proclamar la participación de la guitarra en la historia del desarrollo del cante flamenco. La frase de Federico: «No hay duda de que la guitarra ha dado forma a muchas de las canciones andaluzas, porque éstas han tenido que ceñirse a su constitución tonal», era una frase sorprendente. Lo sorprendente, hoy, es que continúa siendo sorprendente. Desde la mitificación de la genialidad del cantaor (una genialidad muy frecuentemente real) perdura una cierta resistencia a advertir hasta qué punto la guitarra ha contribuido a la edificación del flamenco, desde muy poco después de su nacimiento balbuceante hasta el momento mismo en que nos encontramos. Esa resistencia no es justa. No lo es ni histórica, ni artística, ni moralmente. La guitarra, reproduzco de nuevo las palabras de Federico, «ha labrado, profundizado la oscura musa oriental judía y árabe antiquísima, pero por eso balbuciente. La guitarra ha occidentalizado el cante, y ha hecho belleza sin par, y belleza positiva, del drama andaluz, Oriente y Occidente en pugna

[...]». Aunque no estuviésemos de acuerdo con los términos en que Federico resume su reivindicación de la guitarra («lo que no cabe duda es que la guitarra ha construido el "cante jondo"», dice el poeta), al menos tendríamos que efectuar una relectura de la historia general de la creación flamenca, una relectura en la que concediésemos a la guitarra una presencia infinitamente mayor y protagonismo sumamente más tentacular que los que se le vienen otorgando. En esto, como en tantas cosas, Federico fue único.

Agreguemos que esa repentina —aún hoy repentina— defensa del papel histórico de la guitarra en el desarrollo del flamenco no la hace Federico con ánimo de disminuir el protagonismo y la grandeza del cantaor, y ni siquiera por una particular veneración a la guitarra como instrumento musical. Tal vez yo sí me haya demorado en celebrar estas iluminaciones de García Lorca a causa de mi veneración por la guitarra. Quizá ustedes no ignoren que la nostalgia más grande de mi vida es la guitarra flamenca, y que cuando a solas escucho a un músico flamenco suelo llorar de felicidad, de consuelo, de gratitud y de angustia. Quizás ustedes no ignoran que la guitarra es mi pasión y mi derrota, que alguna vez soñé con ser un buen discípulo de Paco de Lucía, que un día desperté de ese sueño y dejé de tocar para siempre, y que ese despertar me ha dejado maltrecho para toda mi vida. Pero esta es mi derrota, no la de Federico. Él señaló la presencia preponderante de la guitarra en el proceso de articulación del flamenco por puro sentido de la justicia, y, lo repito, sin que ello significase que desconociese la prodigiosa participación del cantaor. Sobre el don de transmisiones de rumores profundamente humanos por parte de los cantaores de flamenco y sobre la antropología y hasta la mística del cante, Federico sabía cuanto había que saber y no omitió comunicárnoslo: «[...] yo quiero dedicar un recuerdo a los inolvidables "cantaores" merced a los cuales se sabe que el "cante jondo" haya llegado renovado hasta nuestros días. / La figura del "cantaor" está dentro de dos grandes líneas: el arco del cielo en lo exterior, y el zig-zag que asciende dentro de su alma. / El "cantaor" cuando canta celebra un solemne rito, saca las viejas esencias dormidas y las lanza al viento envueltas en su voz. / Se canta en los momentos más dramáticos, y nunca jamás para divertirse, como en las grandes faenas de los toros, sino para volar, para evadirse, para sufrir, para traer a lo cotidiano una atmósfera estética suprema. La raza se vale de estas gentes para dejar escapar su dolor y su historia verídica. Cantan alucinados por un punto brillante que tiembla en el horizonte. Son gentes extrañas y sencillas al mismo tiempo. // [...] [Los cantaores] son simples mediums, crestas líricas de nuestro tiempo. // [...] el "cante jondo" canta como un ruiseñor sin ojos, canta ciego [...] / En las coplas, la pena se hace carne, toma forma humana y se acusa con una línea definida. Es una mujer morena que quiere cazar pájaros con redes de viento».

En estas muy escasas frases, Federico resume (digámoslo de nuevo: él no se propuso la redacción de un libro de investigación, sino tan sólo apuntar su pasión y sus conocimientos en unas páginas de celebración y de divulgación) prácticamente todo cuanto después nosotros hemos desarrollado. Cómo es posible resumir toda una diversa teoría y una historiografía del flamenco, es cosa que no debe extrañarnos. Deslumbrarnos, sí, pero nunca extrañarnos: esa astucia, ese poder, esa veracidad, son la astucia, el poder, la veracidad del hombre de genio, del hombre que, en este caso particular, tiene contraído un compromiso definitivo con la temperatura del lenguaje poético. Ver en el cante a un ruiseñor sin ojos, ver en la copla a una mujer morena que con redes de viento pretende —y lo consigue— cazar pájaros, son sucesos verbales que ya van más allá de la investigación o de la historiografía de un hecho artístico. O mejor dicho, apuntan más adentro: le otorgan a la historiografía una tensión de interioridad, un afan de ensimismamiento, una dimensión de agobio, de felicidad y de sufrimiento a los que la investigación no debe renunciar si de verdad pretende comunicar los acontecimientos espirituales más misteriosos que el flamenco nos aproxima para que nuestra intimidad se reúna y para que se reconozca en la intimidad de nuestra especie y en el enigma de nuesto destino. Federico, aún redactando un texto divulgativo, y hasta, ya lo dijimos, proselitista, no sabe renunciar, afortunadamente, a buscar combinaciones verbales, cortocircuitos linguísticos, que iluminen de pronto las penumbras que casi siempre permanecen agazapadas en el universo de los datos; iluminaciones que otorgan juventud y energía al saber, y que incluso le otorgan infancia e inocencia. El poeta Cintio Vitier ha escrito que un verso digno de ese nombre es «una calidad súbita del mundo». Lo que hace Federico con esos repentinos ofrecimientos poéticos en medio de un texto de prosa divulgativa es justamente mostrarnos de una manera súbita, sorprendente y, en definitiva, iluminadora, calidades del mundo. Es en sus textos en prosa en donde encontramos su negativa a renunciar a un hallazgo poético que habrá usado en una de las páginas de su *Poema del cante jondo*. Casi al final de su conferencia «El "cante jondo" (primitivo canto andaluz)» y exactamente al final de su texto «Arquitectura del "cante jondo"», Federico resume a la figura legendaria del cantaor Silverio Franconetti con palabras de naturaleza poética: «su grito hacía partirse en estremecidas grietas el azogue moribundo de los espejos». Créanme: sospecho haber leído todo cuanto se ha escrito sobre el cante flamenco, y les aseguro que no conozco mejor definición, que no conozco una definición más clara del grito de la siguiriya. Se han escrito muchos elogios al cante de Silverio. Todos son necesarios. Ninguno tan estremecedor. Se han redactado muchas asombradas y asombrosas definiciones de la siguiriya: ninguna tan diáfana. Federico nos da varias versiones de esa iluminación. En mi opinión, la más definitiva, la más despojada y a la vez la más ambiciosa (digámoslo con la palabra justa: la más genial) es la que nos entrega en el poema: « [...] en el hondo llanto / del siguiriyero. / Su grito fue terrible. / Los viejos / dicen que se erizaban / los cabellos, / y se abría el azogue / de los espejos». Lo que García Lorca nos entrega en esos versos no viene desde la razón, ni aún desde la historiografía, aunque no renuncia ni a la claridad de la razón ni a la tumultuosidad de la historia flamenca; nos llega desde el jadeo de la tradición musical y vital, desde la carne misma del asombro, e inclusive desde el terror. Se ha dicho que la nota más aguda, potente y sostenida de un tenor puede quebrar el cristal de una copa; cuando Federico imagina (pero apuntemos un matiz importante; el poeta atribuye esa imaginación propia al legado y a la sinceridad de los ancianos: en el mundo flamenco el respeto a la palabra del anciano es una costumbre, además de una lección moral), cuando, repito,

García Lorca imagina que, ante el grito inicial de un seguiriyero, al azogue de los espejos le brota una erupción de grietas, no sólo está mentando la oscura cantidad de tiempo y de experiencia que contiene ese viejo canto espantoso: está también difenciando la antropología del canto y la del cante: de un tenor, Federico posiblemente no hubiera dicho que la fuerza de sus pulmones inaugura grietas en el azogue de los espejos. Lo que rompe el cristal de una copa es la agudeza de una nota y la potencia y la extensión de unos pulmones. Lo que desordena el azogue de los espejos es la tensión tumultuosa de la vida y la muerte. No hay un cante en donde esa tensión sea tan desolada, formidable y consoladora como en la siguiriya (con excepción, acaso, de algunas de las tonás más lóbregas). Pero acerquémonos un poco más a esa definición del maravilloso y tenebroso chirrido de esa puerta enigmática que es la siguiriya. ¿Qué ocurre cuando se agrieta el azogue de los espejos? Que nuestro rostro se carga de incertidumbre, de desazón y de orfandad. En un espejo azogado vemos nuestra cara real; en un espejo con grietas en su azogue vemos en nuestra cara el desvalimiento de nuestro corazón. En un espejo azogado, nuestros rasgos existen en un tiempo presente; en un espejo agrietado vemos en nuestro rostro las grietas de nuestro pasado y del pasado de nuestros más remotos apellidos. En un espejo joven, en fin, nos vemos nuestro propio rostro; en un espejo viejo podemos ver, entreverado con el nuestro, el rostro de nuestros antepasados. En un espejo joven vemos a nuestra cara; en un espejo viejo vemos a nuestra historia. En un espejo joven nos miramos el rostro; en un espejo viejo nos miramos la intimidad. En un espejo joven podemos contemplarnos por fuera; en un espejo viejo nos abrazamos a nuestras propias sombras. «Los viejos dicen que se erizaban los cabellos...» Y cómo no: la siguiriya nos relata nuestra historia, nuestro esplendor, nuestro infortunio y las esquinas de nuestro destino. ¿Y de qué otra manera podría expresarse toda esa abundancia de espanto, de saber y de misericordia que contiene y que entrega la siguiriya, sino desde el centro mismo de la genialidad del lenguaje poético? La definición de Federico nos resulta deslumbradora: es porque Federico se supo deslumbrado a su vez por la siguiriya gitana. De entre todos los cantes, ninguno obtuvo más atención de Federico que la que obtuvo la siguiriya. Y ninguno, tampoco, recibió un más persistente homenaje. En otro pasaje de «Arquitectura del "cante jondo"» escribirá el poeta: «La "siguiriya" gitana comienza por un grito terrible. Un grito que divide el paisaje en dos hemisferios iguales; después la voz se detiene para dejar paso a un silencio impresionante y medido. Un silencio en el cual fulgura el lirio caliente que ha dejado la voz por el cielo. Después comienza la melodía ondulante e inacabable en sentido distinto al de Bach. La melodía infinita de Bach es redonda, la frase podría repetirse eternamente en un sentido circular; pero la melodía de la «siguiriya» se pierde en el sentido horizontal, se nos escapa de las manos y la vemos alejarse hacia un punto de aspiración común y pasión perfecta donde el alma no logra desembarcar». Agregarles algo a esas frases es un disparate. ¿Me consentirán ustedes ser un poco disparatado? Sólo lo justo para mostrar un poco del atrevimiento que en Federico podemos y debemos aprender. Lo justo para confiarles mi gratitud por el hecho de que el poeta, al mencionar una de las características de la siguiriya (su ondulación melódica obsesiva, casi ritual y, por qué no, de naturaleza religiosa; o, dicho de otro modo, su misteriosa ambición de sacralidad) recordase a uno de los más grandes, si no el mayor, de todos los artistas de la historia de la música de los humanos. Si tenemos en cuenta que en la época en que Federico establece esa desemejanza, dentro de una semejanza esencial, entre la siguiriya y tantas partituras de Bach, la inmensa mayoría de los músicos, por ignorancia o por soberbia, desdeñaban el cante flamenco, esas frases de Federico no son sólo un acierto en su búsqueda de definiciones: son también la prueba de moral enérgica y de su sentimiento de justicia. En su época, y aún hoy, podrá resultar escandaloso invocar el nombre de esa altísima montaña de la música (si es que no es una cordillera) para expresar la naturaleza de un cante. Como a nosotros no nos parece escandaloso, no sobresaltaremos más aún, con innecesarias apostillas, el enojo de los segregadores del flamenco. Digamos solamente una cosa: en verdad, ellos se lo pierden. Pero anotemos, sí, la finísima perspicacia de Federico al diferenciar la ondulación melódica de una página de Bach, de la ondulación de la siguiriya gitana. Bach toma nuestra intimidad de la mano y la sanciona con su inusitada compañía. Bach nos depierta la intimidad y simultáneamente nos la celebra y nos la apacigua. Dicho de un modo rápido: Bach nos hace felices. En sus ondulaciones, la siguiriya, por el contrario, aproxima nuestra intimidad a la desgracia. Bach nos hace llorar de abundancia; la siguiriya, de orfandad. En Bach, lo sagrado nos arropa; en la siguiriya, lo sagrado nos desnuda. Desde Bach, sentimos el calor de ser; desde la siguiriya, tirita nuestro ser. De la mano de Bach siempre estamos desembarcando, regresando; desde la siguiriya, no logramos desembarcar. En la música de Bach, Dios nos celebra; en la siguiriya, Dios se compadece de nosotros. Bach, en fin, compone el perfecto poema de la celebración del universo y de la criatura. Y Federico nos recuerda que la siguiriya es el «perfecto poema de las lágrimas».

Para nosotros, García Lorca es hoy una estremecedora mezcla de Bach y de siguiriya gitana. Como Bach, compuso el perfecto poema de la grandeza y la inocencia. Como la siguiriya, y desde el mismo instante en que el crimen lo derribara, se lamenta sin fin y sin consuelo, componiendo un perfecto poema de las lágrimas. En esa siguiriya, suya es toda la música. Las lágrimas son nuestras.

LA «FIESTA DEL CANTE JONDO» DE GRANADA: ¿UNA ESPAÑOLADA?*

Suzanne Byrd
(College of Charleston)

Es bien conocida la atracción atávica de Federico García Lorca hacia el folklore gitano y la música de su Andalucía natal. Poco conocida es, sin embargo, la influencia de la audaz decisión del joven poeta de rendir homenaje al *cante jondo***, natural de Andalucía, durante las celebraciones del *Corpus Christi* de 1922 en Granada.

La octava del *Corpus Christi* se celebraba cada año en las ciudades más grandes de España con actos municipales como procesiones, conciertos, representaciones teatrales y otras atracciones artísticas y culturales. En 1922 las celebraciones municipales del *Corpus Christi* en Granada tuvieron un carácter controvertido con la organización y presentación de la *Fiesta del Cante Jondo*. Este tributo único a las tradiciones folklóricas andaluzas, que atrajo a prominentes personajes de todas partes de España y de numerosos países extranjeros, fue debido directamente a la tenacidad y dedicación de Federico García Lorca y Manuel de Falla.

El papel central de Lorca en la organización de la *Fiesta* se hace enseguida patente a través de la lectura de los perió-

* Traducido por Antonio Candau.

** Las palabras en cursiva en el texto aparecen en el original en castellano y subrayadas. *(N. del T.)*

dicos y revistas publicados en Granada en 1922. Estas fuentes indican claramente que desde principios de ese año comenzó a desarrollarse entre los intelectuales de Granada una fuerte polémica en torno al tributo propuesto a los *cantos populares granadinos*. La primera muestra de la contienda apareció en el número de mediados de febrero de *La Alhambra,* subtitulada *Revista de Artes y Letras*, cuyo director era Francisco P. Valladar. En una edición posterior de *La Alhambra* se habla de Valladar como «eximio crítico y literato granadino», y se le señala como «cronista de la ciudad de Granada».[1] En la página 5 del número de 16 de febrero de 1922 de *La Alhambra* apareció un artículo titulado «Los cantos populares granadinos» escrito por el propio Valladar. En las líneas iniciales el autor afirmaba, «envío mis plácemes al Centro Artístico y al Ayuntamiento por la proyectada "fiesta de los cantos populares granadinos"», y rendía tributo a Felipe Pedrell por su excepcional contribución a la música folklórica española con su *Cancionero*. Valladar concluía con esta llamada: «Termino estas líneas con una modesta observación. Soy entusiasta de la "fiesta de los cantos populares granadinos", pero dejémonos de "cante jondo...". Corremos, no lo olvide el Centro, el peligro gravísimo de que esa fiesta pueda convertirse en un "españolada"; en uno de esos espectáculos a que me he referido en mis artículos "La Andalucía: sus leyendas pintorescas y la Alhambra", [...] en algo de eso que tan amenamente describe el escritor francés Andrés Gide, y que García Mercadal ha dado a conocer en un bello artículo de los "Lunes de El Imparcial" (22 enero). Leamos el *Cancionero* de Pedrell. Han contribuido los granadinos a formar tantas "españoladas", que debemos pensar mucho, antes de que éstas se repitan y corran por el mundo».[2]

Valladar recordaba a sus lectores una reciente película filmada en Granada con Cristóbal Colón como protagonista. En el film, el famoso navegante, al embarcar en su viaje de descubrimiento, era mostrado remontando el río Darro en Granada y se presentaba una famosa residencia del Albaicín como la casa, en Portugal, del hermano de Colón. Obviamente, Valladar consideraba esta película, muy popular y de gran éxito, meramente como otra españolada más. Y aquí quizás convenga clarificar el término *españolada*. El *Diccio-*

nario Manual de la Real Academia Española define *española-da* como «acción o dicho propio de españoles» y añade «úsase más en sentido despectivo».

A pesar de la denuncia de Valladar del *cante jondo* en su artículo del 15 de febrero, sólo cuatro días después, el 19 de febrero, en el prestigioso Centro Artístico de Granada, Lorca lanzó la salva inicial de su campaña de tributo al cante jondo. En la que parece haber sido su primera *conferencia* de que se tiene noticia, titulada *El primitivo cante andaluz*, el poeta se refiere en su frase inicial a las observaciones de Manuel de Falla sobre el origen y las características del *cante*, señalando que Falla ya había iniciado el movimiento para otorgar talla y reconocimiento culturales a esta música folklórica. En su *conferencia*, Lorca reafirma a continuación el análisis histórico de Falla e indica ciertas similitudes entre el cante andaluz y los cantos de la India, la primitiva patria de los gitanos andaluces. Reitera luego los tres factores que habían determinado el desarrollo y las características peculiares del *cante jondo*, a saber: la adopción del canto litúrgico por la Iglesia española, la invasión musulmana y la posterior llegada a España de numerosos grupos de gitanos. Estos misteriosos nómadas dieron forma definitiva al *cante jondo*. Este origen resulta evidente al analizar la forma y el vocabulario del cante llamado coloquialmente por los andaluces «seguiriya». Según Lorca y Falla, sin embargo, la «seguiriya» no es exclusivamente de origen gitano sino que es más bien, dice Lorca, un canto puramente andaluz cuya esencia existía mucho antes de la llegada de los gitanos a Europa.

Lorca habla después de la influencia internacional del *cante andaluz* a través de los «Souvenirs d'une nuit d'été à Madrid» de Glinka y de «Scherezade» y «Capricho español» de Rimsky Korsakov. Enviando una andanada a la acusación de Valladar contra las *españoladas* en los círculos culturales parisinos, la aportación más sobresaliente de Lorca sobre la influencia del *cante* es su tributo a Claude Debussy, quien escuchó por vez primera el *cante jondo*, cuando era un joven músico, en la Exposición Universal de París de 1900. Allí, en el Pabellón Español, un grupo de gitanos había ofrecido una versión extraordinariamente pura del cante andaluz. Esta experiencia dejó la huella de España, y especialmente la de Granada, en muchos de los compases de la música de Debussy. Lorca se refiere a «Iberia» como la obra maestra de Debussy y habla del arte e intuición innatos del músico expresados en su «Soirée en Granade», la cual evoca la intensa melancolía de la *vega*, la majestad de la sierra cubierta de nieve y los hipnóticos sonidos del agua subterránea en Granada. El aspecto más sorprendente de estas obras de Debussy es el hecho de que nunca conoció Granada, sólo su música.[3]

Lorca señala la influencia del *cante* en compositores españoles, desde Albéniz a Falla pasando por Granados. Advierte el predominio de los *cantos populares* en la ópera *La Celestina* de Pedrell, y pasa rápida revista a la influencia del *cante* en la generación de músicos españoles de la época, entre los cuales nombró a Adolfo Salazar, Roberto Gerard, Federico Mompou y Ángel Barrios.

Después de ofrecer este breve recorrido por la historia del *cante*, el poeta toma como blanco los mordaces discursos de Valladar contra la celebración proyectada, y hace la siguiente llamada patriótica: «Es, pues, señores, el "cante jondo" tanto por la melodía como por los poemas una de las creaciones artísticas populares más fuertes del mundo y en vuestras manos está el conservarlo y dignificarlo para honra de Andalucía y sus gentes».[4] «Les suplico respetuosamente que no dejen morir las apreciables joyas de la raza, el inmenso tesoro milenario que cubre la superficie espiritual de Andalucía y que mediten bajo la noche de Granada la trascendencia patriótica del proyecto que unos artistas españoles presentamos».[5]

A principios de primavera la controversia del *Corpus Christi* era ya una cuestión polémica en Granada. El 31 de marzo de 1922 *La Alhambra* incluía un artículo sobre «Los cantos populares» escrito por el propio director, Valladar. Apelaba otra vez a la *inteligencia* de Granada para que se rechazara el homenaje al *cante jondo*. Decía: «Persistimos en nuestro propósito de no discutir acerca del *cante jondo*; nos reservamos nuestra modesta opinión para después, pero insistimos en algo muy importante: en lo del carácter de *españolada* que pudiera tomar esa fiesta, ese concurso o lo que sea, pues en realidad aún se desconoce qué es lo que haya de hacerse en la plaza de San Nicolás. La causa de nuestra insistencia son las palabras que siguen, escritas y publicadas por el maestro Falla hace algunos días en los periódicos diarios, tratando de la influencia que el "*cante jondo*" ha ejercido fuera de Granada: en Rusia por medio de Glinka, y "en Francia por los *cantaores*, *tocaores* y *bailaores* [estas palabras en bastardillas por Valladar] que de Granada y Sevilla fueron a París durante las dos últimas exposiciones celebradas en la gran ciudad [...]». Desde entonces, las españoladas aumentaron en número y en carácter y hemos anotado muchas y muy especiales en las páginas de esta revista».[6]

El número siguiente de *La Alhambra*, del 15 de abril, publicó un artículo titulado «Folklore musical: reglas para su cultivo». En él se señalaba que José Subirá, a quien Valladar consideraba el crítico musical *español* más destacado e influyente, colaboraría en el festival.[7]

El principal periódico de Granada, *El Defensor de Granada*, contenía, el 10 de junio en su primera página, un artículo titulado «Centro Artístico, el *Cante Jondo*», en el que se anunciaba que «Los trajes de la fiesta» estarían en exhibición en la tienda de antigüedades del señor Valdivia, en la Cuesta de Gomérez. En las páginas dos y tres había anuncios de un concierto en el Palacio de Carlos V y de una fiesta de bailes españoles que iba a tener lugar en los jardines del Generalife durante las celebraciones del *Corpus Christi*.[8]

El domingo 11 de junio, el *Defensor* publicó un artículo de José Moral Fernández sobre «El cante jondo» subtitulado «Juicio crítico relacionado con el concurso de cante que se ha de celebrar en estas fiestas del Corpus». Tras una larga exposición sobre la historia y la estética de la música, Moral Fernández concluía que esta celebración debería ser un «proyecto para que sea ampliada esta típica fiesta de cantos andaluces, granadinos y como número indispensable, no se deje de incluir en años sucesivos en nuestros célebres programas de Fiesta».[9]

El martes 13 de junio apareció en la primera página de *El Defensor* un programa completo de todas las *fiestas* de la semana del *Corpus*. Este número anunciaba que la primera sesión del *Concurso de Cante Jondo* comenzaría a las diez y media de la noche en la placeta de Los Aljibes de la Alhambra. El artículo hablaba del gran interés en la fiesta por parte de «todo el público selecto de Granada», y observaba que numerosos extranjeros habían llegado a Granada atraídos por la gran importancia del acontecimiento. Las entradas se vendían en el Centro Artístico y en varias librerías y cafés. Entre los que ya habían llegado a Granada para la *fiesta* estaban Mr. Richard, director general de artes indígenas del protectorado francés de Marruecos; don Ramón Gómez de la Serna, director de *El Liberal* de Madrid y distinguido hombre de letras que iba a pronunciar el discurso inaugural sobre el *cante jondo* en la *Fiesta*; don Edgardo Neville, director de *La Época* de Madrid; Mr. Trend, director del *Times* de Londres, y don Juan de la Encina, director de *España, El Sol* y *La Voz* de Madrid.[10]

La segunda página del *Defensor* del miércoles 14 de junio dedicó un efusivo reportaje a la primera noche del «Concurso de "Cante Jondo"». Empezaba con «Triunfo definitivo, absoluto, inmenso el del discutido concurso de "Cante Jondo"». El reportero, Narciso de la Fuente, afirmaba que era imposible describir para cualquiera que no hubiera estado presente la inmensidad del éxito y observaba solamente: «baste decir que el "Concurso de Cante Jondo" ha sido el principal número de las fiestas de este año; lo mejor de lo mejor; lo que no puede expresarse». Aunque la primera sesión continuó hasta más de las dos y media de la madrugada, el periodista daba una descripción emocionante y poética de la plaza de Los Aljibes a la luz de la luna, llena a rebosar con más de 4.000 espectadores. El decorado, obra del famoso artista Ignacio Zuloaga en colaboración con artistas granadinos del Centro Artístico, producía una gran impresión y era de un gusto excelente. La flor y nata de las mujeres de Granada asistió a la fiesta. Vestidas con trajes flamencos tradicionales, su belleza resultaba incomparable. Entre los jueces del acontecimiento se encontraban el presidente del Centro Artístico don Antonio Molina, Andrés Segovia, Montoya y varias personalidades más. El mismo Falla presidía el jurado. El reportaje periodístico daba una extensa descripción de las actuaciones de toda la velada.[11]

El Defensor del 15 de junio publicó en el centro de su primera página un largo artículo de Narciso de la Fuente que describía la segunda sesión de la *fiesta*. Los espectadores se habían entusiasmado tanto que habían rehusado abandonar la plaza durante el descanso aunque caía una fuerte lluvia. Sin paraguas, el público se había puesto en pie y había colocado los asientos sobre sus cabezas. La fiesta había continuado, con los participantes impertérritos ante los relámpagos de la última parte de la sesión. Como el día anterior, las actividades habían continuado hasta pasadas las dos y media de la madrugada.

El primer premio, de 1.000 *pesetas* y donado por Zuloaga, fue para un viejo *cantaor*, Diego Bermúdez, que había venido a pie desde Puente Genil para participar en la *fiesta*. Otros participantes populares fueron La Gazpacha, Manuel Torres, maestro de la seguiriya y Manolo Caracol, hoy famoso por sus actuaciones. Manuel Torres, llamado «El Niño de Jerez», fue el *cantaor* a quien Lorca dedicó las *viñetas flamencas* de su «Poema del Cante Jondo».[12]

El *Concurso de Cante Jondo*, celcbrado el 13 y 14 de junio de 1922 fue indiscutiblemente un resonante éxito, para disgusto de Valladar. Fue muy comentado y celebrado con orgullo a lo largo de toda Andalucía. Valladar, sin embargo, no reconoció estos méritos. En su número de *La Alhambra* del 31 de agosto Valladar exclamaba, «¡Todavía el cante jondo!». Citaba un artículo del periódico *La Voz de Granada* en el cual el periodista lamentaba las exposiciones que habían tenido lugar, tanto en Granada como fuera de ella.[13]

El año siguiente, el 15 de abril de 1923, *La Alhambra* publicó en su primera página un artículo titulado «Las españoladas». Valladar señalaba que había pasado un año, pero, que sin embargo persistían las *españoladas*. Con ánimo beligerante citaba un número de *La Esfera* del 7 de abril de 1923 en el que se decía que el *Concurso de Cante Jondo* había sido comparable a la transformación de la *plaza de toros* de Ronda en un campo de fútbol. Poniendo en evidencia su ánimo de venganza personal en sus recurrentes ataques contra las *españoladas* de Granada, Valladar volvía a dar un rapapolvo a Falla con una cita del *Times* de Londres. En la reseña que hacía ese periódico sobre el estreno internacional del ballet de Falla *El sombrero de tres picos*, el crítico londinense observaba que la obra era *andaluza* en su espíritu y añadía después que la música de Falla había transformado la novela más hermosa de Alarcón en un ballet a la rusa. Este reportaje indignó a Valladar, quien contestó con renovadas acusaciones contra el Falla de las *españoladas*.[14]

Basta decir que las *españoladas* de Federico García Lorca y Manuel de Falla no sólo realzaron sus reputaciones sino que además consiguieron honor y reconocimiento para las artes y la cultura de España. Por otro lado, Francisco P. Valladar, «eximio crítico y literato granadino» y «cronista de la provincia de Granada» es hoy conocido solamente por unos cuantos hispanistas ávidos que investigan los fondos de la Hemeroteca de Granada.

NOTAS

1. Francisco P. Valladar, ed., «Crónica granadina», *La Alhambra*, 549, Granada, 31 de marzo de 1922, p. 83.
2. Valladar, «Los cantos populares granadinos», *La Alhambra*, extraordinario XXVI, 15 de febrero de 1922, p. 6.
3. Federico García Lorca, «El cante jondo», *Obras completas*, 15.ª ed., Madrid, Aguilar, 1969, pp. 39-44.
4. *Ibíd.*, pp. 54-55.
5. *Ibíd.*, p. 56.
6. Valladar, «Los cantos populares», *La Alhambra*, 549, 31 de marzo de 1922, p. 74.
7. Valladar, «Folklore musical», *La Alhambra,* extraordinario XXVIII, 15 de abril de 1922.
8. «Centro Artístico», *El Defensor de Granada»,* 10 de junio de 1922, p. 1.
9. José Moral Fernández, «El cante jondo», *El Defensor de Granada*, 11 de junio de 1922, p. 4
10. *El Defensor*, 13 de junio de 1922, p. 1.
11. «El concurso de "Cante Jondo", *El Defensor*, 14 de junio de 1922, p. 2.
12. José Luis Cano, *García Lorca: Biografía ilustrada*, Madrid, Destino, 1962, pp. 47-48.
13. Valladar, «Crónica Granadina», *La Alhambra,* 554, 31 de agosto de 1922.
14. Valladar, «Las españoladas», *La Alhambra,* extraordinario XL, 15 de abril de 1923, p. 1.

IV

LA GUERRA CIVIL

LA EVOLUCIÓN POLÍTICA DE LA ZONA DE FRANCO

Javier Tusell
(UNED)

Hasta mediados de julio de 1936 existía una única España en la que la mayor parte de las fuerzas políticas estaban dispuestas a aceptar un resultado electoral adverso, por muy cierta que fuera la presión de minorías extremistas que empujaban hacia uno y otro extremo y que en ningún caso aceptaban como válidas las consultas populares. A partir de mediados de julio el pueblo español se dividió en dos: la convivencia democrática había sido destruida y las instituciones republicanas perdieron, al menos, su sentido originario. En el bando del Frente Popular fueron sustituidas, en parte, por una revolución social; en el bando sublevado hubo también una revolución, entendiendo por ésta un corte brusco y sustancial con la legitimidad pasada. Las dos revoluciones eran el testimonio de la ruptura de la convivencia e influyeron de manera decisiva en el resultado de la contienda. Una guerra civil para ser ganada exige unas adecuadas condiciones políticas en el bando vencedor. Es posible que los perdedores hubieran podido ganar si hubieran hecho una única y rápida revolución o si hubieran mantenido sin alteraciones el Estado republicano; con una revolución inconclusa y plural estaban en las mejores condiciones para perderla.

Lo que sucedió con los vencedores en este terreno contribuye poderosamente a explicar las razones de su victoria. El propio general Rojo señala como una de ellas la «*unidad espiritual*» lograda por Franco. En realidad ésta se explica porque, a diferencia del Frente Popular, los rebeldes tenían un elemento de cohesión con la fuerza suficiente para imponer sus criterios: esta fue la función de los militares, que no tiene parangón alguno con ningún factor semejante entre los vencidos, ni siquiera la adhesión a las instituciones republicanas. Además, los propósitos de los sublevados eran *fundamentalmente negativos*, en el sentido de que tenían mucho mayor interés en oponerse por las armas al Frente Popular que en elevar un orden social o político nuevo. Incluso los afanes de la Falange a este respecto en nada pueden compararse con los de cualquiera de los sectores del Frente Popular. El elemento aglutinante que siempre proporciona una guerra civil y que hizo compatibles, en el otro lado, a comunistas y anarquistas, concluyó por aglutinar a los franquistas. Jorge Vigón, un monárquico, se pregunta, en sus memorias, si no habría tenido fiebre al ver al general republicano y masón Cabanellas, tocado con boina roja, presenciando una consagración al Corazón de Jesús. Cualquier guerra civil produce esas paradojas.

Lo característico de la derecha española (como de la izquierda) era, a la altura del verano de 1936, su *pluralidad*. La mitad de la sociedad española que este sector representaba siguió, en su mayoría, a los militares sublevados, pero en el peso específico de cada sector hubo unos cambios radicales con respecto al momento en que había consultas electorales. Fueron las ideologías más beligerantes las que tuvieron un protagonismo más destacado a partir de este momento. Falange, el fascismo español, había sido un grupo minúsculo hasta entonces, incluso después de las elecciones de febrero de 1936. Ahora, según la interpretación de Sancho Dávila, pasó de ser una gran cabeza con un cuerpo minúsculo a exactamente lo contrario: sumaba oleadas de afiliados, pero había perdido a los más decisivos de sus dirigentes. Los tradicionalistas se habían armado y creado un requeté dispuesto a la sublevación desde principios de la República. Era un partido popular en que la línea más purista, representada por Fal Conde, había desempeñado un papel creciente. Fueron estas dos las fuerzas decisivas a las que sumar el grupo intelectual monárquico, inspirador de la conspiración militar de Sanjurjo y carente de masas de apoyo. Eran dos mundos confluyentes, pero a menudo antagónicos. Pemán, en su diario inédito, describió, en octubre de 1937, la primera concentración de masas de doble procedencia. Al ver las masas de boinas rojas y de camisas azules apreciaba, también, «dos modos, dos estilos»; «nosotros queremos hacer una formación —concluyó— y nos sale una romería». Pemán pensaba, con razón, que los falangistas, que formaban tan bien, se podían sublevar, pero que no sería este el caso de los requetés, indisciplinados en apariencia.

Otros dos sectores de la derecha española, sin duda muy mayoritarios antes de estallar la guerra, se vieron desplazados de cualquier influencia decisiva. Las masas de la CEDA siguieron a Franco, pero Gil Robles, que entregó sus fondos electorales a los sublevados y disolvió sus organizaciones, estuvo ausente de España. Un importante dirigente de la CEDΛ, Lucía, se manifcstó a favor dc la Rcpública y tuvo el extraño privilegio de ser condenado a muerte por los dos bandos; otro, Giménez Fernández, fue amenazado por Falange. Sin embargo Serrano Suñer, pronto principal dirigente de la España sublevada, había sido dirigente cedista. Entre los republicanos conservadores hubo no pocos que se sumaron al franquismo: el propio Lerroux lo hizo y los casos de Portela o Guerra del Río en el Frente Popular son testimonio no tanto de una adhesión entusiasta a esta causa como de una preferencia que no les llevaba a comprometerse a fondo.

La historia del bando franquista durante la guerra civil consiste en esta sustitución de influencias relativas, en la promoción de personalidades hasta entonces de muy modesta importancia en el terreno político y en los propósitos de establecimiento de un «Nuevo Estado» que en realidad no se llevarían a la práctica sino a partir de 1939. Es este uno de los aspectos menos conocidos de la guerra civil española, porque disponemos de pocos testimonios y porque, además, a diferencia de lo que ha sucedido en el bando del Frente Popular, no existen estudios provinciales o regionales que permitan dar idea de la múltiple variedad y formas concretas de actuación de la nueva legalidad.

Del gobierno militar colectivo a la jefatura de Franco

Si hay algo que demuestre el carácter negativo de la sublevación es el hecho de que *los propósitos de sus protagonistas de ninguna manera habían sido concretados*. El propio general Mola, «director» de la conspiración, en sus conversaciones con los carlistas dio la sensación de querer una dictadura temporal en la que las responsabilidades serían desempeñadas en gran medida por técnicos civiles y en la que el final debía ser una convocatoria de un parlamento. Todo eso tenía muy poco que ver, por supuesto, con los deseos de unos carlistas que querían la bandera bicolor y el establecimiento de un nuevo orden corporativo. Mola, de procedencia liberal, tenía muy poco de monárquico sentimental y lo mismo les sucedía a algunos de los dirigentes militares de la sublevación: no sólo Queipo y Cabanellas sino también Franco dijeron sublevarse por la República. Al principio, antes de que la guerra civil fuera tal, no existía propiamente el espíritu de «cruzada»; Mola tan sólo hizo vagas promesas a los carlistas de encargarles la responsabilidad en materias como la enseñanza, en donde cabía prever que actuaran en sentido clerical.

Como se ve, los planes en cuanto a vertebración de un nuevo Estado eran pocos y cuando fracasó la conspiración entendida como pronunciamiento las urgencias fueron muchas. También en esta zona, como en la adversaria, se planteó, como realidad de hecho, una dispersión policéntrica del poder. De hecho, en cada uno de esos centros la responsabilidad era siempre de un militar, pero también en el bando de Franco hubo verdaderas taifas. Según Madariaga, el estallido de la guerra civil fomentó dos tendencias españolas muy marcadas hacia el separatismo y la dictadura. La destrucción del Estado, tanto en la zona controlada por el gobierno como en la de los sublevados, lo facilitaba.

Sin embargo, los dirigentes militares trataron desde fecha temprana de concentrar en un único organismo directivo todos los poderes. Así surgió una *Junta* militar, sin participación civil. Aunque la Junta estuvo presidida por el general Cabanellas, que era el de superior graduación, su animador fundamental fue Mola. La Junta agrupaba a los mandos de la zona Norte de la Península, única susceptible, una semana después de la sublevación, cuando se formó, de algún tipo de mando unitario. Así se explica que luego se fuera ampliando al resto de los mandos militares cuando se estableció el contacto con ellos: primero se incorporó a ella el general Queipo de Llano y luego lo hizo Franco cuando hubo cruzado el Estrecho. Se ha dicho que la ausencia de personalidades políticas entre los miembros de la Junta puede explicarse por alguna influencia monárquica, pero más bien parece que era la provisionalidad del instrumento de Gobierno lo que puede explicar la marginación de los civiles. En realidad, en la labor de la Junta cabe comprobar esa conciencia de *provisionalidad:* se tomaron las medidas más urgentes, como la propia declaración del Estado de guerra, pero sin una decisión verdaderamente vital.

Un fenómeno que no está suficientemente estudiado, pero que resulta innegable, es la perduración de este originario estado de taifas en la zona que pronto merecería el nombre de franquista. Probablemente debió de existir en toda España en una proporción mayor o menor, por mucho que siempre la autoridad suprema fuera la militar. El caso más caracterizado fue el del general Queipo de Llano en Sevilla que mantendría una situación de práctica autonomía hasta después de concluida la guerra civil. El general, que había inesperadamente triunfado en Sevilla, considerada (con razón) como izquierdista, dio su nombre a las plazas y calles andaluzas y su retrato estuvo mucho más presente que el del propio Franco en los organismos oficiales. Además, limitó drásticamente cualquier tipo de actividad política u organizativa que pudiera llegar a mermar su autoridad. La Falange, por ejemplo, no le inspiraba confianza alguna y, en privado, recomendaba afiliarse a alguna agrupación patriótica que no tuviera que ver con aquélla. Además, Queipo de Llano a menudo legisló por su cuenta y no en temas de escasa importancia: tomó medidas de carácter social e incluso legisló sobre materias de comercio. Su fraccionalismo no resultó grave durante la guerra porque su caso fue excepcional y probablemente obligado. Pero era un obvio límite a los poderes de Franco y por eso fue destituido al acabar la guerra civil.

El ascenso al *supremo mando de la España sublevada del*

general Franco fue rápido y, en realidad, no suscitó excesivos problemas ni tuvo a lo largo de toda la guerra civil un adversario de verdadera entidad. En realidad tenía todo a su favor. En primer lugar, como ya se ha señalado, los militares eran más conscientes que el Frente Popular de la necesidad de permanecer unidos bajo una jefatura única para ganar la guerra y su propia inferioridad en los primeros meses de la guerra hacía que sintieran esta urgencia de manera apremiante. Además, en la derecha había un sector que desde la etapa republicana había venido auspiciando la Dictadura de un militar como instrumento para una posterior restauración monárquica; era el grupo de Renovación Española, que así se convirtió en promotor de Franco, aunque muchos de sus miembros lo acabaran deplorando. Las propias características, como militar, de Franco, le convertían en candidato obvio. A esas alturas cronológicas ocupaba el puesto vigésimo tercero del escalafón, pero era general de división y no de brigada como Mola quien, además, había ocupado un puesto tan significado políticamente como Director General de Seguridad. A diferencia de Queipo de Llano no había tenido una actuación marcadamente política, ni había conspirado contra gobiernos establecidos, fuera cual fuera su signo. No era un genio de la estrategia, pero en la guerra marroquí había demostrado una vocación militar indudable, capacidad logística, habilidad y tenacidad. Sentimentalmente monárquico, siempre había sido muy discreto en cuanto a la manifestación de su pensamiento; en ningún caso fue tan republicano como mostró en el pasado Queipo de Llano. Además, por si fuera poco, en los primeros meses de la guerra había sido, con enorme diferencia, el jefe militar que había logrado éxitos más espectaculares: ello tenía una explicación lógica, pues, en definitiva, en contra de un ejército todavía en formación como era el del Frente Popular, dirigía a las tropas más preparadas de las que disponía España, como eran las destacadas en el Norte de África. Probablemente, si Sanjurjo hubiera vivido, los generales no hubieran dudado en elegirle como su jefe, pero habiendo desaparecido, era Franco el candidato previsible.

Todos estos factores deben ser tenidos en cuenta a la hora de emitir un juicio acerca de la promoción de Franco. Sin duda, él y los suyos dieron una interpretación extensiva a la decisión de los altos mandos militares, pero la realidad es que, aunque con carácter provisional y con una duración que no se pensaba que hubiera de extenderse más allá de la guerra civil, la jefatura de Franco resultó prácticamente indisputada. Como veremos, la única resistencia de cierta envergadura fue la del general Cabanellas, quizá por ocupar la presidencia de la Junta militar, a pesar de que este título fuera simplemente decorativo. Es posible que Cabanellas conociera de forma suficiente el carácter de Franco: según Serrano, anunció que una vez nombrado sería imposible desalojarle del poder, y los hechos, desde luego, confirmaron su apreciación.

El relato más detallado del nombramiento de Franco procede de *Mis cuadernos de guerra,* las memorias del general Kindelán, de las que es preciso recordar que están escritas en un momento en que ya había concluido la guerra mundial y se planteaba la posibilidad de una restauración monárquica, patrocinada por sectores militares; no puede extrañar, en consecuencia, que en este relato se insista en la condición militar y monárquica de los que procuraron la proclamación de Franco. Tal hecho, por otro lado, no es puesto en duda por ningún historiador.

Al parecer, Kindelán planteó el problema de la «unidad de mando», como él mismo la denomina, en Cáceres, a la altura del mes de septiembre y la reacción de Franco resultó, en un principio, cautelosa: «no se decidía a abordar la solución al problema y la dilataba día tras día», cuenta el citado general. Temía las lógicas suspicacias o empleaba, como haría tan habitualmente en el futuro, el procedimiento de dar largas. Quizá temía también perder un mando efectivo (el del Ejército de África) por una magistratura superior pero carente de contenido. Ante las dificultades surgidas, Kindelán cuenta que «busqué una recomendación», la de Nicolás Franco, que desde los primeros momentos de la guerra había actuado cerca de su hermano.

Las reuniones que llevaron a la proclamación de Franco como supremo mando de la causa de los sublevados se celebraron a *mediados y a finales de septiembre de 1936,* la última en una finca del ganadero Pérez Tabernero en la provincia de Salamanca. Sucesivamente se planteó la unidad del mando militar, en primer lugar, y añadir a éste el político, en la segunda de las reuniones citadas. En lo primero parece no haber habido graves dificultades aunque Kindelán transcribe la «acogida displicente de algunos», a los que no cita. El único que parece haber mantenido la necesidad de una Junta y, por lo tanto, de un mando colectivo, fue Cabanellas, y contra su opinión se elevó no sólo la opinión de los generales monárquicos (Orgaz y Kindelán) sino también la de Mola quien afirmó que «yo creo tan interesante el mando único que, si antes de ocho días no se ha nombrado generalísimo, yo digo ahí queda eso y me voy». Kindelán afirmó que había dos formas de enfrentarse con una guerra: con un mando colegial o individual; en la primera las guerras se perdían y en la segunda se ganaban. Sólo Cabanellas no votó por la jefatura de Franco. La decisión, sin embargo, no llegó a ser pública y motivó nuevas insistencias por parte de quienes promovían a Franco.

A fines del mes de septiembre se planteó de nuevo la cuestión que se refería no ya al mando militar sino también al político. Todo hace pensar que en este caso la discusión fue mucho mayor. Kindelán reconoce que su propuesta tuvo «mala acogida» e incluso que se encontró «poco apoyado». Da la sensación de que hubo resistencia por parte del propio Mola, pero que fue precisamente cuando éste aceptó la concentración del mando político en una persona cuando la cuestión quedó resuelta. Mola representaba de hecho a la totalidad del mando militar en la zona norte, pues el resto de los generales actuantes en ella no dudaban en aceptar su liderazgo.

Parece seguro que los mandos militares tomaron, pues, la decisión de concentrar en Franco las responsabilidades políticas y militares, pero no lo es menos que no pensaron en una fórmula jurídica concreta y que en todo caso siempre pensaron en términos de una enorme provisionalidad. Una primera redacción del decreto de nombramiento de Franco le nombraba «jefe de Gobierno», mientras que la fórmula definitiva, que apareció el 1 de octubre, fue «Jefe del Gobierno del Estado», cuyo contenido preciso era la misma vaguedad, pero que, en todo caso, parecía superior a la primera. También fue un monárquico, Yanguas, el redactor del decreto en cuestión y en él intervino también Nicolás Franco que fue quien le dio el contenido citado. Se ha hablado por parte de algunos historiadores de un «verdadero golpe de Estado» con este cambio de denominación: Nicolás habría desempeñado respecto de su hermano el mismo papel que Luciano Bonaparte respecto a Napoleón. Lo que importa en todo caso es que, en los momentos de guerra que se vivían, con una exaltación personalista que convirtió a Franco en Generalísimo y Caudillo, nadie parece haber reparado en la denominación de su cargo.

Al nombramiento de Franco le siguió una primera vertebración administrativa de la España sublevada. A este respecto es preciso concordar con el calificativo que emplea Serrano Suñer en sus memorias; el régimen de gobierno no pasaba de ser *puramente «campamental»*. Franco dedicaba la mayor parte de su tiempo al aspecto militar del conflicto en los propios frentes, los organismos no estaban ubicados en un mismo sitio y, en realidad, las autoridades militares tenían la suprema responsabilidad nombrando ellas mismas a las civiles. Incluso se puede decir que el Estado tenía algo de puramente patrimonial dada la importancia jugada por Nicolás Franco en estos momentos como secretario general; un amigo suyo, el diplomático monárquico Sangróniz, se ocupaba de las relaciones exteriores y un militar, antiguo jefe de Franco, Millán Astray, era responsable de la Oficina de Prensa, aunque la mayor parte de la responsabilidad le correspondía, a lo que parece, a personalidades procedentes del periodismo derechista. Todos estos organismos estaban en Salamanca, pero había también otros en Burgos y en Valladolid. En la primera tenía su sede una Junta Técnica, creada inmediatamente después de la exaltación de Franco a la Jefatura del Estado de la que fue responsable en un primer momento el general Dávila; actuaba a través de unos órganos colectivos denominados «comisiones», cuyos presidentes venían a desempeñar una función paraministerial. En Valladolid, por otro lado, se instalaron los servicios de orden público, desde un principio dirigidos por Severiano Martínez Anido.

La descripción de la vida en los círculos gubernamentales de estas ciudades castellanas y principalmente de Burgos y

Salamanca aparece transcrita de forma colorista en las memorias de Serrano Suñer y de Ridruejo. El primero habla del aire romántico, de la alegría provocada por la guerra santa y del anacronismo que predominaba cuando él llegó, a comienzos de 1937. La profusión de uniformes (D'Ors decía que en la España sublevada en realidad lo que había era multiformes) demostraba la pluralidad originaria, desde el punto de vista ideológico, de los sublevados. Había ya un aglutinante entre ellos que era el ideal de «cruzada», surgido con una espontaneidad evidente, por muy sorprendente que hoy nos pueda parecer, y dotado de una vitalidad enorme. Lo que no había propiamente era un Estado sino una caricatura cuartelera del mismo. Para parodiar el sistema de gobierno, un diplomático guasón, Foxá, habló del «nicolás-sindicalismo» (por el hermano de Franco) en vez de nacional-sindicalismo. Éste llevaba las cuestiones con escaso orden y una multiplicidad de atenciones que hacía imposible el funcionamiento de la maquinaria estatal. Los jóvenes dirigentes falangistas se irritaban ante el prosaísmo y la rudeza de los militares a los que correspondía dar doctrina sobre el futuro del país. A Dionisio Ridruejo le parecía «abominable» que Mola empleara este lenguaje para hacer declaraciones sobre las intenciones políticas de los sublevados: «Y ahora voy a definir el nuevo Estado; oído al parche». Laín narra que los falangistas tenían tan escaso respeto a Fidel Dávila, responsable de la Junta Técnica de Estado, que le llamaban «Don Favila».

Todos estos signos de pluralidad política y de ausencia de vertebración estatal y administrativa debían necesariamente llevar a la descomposición o a la unidad y la transformación del sistema de gobierno. Sucedió lo segundo y si a Franco le resultó posible conseguirlo, al menos en parte se debe a que tuvo el apoyo de Ramón Serrano Suñer, su cuñado, llegado de la zona republicana después de un grave trauma personal, perseguido y habiendo perdido a sus hermanos. Sensible y emotivo, dotado de capacidad administrativa indudable, Serrano podía sustituir el Estado campamental por el Derecho de la Revolución Nacional Española, es decir por un Nuevo Estado homologado a los fascismos.

La unificación y los sucesos de Salamanca

En el momento de la llegada de Serrano Suñer a la zona rebelde estaba ya planteada una cuestión política cuya resolución no era fácil. La suprema responsabilidad de Franco, incluso en el terreno político, dejaba subsistentes los antiguos partidos políticos de la derecha que podían llegar a manifestar tendencias dispersivas. Además, por mucho que los militares hubieran absorbido las supremas responsabilidades, era necesario un instrumento de movilización política de masas. La idea de una posible unificación política estaba en las mentes de los dirigentes monárquicos como Goicoechea, e incluso Nicolás Franco parece haber pensado en un sucedáneo de la Unión Patriótica. Por su parte, tal tendencia unificadora no podía ser objeto de ninguna reticencia por parte de organizaciones que a estas alturas simplemente se habían desvanecido, como era el caso de la CEDA.

El problema principal para la España de Franco nacía de las dos organizaciones de masas, carlistas y falangistas, especialmente de los segundos, que no en vano triplicaban en efectivos de sus milicias a los primeros. A comienzos de 1937 ya habían existido problemas con los dos sectores: Fal Conde debió exiliarse cuando se vetó por Franco la creación de una especie de academia de mandos militares carlistas y, en febrero de 1937, levantó gran revuelo la lectura por la radio de uno de los discursos más revolucionarios, en lo social, de José Antonio. Parece evidente que Franco distaba mucho de sintonizar con el fundador de la Falange, al que trataba de «ese chico» y al que debía de ver como un posible rival. Pero para él debía de ser más importante todavía el hecho de que la Falange, al estar seriamente dividida, pudiera poner en peligro el esfuerzo de guerra. También los carlistas estaban divididos en una tendencia más purista (Fal Conde) y otra dispuesta al colaboracionismo con Franco y con la otra rama monárquica. Pero los carlistas eran menos peligrosos: en definitiva Franco se limitó a vetar la presencia en España de su pretendiente, D. Javier, igual como hizo con D. Juan de Borbón.

La situación en Falange era mucho más complicada, por su brusco crecimiento y la ausencia de dirigentes de solera.

La Jefatura Nacional era desempeñada por Manuel Hedilla, un mecánico santanderino, honesto, carente de imaginación y probablemente incapaz de un liderazgo independiente, que, en palabras de Ridruejo, «no pasaba de discreto y él mismo lo sabía». Representaba, sin embargo, una Falange de tono social y de voluntad de independencia. Su estrategia, sin embargo, quizá por culpa de alguno de sus consejeros, fue pésima, y dio pie a la intervención de Franco. De todas maneras, la realidad es que un elemento más decisivo todavía fue la propia fragmentación del poder en la Falange, convertida en una serie de reinos de taifas que disputaban por razones en las que se mezclaba el legitimismo de los cargos desempeñados, el grado de izquierdismo, la disponibilidad para una posible unificación y el puro personalismo. Desde enero, primero en Sevilla y luego en Lisboa, determinados sectores de Falange negociaron, en términos cordiales pero sin llegar a acuerdo alguno, con los carlistas, en relación con una posibilidad de fusión. No es seguro que Hedilla permaneciera informado de estos contactos y parece evidente en cambio que no controlaba a la Falange del sur, representada por Garcerón, Aznar, Sancho Dávila, Escario, etc., que tuvo el protagonismo de esos contactos. Pronto el enfrentamiento de estos dos sectores de la Falange se convirtió en una situación de tensión permanente observada con preocupación por un mando militar cada vez más urgido a la labor unificadora por Serrano.

Ésta, sin embargo, no se llevó a cabo sino después de que el conflicto entre falangistas degenerara en un enfrentamiento nocturno de los bandos rivales. El 16 de abril los antihedillistas nombraron un triunvirato formado por Dávila, Aznar y Morano. Aquella noche un grupo de hedillistas se dirigió a la pensión donde pernoctaba Sancho Dávila y en el enfrentamiento subsiguiente resultó muerto uno de ellos, Goya, jefe de la Falange de Salamanca, así como un escolta de Sancho Dávila. El 18 se celebró un Consejo Nacional en el que definitivamente fue nombrado Hedilla Jefe Nacional, aunque con mayoría relativa y muchos votos en blanco, cuando era él el único candidato. El 19 se producía la reacción del mando militar, auspiciada por Serrano, lógica si se quiere en un tiempo de guerra civil pero sobre todo pintiparada para establecer un partido único dócil a una dictadura personal; la noche anterior, Hedilla anunció junto con Franco la decisión. Quedaba constituido el grupo político fascista (más bien fascistizado o fascistoide) de nombre más largo de la historia. Fue —escribe Madariaga— una «indescriptible tarasca tan heterogénea como su nombre: Falange Española Tradicionalista de las Juntas de Ofensiva Nacional Sindicalista». La decisión fue inmediatamente muy bien recibida por los militares y quizá también por los monárquicos y por la masa combatiente. Los carlistas, en cambio, no la vieron con ningún entusiasmo.

Los más peligrosos para Franco eran los falangistas porque hubieran sido los únicos capaces de reaccionar. El mando militar había visto con perplejidad el desarrollo de los acontecimientos en el seno de Falange. Mola, por ejemplo, afirmó que no sabía qué querían los hedillistas y que pensaba que ellos tampoco lo sabían. Su actuación fue sólo aparentemente decidida. Hedilla ordenó a las Falanges provinciales que solamente atendieran a sus propias órdenes, pero da la sensación, sobre todo, de haber esperado la mejor ocasión para negociar un reparto de poder en el nuevo partido con el mismo Franco. Éste, sin embargo, no estaba dispuesto a admitir la más leve apariencia de resistencia: cuando el día 25, Hedilla se negó a formar parte de la Junta del nuevo partido, Franco inmediatamente lo consideró como una traición: fue condenado a muerte. Era, por supuesto, monstruosamente injusto y la sentencia no sería ejecutada. El resto de su vida lo viviría Hedilla en una situación de ostracismo oficial pensando en una Falange independiente que siempre resultaría imposible. Hubo otras detenciones y condenas como la de Arrese, condenado a dos años y pronto vuelto a los puestos oficiales, nada más salido de la cárcel. En realidad la resistencia de la Falange fue prácticamente nula: Dionisio Ridruejo nos descubre la razón al afirmar que el esfuerzo de guerra era «absorbente y neutralizado». En adelante la Falange y, en general, todos los grupos políticos quedaron condenados a ocupar el puesto que se les designó. No había habido propiamente un golpe de Estado sino más bien un golpe de Estado a la inversa. Lejos de hacerse con el poder un grupo político, había sido el mando el que se había apoderado del poder político hasta entonces en manos del partido. Desde el principio hubo por tanto un partido dominado desde el poder.

En principio podía pensarse que tal situación favorecía a los monárquicos, escasos pero capaces de proporcionar a Franco los cuadros administrativos necesarios. En el diario de Pemán se encuentra, sin embargo, un reflejo de la primera consecuencia de esta unificación forzada. De la primera conversación que tuvo con Franco salió convencido de su «sencillez y clarividencia». «No se da cuenta —añadía— de su enorme fuerza actual y de la unanimidad con que le siguen». Pero pronto sería consciente de ella y esto le convencería de la «necesidad» de ejercer en soledad y plenitud el poder. Sin embargo la *personalización* del poder no fue la única consecuencia de lo ocurrido ni de ello derivó una mayor fuerza para los monárquicos que veían de forma tan entusiasta a Franco. La razón fundamental es que, como dice en sus memorias Serrano, él mismo «les aguó la fiesta».

En efecto, la unificación no encontró resistencia física apreciable por parte de Falange, pero sí creó un núcleo de puristas reunidos en una especie de sanedrín en torno a Pilar Primo de Rivera, que ejercía de sacerdotisa rememoradora de la figura del Fundador de Falange. Uno de ellos, Ridruejo, ha descrito su reacción negativa y malhumorada ante lo sucedido, a pesar de que todos ellos conservaron sus cargos: para ellos lo sucedido era, en realidad, hacer desaparecer la vitalidad espontánea de dos organizaciones y hacer nacer otra carente de ella. No conspiraron, pero se mostraron muy reticentes. Confiaron mucho, por ejemplo, en la llegada de Raimundo Fernández Cuesta, que había desempeñado un papel crucial en la Falange originaria y que, con más títulos que Serrano, era albacea testamentario de José Antonio, exactamente como él. Pronto éste, sin embargo, les acabó pareciendo un fiasco por su blandura y contemporización. Poco a poco, según el mismo Ridruejo, su postura pasó de distanciada a negociadora y de ahí a integrada.

Quien lo logró fue precisamente el propio Serrano que, paradójicamente, había sido autor principal de la unificación. Curiosamente entre Serrano y Ridruejo acabaría anudándose una relación de amistad perdurable, acompañada de colaboración política. Los puristas se dieron cuenta de que Serrano era el personaje político superior en la España de su cuñado. Serrano se convirtió a las tesis falangistas y pareció el más capaz de realizarlas. Su intimidad con Franco era ya muy grande; vivía en el mismo edificio que él, era trabajador, tenía conocimientos jurídicos y pertenecía a un mundo político que al general Franco le era poco conocido antes de la guerra. Además, después de la unificación a estos rasgos fundamentadores de su poder pudo añadir otros. En efecto, Serrano Suñer se convirtió en el medio de poner en contacto a la Falange más arisca con Franco y, por lo tanto, en un intermediario esencial para la política del nuevo régimen. Eso le daba una lógica preeminencia e incluso, a ojos extremos, le situaba, si no en un plano de igualdad, sí desde luego en un segundo plano inmediato, al lado de Franco. De éste, un político español conservador, pero exiliado, escribió en su diario: «Desconoce la historia de España: habla de política y demuestra que no sabe más que un tertuliano de café de pueblo. Habla de economía y ¡válgame las cosas que dice!». Quien escribió estas líneas era Cambó. Desde luego no hubiera podido decir nada semejante de un Serrano Suñer.

Sin embargo éste, desde un primer momento, hubo de luchar contra acusaciones de «privanza» puramente familiar. Ya en 1937, Pemán reflejó en su diario las acusaciones de «rasputinismo» contra el cuñado de Franco «por no tener cargo oficial e intervenir en muchos asuntos, por su procedencia cedista, hasta por su contextura física enfermiza y pálida». Pero, de momento, pensaba Pemán, éste no era más que un «malestar puramente burgalés y salmantino, de corte, de intriguilla, de comadreo». Cada paso adelante en el aumento del poder de Serrano fue acompañado de una creciente maldicencia respecto de su persona.

La unificación tuvo como consecuencia que el Estado rebelde empezara a superar su condición «campamental» y, además, adoptara un tipo de organización partidista que ya era comparable con la de los países totalitarios. En el verano de 1937, Dávila llamó al general Gómez Jordana para sustituirle en la Presidencia de la Junta Técnica. Gómez Jordana había sido uno de los vocales del Directorio militar; hombre eficaz y trabajador, procuró poner en orden el inmenso desbarajuste con que trabajaba la Junta. De él se conserva un diario inédito en que se describe a sí mismo como «verdaderamente descorazonado por imposibilidad de arreglar este maremágnum». El caos de Nicolás Franco, los enfrentamientos internos, la existencia de verdaderas taifas militares sólo pudieron ir siendo encauzados de manera lenta y con los mayores equilibrios. Jordana fue, junto a Serrano, la persona más importante en el aparato administrativo incipiente. Ambos, conscientes de que la situación no podía prolongarse, desde octubre de 1937 pidieron a Franco que formara un gobierno propiamente dicho. Pero ya en esta ocasión se demostraría la lentitud característica con la que siempre Franco procedió a sus crisis de Gobierno.

La unificación no sólo eliminó un motivo de conflicto interno sino que, ademas, fue el acta de nacimiento de un nuevo partido político que pretendía ser sincrético. A veces, efectivamente, lo era, incluso por el procedimiento de solapar responsabilidades de personas de distintas procedencias. Así, por ejemplo, la acción del partido en lo que respecta a la mujer, dedicada especialmente a su colaboración en la guerra, tuvo como protagonista principal a Pilar Primo de Rivera, pero a su lado tenía a falangistas más radicales como Mercedes Sanz Bachiller o las tradicionalistas Urraca y Ampuero. Sin embargo, en términos generales, entre el partido y la Junta Técnica existía a menudo *una dualidad*. Pemán, que era presidente de la comisión de Educación y Cultura de la Junta, manifestó en una ocasión sus temores a Jordana de que surgiera una antinomia «entre las cosas católicas y las cosas nuevas y fascistas» y de que la Junta se convirtiera en «un refugio y cuartel general de todo lo que queda fuera del partido único».

La verdad es, sin embargo, que por mucho que esta dualidad existiera, en el fondo no debía haber problemas graves entre estos dos sectores por la sencilla razón de que Franco, a partir de la unificación, siempre dejó bien claro que era a él a quien le correspondía la decisión fundamental. Siempre hablaba de su poder político con los términos militares de «mando y capitanía», como para justificar su única responsabilidad. De ninguna manera toleró que el partido pudiera plantearse, en sus Estatutos, la posibilidad de declararle incapaz o destituirle, no juró ningún tipo de cargo y se sintió, como no tardarían en decir los textos oficiales, «sólo responsable ante Dios y ante la Historia». La desaparición de Mola acrecentó su poder mientras que la falta de protagonismo militar del Frente Sur privaba a Queipo de Llano de capacidad de acción. Algún militar poco proclive a su persona, como Cabanellas, fue marginado y, en cambio, la oficialidad joven resultó mucho más franquista que monárquica o se transformó en tal durante la guerra.

En cambio, los órganos del nuevo partido simplemente no funcionaron en absoluto. El Consejo Nacional del Movimiento, creado en octubre de 1937, tenía, como resultaba esperable, una composición plural con una veintena de falangistas, una docena de carlistas, un puñado de militares y otro, más reducido, de monárquicos. Su primera reunión fue aparatosa pero su propia composición hacía prever que su funcionalidad sería escasa. Cambó desde el exilio, juzgó que estaba formado por personas insignificantes pertenecientes fundamentalmente a dos organizaciones que se odiaban. Los propios consejeros eran completamente conscientes de que el Consejo tenía una utilidad muy limitada. El diario de Pemán, uno de ellos, lo prueba: «He sido nombrado Consejero Nacional de FET... y etcétera. No creo que dé mucho trabajo el nuevo cargo. Supongo que el Consejo será una cosa suntuaria, estilo gran Consejo fascista que se reúne para declararle la guerra a Abisinia cuando ya está declarada». Quienes no estaban convencidos, como por ejemplo Queipo de Llano, y quisieron plantear cuestiones candentes pronto vieron sus propósitos impedidos por el propio Franco. Algo más funcionó la Junta Política, pero siempre en un segundo plano. Al mismo tiempo, sin embargo, la España de Franco no tardaría en asumir la casi totalidad de los puntos programáticos de la Falange con la exclusiva salvedad de aquél, que vedaba la colaboración con otras fuerzas políticas.

El gobierno de 1938 y los orígenes del Nuevo Estado

A finales de enero de 1938 Franco acabó aceptando las presiones tanto de Jordana como de Serrano Suñer para que formara un verdadero gobierno y superar, de esta manera, de forma ya definitiva, el «Estado campamental» que hasta entonces había presidido los destinos de la España acaudillada por Franco. Quienes habían desempeñado hasta entonces los papeles fundamentales en la esquelética estructura administrativa de Burgos y Salamanca, Nicolás Franco y Sangróniz, pasaron a desempeñar puestos de representación diplomática, el primero en Lisboa y el segundo en Caracas. No debe, sin embargo, pensarse que entraran en una especie de ostracismo porque, por ejemplo Franco, siguió desempeñando un papel fundamental para su hermano, llevando negociaciones de crucial importancia, primero con respecto a Mussolini y luego con Salazar y D. Juan de Borbón. Pero sin duda, lo sucedido significaba un desplazamiento del poder. El beneficiario del mismo resultó Serrano Suñer. Había sido él quien había sugerido a Franco que no entrara su hermano en el gabinete porque ya era «demasiada familia en el Gobierno». Obtenía, además, un puesto de enorme relevancia política, el Ministerio de la Gobernación, sin sus inconvenientes, pues el cuidado del orden público quedaba en las manos del general Martínez Anido. Esto valía incluso para los monárquicos como Sáinz Rodríguez que habían de ser adversarios suyos en el futuro: por el momento primó una relación personal porque el nuevo ministro de Educación había sido testigo de su boda. Fue el propio Serrano el que vetó la candidatura del ex-cedista Pabón para ocupar esa cartera.

La crisis inauguró en varios aspectos la *típica forma franquista* de llevar a cabo una modificación de un gabinete ministerial. Era, en primer lugar, un gabinete plural en el que figuraban, en proporciones relativamente semejantes personas procedentes del Ejército, del régimen de Primo de Rivera, de Renovación Española, Falange y el tradicionalismo. De la derecha de la época republicana faltaban, por supuesto, los republicanos conservadores y la CEDA, a no ser que otorguemos dicha adscripción a Serrano Suñer. Había, además, otro hecho significativo y es la atribución de *determinadas carteras de forma preferencial* a ciertas significaciones políticas. El puesto de Ministro de Educación se atribuyó, por eso, a Sainz Rodríguez, un monárquico católico, y no a un falangista. En cambio, Trabajo y Agricultura permanecieron en manos de los falangistas (en el segundo caso, en las de Fernández Cuesta, probablemente para que no fuera rival, en la Falange, de Serrano). Es significativo también que Rodezno ocupara la cartera de Justicia, destinada a tener principal relación con la Iglesia: Rodezno era un carlista, en el fondo escéptico, al que le hubiera gustado, según cuenta Serrano, que se proclamara la Monarquía para tener la oportunidad de pasear con el Rey y hablar de caza. En general, finalmente, quienes resultaron ministros no eran personas conocidas de los partidos de derechas de la preguerra ni menos aún dirigentes significativos de los mismos. Por eso, en el exilio, Cambó meditó acerca de la «terrible inferioridad» de los dirigentes franquistas.

Respecto de la labor de este ministerio lo primero que es preciso advertir es que, en cierto sentido, su forma de actuación no experimentó un cambio sustancial con relación a la etapa precedente. Franco siguió dedicado fundamentalmente a las operaciones militares y residiendo en «Terminus», su cuartel general junto al frente de combate. Muy a menudo los Consejos de Ministros eran presididos, por tanto, por Gómez Jordana, pero al hacerlo se encontró con que Serrano Suñer o no asistía o llegaba tarde. La razón estribaba en que Jordana ocupaba la vicepresidencia, pero Serrano, que lo juzgaba hombre del pasado y cuya fuerza política en el entorno de Franco no cesó de crecer, era un obvio candidato a jugar un papel mucho más decisivo en el momento de concluir la guerra civil. Serrano Suñer, además, se enfrentó con alguno de los ministros que él mismo había contribuido a nombrar, como Suances y, mucho más todavía, con un Martínez Anido, al que no había nombrado. Existían, además, diferencias de criterio en temas fundamentales, como por ejemplo las relaciones con la Iglesia: Rodezno, por ejemplo, deseaba que se liquidara toda la legislación de la República sin contrapartida, a lo que se oponía una parte de los ministros. El ingenio mordaz de Sainz Rodríguez le hizo en ocasiones ganarse la enemistad de otros ministros y aun del propio Franco. Al final de su gestión, a comienzos de 1939, el gabinete se caracterizaba por la desconfianza mutua en que vivían sus miembros. Por la preeminencia que la Prensa, controlada por él mismo, daba a las declaraciones de Serrano, se daba la sensación hacia el exterior que era inminente una remodelación ministerial y que ésta iba a tener como principal motivo destacar la importancia del cuñado de Franco, incluso haciéndole presidente del Gobierno. Resulta sin embargo dudoso que esto fuera verdaderamente pensado en serio por quien tenía que llevarlo a cabo. En todo caso esta situación explica que cuando la renovación ministerial se produjo afectara a la mayor parte de sus miembros.

Sería, desde luego, incorrecto, juzgar que este gobierno sentó las bases del Estado Nuevo, principalmente porque en realidad durante la guerra civil fue poco lo que se hizo a este respecto. Las decisiones tomadas fueron puntuales y no daban la sensación de formar parte de un todo pensado. El sentido de la mayor parte de estas disposiciones estaba, sin embargo, suficientemente claro en cuanto que desde luego asemejaba el caso español al de los otros regímenes fascistas de la época. No hubo sin embargo una cascada de disposiciones que transformaran las estructuras del régimen anterior, sino declaraciones de intención y medidas dispersas, la mayor parte de las cuales tenían un propósito represivo o negativo con respecto a la situación preexistente.

El régimen de Franco no definió su futura organización en absoluto durante la guerra civil. Tanto la Junta Técnica como el Gobierno posterior nacieron de disposiciones que daban sensación de provisionalidad. Esta claro, sin embargo, el predominio militar en este bando, pues el Ejército era considerado como símbolo de la unidad nacional. Todos los partidos políticos adictos al Frente Popular fueron suprimidos y sus bienes incautados; igual sucedió con los sindicatos. También se prohibió la actividad política y sindical del resto de las agrupaciones políticas y sindicales, es decir, las de derechas. Una disposición de febrero de 1937 convirtió a la autoridad militar en la jerárquicamente superior en toda la zona de Franco, pero, en realidad, desde antes había sucedido así sin necesidad de disposición legal alguna.

Esta situación de predominio militar fue un factor explicativo decisivo para que las disposiciones de rango semejante al constitucional que se tomaron fueran escasas. Hubo, sin embargo, algunas, en las que había el suficiente grado de unanimidad en el bando rebelde. El Estatuto vasco y el catalán fueron suprimidos y (en contra de la opinión de los carlistas) se suprimió también el concierto económico en las provincias de Vizcaya y Guipúzcoa. También había práctica unanimidad con respecto a la legislación de Prensa en sentido, por supuesto, limitativo de cualquier forma de discrepancia; hacerlo era probablemente, además, una necesidad explicable del momento bélico. La Ley de Prensa de abril de 1938 no señalaba, sin embargo, esta provisionalidad, sino que consideraba a la Prensa como «uno de los viejos conceptos» que el Nuevo Estado debía someter urgentemente a revisión. El Estado tendría, en adelante, una función de «organización, vigilancia y control» de la Prensa. Estos términos no eran gratuitos porque al ministro de la Gobernación le correspondían no sólo la dirección de los servicios de censura, sino la aprobación de los directores de todas las publicaciones, así como la posible destitución de los mismos. Lo significativo de esta ley no era tanto su contenido (la censura se regulaba «mientras dure») sino el mucho tiempo que estuvo vigente: hasta 1966.

Hasta cierto límite tiene su lógica que el bando franquista, que no creó ninguna ley de rango fundamental en el terreno político-institucional, en cambio lo hiciera en materias relativas a cuestiones sociales. La Dictadura militar personal de Franco estaba sólidamente instaurada y no requería una vertebración institucional ni ésta era imaginable. En cambio, para el bando rebelde era necesario demostrar palpablemente que existía una conciencia social que el adversario manifestaba inexistente. De ahí la promulgación del Fuero del Trabajo en marzo de 1938. Su elaboración parece haber sido complicada pues hubo varios borradores en los que participaron, aparte del ministro del ramo, González Bueno, personas de muy diferentes adscripciones aunque en su mayoría falangistas (Ridruejo, Conde, Garrigues) y/o monárquicos (Aunós, Yanguas, Bilbao). La disposición no era en realidad más que una genérica declaración de intenciones, resumida en dieciséis puntos, con un preámbulo en el que de forma sintética se aludía, como inspiradores del texto, a la tradición católica del Imperio y a las tesis nacionales totalitarias y sindicalistas, contrarias al capitalismo liberal y al materialismo marxista. Se desgranaba a continuación un conjunto de explicaciones sobre la concepción del Nuevo Estado acerca del trabajo, su retribución, la previsión social, el capital y el crédito, la propiedad privada y la organización sindical. Desde luego, la visión que de la organización social se desprende de este Fuero, denominación de regusto medieval, es obviamente contraria al modelo liberal y capitalista como lo demuestra aquella frase en que se afirma que «la producción nacional constituye una unidad económica al servicio de la Patria». El nacionalismo, de esta manera, sometía los principios de la economía libre a un interés diferente. De esta concepción derivará, en definitiva, la política económica del régimen basada en una especie de autarquía cuartelera. El «Fuero» contenía la promesa de llevar a cabo este programa cuando concluyeran las circunstancias bélicas pero, además, incluía algunas concreciones, como el establecimiento de la fiesta del Trabajo, la creación del subsidio familiar, la creación de los huertos familiares, etc.

La obvia analogía entre el Fuero del Trabajo y la *Carta del Lavoro* fascista nos introduce en una cuestión de interés: ¿hasta qué punto se puede decir que las potencias colaboradoras de Franco, la Alemania nazi y la Italia fascista, influyeron en la política interior española y en el comienzo de la vertebración del Nuevo Estado? La respuesta es positiva en lo que atañe al caso del Fuero del Trabajo: si la semejanza entre él y la *Carta del Lavoro* es muy grande la razón estriba en que la última versión de su texto, redactada por ponentes monárquicos, fue asesorada por un sindicalista fascista italiano llamado Marchiandi, venido expresamente con tal propósito. Sin embargo, esto no debe hacer pensar que los italianos intervinieran muy activamente en la política interior española. Aunque recibieron muy bien al gobierno de 1938 porque implicaba la marginación de Sangróniz, al que consideraban demasiado anglófilo, no influyeron en su composición ni en su programa. Su papel en la guerra fue apoyar a Franco y hacer posible su jefatura y su victoria. Por supuesto hubo una imitación de los modos fascistas por parte de los dirigentes españoles, pero este hecho partió mucho más de ellos mismos que de los italianos. Por otra parte, era lógico que la fórmula totalitaria italiana fuera mucho más aceptable para los españoles franquistas que la nazi. En cuanto a los alemanes, durante la embajada de Faupel mostraron una cierta actitud intervencionista que derivaba del carácter excesivamente conservador que atribuían a la España de Franco. Sin embargo, las simpatías por Hedilla no concluyeron en nada concreto. Para Hitler lo más importante en España era conseguir un aliado y obtener materias primas de las que carecía, mucho más que lograr que allí apareciera un régimen homologado con el suyo.

Pero volvamos a las medidas de carácter social que, con la mirada puesta en atraer al menos a parte de la clase trabajadora, fueron llevadas a la práctica en el bando de Franco. En fecha tan significativa como era el 18 de julio de 1938 se promulgó una Ley que incidía en un punto también habitual en el programa político de la derecha durante la segunda república: el subsidio familiar, pues, como se decía en el preámbulo de la disposición, «es consigna rigurosa de nuestra revolución elevar y fortalecer la familia en su tradición cristiana, sociedad natural y perfecta, y cimiento de la Nación». En cuanto a los comienzos de la futura organización sindical, si por un lado tenían como propósito dar al régimen una imagen de respuesta a las reivindicaciones de la clase proletaria, eran también un instrumento para el encuadramiento de las masas. Por supuesto, de ninguna manera se pudo pensar en la posibilidad de que persistiera una auténtica vida sindical independiente. La creación de las magistraturas de trabajo, por ejemplo, había sido también un proyecto de la derecha durante la etapa republicana y tenía como objeto desmontar organismos de representación partitaria en los que existía una parte sindical de representación democrática.

En realidad, por tanto, el objetivo principal de la labor sindical en estos momentos iniciales fue el de encuadramiento y asunción en sus propias filas de lo que quedaba de los sindicatos precedentes, aunque siempre con la promesa de que en el futuro a los sindicatos les correspondería una función de importancia económica y, sobre todo, social. Durante los primeros meses después del estallido de la guerra habían perdurado los sindicatos católicos y tradicionalistas, pero pronto fueron obligados a someterse a la disciplina de las llamadas Centrales Obreras Nacional-Sindicalistas. Entre los tratadistas de derecho público más vinculados a la Falange, el sindicalismo, así unificado, se concibió, claro que teóricamente, como un instrumento vertebrador del Nuevo Estado: alguno de ellos lo llegó a entroncar con la CNT y todos pusieron como ejemplo el papel que jugaban los sindicatos en la Italia fascista, aunque en ningún momento en España se debió llegar a pensar en la posibilidad de que existieran, como en aquel país, sindicatos distintos para patronos y obreros. La mejor imagen de lo que debían ser las centrales nacionalsindicalistas se encuentra en los estatutos de Falange de agosto de 1937 en donde se dice que serían «un servicio necesario» del Partido único, «conformado y tutelado por las jerarquías del Movimiento», para constituirse, a través de una gradación vertical, «a la manera de un ejército creador ordenado y justo». Las primeras disposiciones que atribuyen a la organización sindical un papel importante en la vida económica son posteriores al Fuero del Trabajo, y en realidad, las comisiones reguladoras de la producción entonces creadas tuvieron un papel muy modesto. Un intento de sindicalismo propiamente fascista habría de esperar a la finalización de la guerra civil.

Examinados los aspectos estrictamente políticos y sociales de este primer intento de vertebrar un Nuevo Estado, es necesario referirse a otras vertientes paralelas de la acción del Gobierno o de la Junta Técnica previa. Unas breves notas acerca de la política educativa y cultural, por un lado, y de la economía, por otro, de la España de Franco durante la guerra civil, permitirán darnos una imagen más completa de lo que era y representaba el bando de Franco.

En lo que respecta a la política educativa, su corte fue netamente de derecha tradicional, sin que alcanzara por el momento importancia alguna la veleidad de la Falange. Muy de acuerdo con la visión de esa derecha tradicional, se consideró, por los que iban a ser vencedores en la guerra civil, que la supuesta perversión de las conciencias nacía de una educación deficiente. De ahí la necesidad de la depuración del profesorado cuya primera normativa data de tan sólo un mes después de estallada la guerra civil y es, por tanto, anterior a la prohibición de los partidos políticos. Las comisiones depuradoras de profesionales de la enseñanza requirieron informes de las «fuerzas vivas» (comandante de la guardia civil, alcalde y párroco) acerca del comportamiento de los maestros; ya se puede imaginar que abundaban acusaciones peregrinas como «estar bien visto por los rojos» o «proceder de la Institución Libre de Enseñanza». No es posible establecer un balance final de esta depuración pero pueden bastar dos muestras para apreciar su intensidad y duración. En Cataluña y el País Vasco se suspendió a todos los funcionarios docentes exigiéndoles la petición de reingreso. En 1969, treinta años después de concluida la guerra civil, todavía había abiertos en el Ministerio de Educación dos centenares de expedientes de depuración.

Un segundo paso en la política educativa estuvo constituido por el otorgamiento de un papel decisivo a la Iglesia y a la Religión. En gran parte estas medidas surgieron espontáneamente, sobre todo en alguna región, como Navarra. Luego fueron ratificadas por los organismos centrales de la España de Franco: así se implantó una hora de enseñanza religiosa, se suprimió la coeducación, considerada vitanda, y se implantó la imagen de la Virgen María en los centros docentes. Se introdujo, asimismo, la fiesta de santo Tomás de Aquino, y el mismo día que las tropas de Franco entraban en Madrid, se reintegró el crucifijo a la Escuela. En cuanto a los contenidos docentes, el principio religioso jugaba un papel importantísimo al mismo tiempo que el nacionalismo: Historia e Historia Sagrada eran la base de la educación patriótica. La Ley de reforma del Bachillerato, de septiembre de 1938, potenció los estudios clásicos como «camino seguro para la vuelta a la valorización del ser auténtico de España». Ese era el propósito de la Ley: el descubrimiento de que el catolicismo era la «médula de la Historia de España» y «la revalorización de lo español y la definitiva extirpación del pesimismo antihispánico y extranjerizante, hijo de la apostasía y de la odiosa y mendaz leyenda negra». Con esta mentalidad ya puede preverse que la política cultural consistiera, entre otras cosas, en la depuración de los fondos de las bibliotecas públicas. Aquellos que fueran pornográficos o política y socialmente disolventes deberían ser destruidos, mientras que con los menos peligrosos se constituiría una especie de fondo sujeto a consulta reservada: como en el caso del bando adversario la política cultural consistió en una instrumentación a favor del objetivo crucial que era ganar la guerra. En este aspecto, sin embargo, la labor de la España de Franco alcanzó una mucho menor significación que su adversaria, que si, en su balance negativo, tuvo la enorme destrucción de edificios religiosos, en el positivo demostró una sensibilidad para este tipo de propaganda. De todas maneras, la sola lectura de los nombres que formaban el Instituto de España, órgano de la alta cultura creado por el nuevo régimen, demuestra que éste no se hallaba carente de apoyos en el mundo de la cultura y de la intelectualidad.

Para concluir, alguna referencia es necesaria a la política económica seguida por la España que resultaría vencedora. Si el Frente Popular financió la guerra gracias a las reservas metálicas y en divisas, en cambio la España de Franco lo hizo gracias a una sucripción nacional y, más aún, a la retención de una parte de los sueldos de los funcionarios. Sin embargo, el mecanismo esencial de financiación, con mucho, fueron los préstamos concedidos por las naciones amigas, merced a contrapartidas en materias primas como en el caso de Alemania o un endeudamiento con Italia, regulado sólo provisionalmente, y que sería liquidado mucho después en condiciones muy ventajosas. Este tipo de actitud por parte de los dirigentes de la España franquista demostraba su evidente nacionalismo, actitud económica que perduraría en la posguerra. Lo hizo aliado a otro rasgo que también habría de constituir un rasgo característico de la política económica posterior: una voluntad de autarquía que no siendo propiamente fascista y basada en un paternalismo ordenancista quizá no tiene mejor calificativo que «cuartelera». La guerra obligó, en efecto, a que la enteca administración del nuevo régimen hubiera de ocuparse de cuestiones muy variadas, interviniendo en el comercio del oro, en las sociedades privadas o en el desarrollo de industrias de guerra. Por supuesto, al mismo tiempo, se detuvo la reforma agraria, en lo que tenía de redistribución de la propiedad y, en cambio, cumpliendo también un punto del programa de la derecha de la época republicana, se acudió a una Ley de Ordenación triguera con la constitución de un Servicio Nacional del Trigo destinado a «iniciar la reforma económica de nuestra agricultura completada en su día con la reforma social». Esta misma actitud resultaba también intervencionista y así explica que existiera al comienzo de la posguerra un hábito, muy de acuerdo con la idiosincrasia de los dirigentes del régimen, que tardaría mucho en disiparse y en Franco no lo haría definitivamente nunca.

Los orígenes del franquismo

Si bien se mira la conclusión que cabe extraer de todo lo expuesto es que, verdaderamente, la evolución de la política en la España rebelde constituye un óptimo antedecente introductorio para entender lo que luego sería el régimen franquista ya estable. Lo es incluso de una forma mejor que la primera mitad de la segunda guerra mundial, momento en que arreciaron las críticas contra Franco, en que hubo una áspera disputa interna y en el que se alcanzaron las cotas máximas de fascistización.

El régimen franquista fue sobre todo una dictadura personal y como tal se acuñó muy pronto en plena guerra civil, por mucho que los militares que le habían nombrado creyeran en la provisionalidad de su decisión. Fue, además, un régimen muy poco institucionalizado, en el sentido de que había poderes reales mucho más fuertes que las instituciones y que éstas no eran tomadas en serio ni siquiera por aquellos que las habían engendrado. Eso, como ya hemos visto en el caso del Consejo Nacional de Falange, se dio ya en la guerra civil. Se trataba, además, de un sistema político caracterizado por tener en su seno familias políticas no siempre acordes incluso en puntos fundamentales más allá del común enfrentamiento al Frente Popular. Estos diferentes sectores, aunque no hubieran sido elegidos por ellos mismos los ministros, se hallaban representados en el Consejo, que contenía por tanto una pluralidad que en los regímenes democráticos se da en el Parlamento. Los contenidos de las políticas concretas, prescindiendo del ropaje retórico, eran mucho más conservadores y tradicionales que los característicos de los regímenes fascistas a los que se imitaba en apariencia.

Al franquismo en la guerra civil sólo le faltaba algo para convertirse en definitivo. La guerra civil creó una herida que tardaría en sanar y exaltó hasta el extremo la figura del general vencedor ante media sociedad española. Las oscuras disputas internas de los años de la segunda guerra mundial fueron el aprendizaje definitivo de un Franco que arbitró sobre las fuerzas conservadores de la sociedad española durante tres décadas y media más.

LA REVOLUCIÓN SOCIAL Y LA COLECTIVIZACIÓN*

Martha Ackelsberg
(Smith College)
Myrna Breitbart
(Hampshire College)

Probablemente la guerra civil española fue más conocida como la «primera fase de la segunda guerra mundial», la primera confrontación militar de importancia entre democracia y fascismo. Lo que se conoce menos que las luchas militares y políticas relacionadas con la guerra es que ésta proporcionó el caldo de cultivo de una revolución social en gran escala, en la que se vieron envueltas millones de personas de toda la España republicana, y que literal y figuradamente cambió el paisaje y las características de las relaciones sociales y económicas. En esta sesión se estudió esa misma revolución, su trasfondo y ciertas dimensiones de los cambios que produjo. La presentación constó de tres partes: (*a*) un breve sumario de los antecedentes y del telón de fondo de la revolución, centrándonos en la «preparación» y el desarrollo del anarcosindicalismo español; (*b*) una exploración del proceso y resultados de la colectivización y la revolución social; (*c*) discusión del papel de las mujeres en el movimiento y en la revolución, incluido el testimonio de primera mano de Pura Pérez Arcos, quien participó en la organización de mujeres anarquistas españolas, Mujeres Libres.

* Traducido por Reyes Lázaro.

Trasfondo de la revolución

A pesar de que el «momento preciso» de la revolución lo eligieron los militares rebeldes y no los revolucionarios, la revolución venía preparándose sin duda alguna desde hacía años: como dice Federica Montseny, quien en 1936 llegaría a ser ministro de Sanidad en el gobierno de la República como representante de la CNT: «una revolución no se improvisa».

En primer lugar exploramos brevemente las características básicas y los valores que definen a la tradición anarcosindicalista: el compromiso de construir una sociedad igualitaria, de estructura no jerarquizada, orientada a la comunidad y de construirla de una manera consistente con dichos fines. Para los anarquistas, el proceso revolucionario estructura la sociedad que pretende crear. Por lo tanto, el único modo de crear una sociedad igualitaria, en que todos sean tratados y respetados de la misma manera, es a través de prácticas e instituciones que sean en sí mismas igualitarias y no jerarquizadas y que potencien y capaciten a los oprimidos para ganar la experiencia y autoconfianza necesarias a fin de participar de lleno en el movimiento revolucionario que creará la sociedad nueva. Es importante que no sea este un mundo de individuos aislados y centrados en sus propios intereses, sino de miembros de comunidades y agrupaciones, de modo que el «orden» sólo se pueda conseguir por medio de la cooperación y no de la imposición desde arriba. La gente podría aprender a comportarse en una sociedad futura participando en actividades que crearan lo que se ha dado en llamar recientemente «espacios sociales igualitarios». De ahí la importancia de las estrategias descentralizadoras, es decir, de base y dirección local y acción directa, coordinadas por federaciones abiertas y organizadas por medio del buen ejemplo.

El anarcosindicalismo español, fiel a este compromiso de acción directa y de dirigirse a la gente «allí donde se hallara» en sus vidas, se constituyó en un abanico de organizaciones e instituciones: sindicatos, grupos de gente con intereses afines, escuelas, centros culturales y protestas «espontáneas». La CNT, la confederación sindical anarcosindicalista, fundada en 1910, había desarrollado un amplio programa de «preparación» como medio de llegar a una sociedad igualitaria y no jerarquizada. En 1936 aseguraba que tenía entre 850.000 y un millón de miembros, principalmente entre los obreros de Cataluña y los jornaleros de Andalucía, Aragón y Levante. Esa misma organización se había constituido sobre la base de una larga historia de agitación obrera. Periódicamente, durante el último cuarto del siglo XIX y las primeras dos décadas del XX, declaraciones de «comunismo libertario» habían llevado a hombres y mujeres de la Andalucía rural a levantamientos de base comunal. Y muchas mujeres, en concreto, participaron en huelgas de pan y en manifestaciones antimilitaristas y anticlericales en Barcelona durante las dos primeras décadas del siglo XX. De hecho, la misma estructura del movimiento reforzaba el compromiso a la acción directa. La confederación nacional existía para proveer coordinación a través de la fuerza y la unidad, pero no era su objetivo «dirigir» las actividades de los centros locales. Se celebraban periódicamente congresos locales para desarrollar la estrategia y la teoría y ponerlas en práctica. Estos congresos, en particular, daban a los participantes una clara experiencia de la conexión entre teoría y práctica.

Finalmente, las escuelas racionalistas y los ateneos aportaban otros espacios para la «preparación». Estas escuelas, desarrolladas en muchos barrios obreros barceloneses a principios de siglo, así como en ciertas comunidades rurales, eran apoyadas por los sindicatos locales. Eran modelos de educación participativa, con clases diurnas para jóvenes, y nocturnas para adultos, no jerarquizadas, que atacaban el analfabetismo y creaban confianza en uno mismo y conciencia de clase al mismo tiempo. En el mismo edificio había normalmente centros culturales que proporcionaban oportunidades de recreo muy necesarias.

De esta manera, al estallar la guerra civil, ya estaba en funcionamiento una extensa red de organizaciones anarquistas y anarcosindicalistas, especialmente en Cataluña, Aragón y Levante. Cuando empezó la guerra, los grupos locales respondieron a las demandas y oportunidades que aquella red ofrecía. Aprovechando su experiencia con los sindicatos, grupos comunitarios y centros culturales y educativos no oficiales, los activistas anarquistas movilizaron a millones de personas para tomar el control de amplias áreas de la economía y de la sociedad.

La colectivización y la revolución social

Al empezar la guerra civil en 1936, miles de obreros y campesinos, ayudados por los sindicatos locales, se hicieron con las tierras, villas, fábricas, ciudades, servicios y redes de transporte. Las relaciones agrícolas feudales y las estructuras de trabajo capitalistas fueron reemplazadas por modos de producción más descentralizados y formas de organización controladas por la comunidad. La colectivización, como se llamó a estas variadas formas descentralizadoras, se extendió a más de 2.000 pueblos (bastante más de la mitad de la tierra que estaba bajo el control republicano) y muchas grandes ciudades industriales como Barcelona y Valencia. Las formas de organización iban desde participar en un comunalismo limitado y compartir la organización política con grupos no anarquistas antifascistas, hasta un auténtico «comunismo libertario», es decir, la sustitución de la propiedad privada y estatal por municipalidades libres y sindicatos federados que funcionaban bajo un régimen autogestionario. Además, el total de la industria catalana y más del setenta por ciento de la levantina (regiones de las más industrializadas de España) al igual que numerosos servicios sociales y culturales y varias grandes compañías de transporte, se colectivizaron y eran autogestionadas por trabajadores. Examinamos ahora por qué y de qué modo los principios de la descentralización anarquista produjeron un cambio de tanto alcance en el paisaje agrícola, industrial y social de España en esta época. Nos propusimos también descubrir cómo vastas áreas y grandes grupos de gente con un grado diverso de acceso a los recursos consiguieron mantener la integridad de pequeñas unidades independientes manteniendo al mismo tiempo patrones de producción, distribución y consumo eficientes.

La premisa subyacente a nuestro trabajo es que la organización del espacio puede, o bien jugar un papel decisivo en la inhibición de las relaciones sociales cooperativas e igualitarias (como sucedió en España antes de la guerra civil), o bien proveer un contexto en el que se puede resistir a las variadas formas de dominación y reemplazarlas por alternativas económicas y sociales más democráticas (como sucedió durante la revolución social que acompañó a la guerra civil). Antes de 1936, los intereses capitalistas y feudales dominaban la vida urbana y social, haciendo difícil para los campesinos y los obreros el atender a sus necesidades de salud, alimento, vivienda, educación y cultura. Se estima que en vísperas de la guerra civil parte de la población padecía hambre y el índice de analfabetos era elevado. El levantamiento fascista de julio del 36 proporcionó a los campesinos españoles la primera oportunidad real de tomar las tierras y poner en práctica a gran escala los principios comunales anarquistas. Se puso así en funcionamiento una cadena de cambios que comenzó con las relaciones sociales, pasó a la organización económica y técnica y acabó produciendo alteraciones a gran escala en el uso del espacio y del tiempo. Una revolución social que comenzó promoviendo el cambio en la *gente* creó así un *medio ambiente totalmente nuevo*.

A diferencia de muchas comunidades socialistas utópicas, los colectivos rurales españoles no se construyeron de la nada. Se formaron dentro de pueblos más antiguos y los anarquistas tuvieron que alterar el medio ambiente existente para atender a las nuevas prioridades. Incluso aquellas estructuras que mantenían el mismo aspecto externo después de la colectivización fueron cambiadas substancialmente en cuanto a su función. Por ejemplo, las iglesias se transformaron con frecuencia en escuelas, bibliotecas, almacenes de distribución y hospitales, al tiempo que los patios de las iglesias se convirtieron en zonas de recreo para los niños. Los ateneos (centros de estudios y actividades culturales), que habían alcanzado importancia política en el panorama social antes de julio del 36, fueron ampliados para dar cabida a más libros y salas de conferencia y de baile. Una fábrica textil colectivizada cercana a Valencia llegó incluso a instalar música ambiental, un comedor, una sala de conferencias y una biblioteca para los trabajadores.

Durante la guerra civil los antifascistas destinaron más dinero a la educación que al ejército, al gobierno o a la agricultura. Escuelas y bibliotecas, muy poco vistas en el campo español antes de la colectivización, se convirtieron en una característica prominente del panorama social después de julio del 36. En Levante, cada colectivo de la Federación Regional (que incluía más de 900) tenía su propia escuela para 1938. Las federaciones regionales de colectivos también ayudaron a los médicos a asociarse, a recoger información sobre enfermedades, a entrenar a los empleados de salud pública, y a instruir a los profanos en los primeros auxilios. Cuando un colectivo informaba de un problema concreto de salud, esa información se transfería a un comité regional que se enfrentaba al problema según las especialidades del personal médico disponible. Esto se diferenciaba mucho del período anterior a la guerra civil, en el que los campesinos tenían que recorrer kilómetros hasta la ciudad más cercana para recibir cualquier tipo de atención médica. Incluso se alteraron en esta época las divisiones territoriales entre pueblos y distritos a medida que se hacían nuevas investigaciones para reemplazar los límites políticos por límites que reflejaran las áreas de actividad y los vínculos sociales de la gente.

Alteraciones similares de la vida diaria y del medio ambiente se produjeron en grandes ciudades como Barcelona, donde los comités de barrio y las fábricas autogestionadas organizaron intercambios de mercancías con los campesinos de los colectivos rurales y establecieron nuevas redes de distribución. Los productos de los grandes almacenes y de expendedurías de venta al por mayor se trasladaron así a almacenes de distribución más céntricos, instalados en iglesias u hoteles. Varias empresas poco eficientes y poco higiénicas, tal como pequeñas panaderías, distribuidoras de leche, centrales eléctricas, etc., también se fusionaron para formar instalaciones nuevas, más grandes y modernas. Incluso el enorme y complicado sistema de transporte barcelonés sufrió cambios, pues los trabajadores impusieron prácticas autogestionarias, repararon el equipo anticuado, reestructuraron los trayectos para servir mejor a las necesidades de los obreros de la periferia y establecieron tarifas más equitativas.

Seguidamente, pasamos a describir los cambios en el panorama económico que engendró la colectivización. En el agro español, la puesta en práctica de principios económicos descentralizadores en los tres breves años de la revolución social produjeron más mejoras en la tierra y en la vida de los pueblos que en los 300 años anteriores. Estos cambios estaban claramente relacionados con las prioridades sociales de los colectivos anarquistas, entre ellas, el deseo de producir más alimentos para el consumo local, de reducir el desempleo, de incrementar la autosuficiencia de las regiones y el nivel de conocimientos técnicos relativos a la producción, y de promover una relación directa e íntima entre la gente y su medio ambiente natural. Estas prioridades sociales llevaron a los campesinos, que tomaron control de sus aldeas o que expropiaron las tierras de los propietarios absentistas, a concentrar sus esfuerzos inmediatos en incrementar las cosechas y diversificar el cultivo. Las implicaciones para el uso de la tierra fueron enormes.

La mayoría de los colectivos rurales comenzaron haciendo extensos inventarios del medio ambiente para ayudarse a determinar lo que iban a producir. Se hicieron canales de regadío y se construyeron muchos embalses a través de las áreas colectivizadas de la España rural durante la guerra civil. Una vez que comenzaron a funcionar esas fuentes de agua, los campesinos convirtieron en productivas tierras que habían permanecido baldías durante siglos. Se pudo expandir el cultivo; cosechas como el olivo fueron sustituidas por el cultivo hortícola; se pusieron en práctica muchas medidas protectoras nuevas, tales como la rotación de cultivos, y las plantaciones para impedir la erosión y las inundaciones. Se aumentó el número de almacenes y se desarrollaron nuevas técnicas de producción para usar los productos secundarios de ciertas cosechas, por ejemplo, la producción de naranjas por encima de las necesidades locales o regionales. Esto se acompañó de nuevas instalaciones para el ganado y la experimentación agrícola, así como pequeñas factorías (por ejemplo, fábricas de harina, molinos de aceite, etc.) construidas para procesar las nuevas y mayores cantidades de producto. Todos estos cambios estaban claramente relacionados con el renovado compromiso local a largo plazo que mantenían los colectivistas.

Un ideal básico de la descentralización anarquista era que cada área local asumiera la responsabilidad de organizar la vida social y económica de sus habitantes, para lograr alguna defensa contra la dominación y la dependencia externas. Sin embargo, en la práctica, la autonomía de los colectivos individuales no eliminó su deseo, o su necesidad, de buscar la solidaridad en el intercambio con otros. El intercambio informal de productos y experiencia entre los colectivos rurales comenzó como una expresión de ayuda mutua durante los difíciles meses que siguieron al levantamiento de julio. Comida y suministros fueron enviados a los colectivos más pobres y a las industrias locales y sus trabajadores. También se compartieron los almacenes de suministros y se intercambió información por medio de publicaciones científicas anarquistas y en conferencias de agrónomos y técnicos que tuvieron lugar en Cataluña y Aragón. Los cuestionarios que enviaban los sindicatos anarquistas a los colectivos también proporcionaban información vital sobre enfermedades de las plantas, métodos de almacenamiento y nuevos experimentos agrícolas.

Otra meta importante de los colectivos rurales era trascender la animosidad tradicional entre los trabajadores agrícolas y los obreros industriales urbanos. Esto se realizó en parte sustituyendo el intercambio competitivo entre dos partes desiguales por la mutua asociación para beneficio de ambos. Así, por ejemplo, se establecieron vínculos entre el campo y la ciudad a través de comités de pan de barrios de grandes ciudades como Barcelona. Estos comités ayudaron a facilitar el intercambio de bienes de consumo por comida. Los sindicatos urbanos también proporcionaron a los colectivos rurales ayuda técnica para los proyectos de recogida de aguas, mano de obra para cosechas y ayuda médica.

Los anarquistas españoles postularon la «región» como la célula base de la vida económica y social. Durante la guerra civil, la unión del poder económico de los colectivos rurales en federaciones regionales protegió la autonomía de cada pueblo al ayudarles a superar las severas presiones de la guerra. Varias grandes federaciones regionales se formaron entre julio del 36 y julio del 37. Las de más éxito fueron el Consejo de Aragón, la Federación Regional de Campesinos de Castilla y la Federación Regional de Campesinos de Levante. Cada organización proporcionaba a los colectivos el acceso a una más amplia gama de bienes y servicios y asistencia técnica que, de otro modo, no podrían haber conseguido por su cuenta. También ayudaron a integrar la producción agrícola y la industrial, proporcionando un lazo crucial con los mercados y suministros internacionales.

En general, estos intercambios comenzaban con un pueblo colectivizado que actuaba de coordinador para un distrito más amplio. Esta aldea almacenaba los excedentes para la redistribución o el intercambio, llevaba la cuenta de las necesidades y capacidad productiva de otros colectivos y adquiría material que no se podía conseguir a nivel local por medio del intercambio con otros pueblos de fuera del distrito. Dicho colectivo de coordinación central también mandaba información sobre los excedentes y déficits a un centro provincial de función semejante pero a un nivel más alto, que a su vez enviaba al centro regional los informes combinados de los distritos. Una vez recibida y compilada la información, se enviaba de vuelta al nivel local con sugerencias para los colectivos más pobres acerca de cómo conseguir financiación, equipo o ayuda técnica y dónde podían distribuir su excedente las áreas que lo tenían. La Federación Regional de Levante comprendía más de 900 colectivos, lo que suponía más de tres cuartas partes de la tierra de la región y producía entre el 50% y el 60% de la producción total. Esta federación en particular era especialmente famosa por sus intrincadas redes de distribución y por sus equipos de investigación que se desplazaban incluso hasta Castilla para aconsejar a los colectivos más pobres acerca de problemas de regadío y del uso productivo de la tierra de cultivo.

Las redes de intercambio entre las federaciones regionales de colectivos antes de 1938 promovieron patrones de circulación completamente nuevos en España, atravesando las barreras artificiales que antes habían aislado a los pueblos entre sí y a los pueblos de las ciudades. Se alteraron los límites entre ciertas áreas, se comenzaron proyectos de obras públicas y se remozó el sistema de transporte. Los vínculos económicos recíprocos establecidos entre los colectivos crearon la necesidad de nuevas carreteras, puentes, garajes y almacenes. En 1936 se produjo también una alteración masiva de las líneas de transporte ferroviario más importantes de la España republicana, cuando el Sindicato Nacional de Ferrocarriles inició las tomas por parte de los obreros de las líneas principales que conectaban a Barcelona, Madrid y Valencia. Basándose en los extensos inventarios de equipo y en las necesidades de transporte se desconectaron las líneas innecesarias y se construyeron otras nuevas para acceder a zonas rurales adonde anteriormente no llegaba el servicio.

La colectivización anarquista también tuvo un impacto sustancial en grandes áreas urbanas y sectores industriales. El control directo de las fábricas por parte de los trabajadores y la formación de *agrupaments* (federaciones industriales) incrementó la eficiencia al consolidar los talleres más pequeños en unidades de producción más grandes y al integrar y coordinar las diversas etapas del proceso productivo en varias industrias. Estos logros contradicen profundamente los estereotipos aparentemente generalizados sobre el atraso o el primitivismo de los campesinos y la incapacidad y antipatía hacia la modernización de los defensores de la descentralización. En el mejor de los casos, la izquierda ha subrayado siempre que en el curso de un cambio revolucionario es necesario alcanzar un compromiso entre la eficacia y la igualdad. Hasta cierto punto esto fue verdad en España. Sin embargo, los colectivos industriales y agrícolas alcanzaron un nivel de eficacia más alto que las compañías nacionalizadas o las del sector privado.

Los obreros anarquistas mejoraron las condiciones laborales al iniciar la rotación de trabajos y la toma de decisiones compartida (en contraposición a la administración burocrática jerarquizada) e interesándose por las necesidades de los trabajadores como seres humanos. La difusión del conocimiento y el mayor compromiso de innovar que se produjeron como consecuencia, contribuyeron en gran medida al incremento de la producción. Además de utilizar métodos de cooperación y ayuda mutua para conseguir, pero de manera diferente, gran parte de la misma eficacia cuantitativa del capitalismo, los colectivos inventaron métodos totalmente nuevos de obtener dicha eficacia. Se crearon economías de escala por medio de las redes de intercambio colectivo regional y por la cooperación en la compra y la producción de muchas pequeñas empresas, que las agrupaciones de la CNT facilitaron. La reducción de las distancias entre el lugar de producción y el de consumo en la España anarquista, ahorró gastos de transporte, costos de intermediarios, etc. El libre intercambio de información científica y tecnológica entre productores, el uso de inventarios detallados de los recursos sociales y económicos y la integración de cierto número de talleres ineficaces en estructuras más amplias y modernas también facilitaron la capacidad de innovación y mejoraron grandemente la calidad de la producción en varias industrias. Todo ello se hizo a pesar de las severas dificultades impuestas por la guerra.

De este modo, una revolución social que comenzó impulsando el cambio en la gente terminó creando un medio ambiente totalmente nuevo. Este panorama económico y social que se podría describir con propiedad como flexible, diversificado, heterogéneo, con un compromiso hacia las áreas locales, cada vez más autosuficiente y sin embargo interdependiente y caracterizado por unas mayores relaciones entre las regiones y el acceso más igualitario al trabajo y a la asistencia social, se desarrolló así en un plazo de tiempo relativamente corto para apoyar las metas anarquistas de creación de un nuevo orden de vida. La «descentralización» o la geografía del anarquismo (como Peter Kropotkin podría muy bien haberla denominado) permitió la reintegración de la vida económica, social, cultural y política a través del control popular del trabajo y de la comunidad. No fue (como nos quieren hacer creer tantos amantes del centralismo, tanto de izquierdas como de derechas) un esfuerzo para crear pequeñas entidades ensimismadas.

El interés por las áreas locales y las autonomías en la España anarquista no estrechó horizontes sino todo lo contrario, los amplió, al integrar por medio de redes y federaciones cooperativas los intereses individuales y sociales, locales y regionales, urbanos, agrícolas e industriales. Estas formas de organización jugaron un papel crucial en la lucha contra Franco, al tiempo que produjeron mejoras perdurables e inmensas en lo social y económico y revitalizaron el paisaje. Aparte de ser unos logros extraordinarios por derecho propio, los colectivos nos proporcionan un caudal de rico material para cuestionar nuestros presupuestos actuales sobre los métodos de estructurar el medio laboral de una forma eficiente y a la vez participativa, y para coordinar las diversas necesidades sociales y económicas sobre una base más equitativa.

Las mujeres en el anarquismo español

La teoría y la práctica anarquista, así como la insistencia anarquista en la conexión entre ambas, proporcionó al menos un contexto teórico donde la subordinación de las mujeres podía ser tomada en serio como un problema que toda organización revolucionaria debía tener en cuenta e integrar dentro de su proyecto revolucionario. Esta sección puso énfasis en dos cosas: una breve presentación sobre lo que los anarquistas españoles tenían que decir sobre la subordinación de la mujer y su posición en el proyecto revolucionario; en segundo lugar, una exploración más extensa de la naturaleza de la participación femenina en la lucha revolucionaria, dentro de los colectivos y en Mujeres Libres.

Históricamente, los anarquistas españoles han exhibido una variedad de perspectivas sobre las mujeres y su subordinación: 1) algunos reconocían que la superación de dicha subordinación era una meta del movimiento (se identificó como tal, por ejemplo, ya en 1872, en el congreso de Zaragoza de la Federación Regional Española de la IWMA), perspectiva articulada en años posteriores a través del compromiso de organizar a las mujeres en sindicatos, de luchar por la igualdad de salarios y otros asuntos similares; 2) otros nunca reconocieron del todo la especificidad de la subordinación de la mujer; 3) otros, si bien reconocían dicha especificidad, negaban la legitimidad de una lucha separada. También variaban las actitudes en la praxis. En general, cuanto más amplia era la lucha, más implicadas estaban las mujeres (véase, por ejemplo, el trabajo de Temma Kaplan sobre los anarquistas andaluces donde muestra que las luchas en que estaba envuelta toda la comunidad tendían a incluir a todos los trabajadores —incluidas las mujeres y los desempleados— en manera mucho mayor que los conflictos que afectaban al lugar de trabajo o a los sindicatos). La otra gran área de actividad de la mujer —además de las huelgas de la comunidad o laborales (éstas, en particular, dentro de la industria textil barcelonesa)— era en las escuelas, ateneos y grupos de juventud, todos los cuales solían tener una visión revolucionaria de base amplia y reclutaban tanto mujeres como hombres jóvenes.

La parte principal de la presentación se centró en la participación de la mujer en la lucha revolucionaria española. Indicamos que la mujer participó activamente en la movilización antifascista inicial, construyendo barricadas, asaltando armerías para obtener armas y munición, enrolándose en las milicias, proporcionando primeros auxilios a los milicianos (y milicianas) y organizando comedores populares, etc. También participaron en las colectivizaciones, tanto industriales como rurales. En las áreas urbanas/industriales la guerra y la revolución produjeron una incorporación en gran escala de mujeres a la fuerza de trabajo asalariado, particularmente dentro de las nuevas industrias químicas y metalúrgicas. Además, reemplazaron progresivamente a los hombres en áreas como el transporte público, conduciendo autobuses, tranvías y taxis por primera vez. La industria textil fue reorganizada por la CNT, para eliminar el trabajo casero y a destajo, en un intento de mejorar las condiciones laborales de la mayoría de las mujeres. En otras industrias (sobre todo la maderera, por ejemplo) los sindicatos crearon guarderías y centros de educación en las fábricas para facilitar el trabajo de la mujer. En las áreas rurales, la participación y la paga de las mujeres variaba; sin embargo, las mujeres experimentaron ciertamente una libertad de movimientos considerablemente mayor y había muchas más oportunidades para una interacción hombre-mujer más informal.

Había, sin embargo, límites en el nivel de igualdad conseguido. La completa igualdad entre hombres y mujeres raramente fue una meta de ninguno de los colectivos (rurales o urbanos). La igualdad salarial entre hombres y mujeres se dio en muy pocas ocasiones; además, virtualmente ningún grupo u organización cuestionó la división sexual del trabajo. Incluso en los centros de trabajo colectivizados, las mujeres aparentemente hablaban menos y tenían menos puestos de responsabilidad en las asambleas laborales, reuniones, etc. Sin embargo, teniendo en cuenta el contexto de la guerra, los logros fueron sustantivos.

La parte final de la presentación se centró sobre la naturaleza, metas y logros de Mujeres Libres, la organización anarquista de mujeres que comenzó, estrictamente hablando, en 1936, dedicada a la liberación de las mujeres de su triple esclavitud, la ignorancia, el capital y el hombre. La organización —fundada por mujeres que eran ellas mismas activas en la CNT, pero a quienes preocupaba la relativa incapacidad de dicha organización para atraer a las mujeres— tomó como objetivo la capacitación de las mujeres, para prepararlas para que pudieran participar más de lleno en el movimiento revolucionario y en la sociedad que había de seguirlo. Afirmaban que las mujeres tenían que organizarse independientemente de los hombres, tanto para superar su propia subordinación (para desarrollar sus propias capacidades y autoconfianza) como para luchar contra la oposición masculina a la emancipación de la mujer.

Basando sus programas sobre el mismo compromiso de acción directa e igualdad que caracterizaban al anarquismo en general, insistían en que la «preparación» de las mujeres debía surgir de sus experiencias propias. Sus actividades, por tanto, se centraban en combatir la ignorancia y el analfabetismo, que ellas veían como el obstáculo más importante para la participación activa de las mujeres y para lograr su autoconfianza. Establecieron programas de alfabetización y escuelas a varios niveles (situadas tanto en zonas céntricas de Barcelona y Madrid como en tiendas de ciudades y pueblos a través de la España republicana); patrocinaron programas sobre sanidad, sexualidad y cuidado de los niños, de los que había una necesidad enorme; además, trabajaron con los sindicatos para establecer programas de aprendizaje en varias áreas industriales que permitieran a las mujeres participar en la industria y tratar de superar la extrema división sexual del trabajo.

Pura Arcos, antigua miembro de Mujeres Libres, habló de sus experiencias en la organización en particular y en la revolución en general y comunicó gran parte de la euforia y de la fuerza de aquella época.

Este artículo es un resumen de las discusiones mantenidas en una mesa redonda bajo el título «Anarquismo y revolución social», coordinada por Daniel Czitrom, y que contó con la participación de Martha Ackelsberg, Myrna Breitbart y Pura Arcos. *(N. del E.)*

LA INVASIÓN ESPAÑOLA: LOS ESPAÑOLES EN PORTUGAL (1931-1939), Y EL CASO DE GIL ROBLES, EXILIADO DURANTE AÑOS EN PORTUGAL*

Douglas L. Wheeler
(University of New Hampshire)

Durante la segunda República española y la guerra civil, el vecino país de Portugal sirvió de refugio al grupo más peculiar de españoles transeúntes jamás congregados temporalmente en un lugar fuera de su patria desde el extraño grupo de tipos que encontramos en las ventas del inmortal *Quijote* de Cervantes. Si bien muchos estaban en el exilio por razones políticas o económicas y residían en el área metropolitana de la zona Lisboa-Estoril (*Costa do Sol*), aun está clase de generalizaciones no está cerrada al debate. Recientemente, el papel de Portugal en la guerra civil española ha recibido atención de algunos estudiosos, pero queda mucho por hacer sobre este tema, así como sobre las actividades de las comunidades españolas en el Portugal de los años treinta y sobre el impacto de estas actividades en la misma España.

Quedan muchas preguntas por contestar: ¿Cuántos españoles vivían en Portugal como residentes temporales al comienzo de la guerra civil, por ejemplo? Por las pocas cifras precisas documentadas a nuestra disposición, sabemos que por lo menos varios miles de españoles pertenecientes a los partidos de centro y derecha residían en Lisboa y Estoril y habían estado allí por varios años cuando el general Sanjurjo

* Traducido por Eugenio Ballou.

murió en el accidente aéreo de julio de 1936 cerca de Marinha. Al menos 1.500 españoles detenidos al internarse en Portugal mientras peleaban cerca de Badajoz fueron entregados por la policía portuguesa a las autoridades franquistas[1] en el verano de 1936, pero el informe oficial de 1939 (publicado) de la policía portuguesa, PVDE, consigna que entre 1931 y 1938 solamente 788 españoles fueron expulsados de Portugal a España.[2] ¿A qué cifra ascendía la comunidad de refugiados españoles? Encontrar una respuesta precisa y completa a esta pregunta podría ser parte de una tesis de licenciatura o de doctorado aún por hacer, pero vale la pena llamar la atención sobre una cifra encontrada en la interesante y corta memoria de Ralph Fox, el comunista inglés, voluntario muerto en España peleando en las Brigadas Internacionales. El opúsculo de Fox sobre Portugal, de 1937, asegura que los emigrados españoles, según cálculos oficiales de las autoridades portuguesas de esos años, sumaban «entre 40.000 y 50.000». Más aún, se pensaba que éstos habían traído de España «gran parte de su capital» consigo y lo habían ingresado en bancos portugueses «en depósitos a corto plazo».[3]

Estas cifras tendrán que ser verificadas, pero, por el momento, puedo contribuir con una modesta versión de lo que Barbara Tuchman llama una «nota corroborativa» a la opinión de que un número significativo de las clases alta y media alta españolas, incluyendo a la realeza y a la aristocracia, encontró refugio en Portugal durante los años treinta y el comienzo de los cuarenta: cuando el elegante Hotel Palacio Estoril abrió sus puertas en 1932, el primer huésped en firmar el Libro de Oro de Huéspedes fue el Conde de Molina, don Manuel Giménez de Molina, grande de España, ministro Plenipotenciario de España en Portugal.[4] Si bien es cierto que las figuras de más relieve de la comunidad española en el Portugal de los años treinta eran los miembros de la aristocracia y de la clase media alta, a los que se les unió después de 1941 la familia y el séquito de Juan de Borbón en Estoril, existe evidencia, en los archivos de la policía política portuguesa y en las memorias de un antiguo espía británico en Lisboa, de que había muchos otros residentes españoles de clase trabajadora que participaron en la guerra secreta en Portugal en los años treinta y durante la segunda guerra mundial. La policía portuguesa continuó el acoso, por todo el sistema político clandestino en el área metropolitana de Lisboa y en los distritos rurales del Alentejo, de españoles pertenecientes a grupos y partidos de izquierda que auxiliaban a la oposición portuguesa; esto continuó hasta bien avanzada la segunda guerra mundial, y agentes españoles estaban relacionados con un grupo de 75 sospechosos portugueses arrestados en 1942 cuando la policía desarticuló una red clandestina de resistencia organizada por la organización secreta de retaguardia británica, SOE (Special Operations Executive), destinada a resistir una temida invasión nazi a tavés de España. Más aún, cuando agentes secretos británicos desarticularon un grupo alemán de espionaje en el puerto de Lisboa en 1941, entre las bajas de la red de espionaje que operaba en los muelles pagada por los alemanes, se encontraba al menos un español.[5]

Había una considerable diversidad de ocupaciones y pasatiempos en la comunidad española: grandes de España y otros aristócratas, más tarde la familia —incluido el joven Juan Carlos— y séquito de don Juan de Borbón, pretendiente al trono, quienes llegaron de su exilio italiano a Estoril en 1941; hombres de negocios españoles directa o indirectamente comprometidos en las operaciones económicas clandestinas que auxiliaban a la causa nacionalista durante la guerra civil; terratenientes; y algunos españoles de clase obrera, algunos de los cuales no tenían credo político definido y que, en Lisboa, se convirtieron en mercenarios de las organizaciones secretas de las naciones combatientes durante la segunda guerra mundial, así como izquierdistas españoles que auxiliaron a la oposición portuguesa en sus esfuerzos por derrocar el régimen del *Estado Novo*.

El impacto de esta invasión española de Portugal debería ser explorado detenidamente en otra ocasión, pero vale la pena observar de pasada aquí que había al menos cuatro aspectos significativos: el grado en que la ayuda de las clases conservadoras y los nacionalistas fortaleció la dictadura portuguesa en el período de 1931-1939 y más tarde le devolvieron a Salazar el favor de su ayuda; cómo el influjo de refugiados y exiliados españoles que comenzó en 1931 ayudó al establecimiento y aun al desarrollo de la incipiente industria de turismo portuguesa en el área de Estoril, *Costa do Sol*, según escribió Ralph Fox después de haber observado de primera mano lo que él describió como un «Edén del exiliado»: «Verdaderamente, Estoril es un lugar único en todo el mundo [en el otoño de 1936], ya que es el único lugar de placer creado directamente por la crisis económica mundial».[6]

Entre paréntesis, Fox ofreció una inusitada *observación* acerca del entusiasmo político contemporáneo que rodeaba al *dictador Salazar*, el apreciado defensor de Franco: «es difícil evitar la impresión de que estamos tratando con un tipo de Jesucristo del siglo veinte».[7] Un tercer aspecto del impacto español en Portugal fue que la entrada, después de 1931, de capital, inversión y ciertos conocimientos especializados de los españoles en un sistema portugués muy necesitado de capital, le proporcionaron a Portugal alguna fortaleza y diversidad; y, por último, la invasión española posterior a 1931 estimuló la profesionalización y la expansión de la policía política portuguesa —la *Policía para a Vigilância e Defesa do Estado*—, PVDE (después de 1945, PIDE); el director mismo de la PVDE, Agostinho Lourenço, señaló en su informe policial publicado en 1939 que hasta que Portugal no tuvo que vérselas con el repentino influjo de emigrados españoles, la policía política no estaba preparada para el trabajo de inmigración y fronteras, no contaba con un solo agente que supiera una lengua extranjera y no estaba preparada para la vigilancia de contraespionaje. A partir del influjo de españoles, a todos los extranjeros en Portugal se les exigió que inscribieran su nombre y domicilio en la policía política, práctica administrativa que continúa hasta el día de hoy.

Para una clase de políticos españoles importantes de los años treinta y cuarenta, Portugal fue a la vez un trampolín desde donde lanzarse a la toma del poder en España y un lugar de asilo y refugio. Por cierto tiempo durante la segunda guerra mundial la neutralidad de Portugal atrajo a una constelación de diplomáticos extranjeros importantes (incluyendo, entre otros, a George Kennan y a Joseph Luns, de Holanda) y a políticos españoles, entre los que se contaban Alejandro Lerroux, Sáinz Rodríguez y, por supuesto, Gil Robles. Además, Ramón, el hermano menor de Franco, buscó asilo allí en 1930. Según Robles le escribió en 1942 a un socio suyo en España, que Portugal era en ese momento «el incomparable observatorio, la necesaria encrucijada de la comunicación entre continentes».[8]

La historia de la residencia —por más de 26 años— de Gil Robles en Portugal, comenzada en junio o julio de 1936, es una alegoría de la situación y del destino de los exiliados españoles más afortunados. Esta historia arroja luz sobre las intrigas y conspiraciones políticas de los exiliados españoles así como sobre las estrechas relaciones entre los regímenes de Salazar y Franco, un matrimonio de conveniencias e inconveniencias. En 1980 tuve la fortuna de tener acceso y estudiar durante algunos meses los archivos de antes de 1974 que se conservan de la policía política portuguesa, PVDE (PIDE). En el ala norte del Fuerte Caxias di con una curiosa carpeta de expendientes rotulada «Proceso n.º 735 - A - S.R.»; el nombre escrito en ella era «JOSÉ MARÍA GIL ROBLES QUIÑONES - ESPANHOL». Adecuadamente, su nacionalidad no aparece con mayúscula. Los primeros documentos del archivo estaban fechados en 1942 o 1943 y el último era un recorte de periódico del 10 de mayo de 1972, mucho después de haber abandonado Robles su exilio en Portugal. Lo verdaderamente sorprendente es el poco material que había archivado: recortes de periódicos (algunos extranjeros); retratos, discursos y entrevistas de Robles; informes de vigilancia de varios espías policiales con nombres encubiertos; copias de cartas a máquina y algunos originales de correspondencia que la policía interceptó, y documentos portugueses oficiales de correspondencia entre la policía, el Ministerio de Asuntos Exteriores y la oficina del Primer Ministro, concernientes a la política a seguir con el importante huésped exiliado. La policía, evidentemente, siguió el exilio de Robles fuera de Portugal mucho después de haber salido éste del país, a través de recortes de periódicos extranjeros u obteniendo esta misma información a través de agentes secretos en el extranjero.

Sobre la vigilancia de Robles por la policía portuguesa queda en claro lo siguiente: 1) En términos generales, la PVDE se mostró indiferente hacia su tarea y no consideró que Robles fuera un individuo peligroso. 2) Todas las acciones de la policía fueron ejecutadas sólo después de recibir órdenes superiores de la oficina del Primer Ministro (Salazar mismo) o del Ministerio del Exterior, respondiendo a presiones de la embajada española vía Madrid. 3) Hasta 1944, más o menos, Robles fue vigilado, además de por espías portugueses, por agentes secretos empleados por la policía española, la cual operó en Portugal con permiso del gobierno portugués hasta ese año. 4) La vigilancia de Robles por los portugueses fue complementada (y así consta en el archivo policial de Robles) con la vigilancia de la residencia de don Juan de Borbón en Portugal y con el control de sus viajes fuera de Estoril, así como por la intercepción y lectura por la policía de la correspondencia de ambos. En el archivo se señalaba que la PVDE tenía un agente «de servicio» en la casa misma de don Juan; siempre que la familia viajaba fuera de su base en Estoril, la policía ¡revisaba más tarde el odómetro del coche!

Como tantos de los archivos que he descubierto, el de Gil Robles es una mezcla de lo trivial, lo inconsecuente y lo significativo. El primer documento era una carta interceptada, sin fecha, pero probablemente de 1942 o 1943, que Robles envió a España al General del Ejército Asencio. Robles argüía que sólo el ejército español podía salvar al país; que tras la victoria de los aliados en la guerra, éstos nunca perdonarían a Franco y que su régimen, en consecuencia, estaba marcado para el derrocamiento. Documentos de comienzos de 1944[9] demuestran que la Embajada Española en Portugal, dirigida por Nicolás, el hermano mayor del general Franco, quien permaneció como ministro o embajador en Lisboa por muchos años a partir de 1938 y entró en Portugal por vez primera portando un pasaporte con el falso nombre de Aurelio Fernández Águila[10] —un amigo suyo de Segovia—, presionó a Lisboa de vez en cuando acerca de las actividades políticas de Robles. Madrid trató de que se restringiera a Robles a una *residence fixe*, o aun, si la situación se salía de cauce, de que se le expulsara de Portugal.

Las presiones oficiales de España sobre Portugal con respecto a las actividades de Robles aumentaron durante el invierno y la primavera de 1944; Robles y un tal Sebastián Ramírez (¿un ex-ministro español?) eran socios en un negocio en Lisboa relacionado con exportaciones e importaciones con Gibraltar y Casablanca. La policía portuguesa le advirtió formalmente a Robles que si no restringía sus intrigas políticas sería expulsado de Portugal. En mayo de 1944, cuando llevaba casi ocho años viviendo en el país, la embajada española persuadió a la PVDE para que pusiera a Robles nuevamente bajo vigilancia en su residencia en Estoril. Fue coaccionado a que abandonara Estoril para pasar dos meses en el balneario de Luso, de donde regresó en septiembre de 1944. La presión continuó a través del Ministerio portugués de Asuntos Exteriores.

En un documento del Ministerio de Asuntos Exteriores fechado en octubre de 1944, el embajador Teixeira de Sampayo,[11] un monárquico portugués y colaborador cercano a Salazar, le preguntó a la PVDE por qué Robles ya no residía en Lisboa como lo había hecho en el pasado y por qué la policía no lo tenía bajo *residence fixe* como había sido acordado con anterioridad por España y Portugal. Evidentemente, la policía española había retirado su servicio de vigilancia sobre Robles y pedido a Portugal que se hiciera cargo del asunto, pero había cierta incertidumbre, en altos niveles, ¡acerca del paradero de Robles! La PVDE, obedientemente, colocó a Robles bajo vigilancia. Una artículo crítico del régimen de Franco y, al parecer, escrito por Robles, apareció en Argentina por esas fechas y provocó más descontento por parte de la embajada española.

Finalmente, España le pidió a Lisboa que alejase a Robles del área de «la ciudad eterna de la intriga», Lisboa, y lo forzase a tomar residencia fija en un lugar remoto. Exigieron que Robles abandonara Estoril y se asentara en un área rural remota. Algún tiempo después de la llegada de Robles los dos gobiernos establecieron un acuerdo con respecto a las condiciones de su residencia, lo cual da un indicio del grado de ansiedad que sentía Madrid acerca de las actividades de Robles: el acuerdo era que Robles no podía residir a una distancia menor de 100 kilómetros de la frontera española. Las autoridades portuguesas respondieron que la residencia de Robles en Estoril cumplía con los términos del acuerdo y que no veían razón alguna para que éste se mudara a otra parte y tomara residencia fija. Madrid, sin embargo, insistió en que

Robles se mudara más al norte, lejos de la madriguera de exiliados políticos españoles en Lisboa. Entre las razones mencionadas para esta insistencia se encontraban ciertos informes de que Robles se había reunido y conspirado con Lerroux en el Casino de Estoril.

La PVDE se vio forzada a asumir la difícil posición de negociador y árbitro secreto entre Madrid y Robles. La PVDE abordó a Ramírez, el socio de negocios de Robles, para que le rogara al político que partiera hacia provincias hasta que la situación se apaciguara. Ramírez instó a Robles a que, a manera de compromiso, visitara más a menudo el cercano balneario de Setúbal y que permaneciera allí el mayor tiempo posible. Como perenne tramoyista que era, Robles respondió que no podía permitirse el lujo de mudarse de Estoril porque no tenía dinero y tenía que mantener una comitiva que incluía a su esposa, embarazada de siete meses, cuatro hijos, una suegra y una hermana demente. Robles finalmente cedió a las presiones, aceptó una dádiva o préstamo de su socio Ramírez y se trasladó a un balneario rural por dos meses. Cuando reapareció Robles a principios de noviembre de 1944, después de habérsele agotado los fondos, la PVDE fue informada de que aquél no podía permanecer por más tiempo en el balneario. Madrid presionó a Portugal una vez más y en un documento de octubre de 1944, con 48 horas de aviso, Robles fue desterrado a una residencia fija en el remoto balneario de Luso. El 1 de diciembre de 1945, después de concluida la segunda guerra mundial, se le notificó finalmente a Robles que ya no estaba obligado a vivir en residencia fija y que podía residir donde quisiera. La oficina de Salazar firmaba la nota.

La ansiedad del régimen de Franco acerca de Robles, el conspirador político, no cesó en 1945; el archivo contiene nuevos actos de esta ópera bufa, escritos en el ubicuo e inicuo papel sellado oficial, el *papel selado*. Robles se mudó de Luso al área de Estoril, donde tomó residencia no lejos de la villa de don Juan de Borbón y familia, junto al campo de golf de Estoril. Una nota en el archivo, de 1947, declara que otros varios españoles exiliados permanecían en residencia fija, incluido Sáinz Rodríguez, en localidades evidentemente seleccionadas por el mismo Salazar. El informe de un agente, de la primavera de ese mismo año (1947), señala que don Juan de Borbón había viajado en coche a Oporto bajo la vigilancia de la PIDE y había rumores de una conspiración perpetrada por el general Rojo. Durante 1961, señalaba otro informe, Robles se había hospedado en el Hotel Avenida Palace de Lisboa, un hotel de lujo. No se sabe con certeza cuánto tiempo permaneció Robles en este hotel, pero su asociación con dicho establecimiento parece indicar que su situación económica había mejorado desde 1944.

Mientras tanto, Robles viajó al exterior y pronunció discursos políticos en contra del régimen de Franco. Uno de estos discursos, pronunciado en Munich en junio de 1962, recibió buena cobertura de la prensa internacional. Madrid juzgó los resultados como lo suficientemente serios para ejercer nueva presión y le pidió a Portugal que actuase inmediatamente. El archivo [12] contiene una *Ordem do servicio*, la gaceta oficial de expedientes de la policía política portuguesa —ahora con el infame nombre de PIDE—, del 15 de junio de 1962, con la orden de impedirle a Robles el reingreso en Portugal, sus islas o su imperio. El «veto» oficial de Gil Robles fue comunicado por radio y teléfono a todos los puertos, aeropuertos y puestos fronterizos en Portugal, islas e imperio. El documento contenía la información de que esta orden respondía a «la petición hecha por el gobierno español a través de la Embajada Portuguesa en Madrid, debido a la actitud asumida por Gil Robles en una conferencia en Munich». El propio ministro portugués del Interior decidió la forma en que se implementaría la orden de interdicción.

Robles, entonces, se exilió en Francia. Desconozco si regresó alguna vez a Portugal. Con la excepción de algunos recortes del periódico de mayo de 1972, el archivo no contiene más información sobre los 26 años del exilio portugués de Robles. Lo que descubrí en la carpeta del expediente de Robles —y no estaba buscando ese expediente, abandonado sobre una mesa en una remota sala de la prisión convertida en archivo, mezclado con informes sin archivar de la censura—, de hecho, es sólo una pequeña parte de lo que puede haber en estos y en otros archivos y bibliotecas portuguesas acerca de la trágica guerra civil española, la segunda República y el laberinto de intrigas políticas y militares españolas que se llevaban a cabo en el país vecino. Portugal y los portugueses, a pesar de un antiguo y tradicional temor a España y los españoles, y de la idea de la amenza española a su independencia como vecina nación ibérica, proveyeron refugio seguro a una diversidad de exiliados y emigrados españoles. Excepto en las ocasiones en que Madrid ejerció presión directa, la policía propendía a hacer la vista gorda o a practicar la filosofía de «vivir y dejar vivir» con respecto a las vidas de miles de residentes españoles. No debe olvidarse, sin embargo, el trágico incidente fronterizo de 1936 cerca de Badajoz. Tampoco debe olvidarse el hecho de que el refugio seguro de Portugal significó, para otros españoles, la oportunidad de sobrevivir al menos con cierta dignidad bajo circunstancias adversas. De sobrevivir para continuar la lucha al otro lado de la frontera, desde un lugar de asalto cercano. Portugal era un espectáculo secundario desde donde los actores y el público observaban con interés apasionado el espectáculo principal al otro lado de la frontera. Lo pintoresco de aquellos aspectos de la vida no relacionados con la policía hacían más agradable la supervivencia en Portugal. Aun para una comunidad de españoles un tanto sospechosos, el encanto de Portugal combinaba lo real y lo irreal. Un anuncio de turismo portugués para el «soleado» Estoril, en 1932, hablaba de «La tierra de la eterna primavera», «Paz y tranquilidad». Sugestivamente, teniendo en cuenta las intrigas españolas, advertimos que el anuncio concluye con una deliciosa provocación: «Todos los deportes». Aun a los a veces sospechosos españoles del gran país vecino, los portugueses les ofrecieron una sincera bienvenida. Acoger a tales exiliados y turistas era una experiencia nueva para los portugueses en los años treinta. Los esfuerzos por idear palabras de bienvenida a visitantes angloparlantes podían resultar cómicos. Un hotel en la región centro-norte de Portugal, buscando impresionar a los visitantes angloparlantes de aquella época, colocó un rótulo de bienvenida en inglés que tal vez haya hecho volver la cabeza a más de un español: el rótulo proclamaba con orgullo que los huéspedes eran bienvenidos a «*The shadiest place in Europe*».[13]

NOTAS

Parte del material de este trabajo apareció en otra forma en mi artículo «In the Service of Order: The Portuguese Political Police and the British, German and Spanish Intelligence, 1932-1945», *Journal of Contemporary History,* 18, 1 (enero 1983), pp. 1-26.

1. Sobre la participación portuguesa en el incidente de Badajoz del verano de 1936, véase Iva Delgado, *Portugal e a Guerra Civil de Espanha*, Mem Martins, Publicaçoes Europa-America, 1980, pp. 94-98, donde se relatan también otros incidentes en los que las autoridades portuguesas entregaron a las españolas refugiados políticos que buscaban asilo en Portugal.
2. Ministerio Do Interior (Portugal), *Polícia De Vigilância E Defesa Do Estado. Relátorio (1932 a 1938)*, Lisboa, 1939, pp. 6-8, y nota, p. 8.
3. Ralph Fox, *Portugal Now*, Londres, Lawrence and Wishart, 1937, p. 56.
4. Hotel Palacio Estoril, «Libro de Oro», ca. 1932, examinado personalmente por el autor, cortesía del gerente, Hotel Palacio. Entre los primeros huéspedes del hotel, cuando abrió sus puertas, se encontraba el príncipe Hirohito del Japón y su comitiva (sept. 1979, Estoril, Portugal).
5. Archivos de la PVDE/PIDE/DGS, Fuerte Caxias, Ala norte, «Processo Criminal n.º 90/42», 8 vols.; y el manuscrito inédito, John Henry Mockford, «Counter Espionage in Lusitania», ca. 1967-1968, texto escrito a máquina.
6. Fox, *op. cit.*, p. 38.
7. *Ibíd.*, p. 46.
8. Archivos de la PVDE/PIDE/DGS, Processo n.º 735-A-S.R., expediente de Gil Robles-Espanhol; carta de Robles al General Asencio, 1942 o 1943, sin fecha.
9. Documentos de febrero-marzo de 1944, en el archivo de Robles citado arriba.
10. Ramón Garriga, *Nicolás Franco, el hermano brujo*, Barcelona, Planeta, 1980, p. 63.
11. Archivos de PVDE/PIDE/DGS, expediente de Robles, 26 de octubre de 1944.
12. *Ibíd.* La orden que prohíbe a Robles el reingreso en Portugal fue fechada el 15 de junio de 1962, publicada en la gaceta de PIDE, *Ordem Do Servicio*, el 16 de junio de 1962; el expediente contiene información de una fuente que declara que el periódico francés *Sud-Ouest* informó sobre la conferencia de Robles del 13 de junio en Munich. El que pasara tan poco tiempo entre la controvertida conferencia de Robles y la orden de interdicto parece indicar que los portugueses actuaron con rapidez poco común y que el gobierno español vigilaba de cerca a Robles cuando éste salía de Portugal.
13. La frase resulta cómica por el doble significado de *shady*, «sombreado», pero también «turbio, sospechoso». De este modo, el rótulo podía leerse como «El lugar más sombreado de Europa» o «El lugar más turbio de Europa». *(N. del T.)*

HEMINGWAY
Y LA GUERRA CIVIL ESPAÑOLA

Cándido Pérez Gállego
(Universidad Complutense, Madrid)

No pretendo en absoluto, no soy un historiador sino un profesor de literatura, analizar las causas que determinaron la guerra civil española. Ya hay más de cien trabajos, y tal vez muy importantes, sobre el tema, y no deseo hacer juicios sobre aquella absurda y trágica contienda. No sé si se puede hacer esta premisa sin incurrir en un delito grave de amnesia ideológica. No quiero recordar lo ocurrido, no deseo hablar de los fusilamientos en mi misma familia, me niego a entrar en el nihilismo que produce el no comprender una situación y considerarla absurda. No quería tampoco entrar en el tema desde la doctrina del absurdo, invocando tanto a Kierkegaard como a Sartre o a Camus, sino desde un esquema mucho más complejo como es la relación entre una guerra y la escritura que produce, los vínculos entre una contienda y la narrativa que hacen unos escritores que se encuentran en ella. Hemingway estuvo luchando en España e hizo una especie de «novela de aventuras», sumamente valiosa, pero que hace pensar en un tema que me preocupa. ¿Cómo debe asumir el escritor el tema de la guerra? ¿Es lícito hacer una narración objetiva o debe desprestigiarla, tomarla a mofa? Mientras Tolstoi en *Guerra y paz* hace una versión cartesiana de los hechos, Joseph Heller en *Catch 22* propone la fuga como única razón consistente, y Celine en *Viaje al fin de la noche* esboza una versión borgiana de la existencia en el combate. Ejemplos del tema «guerra y literatura» se podrían proponer por doquier, y deberíamos citar *The Red Badge of Courage* (Stephen Crane), *Three Soldiers* (Dos Passos), *The Cannibal* (John Hawkes), *From Here to Eternity* (James Jones), sin olvidar, claro, *La Iliada* de Homero y hasta *La guerra de las galaxias*.

Pero tampoco debemos decir que la guerra civil española fue distinta. En efecto no era una guerra de Troya ni la guerra de los Cien Años. Por cierto, ejemplificadas las dos por Shakespeare en *Troilus and Cressida* y *Henry VI*. La contienda fratricida española fue el preámbulo al concepto de guerra universal y el Prof. Marichal así lo advirtió en una reciente conferencia el 9 de mayo de 1986, en Madrid, en la Sociedad General de Autores Españoles, y ese matiz cósmico hace que veamos en la imagen de Robert Jordan en *For Whom the Bell Tolls* un ejemplo de un nuevo héroe que en un país extranjero busca las raíces de las grandes tragedias que van a conmover el siglo XX. Los bombardeos de los aliados en *Slaughterhouse Five* de Vonnegut, las escenas de *The Naked and the Dead* de Mailer, y tantos otros ejemplos, surgen del ritual sagrado de la lucha del héroe americano frente a la montaña sagrada del Guadarrama, en esa patética confrontación entre franquistas y republicanos. Robert Jordan es un testigo muy importante del absurdo de nuestro tiempo.

En su magistral estudio sobre la retórica del autor —«Observations on the Style of Ernest Hemingway»—[1] descubre Harry Levin los rasgos definidores de su construcción narrativa. Insiste en la *prose of reality* donde lo concreto se alza sobre lo abstracto y donde la sinfonía de los *there was* y el *there were* y el verbo *to be* contribuyen a crear un mundo táctil, casi escultórico, donde la ideología no tiene su mejor cobijo. No estamos muy seguros de que el estilo del autor sea el mejor aliado para expresar una versión política de la realidad, sino antes para proyectar un panorama de novela de aventuras. El estilo de *L'espoir* de André Malraux es más barroco, versátil y «faulkneriano» que el que Robert Jordan utiliza para narrar sus recuerdos de tres días en el Guadarrama. Incluso sospecharíamos que la lucha de clases está reñida con la caligrafía. Hemingway en su crónica española consigue dar más datos de la situación psicológica del héroe que de la contienda. Hay una frase ya repetida cuando se habla de que no sabe qué tenía: no era miedo ni temor, era una nada que conocía demasiado bien y esa alusión sartriana complica las intenciones íntimas del texto, en esa «nada nuestra que estás en la nada, nada sea el tu hombre, venga a mí el tu nada». Jordan tiene, por tanto, una misión dual, «volar un puente», pero por otro lado trata de realizar ese viaje iniciático que le lleve a recuperar su *lost identity*. Es un nuevo «peregrino apasionado» de Henry James o un «inocente en el extranjero» de Mark Twain. Vive para comprender su pasado durante tres días y tres noches, como si se quisieran traer ecos de Sir Gawain en Bercelak. Ama a María, hija de un alcalde republicano, seducida por los falangistas y luego testigo de cómo a los padres los asesinan. María es la huérfana universal, pero el «mal» en esta crónica es Pilar, quien intenta interrumpir el idilio. Frente a esta fantasía de rencores el grupo de Agustín, Fernando, Rafael y Andrés tiene un sentido coreográfico y Pablo significa un contendiente para la maléfica Pilar. La obra transcurre desde un sábado hasta un martes y trata en definitiva de cómo un rebelde se integra en el patriotismo; pero tal juego mata, no se puede salir vivo de esa ceremonia de inmersión en la muerte. «Eros» y «Thanatos» conviven en un recinto atroz, donde los crímenes se suceden. Caporetto revive de nuevo.

Renace la muerte ya en el título del libro, esta piadosa alusión a John Donne donde se nos implica en el tañir moribundo de las campanas. La guerra civil española toca por ti, es un experimento universal y nadie puede olvidarlo y España misma ha sido elegida como «chivo expiatorio» para tal ceremonia, si seguimos con ideas de René Girard. Una novela donde la tensión metafísica del genial predicador londinense de San Pablo marca una pauta moral y donde el lenguaje de la decepción es el máximo argumento. Robert Jordan está más solo que Frederick Henry pero menos que Santiago, pero está en la tradición literaria americana de buscar la *red badge of courage* como hiciera Henry Fleming en la colosal novela de la guerra civil americana de Stephen Crane. Hay, pues, una intención de marcar el camino hacia el heroísmo, de buscar la guerra donde sea, para en ella realizar una ceremonia iniciática de sexo y sangre, un extraño bautismo ritual, del que el héroe salga fortalecido. María es la paz en la guerra, pero representa la muerte, como también la simbolizaba Catherine Barkley. Aquí no hay soldados buenos, cómplices, ni amigos como eran Rinaldi o Jim Conklin. La situación es de un caos demoledor donde un ángel americano pretende marcar una solución, eludir el satanismo de Pilar y tratar de ver en los compañeros una posibilidad de apoyo. En fin, Jordan vuela el puente, pero es herido y morirá, aunque antes de fallecer mata al teniente enemigo. Una obra de venganzas, donde la «Némesis» está vigente y da una imagen obsesiva: antes fue el Kilimanjaro, ahora es el río y el puente, visto desde una posición casi religiosa donde el americano se siente solo y abandonado de todos, como Santiago, y se enfrenta al único problema real que tuvo en su vida. Piensa cómo ha luchado por lo que ha creído, y hasta musita —«If we win we will win everywhere»— frase que parece sacada de otro sermonario de John Donne y que hace pensar que ha habido un método religioso para que el juego se convierta en verdad. Así es como llega al *memento mori* con técnicas de introspección que James Joyce en su jesuitismo mental vería con agrado. Un estricto ejercicio de «composición interior» frente a la muerte. Así es como llegamos al «monólogo interior» en una sinfonía de invocaciones a María como «fuente de vida» y en unas bellas reiteraciones muy rítmicas. No es una isla este pobre agonizante, sino que es parte de un mundo. Es «Everyman», y no un mero «Superman». Es la conciencia americana al descubrir un brutal espectáculo trágico. La tauromaquia sangrienta de la guerra civil española.

Apenas se abre *For Whom the Bell Tolls* divisamos un horizonte simbólico muy peculiar. Se descubre un río, en el fondo de un valle, y se añora la imagen de un puente. Esta dualidad de agua y vínculo tiene un carácter sagrado, tal y como René Girard sugeriría, y Robert surge como una figura mesiánica al que no le importa lo que ocurra a él mismo sino que vive abierto al exterior en un franciscanismo bondadoso. El mismo gesto con el que se abre y cierra la novela —de estar tumbado en el suelo boca abajo— tiene un aroma de aceptación de la tierra y hasta puede entenderse como un abrazo apasionado fallido a la tierra. Carlos Baker ve en esta obra ecos homéricos: «Like the *Illiad*, it may be seen as a study in doom. Madrid, like Troy, was fated to fall»,[2] pero tal vez Hemingway tuvo más cerca recuerdos del *Sebastopol* de Tolstoi, inspiración que, por cierto, ya utilizó en *A Farewell to Arms*. Cuando Malraux se enfrenta con la contienda fratricida en *L'espoir* lo hace desde unos postulados ideológicos más sólidos, como acercándose a un territorio donde Sartre instaurará las normas, un ámbito del «ser y la nada», un espacio de «náusea». No hay culto a Kierkegaard en Robert Jordan aunque debería existir, ya que vive el absurdo en un grado mucho mayor que lo hace Frederick Henry en *A Farewell to Arms*, y no es casual que *The Sun Also Rises* termine en la estación de Príncipe Pío de Madrid —entonces Estación del Norte— lugar donde comienza *L'espoir*. Hay un peligro en hacer de Hemingway un escritor intelectual, ya que Tolstoi es su maestro y en cambio Faulkner elegirá a Dostoyevski, seguirá más de cerca los ecos de Poe y Kafka que el autor de Oak Park. Hemingway desdeña lo intelectual hasta el punto de que jamás intentará hacer de verdad una «pintura negra» de la contienda española, sino una versión impresionista desde una protección de intuiciones sumamente sutiles que parecen añadir un clima de objetividad mucho mayor que el que en realidad tiene. Como si debiéramos ahora invocar de nuevo a Derrida cuando señala: «La escritura como parricidio simbólico, la escritura es la ausencia del padre», idea que haría ver a Robert Jordan —el hijo de un suicida, como el propio Hemingway— buscando la tierra prometida, sin conseguirla, en un mundo que también reclama el autor de *La diseminación* al sugerir «El dios de la escritura es el dios de la muerte». Las campanas suenan por la literatura, por la creación narrativa.

En su *Anatomy of Criticism* estudia Northrop Frye la ceremonia de «anagnórisis» o ritual de conquistar la verdad y advierte cómo en la novela se paga con la muerte. Robert Jordan llega a su última tautología, a su Kilimanjaro-Guadarrama y allí realiza su «ascesis». Se pone de parte de W.H. Auden, Christopher Caldwell o Daniel Bell. Su nombre se inscribe en el de las «Brigadas Lincoln» que vigilan estos «cementerios bajo la luna». Se alinea al lado de John Dos Passos, George Orwell o Stephen Spender. Se aleja del bando de los rebeldes e instaura él mismo una nueva forma de enfrentarse con la realidad. Jordan debería haber matado al cobarde Pablo, mas no lo hace, de la misma forma que Ishmael debía haber acabado con el Capitán Ahab. Pero España no es un «Pequod» aunque se esté hundiendo en sus «desastres de la guerra», y así es como con un método de culto a las sensaciones se construye la más íntima y veraz versión de la realidad. La afirmación «The night was clear» no es un fragmento de Wallace Stevens sino la advertencia de que por encima de la «Némesis» está el «logos» y hay una exaltación de la naturaleza en este laberinto donde toda esperanza ha desaparecido. Hay un intento de hacer de todo aquello un Walden, incluso una Arcadia y con ese método se puede llegar a la nada, a las «Hills like White Elephants», que será el título de un inolvidable relato donde un ambiente de sofocante tristeza pone punto final a una despedida, o en «The Old Man at the Bridge» donde un anciano se niega a huir en el fragor del combate. Este es el mundo que el autor amaba unido a una «tauromaquia» que le apasionaba y que deja ocasión a un estilo a veces seco y sangriento como el que apreciamos en «Tuna Fishing in Spain», aparecido en el *Toronto Star* el 18 de febrero de 1922; y así va construyendo un mundo en gozoso equilibrio donde parece resonar siempre el culto al detalle y la exaltación al instante que se han convertido en pautas básicas de su estilo. Robert Jordan es tildado de romántico, y realmente llama a María «conejito», pero su mochila está llena de explosivos, y cuando cruza un barranco se ve como un Tarzán condenado a vivir en una selva mortal, aunque él piensa de sí mismo que no sirve para nada. Es un héroe de gran vulnerabilidad que se arrastra herido en el último momento de su vida cuando alcanza la plenitud moral. Esta sinfonía de contradicciones sería el «poema madre» que dice Harold Bloom, el texto que no equivale a la superación de la angustia sino que es la misma angustia. Robert Jordan es uno de los primeros héroes neuróticos de la moderna narrativa norteamericana: no sabe quién es, y busca una especie de valentía interior, un patriotismo tan absurdo como el que se ve en algunas novelas de Saul Bellow, Richard Brautigan o John Hawkes.

Esta tensión de lo narrativo en el terreno de lo histórico

hace que consideremos la actitud del autor en nuestra guerra como un desafío a Nietzsche cuando dice que la verdad es un tormento absoluto. Hay una frase muy significativa cuando Robert le dice a Pilar que su padre se suicidó, como el de Nick Adams, por cierto, y ella le pregunta: «To avoid being tortured?» a lo que él tiene una respuesta genial: «Yes. To avoid being tortured». Esta ambigüedad indica cómo toda la obra tiene algo de búsqueda de un padre y cómo Philip Rawlings, el héroe de *The Fifth Column*, puede ser una clave para valorar mejor esta situación de espionaje mental. Dorothy quiere cambiarle y casarse con él y esta dualidad no debemos, en absoluto, aproximarla a las palabras de Renata y el viejo Coronel, ni sería el lema de la *Divina Comedia*, «Lasciate ogni speranza, voi ch'entrate», que nos une a Virgilio y Beatriz, puesto que es un nuevo Nick Adams viviendo en una total desolación y las setenta horas que dura la novela española hace pensar que estamos ante una experiencia mística, donde la madre de María, una ferviente católica muy estricta, marca pautas duras de comportamiento mientras que Robert descubre la «obscenidad» de términos como gloria, honor, valor, coraje. Ese juego semántico le trajo disgustos y la revista izquierdista *New Masses* dijo que Hemingway había escrito una novela sobre España sin españoles, y este ataque haría pensar que la crítica insinuaba que había fracasado en la pintura del mundo español; que, por ejemplo, en *The Sun Also Rises* o *Death in the Afternoon* ese mundo estaría mejor conseguido, de tal modo que la nostalgia que el autor mostraba al narrar *A Farewell to Arms* habría sido limitada en esta amarga crónica española. Todo sería un recuerdo lejano, pero Platón dice que todo conocimiento es una reminiscencia, una «anamnesis» y Hemingway se inscribe en esta pauta nostálgica de acciones infinitas y móviles cósmicos donde no se sabe exactamente qué es lo que se pretende. En otra ocasión Dorothy Bridge ha dicho «tell me about the horror» y esa expresión parece corroborarse con las que veremos en muchas páginas de *By-Line*. Meditemos cómo se repiten los ecos de *Death in the Afternoon* escrita ocho años antes que la historia de Robert Jordan. El padre vigila y padre puede ser —ironizamos a Freud— todo lo que se une a lo que está prohibido. Y en este texto no es posible encontrar una explicación de la vida y por ello seguiríamos con Zaratustra, «si hubiese dioses yo sería uno de ellos», para continuar «Dios ha muerto. Ahora queremos que viva el superhombre». Pero Robert Jordan no es un héroe cósmico. No vive una epopeya.

El tema se rebela contra la escritura. Robert es visto en tercera persona y con frecuencia se le pinta arrodillado en la tierra española en una actitud ritual que Gilbert Durand entendería como de adoración de la tierra. La «praxis» se centra en sus gestos, en sus respuestas a un mundo concreto donde se intentan crear valores morales que haría pensar cuando Lukács habla de cómo en la novela «el idealismo abstracto se transforma en novela» y con esta consigna debemos aceptar que, por ejemplo, al arrancar el capítulo XXI, tengamos el más delicado aroma de *Walden* con la llegada de María, mientras que en el XXXI los pechos de la muchacha son como dos colinas que se abren en una llanura. Esta construcción femenina del paisaje señala un mundo de autocrítica que hace reconocer a Robert sus errores, y que vive bajo una especie de «monólogo interior» mucho más estricto que el que acompañaba en su fuga a Frederick Henry, pues este héroe quiere huir mientras que el que hoy nos ocupa busca una suprema verdad, tiene algo de Prometeo, de Nietzsche. Con ello accederíamos a un punto donde la imagen total del lenguaje del texto debería ser una respuesta de todo lo que ocurre en la contienda. Incluso nos atreveríamos a sugerir que habría una equivalencia entre niveles dispersos muy clara pues la estructura de la obra literaria es la estructura social y la estructura de la obra literaria es la estructura del subconsciente, así como la estructura del lenguaje es la estructura del subconsciente. No querríamos oponer Goldmann a Lacan pero sí tenemos que descubrir un mundo lleno de terror que va derivando hacia un extraño romanticismo. En el capítulo XX Robert espera que llegue la muchacha y todo es pacífico y bello, tumbado en el monte, excepto el contacto frío y metálico de la pistola y este rasgo fálico añade un dato real a una mitología proteica donde el héroe se mueve y así es como se configura un orden de equivalencia entre lo deseado y lo hecho. María y Pilar son las dos contendientes en esta «Danza de la muerte» que rodea al héroe en una convulsiva sensación de destrucción absoluta, como si se pretendiera pensar con el genial Stendhal al afirmar «todo lo que imagino, existe», de tal forma que hay en *For Whom the Bell Tolls* una extraña caligrafía de la realidad llena de matices amargos que no acaban de ser hitos definidores de la conducta del héroe. Hemingway aparece en las páginas del texto como cuando dice Maurice Blanchot que Ulises y Homero son una misma persona. Por eso Ángel Capellán sugiere que en esta novela se intenta contrastar diversas actitudes ante la muerte como hizo Unamuno en *Paz en la guerra, Niebla* y *Abel Sánchez*[3] y esta idea haría que descubriésemos ecos teológicos en una obra política. El «quijotismo» que la obra suscita hace que pensemos como Philip Young, quien señala cómo «In *For Whom the Bell Tolls* there is a subterranean struggle between his wish to live and the old obsession with death»,[4] motivo que haría pensar en un Robert Jordan buscando explicaciones morales en plena contienda y hasta recordando la consigna dc Sófocles en *Edipo Rey*, «Matarás a tu padre, casarás a tu madre». La novela es un auténtico *memento mori*. El *ghost* del padre y de la madre están latentes en algún lugar escondido. El idilio de Robert con María está condenado a muerte, como toda esperanza escondida en *The Fifth Column,* y así es como la obra se convierte en cántico del amor perdido recogiendo lamentos de *La Odisea*: «¿Por qué me huyes si voy a abrazarte, si en el Hades al menos, en brazos el uno del otro saciaríamos juntos nuestro triste llanto?». Frente a esta consigna se alza el *stop thinking* con el que Robert Jordan detiene su romanticismo y se abre hacia el penoso panorama de una realidad ultrajada. Antes fueron Catherine y Frederick quienes marcaban la soledad y la imagen amarga del hundimiento total.

La contienda que pinta Hemingway se inscribe en una apoteosis de la lucha del hombre con la adversidad. Robert se comporta como un héroe anónimo que actúa de modo «hegeliano» al buscar la verdad desde los actos. Es el amo de su destino pero también la víctima de esa decisión y cuando en La Habana escribe parte de *For Whom the Bell Tolls* está construyendo una teoría de la distancia con el motivo narrativo que después lo mismo imitarán García Márquez como Cortázar. No es sólo el método expresivo de la «King

James Version» de la *Biblia* sino una cuidada sinfonía de matices que se van entremezclando para dejar la constancia abierta de la realidad de tal forma, y esto es ya un tópico, que los cuentos son siempre la base de sus narraciones largas. Se consigue así una sinécdoque de la realidad tomando la decisión de entrar en el combate mientras que Frederick prefirió huir. Esta es la distancia que separa las dos mayores novelas bélicas de nuestro autor. Bien y mal compiten en una amarga «*Morality*» donde lo angelical y lo satánico hacen compañía a una imagen de la revolución que no convence por su solidez sino que parece una mera expresión del absurdo humano. No iremos tan lejos de afirmar, como Carlos Baker, que Pablo sea Judas, o que el general ruso Golz sea Laoconte, ni tampoco que los tres aviones nacionales que vuelan sobre ellos sean como las tres hermanas fantasmales. Esa simbología, tan atractiva a veces, llevaría a una mitología excesiva del texto pero, no obstante, la obra está inserta en un orden alegórico que tampoco se debe soslayar, y denominar a Pilar la «bruja circeana» significa remitir su conducta a la de Lady Brett y pensar que Hemingway admirase a Ovidio. En todo caso creo que hasta se podría sacar una clave semántica del río. Robert Jordan, que es el eje del texto, simboliza el bautismo del inocente o, si seguimos a René Girard, la inmolación del chivo expiatorio. E incluso datos como la mención del abuelo de Jordan luchando en la Guerra de Secesión tienen un valor enorme si admitimos que toda su existencia es repetir el suicidio del padre. María inocente y violada es el *exemplum* de un orden por restituir y ella propone la creación de un nuevo futuro para sus vidas, alejados de la montaña, con lo cual rompe con las cláusulas próximas a Peer Gynt que antes habíamos esbozado.

Interesa que veamos la actitud del autor frente a la guerra. El criterio de bien y mal se establece pronto en la mente de Robert Jordan e impregna toda la estructura del texto y el juego con la ética del «inglés» inunda una obra que hace de la coreografía moral un motivo de reflexión continua. En el capítulo VI el *ghost* del padre surge del infinito y «Don Roberts» —así se le denomina un momento— deberá asumir su destino. La «Némesis» rodea el mundo retórico de Hemingway a quien se le hace una atinada definición de su «praxis» —«un místico con la política»— como si se buscara una visión hegeliana de la relación del hombre con la verdad. Allí brota el tema del padre de Robert y queda, por unos momentos, encubierto, como si fuera un secreto imposible de desvelar. En el capítulo XVIII el héroe habla de la rueda de la fortuna, pero en el XXX se reconoce el valor de ese profesor de español de la Universidad de Montana que está alcanzando cimas de heroísmo y recordando la pistola del abuelo como un símbolo del heroísmo lejano; y con esa misma arma es con la que se mató el padre. Este tema es quizá el centro del texto. Un suicidio que conmociona la actitud moral de un americano en España.

Para María la sexualidad es «la gloria» y frente a esa plenitud pasajera se alza la imagen de Pilar como inductora de ese idilio y dominadora de la sexualidad del momento. Robert Jordan había conocido ya España durante diez años y sin embargo ahora es cuando el patético clarín de la gloria y el honor de la muerte le llama, como muy pronto le ocurrirá al coronel Cantwell en una obra próxima. Estas son las *Green Hills of Spain* que devuelven al autor su propia intimidad y donde resuenan los lejanos ecos del *Kansas City Star* y del *Toronto Star* al fundirse la objetividad con la toma de conciencia. Se ha avanzado mucho desde que Hemingway en *A Farewell to Arms* impuso los códigos de sexo y honor en la guerra, y por tanto lo que ocurra junto al Guadarrama es como el símbolo de una repetición de aquel paradigma que nunca más olvidará.[5]

Vuelve a aparecer el deseo del viaje, como el propio argumento sugiere, al lugar deseado de paz y tranquilidad donde pueda renacer la esperanza. En otra ocasión será Venecia el marco estético, lo que supone la conjugación de la belleza-mujer con la pasión-entorno, confirmando la íntima vinculación de los personajes al paisaje. Venecia, lugar de encuentro de la sensualidad, prisión intangible y por último punto sin retorno posible, recuerda vivamente esa *Muerte en Venecia* de Thomas Mann. Espacio mágico de cumplimiento de nuestros sueños con la única limitación de que no podremos, una vez realizadas nuestras fantasías, prolongarlas todo el tiempo que quisiéramos. El coronel sabe que el tiempo del que dispone no puede prolongarse más, como le ocurre a Robert

Jordan, a quien el entorno le empuja a tomar decisiones heroicas. El dramatismo de la historia de amor se funde con el fatalismo del soldado que vuelve al lugar donde fue herido, para sucumbir en una muerte ritual tras haber vivido la ilusión de recuperar la juventud y la esperanza. El espejismo desaparece y la belleza reclama otro sacrificio sangriento, se cobra otra víctima: Gustavo von Aschenbach o el coronel Cantwell. Tadzio o Renata son sus siervos.

El afán de Hemingway por destacar lo accesorio, de centrarse en los sucesos minúsculos, genera una particular relación del héroe con el paisaje que puede recordar en ocasiones a Walden o a Robinson Crusoe. Se llega así a producir una mímesis hombre-naturaleza donde el destino del primero se verá inexcusablemente ligado al movimiento del segundo. La naturaleza adquiere en *The Old Man and the Sea* un protagonismo incluso mayor del que tuvo para el mismo Melville. En el diálogo del viejo con el mar y sus criaturas vemos una asimilación completa, incondicional, una absorción total del viejo por el medio natural: los peces son sus hermanos, «la mar» un personaje femenino de características generosamente humanizadas. O al revés, un viejo casi completamente «naturalizado». Manolín parece ser el único vínculo de unión, el último lazo con el resto de la humanidad, el hijo deseado. Se entiende ahora por qué el diálogo ha de ser breve y sencillo. Para no romper una unidad textual orientada a conseguir una tensión máxima a través de «hechos dispares y minúsculos» observados con profunda reverencia. Hay en Hemingway un intento consciente de quitar a la literatura la mayor cantidad de ficción posible, de construir biografías que acaban adquiriendo autonomía y reclamando una libertad que ansían y un pasado que les pertenece.

La valoración que el héroe hace de la realidad es inmediata y fugaz. Se sabe sujeto a la sucesión de pequeños hechos cotidianos que le van marcando la pauta de actuación, como Harry Levin advierte. Actúa en completa soledad y en las escasas ocasiones en que se detiene dentro de esa actividad constante surge la nostalgia reclamando su lugar en el presente en forma de *Recherche du temps perdu* que necesita hacer oír su voz. Harry, «el héroe agónico», idealiza el pasado grandioso, sin heridas, cuando se podía vivir en París o en la Selva Negra. Son instantes fugaces que un hombre se puede permitir durante su agonía o en momentos en que la nostalgia irrumpe sin permiso. La nada asoma como respuesta que aparecía en «A Clean Well-Lighted Place» en 1933 y prepara la soledad del héroe en el Kilimanjaro o la aniquilación moral del patriotismo en Robert Jordan, quien con su «sentimiento trágico de la vida» abre caminos al *nonsense* de la ficción de guerra posterior. Incluso alegaríamos que se encuentra a mitad de camino de Henry Fleming y Yossarian, con un «quijotismo» íntimo y secreto, alejándose de la versión de *Rosinante* que Dos Passos insinuaba. Arturo Barea no contribuyó demasiado a dilucidar este punto y se equivocó en que Pablo o Pilar fueran andaluces cuando en realidad son abulenses. Sin embargo aquélla es el ejemplo vivo de una España misteriosa, frente a la ingenuidad infantil de María que desde el sexo adquiere una visión mítica de la realidad, como le ocurre a Catherine Barkley. Y ese mismo simbolismo lleva a un nihilismo en cuanto a la conducta posterior de estas heroínas: Catherine no tiene la menor relación con Brett ni con Renata, ni mucho menos con Margot Macomber. Son mujeres que tienen distinta función en relación con la llegada al «hogar», ese dato simbólico que ya Carlos Baker ve como revelador en 1972: la montaña opuesta a la llanura, motivo que lo mismo remite al Zaratustra de Nietzsche como al Brand de Ibsen, y en ese sentido las montañas suizas serían un paraíso de muy distinto signo que el Guadarrama. Esta visión crítica tiene sus peligros al no poder aproximar debidamente Kilimanjaro-Guadarrama y tener que valorar la muerte de Robert Jordan en un lugar ambiguo que a la vez es plenitud y caos, honor y destrucción. En todo caso el puente semántico ha desaparecido y estamos ante una metáfora demasiado obvia como para ser la base real de un texto. Estos datos crearían la posibilidad de construir un orden alegórico en Hemingway muy distinto del que expone, por ejemplo, Faulkner, quien en *A Fable* construye una visión de la realidad mucho más abstracta y con unas intenciones morales mucho más difíciles de discernir. Hemingway no buscaba una visión religiosa de la guerra civil española —el título es falso— ni tenía intención alguna de hacer de Robert Jordan una figura de orden ni un héroe mesianista. No es fácil saber cuáles eran las últimas intenciones que escondía al acercarse a Jordan y la crítica ha dado diversas respuestas a este problema. En todo caso la actitud de Frederick Henry tiene menos sello de patriotismo que la del joven de Montana que se acerca a España para quedar al final atrapado por su cultura e historia. Por eso puede hablarse de *Bildungsroman* y de «novela iniciática».

No es por tanto la obra de Hemingway sólo peligro y situación límite. Es también «idilio con el pasado». Un pasado que reclama con fuerza su sitio en este belicoso presente. Es el momento de tregua, de calma necesaria para morir en paz o para continuar la lucha. La temática exige argumentos, la historia reclama tensión dramática. Los héroes son los soportes de esta necesidad. Tanto en Robert Jordan como en el coronel Cantwell hay un cierto aire de fatalismo. En sus diálogos un signo ineludible de destrucción. Los tiburones nos recuerdan que estamos en un mundo en el que hay que estar vigilantes y al acecho. Con Frederick y Catherine, Robert y María, el riesgo de caer en el melodrama es continuo. El tópico y el lugar común pueden estar a la vuelta de la página. Hemingway resuelve la situación intensificando el ritmo de la acción exterior, entregando a sus héroes a un fatalismo mortal y dando a esas vidas un contenido trascendental. Como con Romeo y Julieta, había que cerrar el ciclo. Había que evitar que «esa nada que conocía demasiado bien» acabara por hacerse dueña del relato, ahogándolo.

Hay en Hemingway una búsqueda semántica del hogar. Cualquier lugar puede ser patria, Abruzo, Caporetto, el Kilimanjaro. El exilio y el viaje se convierten en un anhelo de cobijo, de encontrar lo perdido: un sitio donde el héroe deja de sentirse solo. Aquí no encontramos relación con los realistas sino con los expatriados, Henry James y T.S. Eliot, que abandonaron América para encontrar una Europa. Hemingway en España descubrió su más íntima personalidad y supo hacer de su acción una pauta creativa. Las campanas no cabe duda que tañían por él y por su enorme capacidad narradora.

NOTAS

1. Harry Levin, «Observations on the Style of Ernest Hemingway», en *Contexts of Cristicism,* Nueva York, Atheum, 1963, pp. 140-167. Apareció previamente en *The Kenyon Review,* 13, n.º 4, otoño 1951.

2. Carlos Baker, *Hemingway. The Writer as Artist,* Princeton, Nueva Jersey, Princeton University Press, 1967, p. 250.

3. Ángel Capellán, *Hemingway and the Hispanic World,* Ann Arbor, Michigan, UMI Research Press, 1985, p. 177. Consúltese la crítica que hemos hecho a este valioso trabajo: «España y Hemingway» por Cándido Pérez Gállego, *Heraldo de Aragón* (Zaragoza), 12 junio 1986.

4. Philip Young, *Ernest Hemingway. A Reconsideration,* Londres, The Pennsylvania State University Press, 1966, p. 107.

5. Véase el importante estudio *Hemingway's First War. The Making of «A Farewell to Arms»,* Michael S. Reynolds, Princeton, Nueva Jersey, Princeton University Press, 1976, p. 309.

AUTORES

IRIS M. ZAVALA enseñó en varias universidades americanas, y en la actualidad ejerce su magisterio en la Rijksuniversiteit Utrech. Además de ejercer la crítica literaria, con 21 libros publicados, y artículos y libros traducidos al inglés y francés, ha escrito cuatro libros de poesía y uno antológico, *Que nadie muera sin amar el mar,* y dos novelas: *Kiliagonía* (traducida al inglés y al servocroata) y *Nocturna mas no funesta* (1987). En la actualidad trabaja en su tercera novela *El libro de Apolonia o de las Islas.* Su investigación se viene ocupando de: Unamuno, Valle-Inclán, Darío, el fin de siglo, el modernismo y post-modernismo, la teoría literaria, el socialismo utópico, ideología y novela, romanticismo, siglo XIX, la narrativa del siglo XVIII, clandestinidad y literatura.

ANTONIO CARREÑO, profesor de Brown University, obtuvo el premio «Ramón Menéndez Pidal» de la Real Academia Española en 1977 y fue becado en 1981 en el Centro de Estudios avanzados de la Universidad de Illinois, y en 1983 y 1984 por las fundaciones Fulbright y Simon Guggenheim. Autor de *El romancero lírico de Lope de Vega* y *La dialéctica de la identidad en la poesía contemporánea: la persona, la máscara,* y editor de los *Romances* de Góngora, ha publicado numerosos artículos sobre literatura gallega (Rosalía de Castro, Eduardo Blanco Amor, Celso Emilio Ferreiro) e hispanoamérica. Tiene en prensa una edición de *Los pastores de Belén* de Lope de Vega.

CARLOS FEAL DEIBE es profesor de la State University of New York (Buffalo). Autor de *La poesía de Pedro Salinas, Eros y Lorca, Unamuno: el otro y don Juan,* su última obra publicada es *En nombre de don Juan: estructura de un mito literario*.

MICHAEL A. WEINSTEIN, especialista en filosofías contemporáneas de la vida y la existencia, enseña en Purdue University. Entre sus obras se encuentran *The Polarity of Mexican Thought: Instrumentalism and Finalism* (una historia de la filosofía mexicana del siglo XX), *Unity and Variety in the Philosophy of Samuel Alexander* y *Culture Critique: Fernand Dumont and the New Quebec Sociology*. Ha sido becado por la fundación Guggenheim y por la Fundación Rockefeller.

WALTER GLANNON, profesor de Smith College, se interesa por problemas filosóficos de la literatura española y por la teoría de la ficción. Autor de trabajos sobre *El licenciado Vidriera, Misericordia, San Manuel Bueno, mártir,* Wittgestein y temas de teoría literaria, en estos momentos está trabajando en un libro sobre psicología y ética en Unamuno.

GONZALO SOBEJANO ha enseñado en universidades alemanas entre 1951 y 1963. Profesor en universidades norteamericanas desde 1963 hasta el presente, en la actualidad enseña en Columbia University (Nueva York). Ha publicado numerosos trabajos sobre temas del siglo XVII (picaresca, la poesía de Quevedo y de Lope de Vega, Gracián) y de los siglos XIX y XX (Galdós, Leopoldo Alas, J.O. Picón, poesía de las generaciones del 27 y del 50). Autor, entre otras obras, de *Nietzsche en España* y *Novela española de nuestro tiempo* (Premio Nacional de Literatura) y de una cuidadosa edición de *La Regenta,* ha publicado recientemente *Clarín en su obra ejemplar*.

VIRGINIA A. GARLITZ es profesora de Plymouth State College y se especializa en el ocultismo en la literatura, el modernismo, la literatura chicana, la novela hispanoamericana y la poesía barroca. Además de sus investigaciones sobre Roso de Luna, Rafael Urbano y Rodolfo Anaya ha dedicado especial atención a *La lámpara maravillosa* de Valle-Inclán, obra sobre la que ha publicado varios artículos.

CAROL MAIER enseña en Bradley University. Autora de varios ensayos sobre Valle-Inclán, aparecidos, entre otros lugares, en *Genio y virtuosismo de Valle-Inclán,* (ed. John Gabrielle), *Symposium, Boletín del Museo de Pontevedra* e *Hispania.* Ha traducido *Escrito sobre un cuerpo (Written on a Body)* de Severo Sarduy, poemas de Octavio Armand y Ana Castillo, y un cuento de Carmen Martín Gaite. En la actualidad prepara un libro sobre *La lámpara maravillosa* de Valle-Inclán.

LUIS GONZÁLEZ DEL VALLE es Jefe del Departamento de Literatura Española de la Universidad de Colorado (Boulder) y editor de *Anales de la literatura española contemporánea* y de *Siglo XX/20 th Century.* Autor de trabajos sobre Ramón Hernández, Carlos Fuentes, Lope de Vega, Tirso, Delibes, Cela, Grau, Machado y otros autores, entre sus obras figuran *El teatro de Federico García Lorca y otros ensayos* y *Novela española contemporánea: Cela, Delibes, Romero y Hernández* (en colaboración con Vicente Cabrera). Acaba de finalizar un libro sobre la ficción breve de Valle-Inclán.

LEDA SCHIAVO, ex investigadora del Instituto de Filología de la Facultad de Filosofía y Letras de la Universidad de Buenos Aires, y actualmente profesora de la Universidad de Illinois (Chicago), ha publicado trabajos sobre prosa argentina del siglo XIX (Vicente Fidel López y Lucio V. López), Juan Goytisolo y Cortázar, entre otros. Autora de una antología de Lugones, de *Prosa argentina del siglo XIX* (en colaboración con Graciela Reyes) y de *Historia y novela en Valle-Inclán: para leer «El ruedo ibérico»,* ha editado también *La mujer española y otros artículos feministas* de doña Emilia Pardo Bazán.

ÁNGEL G. LOUREIRO es profesor de la Universidad de Massachusetts. Especializado en temas de literatura española de los siglos XIX y XX, ha publicado también artículos sobre Lope de Vega, Quevedo y teoría literaria. Acaba de finalizar

Mentira y seducción: La «trilogía fantástica» de Torrente Ballester y prepara un libro sobre la autobiografía en la España moderna.

Luis Fernández-Cifuentes se licenció en la Universidad Complutense de Madrid y se doctoró por la Universidad de Princeton (EUA), donde enseña en la actualidad. Ha publicado artículos sobre Torres Villarroel, Galdós, Unamuno, Ortega, César Vallejo y otros autores, y los libros *Teoría y mercado de la novela en España: del 98 a la República* y *García Lorca en el teatro: la norma y la diferencia.*

Linda Materna obtuvo su doctorado en la Universidad de Wisconsin, y enseña en Trenton State University. Ha publicado sobre el teatro de Salinas y dado varias conferencias sobre el de García Lorca. En la actualidad está realizando investigaciones sobre el teatro de Alberti, y prepara una reinterpretación feminista del teatro español desde el neoclasicismo hasta el siglo XX.

John Walsh, profesor de literatura y lingüística medievales en la Universidad de Berkeley, es autor de un estudio y edición de *El libro de los doce sabios* y co-editor de la *Vida de Santa María Egipcíaca.* Además de sus numerosos trabajos sobre *El libro del buen amor, El poema del Cid,* Berceo y temas de hagiografía española, es también un experto en García Lorca, sobre quien ha publicado varios artículos y de quien ha traducido sus sonetos y otros poemas.

Christopher Maurer es profesor de la Universidad de Harvard. Especializado en la poesía española de los siglos XVI, XVII y XX, ha editado el *Epistolario* y las *Conferencias* de García Lorca. Su libro *Vida y obra de Francisco de Figueroa «El divino»* acaba de aparecer.

Félix Grande, poeta, narrador y ensayista, ha publicado recientemente su *Poesía completa (1958-1984)* en Editorial Anthropos, editorial en la que también apareció su obra narrativa *Lugar siniestro este mundo, caballeros.* Director de *Cuadernos Hispanoamericanos,* su última obra de crítica es

Once artistas y un dios: ensayos sobre literatura hispanoamericana, y de ensayo, *La calumnia (De cómo a Luis Rosales por defender a Federico García Lorca, lo persiguieron hasta la muerte).*

SUZANNE BYRD, profesora del College of Charleston, ha hecho numerosas investigaciones sobre temas historiográficos, de las que son fruto *«La Barraca» and the Spanish Theater* y *La «Fuente Ovejuna» de García Lorca,* en la que reconstruye la adaptación que hizo Lorca de la *Fuente Ovejuna* de Lope de Vega. También han aparecido varios artículos suyos en *Américas,* publicación de la OEA.

JAVIER TUSELL, profesor de la Universidad Nacional de Educación a Distancia, ex director general de Promoción Escolar y Bellas Artes, Archivos y Bibliotecas, y actualmente presidente del Comité español para el estudio de la II guerra mundial. Ha trabajado sobre historia política del siglo XX español: elecciones, partidos políticos. Su último libro, *Radiografía de un golpe de Estado* (1987), trata acerca de la llegada al poder del general Primo de Rivera.

MARTHA ACKELSBERG es profesora del Departamento de Gobierno del Smith College. Ha escrito numerosos trabajos sobre el colectivo «Mujeres Libres», las mujeres en la revolución española, el activismo político de la mujer y la política de la «familia». Está a punto de finalizar un libro, *Strong is what We Make Each Other: Vision and Strategy in «Mujeres Libres»*, el cual aparecerá en Indiana University Press. Ha sido becaria del Mary Ingraham Bunting Institute de Radcliffe College y del Center for European Studies de Harvard University (1987-1988), y profesora visitante del Institute for Research on Women and Gender de Columbia University (1977-1978).

MYRNA BREITBART, doctora por Clark University, es profesora del departamento de Geografía y Estudios Urbanos de Hampshire College. Se especializa en conflictos sociales urbanos, alternativas para el desarrollo de la comunidad, y en los efectos del medio ambiente sobre las relaciones raciales, de clase y entre los sexos. Entre sus publicaciones figuran trabajos sobre Kropotkin, los colectivos agrarios españoles (en colaboración con Dolores García Ramón) y la descentralización anarquista en la España rural entre 1936 y 1939. Ha sido invitada a editar números especiales sobre la mujer en la revista *Workplace Democracy* (1983), y sobre la mujer y el medio ambiente en *Antipode: A Radical Journal of Geography* (1984).

DOUGLAS L. WHEELER es profesor de historia en la Universidad de New Hampshire. Ha publicado artículos en *Race, Foreign Affairs, History Today, Intelligence Quarterly* y el *International Herald Tribune,* entre otros lugares. Es autor de *Angola, Republican Portugal, In Search of Modern Portugal* (en colaboración con L. Graham), y prepara un libro sobre la II guerra mundial en Portugal, *Safe House,* y una historia del espionaje, *Spies in Time.*

CÁNDIDO PÉREZ GÁLLEGO es director del Departamento de Lengua y Literatura Inglesa y Norteamericana de la Universidad Complutense de Madrid, fundador del Centro de Análisis de lecturas, secretario general de la Fundación Shakespeare, y miembro de la Matthiessen Room de la Universidad de Harvard. Ha publicado una veintena de libros sobre diversos temas de teoría de la literatura, y literatura inglesa y norteamericana, destacando entre ellos *Circuitos narrativos* (1975), *Psicosemiótica* (1982), *James Joyce* e *Historia de la literatura norteamericana* (1987). En la actualidad investiga sobre el sistema dialogal en novela, y está preparando un ensayo sobre Ibsen. Ha pronunciado conferencias en más de doce universidades extranjeras, entre ellas Utrecht, Copenhague y Trieste. Ha escrito críticas literarias en *El País, Heraldo de Aragón, Ínsula* y *Cuadernos Hispanoamericanos.*

ÍNDICE